D0987701

EDITIONS MONTCHRESTIEN
158-160, rue St-Jacques, 75005 Paris
Dépôt légal - 4e trim. 1977 - N° 738

IMPRIMERIE BOSC FRERES
42, quai Gailleton, 69002 Lyon
Dépôt légal - 4e trim. 1977 - N° 6787

RELATIONS INTERNATIONALES

COLLECTION « UNIVERSITE NOUVELLE »

dirigée par M. Albert BRIMO

Professeur à l'Université de Droit, d'Economie et de Sciences Sociales de Paris

PRECIS DOMAT

Ouvrages parus :

INSTITUTIONS ET PUBLICS DES MOYENS D'INFORMATION. PRESSE - Radiodiffusion - Télévision. — Francis BALLE.

LES MÉTHODES DES SCIENCES SOCIALES. — Albert BRIMO.

SCIENCE ADMINISTRATIVE. Conscience et Pouvoir. — Robert CATHERINE et Guy THUILLIER.

HISTOIRE ÉCONOMIQUE ET SOCIALE CONTEMPORAINE. — Maurice FLAMANT.

HISTOIRE DU DROIT ET DES INSTITUTIONS. — T. I (Le Pouvoir des Temps féodaux à la Révolution). — Francis GARRISSON.

LES INSTITUTIONS DE L'ANTIQUITÉ. — Jean GAUDEMET.

FINANCES PUBLIQUES. T. I, 3e éd. (Politique financière. Budget et Trésor). — Paul Marie GAUDEMET.

FINANCES PUBLIQUES. T. II, 2e éd. (Emprunt et Impôt). — Paul Marie GAUDEMET.

RELATIONS INTERNATIONALES, 2e éd. — Pierre-François GONIDEC.

DROIT DES AFFAIRES. T. I., 2e éd. (Le particularisme du Droit des Affaires. Le statut général des commerçants). — François GORÉ.

DROIT DES AFFAIRES. T. II (Structures juridiques de l'Entreprise. Sociétés. Groupements d'Entreprises). — François GORÉ.

INSTITUTIONS POLITIQUES ET DROIT CONSTITUTIONNEL. — André HAURIOU, Lucien SFEZ.

HISTOIRE DES INSTITUTIONS ET DES RÉGIMES POLITIQUES DE LA RÉVOLUTION A LA IVe RÉPUBLIQUE. — Jehan de MALAFOSSE.

DROIT INTERNATIONAL PRIVÉ. — Pierre MAYER.

LIBERTÉS PUBLIQUES, 2e éd. — Jacques ROBERT.

SOCIOLOGIE POLITIQUE, 3e éd. — Roger-Gérard SCHWARTZENBERG.

GRANDS SERVICES PUBLICS ET ENTREPRISES NATIONALES. — Jean de SOTO.

DROIT INTERNATIONAL PUBLIC. — Hubert THIERRY, Jean COMBACAU, Serge SUR, Charles VALLÉE.

Ouvrage à paraître :

LA VIE POLITIQUE EN FRANCE SOUS LA Ve RÉPUBLIQUE. — Serge SUR (rentrée 1977).

COLLECTION UNIVERSITÉ NOUVELLE

PRÉCIS DOMAT

RELATIONS INTERNATIONALES

par

P.-F. Gonidec

Professeur à l'Université de Paris I
(Panthéon - Sorbonne)

2e Édition

ÉDITIONS MONTCHRESTIEN
158-160, Rue Saint-Jacques - PARIS Ve

DU MEME AUTEUR

— *Droit du travail des territoires d'outre-mer* (L.G.D.J., 1958).

— *Cours de droit du travail africain* (L.G.D.J., 1966).

— *Droit d'outre-mer* (2 vol., Montchrestien, 1959-1960) (épuisé).

— *Les droits africains* (L.G.D.J., 1968), 2e éd., 1976.

— *L'Etat africain* (L.G.D.J., 1970). Epuisé (2e éd. en préparation).

— *Les systèmes politiques africains* (2 vol., L.G.D.J.). 1er vol., 1972 (épuisé), 2e vol., 1974. 2e éd. sous presse.

— *Annuaire du Tiers Monde* (*Direction de l'*), Berger-Levrault. 1er vol. paru en 1976 ; 2e vol., 1977. 3e vol. sous presse.

— *Bibliothèque africaine et malgache* (*Direction de la*), L.G.D.J.

— *Encyclopédie politique et constitutionnelle, Série Afrique* (*Direction de l'*), Berger-Levrault, Paris.

— *Collection « Tiers Monde »* (*Direction de la*), Berger-Levrault, Paris.

I.S.B.N. : 2-7076-0203-5

AVANT-PROPOS DE LA DEUXIEME EDITION

Malgré le silence fait autour du premier manuel français de Relations internationales par les revues bien-pensantes, qui prétendent exprimer l'état de la science politique en France (et à l'étranger), le succès rencontré auprès du public auquel il est destiné nous a convaincu que notre approche des Relations internationales répond à une attente qui, semble-t-il, n'a pas été déçue. Il nous conforte dans notre projet et nous a encouragé à présenter une seconde édition.

Depuis la fin de 1974, un grand nombre d'ouvrages et d'articles, consacrés aux problèmes abordés dans le présent ouvrage, ont paru.

En outre, la société internationale a naturellement continué d'évoluer à travers les contradictions qui la caractérisent. Les conflits, les tensions et les crises n'ont pas manqué. Mais la détente et la coopération progressent en dépit des difficultés. Malgré les prophètes de malheur, le temps de l'apocalypse n'est heureusement pas encore venu.

Cette seconde édition tient compte des études nouvelles et de l'évolution des faits internationaux depuis 1974. Mais nous n'avons pas cru nécessaire de modifier la structure générale de l'ouvrage ni la méthode d'analyse. Nous espérons ne pas correspondre aux portraits de « Doctus » et « Lexicos », crayonnés par P. Viansson-Ponté (Le sens de la recherche. *Le Monde,* 13-14 février 1977).

Plus modestement, nous nous rangeons aux côtés de ceux qui s'efforcent, à leur place, non pas de prostituer la science en la mettant au service des systèmes établis, mais de l'orienter dans le sens de la paix et de la justice internationales. De ce point de vue, notre ouvrage est politiquement engagé. La prétendue neutralité des sciences sociales est une pure mystification. D'une façon ou d'une autre, par sa méthode et sa conception des relations internationales, tout auteur porte des jugements de valeur, explicites ou implicites et, par conséquent, condamne ou justifie telle ou telle politique internationale. Pour notre part, mis en présence d'une société internationale où l'inégal développement offre constamment aux puissants la tentation de dominer les faibles, nous avons pris résolument le parti de nous ranger du côté des seconds, parce que c'est la seule attitude qui permette de faire progresser la paix et la justice.

Paris, le 1er juin 1977.

AVANT-PROPOS

> « Certains auteurs, parlant de leurs ouvrages, disent : « Mon livre, mon commentaire, mon histoire, etc. » Ils sentent leurs bourgeois qui ont pignon sur rue et toujours un « chez moi » à la bouche. Ils feraient mieux de dire : « Notre livre, notre commentaire, notre histoire, etc. », vu que d'ordinaire il y a plus en cela du bien d'autrui que du leur. »
>
> PASCAL, *Pensées*, I, 32.

Le présent ouvrage se situe dans la perspective pluridisciplinaire qui est à la base de la loi d'orientation sur l'enseignement supérieur et qui est de l'essence des Relations internationales. C'est dire que nous considérons comme anachroniques les querelles des spécialistes autour de la question de savoir quel est le meilleur angle de vue pour saisir, dans toute leur vérité, les problèmes internationaux. Il ne s'agit pas de décider s'il est plus profitable ou plus rationnel de les aborder sous l'angle économique, historique, sociologique, institutionnel, etc. Toutes ces « prises de vue », pour emprunter un langage cinématographique, sont nécessaires parce que complémentaires. Mais, par la force des choses, chacune ne révèle à l'observateur qu'une facette des phénomènes. Le rôle de l'internationaliste, qui n'est pas uniquement un juriste, est d'essayer de présenter les phénomènes internationaux sous leurs différentes facettes. Il n'est donc pas, à vrai dire, un spécialiste, mais un généraliste, dont l'ambition doit être d'utiliser des prises de vue différentes pour saisir les phénomènes internationaux dans toute leur complexité et dans toute leur richesse.

Dans cette perspective pluridisciplinaire, nous avons tenu compte du fait que le présent ouvrage s'adresse avant tout aux étudiants du premier cycle des Universités et des Instituts d'études politiques. Il est, par conséquent, un ouvrage d'initiation. Nous avons estimé que l'ampleur de la matière ne permet pas de s'en tenir à une attitude purement descriptive, qui a le mérite d'être plus simple et plus accessible au lecteur, mais qui comporte aussi le risque de verser dans l'inventaire nécessairement long et fastidieux, à moins de faire des choix arbitraires. Nous avons préféré élaborer des cadres théoriques destinés à donner à l'étudiant l'intelligence des problèmes, des clefs qui lui permettront d'ouvrir des portes sur la connaissance du monde contemporain. Quelle que soit sa spécialisation ou la façon dont il s'insérera dans la société, s'il veut être un homme de culture, il ne peut ignorer la dimension internationale des problèmes auxquels il sera confronté. Les bibliographies jointes aux sections ou paragraphes — et qui sont loin d'être exhaustives — permettent de dépasser le stade de l'initiation en approfondissant telle ou telle question particulière et d'éclairer les développements théoriques par l'étude de situations concrètes.

Ouvrage pluridisciplinaire et ouvrage d'initiation, le présent ouvrage veut également être « poreux à tous les souffles du monde » (Aimé Césaire), y compris ceux qui viennent de « la zone des tempêtes », de ce Tiers Monde, hier ignoré, tenu en marge des relations internationales, dominé par les puissances impérialistes, aujourd'hui méprisé ou critiqué quand il s'avise de montrer sa force. Il est temps que dans les disciplines de l'universel, comme le sont les « Relations Internationales » le Tiers Monde soit reconnu et que la théorie cesse d'être élaborée à partir d'expériences limitées dans l'espace et privilégiées en raison directe de la puissance des Etats. Il est temps d'abandonner une certaine conception de l'universel qui, bien souvent, n'est qu'un masque d'humanisme sur une tête de conquistador. Le Tiers Monde est en marche (1). Il s'agit de le reconnaître. C'est ce que le présent ouvrage s'efforce de faire en intégrant ses démarches et ses réactions à la théorie des relations internationales.

Paris, le 18 juin 1974.

(1) C'est le titre (Tiers Monde en marche) d'une des deux séries de la collection « Tiers Monde » que nous avons créée aux éditions Berger-Levrault en 1976.

INTRODUCTION

Un des résultats de la réforme des études de l'enseignement supérieur a été d'introduire dans le diplôme d'études universitaires générales (« D.E.U.G. ») un enseignement dit de Relations Internationales (1), substitué à l'enseignement d' « Institutions Internationales ». Il faut se demander si ce changement de dénomination a une signification et, dans ce cas, quelle est cette signification. On pourrait fort bien concevoir que l'expression « relations internationales » ne soit qu'une nouvelle manière de désigner ce qui jusqu'ici était recouvert par l'expression « institutions internationales », auquel cas rien ne serait changé par rapport à ce qui existait antérieurement. En fait, il n'en est rien. L'adoption de l'expression « relations internationales » est le résultat d'un constat et d'un phénomène d'imitation. Elle manifeste la volonté d'aborder l'étude des phénomènes internationaux dans un esprit nouveau.

Le constat est celui de l'incapacité d'une approche purement juridique, à rendre compte exactement de la nature et de la complexité des phénomènes étudiés. Ce constat a conduit à introduire, à côté de l'enseignement de Droit constitutionnel, un enseignement de sociologie politique, à côté de l'enseignement de Droit administratif, un enseignement de science administrative, à côté de l'enseignement de Droit privé, un enseignement de sociologie du droit, etc. (2). Désormais il en va de même dans le domaine international. L'enseignement traditionnel de droit international a pour compagnon de route les R.I., qui se présentent ainsi comme une branche de la sociologie générale.

Le phénomène d'imitation : c'est la tendance, qui n'est pas nouvelle, des Français à s'inspirer des modes scientifiques venues d'outre-Manche

(1) Nous utiliserons le sigle R.I. pour désigner cet enseignement.

(2) Voir le remarquable et courageux ouvrage de M. Miaille. Une introduction critique au Droit. Maspero, Paris, 1976.

ou d'outre-Atlantique. En particulier aux Etats-Unis d'Amérique, la science (ou la sociologie) politique s'est progressivement annexé l'étude de problèmes qui relevaient de disciplines traditionnelles, telles que l'histoire diplomatique, l'économie des relations internationales, le droit international, etc. Cette tendance à réunir dans le cadre d'une branche de la science politique des problèmes jusqu'alors dispersés entre d'autres disciplines a encore été renforcée au cours des dernières décennies, particulièrement après la deuxième guerre mondiale, à la suite de la promotion des Etats-Unis d'Amérique au rang de République Impériale (1).

De même que l'école dominante en France en matière de science politique (ou de sociologie politique) a souvent emprunté aux Anglo-Saxons l'objet, la méthode, les concepts et les théories de la science politique, de même l'étude des problèmes internationaux, telle qu'elle existe aux Etats-Unis d'Amérique, a fortement influencé l'orientation prise par les études internationales en France même. Cette influence est particulièrement manifeste dans l'ouvrage de Raymond Aron, qu'il a intitulé *Paix et guerre entre les Nations*.

Cette filiation qui existe entre la naissance des R.I. en tant que discipline autonome dans les universités françaises et son développement aux Etats-Unis d'Amérique exigent qu'un effort soit fait pour se dégager de conceptions, qui ont d'ailleurs trouvé dans ce pays des critiques, parmi ceux qui, comme le sociologue Wright Mills, avouent humblement ne pas être « dans le vent », ou encore parmi ceux que Raymond Aron classe avec un certain mépris dans « la gauche para-marxiste » ou dans la catégorie des historiens américains qualifiés de « révisionnistes ». Cet effort est d'autant plus ardu que l'apparition d'une discipline nouvelle suscite toujours inévitablement un certain nombre de discussions sur la délimitation de son champ d'étude, sur sa spécificité par rapport à des disciplines voisines et sur sa méthode. En fait, il faut bien dire qu'une bonne partie du temps des spécialistes des R.I. est consacrée à ce genre de problèmes, au point qu'on aboutit à un byzantinisme, qui fait oublier l'objet de la recherche, ou à une nouvelle scolastique qui se plaît à conceptualiser à propos de concepts, et qui s'éloigne de plus en plus de la pratique sociale, jusqu'à ce qu'elle

(1) C'est le titre d'un des ouvrages de Raymond ARON, consacré à l'étude de la politique extérieure des Etats-Unis d'Amérique. Il convient de corriger cette lecture par celle de l'ouvrage de C. JULIEN, *L'Empire américain*, Grasset, 1968, réédité en livre de poche en 1973.

trouve la réalisation logique de ses efforts dans les symboles mathématiques ou des modèles abstraits qui n'ont qu'un lointain rapport avec la réalité.

Sans entrer dans le détail des controverses, nous indiquerons dans cette introduction quel peut (ou doit) être le champ d'étude des R.I. d'une part, et, d'autre part, la méthode que nous suivrons pour appréhender les problèmes internationaux.

I. — CHAMP D'ETUDE

Les R.I. n'ont pas un champ d'étude fondamentalement différent de celui d'autres branches des sciences sociales qui, à des titres différents, s'occupent également des problèmes internationaux. En fait, on peut dire qu'il n'y a pas eu une seule branche des sciences sociales qui ne se penche sur l'étude de ces problèmes. Un spécialiste américain des R.I. a dénombré 32 disciplines différentes qui s'intéressent aux relations internationales

Cela dit, ces disciplines particulières se saisissent, ou en tout cas ne privilégient, qu'un aspect des problèmes internationaux. C'est ainsi que le juriste se préoccupera surtout d'étudier les règles de droit qui définissent les structures de la société internationale et qui gouvernent (ou essaient de gouverner) les rapports entre les Etats. De façon générale, chaque discipline particulière ne permet de saisir qu'un aspect déterminé de la société internationale.

L'ambition des R.I. est de dépasser les aspects particuliers pour opérer une prise de vue globale de l'ensemble des problèmes internationaux, de rassembler ce qui actuellement est dispersé, de recomposer le tout, de rendre intelligible ce qu'on pourrait appeler le « complexe relationnel international », d'où émergent par à-coups les événements dits actuels. C'est dire que celui qui aborde l'étude des relations internationales doit s'efforcer de faire son profit des apports des différentes sciences sociales et humaines, voire même des sciences dites exactes. L'étudiant des R.I. risque fort de ressembler à ce personnage décrit par un spécialiste anglais des R.I. : « un monsieur qui regrette de ne pas avoir une meilleure intelligence de la psychologie, de l'économie, de l'histoire diplomatique, du droit international, du droit constitutionnel comparé, de la sociologie, de la géographie, peut-être des langues (1) et de bien d'autres choses encore ».

Compte tenu de la distinction qu'il convient d'établir enter les R.I. et les autres disciplines qui s'occupent également des problèmes internationaux, il faut ajouter qu'elles ont tout de même une préoccupation commune : la société internationale. Le problème se pose alors de savoir quelles sont les questions que l'on peut ou que l'on doit poser sur ou à propos de la société internationale (qui reste à définir).

Du fait même que les R.I. sont nées dans le cadre de la science politique, les politistes qui se sont spécialisés dans l'étude des problèmes internationaux ont une tendance tout à fait naturelle à transposer sur le plan international les préoccupations qui sont les leurs dans le domaine de l'étude des sociétés nationales. Cette tendance est d'autant plus forte que les R.I. sont comme une branche tardivement poussée sur l'arbre de la science (ou de la sociologie) politique. Pour ceux qui pensent que la science politique est soit la science du pouvoir, soit la science de l'Etat, l'objet des relations internationales ne saurait être que le prolongement dans l'espace du champ d'étude de la science ou de la sociologie politique, c'est-à-dire l'Etat ou le pouvoir. Cela veut dire que l'objet comme la méthode des R.I. ne sauraient être différents de ceux de la science politique. Seul le champ géographique changerait : dans un cas la société internationale, dans l'autre cas les différentes sociétés nationales. On pourrait donc se contenter d'une science unique, à savoir la science politique, en distinguant la science politique interne et la science politique externe, ce que les Anglo-Saxons traduisent en utilisant parfois les expressions « International Politics », ou « World Politics ». On fait d'ailleurs remarquer qu'il y a des liens extrêmement forts entre les problèmes politiques nationaux et les problèmes politiques internationaux, et qu'il est absolument indispensable de jeter des ponts entre les systèmes politiques nationaux et le système international. D'où la vogue du « linkage politics » (Rosenau) aux E.U.A. Mais, il y a déjà bien longtemps que Marx et Engels (L'idéologie allemande. Ed. Soc., 1968, p. 46) soulignaient que « les rapports des différentes nations entre elles dépendent du stade où se trouve chacune d'elles en ce qui concerne les forces productives, la division du travail et les relations intérieures ». Inversement, la politique internationale réagit sur la politique intérieure.

(1) Disons « sûrement ».

Cette approche a un avantage, celui de donner un axe ou un centre unique d'intérêt aux R.I. dans la mesure où l'étude des problèmes internationaux devrait s'orienter, selon les tendances, soit vers les phénomènes de pouvoir, soit vers les comportements des Etats sur la scène internationale. En outre, elle a également l'avantage de souligner que les phénomènes internationaux ne peuvent être isolés, sinon de façon arbitraire, des phénomènes purement nationaux, que les politiques extérieures sont étroitement imbriquées aux politiques intérieures. A vrai dire, les uns et les autres, comme nous le verrons, sont en interaction constante, de sorte que le politiste ne devrait pas ignorer ce qui se passe au niveau de la société internationale, de la même façon que l'internationaliste ne peut pas non plus faire abstraction de ce qui se passe au niveau des sociétés nationales.

Mais on peut se demander si le progrès des R.I. est favorisé par l'introduction dans son champ d'étude des querelles sans fin qui paralysent le développement de la science politique. Les politologues s'interrogent, sans trouver une réponse commune, sur la signification de termes tels que Pouvoir, Politique, Etat, chacun ayant son interprétation personnelle, de sorte qu'il devient difficile de savoir ce que représente exactement la science ou la sociologie politique. Pour éviter d'enferrer les R.I. dans le byzantinisme de discussions de ce genre, il nous paraît préférable de nous demander, de façon très prosaïque, quel est le genre de problèmes concrets auxquels les R.I. devraient essayer d'apporter des réponses.

D'abord, puisque cette discipline s'occupe d'étudier la société internationale, il semble que la première question à se poser est celle de savoir ce qu'est la société internationale, de la même façon que le politologue devrait nécessairement se poser la question de savoir ce qu'est la société politique nationale qu'il a pour mission d'étudier. S'agissant de la société internationale, les questions qu'on peut poser sont les suivantes : Quelle est la structure de la société internationale ? Quels sont ses éléments composants ? Est-ce uniquement une société composée par des Etats, ou bien est-ce qu'il faut tenir compte également, à côté des Etats, d'autres éléments, peut-être finalement plus importants que les Etats eux-mêmes, considérés comme des entités abstraites ? Comment ces éléments composants de la société internationale sont-ils articulés les uns aux autres ? Quel est le type de rapports établis entre les différentes parties de la société internationale ? Quelle est la nature profonde de la société internationale ? Qu'est-ce qui contribue à sa survie, à son développement ou à son déclin ?

Une autre série de questions concerne l'action internationale. Est-ce que cette action est ou non soumise à un certain nombre de règles, qui pourraient être, non seulement des règles de caractère juridique, mais également des règles de caractère sociologique ? Quelles sont les règles du jeu international ? Quel est le type de politique, c'est-à-dire les stratégies et les tactiques suivies par tous ceux qui, à un titre ou à un autre, sont en mesure d'agir sur le plan international ? Dans quelle mesure les idéologies constituent-elles des forces actives capables d'orienter l'action internationale, soit dans le sens du progrès, soit dans le sens de la stagnation, soit même dans le sens de la régression ? Est-ce que les rapports entre les éléments composants de la société internationale se développent dans un contexte de situations conflictuelles, auxquelles il faut trouver des solutions afin d'assurer la survie de la société internationale, ou est-ce qu'il y a également, malgré ces situations conflictuelles, une action plus ou moins harmonieuse et coordonnée, destinée à apporter des solutions à des problèmes communs ? Eventuellement, cette action internationale conduit-elle à l'intégration politique mondiale, à une sorte de mondialisation destinée à mettre fin à la fragmentation actuelle de la société internationale ?

Voilà les questions que l'on peut poser aussi bien sur la société internationale elle-même que sur l'action qui se développe à l'intérieur de la société internationale. Mais, cela dit, on peut se demander sous quel angle il convient d'aborder ces problèmes.

Certains estiment que les relations internationales doivent être abordées sous l'angle de la théorie, chaque auteur ayant, bien entendu, sa propre conception de la théorie, ce qui donne lieu à un bel affrontement entre les théoriciens. D'autres, les « empiristes aux pieds nus », lassés du verbiage sans fin, qui est censé être la théorie, pensent qu'il faut procéder à des études concrètes en plaçant sous le microscope du chercheur tel ou tel aspect particulier des phénomènes internationaux (micropolitique) ou se contenter de décrire les institutions et les faits.

L'opposition qui est ainsi établie entre la théorie et les études empiriques est un faux problème. L'opposition n'est pas entre ceux qui pensent sans observer et ceux qui observent sans penser, mais entre les méthodes d'observations et les méthodes de pensée d'une part et les liens qui existent entre les unes et les autres d'autre part. En fait, il n'est pas possible de séparer la pratique sociale de la théorie, à moins de se résigner à une connaissance purement empirique, résultant de la connaissance acquise, perçue ou transmise, ce qui aboutit nécessairement à une vue partielle et partiale, donc subjective, des phénomènes internationaux. C'est ce genre de connaissance qui résulte en particulier des informations données quotidiennement par la presse ou les mémoires autobiographiques des hommes d'Etat et de ceux qui, à un titre ou à un autre, sont mêlés à l'action internationale. Ce genre d'information est utile à l'internationaliste, mais il ne saurait lui suffire.

En réalité, l'opposition véritable est entre la connaissance idéologique (au sens péjoratif du terme) et la connaissance scientifique.

La connaissance idéologique est déjà une systématisation dans la mesure où, allant du particulier au général, elle vise à donner une vue générale des phénomènes étudiés. Mais cette connaissance est trompeuse dans la mesure où elle se réfugie dans l'imaginaire pour donner une explication des phénomènes étudiés. C'est ainsi que, à partir d'un mode de connaissance fondé sur la religion, on aboutira à des conclusions du genre de celle qui consiste à dire que Dieu ou la providence mènent le monde. Il en est de même des modes de connaissance qui ont recours à des mythes, tels que ceux de la race, de l'homme providentiel, ou du prétendu caractère immuable de la nature humaine.

La connaissance scientifique établit au contraire un lien entre la pratique sociale et la théorie. Elle vise à aboutir à une vérité que l'on peut qualifier d'objective, c'est-à-dire conforme à la pratique sociale, une pratique complexe et contradictoire, que la connaissance scientifique a précisément pour but d'ordonner et d'expliquer. Non seulement la connaissance scientifique a pour objectif d'aboutir à une vérité objective, mais cette vérité, du fait même qu'elle est le reflet de la pratique sociale, est nécessairement une vérité concrète par opposition à la vérité abstraite. Cela veut dire qu'il n'est pas possible d'aborder l'étude des phénomènes internationaux à l'aide de schémas conceptuels abstraits, construits dans le cerveau du chercheur, même si par ailleurs il est indispensable d'étudier la pratique sociale à l'aide de concepts ou d'hypothèses, qu'il s'agit de vérifier. Il faut se convaincre que « la théorie dépend de la pratique, que la théorie se fonde sur la pratique et, à son tour, sert la pratique » (Mao Ze-Dong. De la pratique).

II. — LA METHODE

> « Il ne suffit pas de se mettre au travail, il faut résoudre le problème de la méthode pour mener à bien notre tâche. Si tu dois traverser une rivière, tu ne peux le faire sans un bateau ou un pont... Tant que le problème de la méthode n'est pas résolu, il est inutile de parler du travail. »
>
> MAO ZE DONG.

Il s'agit de la méthode au sens philosophique du terme, c'est-à-dire la démarche intellectuelle, la voie qui doit permettre d'aboutir à la vérité objective. Sur ce point, il y a de grandes divergences parmi les spécialistes des relations internationales, ce qui est normal dans des pays où le pluralisme idéologique est élevé à la hauteur d'une institution, et considéré comme l'un des fondements de la démocratie libérale. Sans entrer dans le détail des controverses, nous estimons avec Madeleine Grawitz, auteur d'un manuel consacré aux « Méthodes des sciences sociales » (op. cit. p. 447) que « la méthode dialectique est, parmi les méthodes proposées, la meilleure, pour ne pas dire LA méthode, du fait même qu'elle correspond aux exigences fondamentales de la notion même de méthode ».

Cela dit, il y a deux sortes de dialectique : la dialectique idéaliste ou métaphysique de Hegel et la dialectique matérialiste et historique de Marx et Engels. C'est à cette dernière que nous nous référerons, en indiquant, chemin faisant, quelles sont les différences entre cette méthode et les autres méthodes.

Le concept de totalité : système ou formation sociale ?

L'un des mérites de la méthode dialectique est de mettre l'accent sur l'unité des phénomènes, de la réalité, sur l'idée de totalité. A ce titre, la méthode dialectique se différencie des méthodes généralement utilisées par les spécialistes des sciences sociales. La tendance de ces derniers est d'opérer au sein de la réalité un découpage artificiel qui conduit à isoler les différentes catégories de phénomènes sociaux les uns des autres.

C'est ainsi que les juristes ont fréquemment tendance à isoler les phénomènes juridiques des autres phénomènes sociaux, à considérer le droit comme une sorte de monade, un univers clos, qui se suffirait à lui-même, qui trouverait en lui-même sa propre substance, sa propre fin et sa propre justification. Cette tendance a atteint son paroxysme dans l'œuvre du juriste d'origine autrichienne, Hans Kelsen, qui est l'un des auteurs les plus représentatifs de la théorie pure du droit. En fait, en isolant les phénomènes juridiques, Hans Kelsen a abouti à faire du droit une sorte de désert, de mécanique juridique. Fort heureusement, à l'époque contemporaine, de nombreux juristes deviennent de plus en plus conscients du fait qu'il est impossible d'expliquer les phénomènes juridiques si on les isole des autres phénomènes sociaux.

De façon beaucoup plus générale, les sociologues mettent l'accent sur l'idée de totalité. C'est le cas, en particulier, de ceux qui utilisent le concept de système pour analyser les phénomènes sociaux. Cette tendance apparaît fort bien dans l'œuvre de Talcott Parsons, sociologue américain, inventeur de l'analyse dite systémique (1). Pour Talcott Parsons, le concept de système est « un concept vital pour toute science ». Or, ce concept implique l'appel à l'idée de totalité. En effet, pour Talcott Parsons, l'action se situe nécessairement dans un quadruple contexte : biologique, psychique, social et culturel. Elle est le résultat d'un jeu de forces et d'influences qui résultent de ces quatre contextes et qui contribuent à donner à toute action humaine son caractère spécifique. Appliquée au domaine des relations internationales, cette théorie signifie que le système international doit être situé dans ce que les sociologues appellent son environnement.

Si l'idée de totalité est ainsi prise en considération par un certain nombre de juristes et de sociologues, il faut cependant s'interroger sur la question de savoir de quelle totalité il s'agit. Sur ce point, la méthode dialectique se sépare radicalement des méthodes utilisées par la plupart des spécialistes de sciences sociales. D'abord, la totalité dont parle Talcott Parsons est une totalité abstraite, un modèle imaginaire supposé valable pour toute société actuelle ou passée, ou même à venir. Elle n'a qu'un lointain rapport avec la réalité et n'est, en définitive, qu'un aride jeu de concepts promu au rang de fétiches, une orbe de symboles coupés de leurs origines sociales.

Au contraire, la totalité utilisée par la méthode dialectique est

(1) Dans son ouvrage (*Fads and foibles in modern sociology*, H. Regnery, Chicago, 1965), le sociologue américain P. Sorokin, sous le titre « Amnesia and new Columbuses » (Amnésie et nouvelles colombes), s'élève contre la prétention de T. Parsons d'avoir découvert une idée réellement nouvelle.

toujours une totalité concrète. C'est ainsi qu'au niveau de l'Etat la totalité en question est la formation socio-économique, c'est-à-dire l'ensemble constitué à la fois par un mode de production dominant et par la superstructure correspondante (institutions, croyances, valeurs, idéologies) (1).

Une deuxième critique que l'on peut faire à l'analyse systémique est que les partisans de cette méthode ne s'interrogent jamais sur la nature du système social. Ils ne se demandent pas quelle est son origine, pourquoi il existe, quelle est sa nature. « Ils acceptent tout bonnement le système global tel qu'il est et tiennent pour argent comptant la structure sociale telle qu'ils la trouvent » (A. G. Frank).

Enfin, ils sont beaucoup plus préoccupés d'utiliser le système social pour voir ce qui se passe au niveau de l'une des parties que du système social lui-même. C'est ainsi que les politistes étudient le système politique en tant que partie d'un système social déterminé, leur préoccupation étant de voir dans quelle mesure ce qu'ils appellent l'environnement agit sur le système politique en lui donnant un certain nombre d'impulsions, et dans quelle mesure, à son tour, le système politique réagit sur l'environnement à travers les décisions et les politiques arrêtées par les gouvernants.

La méthode dialectique procède différemment. Elle s'interroge d'abord sur le système social lui-même considéré comme une totalité. Elle en définit la nature, les caractéristiques essentielles, et ensuite elle utilise la compréhension du système social pour expliquer ses différentes parties, qu'il s'agisse du système politique ou d'une partie du système politique.

Si l'idée de totalité doit être prise en considération, il faut aussi souligner qu'il y a entre les différents phénomènes sociaux un lien de connexité nécessaire, c'est-à-dire en lien de dépendance essentielle, stable, régulière, qui permet de parler de lois causales. Sur ce point, la méthode dialectique se sépare des autres méthodes. Une tendance fréquente chez les sociologues et les politistes consiste à affirmer qu'il est impossible d'établir des liens de causalité dans le domaine des sciences sociales. L'un des analystes de la pensée de Talcott Parsons, Guy Rocher, fait remarquer que « il y a bien peu de causalité dans le modèle Parsonien à la différence par exemple du système marxiste d'explication ».

Cette attitude doit être combattue. Même s'il y a des difficultés parti-

(1) Voir ci-dessous le concept de formation sociale, p. 126 et s.

culières à établir les liens de causalité dans le domaine des sciences sociales, cette entreprise n'est pas absolument impossible.

A cet égard, il convient de distinguer les conditions et les causes d'apparition d'un phénomène déterminé. Par exemple, la course aux armements à laquelle se livrent les Etats crée les conditions de déclenchement d'une troisième guerre mondiale. Elle n'en constituerait certainement pas la cause (1).

En second lieu, il convient également de tenir compte des contingences, c'est-à-dire de l'existence de certains phénomènes qui contribuent à accélérer ou à ralentir le cours des événements. Il en est ainsi par exemple du rôle, bénéfique ou néfaste, heureux ou malheureux, joué dans l'histoire par certaines personnalités éminentes.

Enfin, il convient de remarquer qu'il y a un lien dialectique entre la cause et l'effet, ce qui est tout à fait conforme à la loi de l'unité des phénomènes. Il en résulte que la cause et l'effet sont mutuellement convertibles, l'effet pouvant à son tour devenir cause (infra p. 21 et s.).

Le concept de changement : évolution et révolution.

Si l'unité des phénomènes constitue ainsi l'une des lois fondamentales de la connaissance, la loi du changement universel et incessant doit également être prise en considération.

L'un des reproches que l'on a pu faire à l'analyse systémique, qui prend appui sur le fonctionnalisme et sur le structuralisme, est qu'elle ne prend pas suffisamment en considération l'idée de changement. Il en est ainsi parce que cette méthode, en utilisant le concept de système, met l'accent sur la survie du système et par conséquent sur tout ce qui peut contribuer à maintenir l'équilibre du système. Inversement, tous les événements qui pourraient mettre en danger l'existence du système de son équilibre sont des phénomènes pathologiques, déviants, auxquels il convient de mettre un terme afin que le système puisse retrouver son équilibre naturel.

L'un des intérêts de l'histoire des relations internationales et de la sociologie historique est au contraire de montrer que les phénomènes sociaux sont en mouvement perpétuel, que, sans doute, la réalité sociale est immobile dans la mesure où, à un moment déterminé, un équilibre est réalisé, mais qu'elle est également extrêmement mobile sur une certaine période de temps. En fait, les premiers grands sociologues,

(1) Voir la confusion des deux phénomènes dans l'ouvrage de J. GRAPIN et J.-B. PINATEL, *La Guerre civile mondiale*. Calmann-Lévy, 1976.

en particulier les sociologues français du XIXe siècle, s'étaient comportés, non pas comme des photographes qui fixent un moment figé de la réalité, mais comme des cinéastes qui reconstituent sur la pellicule le mouvement des êtres et des choses. De même, prenant en considération le changement, Marx déclarait qu'il n'y avait qu'une seule science véritable, la science de l'histoire. Certes, il n'entendait pas verser dans l'historicisme, mais simplement marquer que la société qu'il étudiait, c'est-à-dire la société capitaliste du XIXe siècle, comme toute société, naît, se développe, décline et meurt.

Il ne suffit pas de mettre en évidence l'idée de changement, il faut encore s'interroger sur la nature du changement. En fait, il y a deux sortes de changements : un changement que l'on peut qualifier de quantitatif et un changement que, par opposition, on peut appeler qualitatif.

Le changement quantitatif est celui qui introduit un certain nombre de transformations dans un phénomène déterminé, sans en changer les caractéristiques essentielles qui font que ce phénomène est ce qu'il est. C'est ainsi, par exemple, que dans le domaine des sciences physiques, le fait de chauffer de l'eau peut bien augmenter la température de cette eau, sans cependant changer sa nature de liquide. Le changement qualitatif se produira à partir du moment où l'eau portée à ébullition se transformera en vapeur. Le changement qualitatif est donc la transformation du liquide en vapeur. Il en va de même dans le domaine des sciences sociales. Le changement qualitatif se manifeste à partir du moment où la nature du phénomène est radicalement transformée. Ainsi le passage d'une politique de tensions et de conflits à une politique de coopération est certainement un changement d'ordre quantitatif heureux. Cependant, il ne transforme pas radicalement la nature des rapports entre les Etats concernés. Le changement qualitatif interviendrait à partir du moment où les Etats décideraient d'entrer dans la voie de l'intégration politique (infra p. 497). Encore le changement ne serait-il que partiel dans la mesure où cette révolution politico-juridique ne serait pas accompagnée d'une transformation des formations sociales.

En définitive, le changement quantitatif pourrait être considéré comme un phénomène d'évolution, tandis que le changement qualitatif correspond à un phénomène de révolution. S'il convient ainsi de distinguer l'évolution et la révolution, il ne faut pas cependant séparer de façon radicale ces deux ordres de phénomènes. Une telle attitude serait contraire à la loi d'unité des phénomènes. En fait, on peut dire que l'évolution prépare la révolution, tandis que, inversement, la révolution est la condition qui va permettre de nouvelles évolutions. C'est ainsi que l'accession des pays colonisés à l'indépendance n'a pas réalisé une révolution totale, mais seulement une révolution partielle, limitée au domaine juridique. Pour réaliser la révolution totale, il reste à introduire dans le pays naguère colonisé un certain nombre de transformations destinées à rendre l'indépendance réelle. Or, précisément. la révolution juridique, constituée par l'accession à l'indépendance, est la condition, nécessaire, mais non pas suffisante, qui rend possibles ces informations, destinées à rendre l'indépendance réelle.

Ayant ainsi mis en évidence la loi du changement, universel et incessant, il reste une dernière question qui est celle relative à l'explication du changement. Quel est le moteur, quelle est la cause du changement ?

Le problème de causalité.

Sur ce point, la plupart des spécialistes des sciences sociales adoptent une attitude extrêmement prudente, voire éclectique, dans la mesure où ils se refusent à rechercher, dans l'ensemble des phénomènes étudiés, une cause, sinon unique, tout au moins déterminante. C'est, par exemple, l'attitude de Renouvin qui, dans le premier volume de l'Histoire des Relations Internationales, indique que le rôle de l'historien n'est pas de dégager des lois causales, mais d'essayer de comprendre ce qu'il appelle « le jeu complexe des causes » qui ont amené les transformations du monde. De même, un spécialiste américain des relations internationales, Stanley Hoffmann, après avoir tenté de voir quel est l'intérêt de l'histoire pour l'étude des relations internationales, écrit : « Un retour à l'histoire devrait nous décourager de donner des explications dans lesquelles un rôle déterminant serait donné à une variable spécifique, par exemple le développement économique. » Une telle position est parfaitement inacceptable car elle conduit, en définitive, à nier la possibilité de trouver un principe d'explication à l'évolution des phénomènes sociaux en général et des phénomènes internationaux en particulier.

En prenant les choses de haut, on peut dire que la réalité sociale comporte deux sortes de phénomènes : d'une part les phénomènes qui relèvent de l'esprit, de la pensée, de la conscience, d'autre part les phénomènes qui relèvent de la matière, c'est-à-dire tout ce qui est indépendant de la conscience humaine, tout ce qui a une existence indépendante de la représentation qu'on peut s'en faire. Si on accepte cette distinction, l'explication des phénomènes peut être trouvée soit au niveau des phénomènes d'ordre spirituel, soit au niveau des phénomènes d'ordre matériel. La première explication est une explication d'ordre idéaliste ou métaphysique, la seconde explication est une explication d'ordre matérialiste.

Le premier type d'explication est en particulier adopté par les partisans de l'analyse systémique. Pour Talcott Parsons en particulier, non seulement la réalité doit être distinguée selon quatre contextes (supra p. 17), mais encore il y aurait entre ces différents contextes une hiérarchie. Faisant appel à la cybernétique, qui reconnaît que les éléments les plus riches en informations se trouvent au sommet de la hiérarchie, tandis que les éléments les plus riches en énergie se trouvent au bas de cette hiérarchie, Talcott Parsons arrive à la conclusion que, s'agissant des phénomènes sociaux, les plus élevés dans la hiérarchie sont les phénomènes d'ordre culturel, parce que ce sont ces éléments qui fournissent à l'action humaine le maximum d'informations, tandis qu'au contraire les éléments d'ordre biologique se trouvent au bas de la hiérarchie parce que ce sont les plus riches en énergie. Ainsi se trouve établie la primauté des phénomènes d'ordre spirituel sur les autres phénomènes.

L'explication matérialiste est tout à fait différente. Elle part de la constatation que toutes les sociétés humaines sont caractérisées par l'existence de formations sociales (ou socio-économiques) appartenant à des types différents. Ce qui caractérise une formation sociale déterminée, c'est la prédominance de tel ou tel mode de production, c'est-à-dire à la fois un ensemble de forces productives (la nature, l'homme, les instruments de production), et les rapports de production, c'est-à-dire les rapports établis entre les hommes dans le processus de production et qui peuvent être des rapports de collaboration, de domination ou de transition. La thèse du matérialisme est que l'explication doit être recherchée au niveau du mode de production, la superstructure (institutions, idéologies, valeurs, croyances), étant en quelque sorte la sécrétion du mode de production propre à une société déterminée (1).

Si l'explication doit être ainsi recherchée au niveau du mode de production, il convient cependant d'assortir cette proposition de plusieurs précisions.

D'abord, si le mode de production est déterminant, ceci ne veut pas

(1) Voir ci-dessous (p. 126) de plus amples développements sur le concept de formation sociale.

dire que la superstructure soit absolument dépourvue d'influence et d'importance (infra). Les fondateurs de la théorie marxiste ont constamment affirmé que la superstructure constitue une immense force active qui est susceptible d'ailleurs d'agir dans un double sens : soit dans le sens de la consolidation, de la cristallisation de l'ordre établi, soit ou contraire dans le sens de la transformation de l'ordre social. Ceci veut dire que s'il y a une action de l'infarstructure sur la superstructure, il y a aussi une réaction de la superstructure sur l'infrastructure. L'action n'est donc pas unilatérale, à sens unique ; il s'agit au contraire d'une action réciproque.

Une deuxième observation concerne le mode d'action de l'infrastructure sur la superstructure. Il faut préciser à cet égard que cette action n'est ni automatique, ni mécanique. Ici également la théorie marxiste est présentée de façon déformée par ceux qui y sont opposés ou même par ceux qui en ont fait une application erronée. Contrairement à ce qu'affirme M. Merle (Sociologie, p. 60 et s., p. 83-84), les fondateurs de la théorie marxiste n'ont jamais considéré qu'il y a une sorte de fatalité historique qui attribuerait à la seule base économique, et plus précisément aux contradictions de classe, un rôle exclusif et social. Ceci veut dire que s'il y a une action de l'infrastructure sur la unique. Engels avait simplement souligné que « le côté de l'ordre économique du rapport est plus fondamental dans l'histoire que le côté politique » (Anti-Dühring). Mais ceci n'implique pas que la révolution sera le produit naturel et nécessaire de l'évolution des formations sociales et de leurs rapports. Au contraire, elle implique une lutte de classes en tant que ressort de la dynamique sociale, ce qui implique que « le prolétariat doit conquérir le pouvoir politique car, en définitive, « ce sont les hommes qui font leur propre histoire » (Manifeste).

Enfin, une troisième observation concerne l'autonomie relative de la superstructure. Non seulement la superstructure est capable d'exercer une action sur l'infrastructure, soit dans un sens bénéfique, soit dans un sens néfaste, mais encore il faut reconnaître que la superstructure, nationale et internationale, est capable d'acquérir une vie plus ou moins autonome et par conséquent d'avoir une influence propre, plus ou moins affranchie de l'infrastructure qui lui a donné naissance. Cette autonomie de la superstructure est aujourd'hui mise en relief par les auteurs marxistes contemporains, mais l'idée n'est pas nouvelle puisqu'on la trouve dans l'œuvre de Engels, en particulier dans les lettres adressées à Conrad Schmidt et à Bloch (1).

(1) Voir les lettres sur « Le Capital », Editions Sociales, 1964.

En définitive, s'il faut rechercher le principe d'explication au niveau de la base économique, il ne faut pas pour autant verser dans un économisme qui conduirait à reconnaître l'influence mécanique et unilatérale de la base économique et à nier toute autonomie de la superstructure par rapport à la base économique (infra, p. 68).

Cette méthode, loin de conduire à « une version simplifiée des choses », comme le soutient M. Merle, en appelant en renfort un universitaire Roumain (1), permet au contraire de rendre compte de la complexité et des contradictions des phénomènes observés, car elle est, pour utiliser les termes employés par Mad. Grawitz (op. cit, p. 44), « la plus complète, la plus riche et, semble-t-il, la plus achevée des méthodes conduisant à l'explication en sociologie ». Encore faut-il ne pas donner de la méthode une vue simplificatrice, voire caricaturale, et être capable d'en faire une application fidèle au domaine des relations internationales. C'est ce que nous nous efforcerons de faire sans dissimuler les difficultés de l'entreprise (2).

BIBLIOGRAPHIE DE L'INTRODUCTION

I. — Sur le champ d'étude des relations internationales

R. P. Bosc, *Sociologie de la paix*, Editions Spes, 1965, p. 19-33.

Ch. A. McClelland, « On the fourth wave : past and future in the study of international systems », dans l'ouvrage collectif *The analysis of international relations*, New York, 1972, p. 15-37.

C. A. N. Manning, *Les sciences sociales dans l'enseignement supérieur. Relations internationales*, Unesco, 1954.

P. M. Morgan, Theories and approaches to international politics, *Transaction books, New Brunswick*, 2e éd., 1975, p. 3 à 22.

Unesco, *La science politique contemporaine*, 1950, p. 567-622.

Revue internationale des sciences sociales, 1974, n° 1.

M. Virally, « Relations internationales et science politique », in *Les affaires étrangères*, P.U.F., 1959.

(1) Sociologie des relations internationales, 2e éd., p. 76.

(2) Voir nos observations p. 49 et 57 ainsi que nos développements sur la nature sociale de l'Etat et les classes sociales.

II. — **Sur la méthode**

Une *vue générale* est donnée par l'ouvrage de M. GRAWITZ, Méthodes des sciences sociales, Dalloz, 1974, 2e éd., 1076 p. Voir aussi son recueil de textes, Dalloz, 1975, I, 415 p.

La revue internationale des sciences sociales (1974, n° 1) contient une série d'études sur les problèmes de méthode. Voir en particulier l'étude du Professeur polonais Jerzy J. WIATR, p. 118-128.

Sur la *critique de la méthode juridique,* voir l'excellent ouvrage de M. MIAILLE. Une introduction critique au droit, Maspéro, 1976, 388 p.

L'Université de Reims a entrepris depuis 1973 de renouveler l'analyse du Droit international dans le cadre de colloques annuels. Cf. Annales de la Faculté de Droit, 1974.

Les idées de T. Parsons sont exposées de façon très claire par G. ROCHER dans *Talcott Parsons et la sociologie américaine,* Coll. S.U.P., 1973.

Voir la critique de Wright MILLS dans *Imagination sociologique,* Maspero, 1968.

Sur la sociologie marxiste, voir :

— H. LEFEBVRE, *Sociologie de Marx,* Coll. SUP, 1968.

— *Revue « L'Homme et la société »,* octobre-décembre 1968 et octobre-décembre 1969.

Sur la méthode dialectique et le matérialisme historique, voir :

— G. POLITZER, *Principes fondamentaux de philosophie,* Editions Sociales, 1954.

— Ouvrage collectif : *Principes du marxisme léninisme,* Moscou (s.d.).

— L. ALTHUSSER, *Pour Marx,* Maspero, 1965, et *Eléments d'autocritique,* Hachette, Paris 1974.

— La critique d'ALTHUSSER est faite par J. RANCIÈRE, *Les leçons d'Althusser,* ouvrage collectif « Contre Althusser » ; la revue « *Critiques de l'économie politique* », oct.-déc. 1972, n° 9 et A. BADIOU et F. BALMER, *De l'idéologie,* Maspero, 1976.

— Sur GRAMSCI, voir H. PORTELLI, *Gramsci et le bloc historique,* P.U.F., 1972, ainsi que J.-M. PIOTTE, *La pensée politique de Gramsci,* Anthropos, 1970.

— Sur la critique de la méthode dialectique, voir R. de LACHARRIÈRE, *Les divagations de la pensée politique,* P.U.F., 1972.

— Sur l'étude des relations internationales par l'histoire et la science politique, voir les communications faites au Colloque de Berlin (27 mars-2 avril 1977) dans le cadre de « European consortium for political research » (Univ. d'Essex).

BIBLIOGRAPHIE GENERALE
(en langue française)

N.B. : Des ouvrages et périodiques en langues étrangères sont cités dans les bibliographies annexées aux chapitres ou sections.

Nous recommandons à l'étudiant de lire, avant d'aborder l'étude des Relations internationales, l'ouvrage de J.-P. Cot, *Pour une sociologie politique,* 2 tomes, 1974, Ed. du Seuil, 249 et 187 p. (notamment les pages 11 à 142 du tome 1).

Deux manuels de Relations Internationales ont été publiés depuis la 1re édition du présent ouvrage.

M. Merle, *Sociologie des relations internationales,* Dalloz, 1974 ; 2e éd., 1976, 480 p. (inspiré de l'analyse systémique).

Ch. Zorgbibe, *Les relations internationales,* P.U.F., 1975, 364 p. (concerne plus la politique internationale que les relations internationales dans leur ensemble).

L'ouvrage de R. Aron, *Paix et guerre entre les nations,* Calmann-Lévy, 1962),est fortement inspiré des théories sociologiques américaines et témoigne d'un anticommunisme viscéral qu'on retrouve dans son gros livre : *Plaidoyer pour l'Europe décadente,* R. Laffont, Paris, 1977.

Le recueil des cours de l'Académie de Droit international de La Haye contient parfois des études qui font une certaine place aux aspects sociologiques des problèmes internationaux.

Sur l'histoire, voir l'ouvrage de Renouvin et Duroselle, *Introduction à l'étude de l'histoire des relations internationales,* A. Colin, 1964, et pour la période de 1919 à nos jours, *Histoire diplomatique,* de J.-B. Duroselle, Dalloz, 6e éd., 1974.

Sur les aspects institutionnels des R.I., on peut consulter les manuels d'institutions internationales (Reuter, Colliard, Vellas) et l'ouvrage de M. Merle, *La vie internationale,* 2e édit., A. Colin, 1971.

Le point de vue marxiste est difficile à connaître en raison du manque de traductions des ouvrages publiés dans les Etats socialistes. Voir cependant de V. Sojak, *Relations internationales de notre époque,* Prague (sans date).

La 2e édition de l'ouvrage du Professeur G.I. Tunkin, traduit en anglais sous le titre *Theory of international law* (Allen et Unwin, Londres, 1975, 480 p.) concerne plus le droit international que les relations internationales. La 1re édition avait fait l'objet d'une traduction en langue française.

L'ouvrage de M. et R. Weyl (*La part du Droit*) contient quelques développements sur la place du Droit International dans les relations internationales. (Editions sociales, 1968).

Les documents peuvent être facilement trouvés dans les publications de la documentation française (articles et documents, documents d'actualité internationale, problèmes politiques et sociaux depuis 1970, la politique étrangère de la France, etc.).

Les revues non spécialisées (*Revue française de Science politique, Pouvoirs* (depuis 1977), *Revue générale de Droit international public, Revue Belge de Droit international, Annuaire français de Droit international,* etc.) contiennent occasionnellement des études et documents relatifs aux relations internationales. En outre, on peut consulter parmi les périodiques spécialisés :

— *Chronique de politique étrangère* (Bruxelles).
— *Etudes internationales* (Québec).
— *Politique étrangère* (Paris).
— *Le Monde diplomatique* (mensuel).
— *Nouvelle revue internationale* (Paris).
— *Revue de politique internationale* (Belgrade).
— *La Vie internationale* (Moscou).
— *L'Univers politique* (jusqu'en 1972).

La *Documentation politique internationale,* publiée par la Fondation nationale des Sciences politiques, donne périodiquement une analyse des articles de revues. Voir aussi son bulletin mensuel.

L'*Annuaire du Tiers Monde,* publié depuis 1976, contient des études, des documents, des chroniques et une bibliographie sur les relations internationales du Tiers Monde. (Berger-Levrault, éditeur).

PLAN DE L'OUVRAGE

PREMIÈRE PARTIE : *Analyse de la société internationale contemporaine.*

DEUXIÈME PARTIE : *L'action internationale.*

PREMIERE PARTIE

ANALYSE DE LA SOCIETE INTERNATIONALE CONTEMPORAINE (1)

Ainsi que nous l'avons vu, les R.I. ont pour objet l'étude de la société internationale. Avant toute autre chose, il est donc indispensable d'avoir une vue aussi claire que possible de la société internationale, c'est-à-dire à la fois de la composition de la société internationale et de sa nature véritable. Il est impossible de comprendre le jeu complexe des relations internationales si, au départ, on n'a pas une représentation correcte, c'est-à-dire conforme à la vérité objective, de la société internationale. En fait, il y a un certain nombre de représentations erronées de la société internationale, sur lesquelles il conviendra d'abord de s'interroger, non pour en faire une étude approfondie, mais pour en présenter les traits essentiels. Nous pourrons ensuite tenter de donner de la société internationale une image aussi proche que possible de la réalité.

(1) La bibliographie utilisée est indiquée à la fin de chaque chapitre, section ou paragraphe. Les citations sont extraites des ouvrages ou articles mentionnés dans cette bibliographie.

TITRE I

LES THEORIES

Consciemment ou inconsciemment, les internationalistes qui traitent de la société internationale dans son ensemble (la société internationale globale) ou des sociétés internationales particulières, telles que la société européenne, africaine, asiatique, etc., prennent comme point de référence les sociétés nationales, c'est-à-dire les Etats. Leur tendance est d'établir une comparaison entre ces deux sortes de sociétés, dans le but d'essayer d'établir qu'elles sont les caractéristiques fondamentales de la société internationale, et même, pour certains d'entre eux, pour essayer d'imaginer ce que pourrait être l'avenir de la société internationale.

A partir de cette idée générale, on constate qu'un certain nombre d'auteurs, ceux qu'on peut appeler les réalistes, dont le prototype demeure encore aujourd'hui Nicolas Machiavel, estiment que la société internationale est en état d'anarchie, qu'elle est dans la situation décrite par Thomas Hobbes, c'est-à-dire dans l'état de nature, un état dans lequel l'homme est un loup pour l'homme.

A l'opposé, d'autres auteurs soutiennent que la société internationale est une société ordonnée, voire une communauté au sens fort du terme, c'est-à-dire un ensemble où les éléments de solidarité l'emportent sur les éléments de division et commandent impérativement une organisation mondiale (c'est le titre d'un ouvrage du professeur Virally), une structuration de la société internationale dont le terme, pour certains, devrait et pourrait être l'unification politique de la planète (la République mondiale de Kant).

En schématisant, on a, par conséquent, deux images tout à fait opposées de la société internationale : pour les uns, la société internationale est une société anarchique ; pour les autres, elle est société ordonnée, voire une véritable communauté mondiale.

BIBLIOGRAPHIE GENERALE

Il n'y a malheureusement pas, en langue française, d'ouvrage général présentant un tableau d'ensemble des principaux courants doctrinaux.

Voir, en anglais :

— St. HOFFMANN, *Contemporary theory of international relations,* Prentice Hall, 1960.

— J. DOUGHERTY et R. PFALZGRAFF, *Contending theories of international relations,* Lippincott, 1971.

— P.M. MORGAN, *Theories and approaches to international politics.* Transaction books. New Brunswick (N.J.). 2e éd., 1975.

En espagnol, l'ouvrage de R. MESA, *Teoría y Práctica de Relationes Internacionales.* Editions Taurus, Madrid, 1977. La seconde partie (p. 33 à 174) est consacrée à la théorie des relations internationales (conceptions anglo-saxonnes, européennes et marxistes).

CHAPITRE PREMIER

LA THESE DE L'ANARCHIE

L'idée générale est que, par comparaison avec les sociétés nationales, avec les Etats, la société internationale est un ensemble dans lequel la loi du plus fort, la loi de la jungle, continue, malgré les progrès, à s'imposer.

Cette idée n'est pas nouvelle. A partir du XVIe siècle, c'est-à-dire à partir du moment où l'Etat souverain commence à se constituer, parallèlement à la naissance et au développement du capitalisme, on voit apparaître un certain nombre d'auteurs, écrivains politiques ou philosophes, réagir contre la thèse développée antérieurement, en particulier par les théologiens catholiques (Vitoria et Suarez), selon laquelle il y avait une véritable communauté internationale, dominée par des règles de droit d'origine divine. A partir du XVIe siècle, on prend conscience du fait que l'Etat, un Etat fort, un Etat de monarchie absolue, est en train de se constituer, que les Etats préoccupés par leur croissance et l'illimitation de leur pouvoir, s'opposent de plus en plus violemment les uns aux autres.

A travers les siècles, on trouve des auteurs qui fondent leurs théories sur cet état de la société internationale. Nous renvoyons sur ce point aux ouvrages qui traitent des doctrines ou des idées politiques. Si nous y faisons allusion, c'est que leurs théories ont été reprises à l'époque contemporaine par certains auteurs, de sorte qu'il y a une filiation certaine entre les anciens et les modernes, même si le langage n'est pas le même, *Nihil novi sub sole*...

SECTION I

PRESENTATION DES THEORIES

Pour présenter les théories contemporaines selon lesquelles la société internationale est une société anarchique, nous retiendrons un échantillon aussi représentatif que possible. Nous prendrons d'abord un philosophe sociologue, frotté d'économie politique, Raymond Aron, ensuite un politiste, Hans Morgenthau, enfin un juriste, qui est aussi un politiste, Georges Burdeau, auteur d'un monumental Traité de science politique. Il est évident que ces auteurs ne développent pas exactement la même argumentation et ne suivent pas la même ligne de pensée. Il y a entre eux des divergences, mais ils sont au moins d'accord sur un point, à savoir que la société internationale est une société anarchique. Au lieu d'analyser successivement l'œuvre de chacun de ces trois auteurs, nous exposerons les idées maîtresses, qui leur sont communes, quitte à signaler au passage les points de divergence.

La société internationale, société d'Etats souverains.

La première idée maîtresse est l'affirmation que la société internationale est une société composée par des Etats souverains et indépendants. Par suite les relations internationales ne peuvent être que des relations interétatiques, des relations entre Etats.

C'est ce qu'affirme *Raymond Aron* dans son livre *Paix et Guerre entre les nations* (1). « Les relations entre Etats, écrit-il, les relations proprement interétatiques, constituent par excellence les relations internationales. » Ceci veut dire que lorsque l'Etat, en tant que tel, n'intervient pas dans les relations internationales, on n'est pas en présence de véritables relations internationales. Un peu plus loin, il ajoute : « Le centre des relations internationales, ce sont les relations que nous avons appelées interétatiques, celles qui mettent aux prises les unités en tant que telles », c'est-à-dire les Etats. De façon plus concrète et plus imagée, les relations internationales et la société inter-

(1) Le fait de citer en premier lieu R. ARON n'implique pas que nous lui reconnaissons une antériorité dans l'exposé des idées exprimées. Toute son œuvre est imprégnée des théories développées aux E.U.A.

nationale elle-même sont symbolisées par deux personnages, et deux personnages seulement : le diplomate et le soldat. « Deux hommes, écrit-il, et deux seulement, agissant pleinement non plus comme des membres quelconques, mais en tant que *représentants* des collectivités auxquelles ils appartiennent. L'*ambassadeur* dans l'exercice de ses fonctions est l'unité politique au nom de laquelle il parle. Le *soldat* sur le champ de bataille *est* l'unité politique au *nom* de laquelle il donne la mort à son semblable » (souligné par l'auteur). Raymond Aron cède ainsi à la tendance anthropomorphique qui conduit à envisager les relations entre les Etats comme si ces derniers étaient des personnes physiques. La même tendance conduit à représenter les E.U.A. sous les traits de l'oncle Sam, la Grande-Bretagne sous ceux de John Bull, la France sous ceux de Marianne, etc.

De la même façon, *Morgenthau* considère que les relations internationales font intervenir exclusivement les Etats. Il y a cependant une différence importante avec Raymond Aron, qui tient au fait que Morgenthau érige le concept de pouvoir en concept central de son analyse. Il se fait d'ailleurs une idée assez particulière du pouvoir et plus précisément du pouvoir politique. La définition qu'il en donne est la suivante : « Quand nous parlons du pouvoir, nons entendons le contrôle de l'homme sur l'esprit et l'action des autres hommes. Par pouvoir politique, nous nous référons aux relations actuelles de contrôle entre les tenants de l'autorité publique et entre ces derniers et le peuple dans son ensemble. » Lorsque Morgenthau parle de pouvoir, il vise donc une relation d'ordre psychologique entre ceux qui exercent le pouvoir et ceux sur lesquels ce pouvoir est exercé. Le concept central étant pour lui le concept de pouvoir politique, il en tire la conséquence que l'action d'un Etat n'a pas nécessairement une nature politique, qu'elle ne se situe pas nécessairement sur le plan des relations internationales (international politics). En effet, seules relèvent des relations internationales les relations qui ont un rapport avec le pouvoir politique.

La deuxième conséquence que Morgenthau tire de l'utilisation du concept de pouvoir est que tous les Etats ne sont pas impliqués de la même façon dans les relations internationales. En d'autres termes, tous les Etats ne sont pas, au même degré, membres de la société internationale. Il y a des Etats qui ont développé au maximum le pouvoir et qui pour cette raison sont des membres à part entière de la société internationale. Ils y jouent un rôle majeur. Mais, à l'autre bout de l'échelle, il y a des Etats-miniatures, comme la Principauté de Monaco par exemple, qui, pour lui, est absolument incapable de jouer un rôle quelconque dans la société internationale. Cette idée est très commode pour minimiser la place de certains Etats du Tiers Monde dans la société internationale.

On trouve également cette idée que la société internationale est une société d'Etats chez Georges Burdeau. Mais la différence avec les deux auteurs précédents, qui s'accommodent fort bien de cette situation, est que Georges Burdeau croit que le progrès de la société internationale ne peut venir que de la disparition de l'Etat. C'est ainsi que, répondant aux critiques qui avaient été formulées contre lui par un internationaliste, Georges Scelle, G. Burdeau écrit : « Ce n'est pas sans surprise que je me suis vu rangé parmi les disciples attardés de Hobbes, alors que tout mon effort est commandé par le souci de guérir l'ordre international de ce cancer qui paralyse son développement, l'Etat. L'erreur fondamentale, à mon sens, vient de ce qu'on croit pouvoir faire de la société internationale une société d'Etats, alors qu'il ne peut y avoir que des sociétés d'hommes. » Dans la suite de ses développements, essayant de réagir contre la situation actuelle, il présente une argumentation qui consiste à dire que tout irait mieux si, en définitive, les Etats disparaissaient et si on ne se préoccupait que des hommes. Mais c'est là de la futurologie. Pour l'instant, Georges Burdeau, tout en le déplorant et en le critiquant, constate que la société internationale est effectivement une société d'Etats souverains et indépendants.

Une société inorganisée.

La deuxième idée est que la société internationale ainsi composée se trouve en état d'infériorité congénitale par rapport aux sociétés nationales, du fait même que ces dernières seraient des sociétés parfaitement intégrées, alors que la société internationale est une société inorganisée, non structurée, une société qui ne présente à aucun degré ce phénomène d'intégration qui est présent dans les sociétés nationales.

Nos auteurs n'ont pas la naïveté de croire qu'il n'y a pas dans les sociétés nationales des situations conflictuelles, mais précisément ils font remarquer que le propre de l'Etat est de disposer d'un appareil plus ou moins perfectionné (Gouvernement et Administration, Parlement, Tribunaux, police et armée) qui possède à la fois le monopole de la décision et la possibilité de mettre en œuvre un appareil de coercition capable de contraindre les individus, même s'ils se rebellent, sinon à accepter, tout au moins à appliquer les décisions prises par l'autorité publique. D'autre part, ce qui caractérise également les sociétés nationales, c'est que, par des moyens divers, pacifiques ou violents, juridiques ou politiques, l'appareil d'Etat, assisté des appareils idéologiques (1), s'efforce de créer des solidarités de façon que l'Etat apparaisse comme une véritable communauté, au sens fort du terme, une communauté où l'unité nationale l'emporte sur les oppositions, sur les situations conflictuelles.

La société internationale est tout à fait différente. Ce qui la caractérise, c'est qu'elle ne dispose pas d'institutions comparables à celles des Etats.

D'abord, il n'y a pas dans la société internationale une sorte de Parlement mondial, capable de légiférer, d'édicter des mesures générales et impersonnelles qui ressembleraient, de près ou de loin, aux lois votées par les Parlements nationaux (*infra* p. 269 et s.).

Sans doute, le fait qu'il y a, entre les Etats, des relations implique qu'il y ait un minimum de règles juridiques. Nos auteurs ne nient pas que le droit international existe en tant que corps de règles juridiques destinées à régir les rapports internationaux. Mais ils font remarquer que ces règles ne peuvent résulter que de la seule volonté des Etats et qu'il dépend de chaque Etat de décider s'il acceptera ou s'il n'acceptera pas une règle du droit international.

La situation est différente dans les Etats où, même si certains citoyens n'approuvent pas telle ou telle loi, même s'ils considèrent qu'une loi est « scélérate », injuste, malgré tout, cette loi s'imposera à eux. Selon une expression assez symbolique, qui sent la guillotine, « ils tombent sous le coup de la loi », et la loi est théoriquement égale pour tous.

En second lieu, dans la société internationale, il n'y a pas non plus de tribunaux qui devraient obligatoirement être saisis par les Etats lorsque des différends viennent à se manifester dans leurs rapports réciproques. Le principe est que, pour être soumis à une juridiction internationale, un Etat doit, d'une façon ou de l'autre, avoir accepté de porter son différend devant cette juridiction. En dehors de son consentement, il n'est pas possible de traîner un Etat, même s'il a violé grossièrement le droit international, devant une juridiction existante (voir la deuxième partie).

(1) Sur les appareils idéologiques d'Etat, voir l'œuvre précitée de GRAMSCI. Il s'agit essentiellement des Eglises, de l'Ecole et des moyens d'information, chargés de véhiculer l'idéologie dominante.

Le problème est différent dans les Etats. Les citoyens n'ont pas le choix. De deux choses l'une : ou bien ils consentent à aller devant le tribunal compétent et à plaider ou bien ils s'y refusent, et ils seront condamnés par défaut. Mais, en toute hypothèse, l'individu condamné sera obligé d'exécuter le jugement rendu, au besoin par la contrainte.

Enfin, à supposer que les Etats soient liés par des règles de droit international, et que chacun, pour son propre compte, ait accepté la compétence d'une juridiction internationale, il reste encore à faire appliquer aussi bien les règles de droit international que les jugements rendus par les tribunaux internationaux. Or, fait-on remarquer, la société internationale ne dispose d'aucun appareil de coercition. Il n'y a pas de gendarmes internationaux. A cet égard, Morgenthau fait observer que « de la même façon que l'Etat est son propre législateur et le créateur de ses propres tribunaux et de leur compétence, il est aussi son propre « shérif et policeman ». « Rien de tel, ajoute-t-il, n'existe dans la société internationale. »

Il y aurait donc, selon ces auteurs, des différences énormes entre la société internationale et les sociétés nationales. Dans un cas, on est en présence d'une société désintégrée, inorganisée, débile ; dans l'autre cas, au contraire, on est en présence de sociétés parfaitement organisées, disposant d'institutions, d'un appareil de décision et de coercition.

Le règne de la force ou la politique de puissance.

> « Le saint patron de la science politique américaine — dans ses deux aspects, interne et international — est le plus éminent représentant de la politique de puissance (power politics), Nicolas Machiavel. »
>
> R.W. Sterling, *Macropolitics*, Knopf, Londres, 1974, p. 27.

Ce raisonnement permet d'aboutir à une troisième idée : puisque la société internationale est une société inorganisée, qu'elle ne dispose ni de législateur, ni de juge, ni de gendarme, les rapports internationaux ne peuvent être que des rapports anarchiques, des rapports qui, en définitive, reposent sur l'utilisation discrétionnaire par les Etats de la force, y compris la force armée.

C'est ainsi que *Raymond Aron,* recherchant ce qui, selon lui, fait la spécificité des relations internationales, arrive à cette conclusion :

« j'ai cru trouver ce trait spécifique dans *la légitimité et la légalité* (1) du recours à la force armée de la part des acteurs », c'est-à-dire les Etats. Il ajoute : « Dans les civilisations supérieures ces relations me paraissent les seules parmi toutes les relations sociales qui admettent le caractère normal de la violence ». Il revient encore sur cette idée un peu plus loin lorsqu'il écrit : « Disons que la société internationale se caractérise par l'absence d'une instance qui détient le monopole de la violence légitime. »

Pour Raymond Aron, par conséquent, la société internationale se trouve encore dans l'état de nature auquel faisait allusion Thomas Hobbes. Il utilise même à plusieurs reprises le terme de « asocial ». La société internationale serait une société asociale, ce qui paraît une contradiction dans les termes puisque, par définition, toute société est sociale. Mais il veut souligner que, à vrai dire, il n'y a peut-être pas de société internationale au sens véritable du terme. De même les relations internationales seraient des relations « asociales », c'est-à-dire des relations dominées par l'utilisation discrétionnaire de la force, y compris la force armée.

Sans doute, Raymond Aron ne va pas jusqu'à dire que les Etats choisissent toujours, en toutes circonstances, de recourir à la force. Il n'empêche que les relations internationales seraient dominées par deux personnages : le soldat et le diplomate. « L'ambassadeur et le soldat vivent et symbolisent les relations internationales qui, en tant qu'interétatiques, se ramènent à la diplomatie et à la guerre. Les relations interétatiques présentent un trait original qui les distingue de toutes les autres relations sociales, elles se déroulent à l'ombre de la guerre ou, pour employer une expression plus rigoureuse, les relations entre Etats comportent par essence l'alternative de la guerre et de la paix. » Plus loin, il établit un parallèle entre les sociétés nationales, où l'autorité publique s'efforce d'éliminer la violence des relations sociales, alors que dans la société internationale la violence serait un phénomène normal et inévitable.

Raymond Aron ne va pas jusqu'à faire l'apologie de la force, mais d'autres n'ont pas craint de le faire, soit parce qu'ils voient dans le recours à la violence une conséquence inéluctable de la nature humaine, soit parce qu'ils attribuent à la violence une vertu particulière. C'est ainsi que Bossuet déclarait : « La guerre, en tant que forme extrême de la violence, est un fléau divin destiné à nous châtier : elle est le

(1) Nous soulignons.

fruit des passions, une suite du péché et passion et péché sont immortels. » Il est donc vain de vouloir éliminer la guerre des rapports internationaux. Tant que l'homme vivra sur cette planète, il est condamné à subir les conséquences de guerres incessantes.

Si nous rappelons ces propos de Bossuet, c'est parce qu'on trouve chez Morgenthau la même idée. *Morgenthau* — influencé par Max Weber et surtout par le théologien Reinhold Niebuhr, pour qui l'homme est corrompu par le péché, égoïste et violent — se préoccupe de savoir quelles sont les « lois objectives » qui déterminent les relations sociales, y compris les relations internationales. Il pense que ces lois trouvent leur source dans la nature humaine. Or, la nature humaine, dit-il, n'a pas changé depuis que les hommes existent. Partout et toujours, l'homme est mû par la recherche effrénée du pouvoir. « La lutte pour le pouvoir, dit-il est universelle dans le temps et dans l'espace. » Dans ces conditions, établissant un parallèle entre l'individu en tant que personne physique et cet être collectif qu'est l'Etat, lui-même composé d'individus, il aboutit à la conclusion qu'il est inévitable que les rapports internationaux soient dominés par la violence puisque l'homme est, par essence, mauvais. On retrouve cette idée chez Heinrich von Treitschke, théoricien de la machtpolitik (der staat ist macht) qui écrit : « Aussi longtemps que l'espèce humaine restera ce qu'elle est, avec le péché et les passions, la guerre ne peut disparaître de la surface de la terre. »

Ceci conduit Morgenthau à rapprocher la pratique internationale et les pratiques nationales. Pour lui, l'essence du phénomène politique international est identique à celle de sa contrepartie interne. Dans les deux cas, il s'agit d'une lutte pour le pouvoir. « La politique internationale, comme toute politique, est une lutte pour le pouvoir. » Ceci ne veut pas dire que, dans tous les cas, les Etats utiliseront nécessairement la force physique, mais, pour lui comme pour Raymond Aron, le recours à la force physique est toujours une possibilité du fait même que l'Etat dispose de la force armée et, de façon plus générale, de la puissance, et il peut toujours être tenté d'abuser de sa puissance dans les relations internationales.

Sur ce point Morgenthau rejoint Raymond Aron (ou inversement) dans la croyance que ce qui caractérise la société internationale et ce qui lui donne un caractère anarchique, c'est la possibilité d'utiliser la force à tout moment. Il y a cependant une différence entre l'argumentation de Morgenthau et celle de Raymond Aron. Alors que Morgenthau pense que l'essence du politique est toujours la même, que l'on soit au niveau international ou au niveau national, Raymond Aron, au contraire, estime qu'il y a une distinction essentielle à faire entre la politique internationale et la politique intérieure. Pour celle-ci, l'Etat aurait les moyens de briser toute tentative destinée à opposer à la violence institutionnelle, à la violence légitime (ou considérée comme telle) de l'Etat, la contre-violence des citoyens. En outre, l'Etat étant une société intégrée, le sens de l'intérêt commun y prédominerait.

Un autre point de divergence entre Morgenthau et Raymond Aron est que Morgenthau fait appel à l'idée d'intérêt national pour expliquer l'appétit de puissance de l'Etat. Pour lui, l'intérêt national peut être défini à l'aide de deux sortes d'éléments : un élément permanent et des éléments variables. L'élément permanent, c'est la nécessité pour tout Etat de préserver par tous les moyens son identité physique, politique et culturelle contre toutes les atteintes qui pourraient lui être portées de l'extérieur. En dehors de cet élément permanent, valable pour tous les Etats et à toutes les époques, il y aurait des éléments variables ou conjoncturels qui sont beaucoup plus fluctuants puisqu'ils dépendent de l'influence exercée par les hommes d'Etat, les partis politiques, l'opinion publique, les groupes de pression, etc. On reconnaît ici le pluralisme, cher aux politologues américains (cf. R. Dahl).

Sur ce point Raymond Aron est en désaccord avec Morgenthau dans la mesure où il estime que la notion d'intérêt national, comme la notion d'intérêt personnel utilisée par La Rochefoucauld, est tout à fait dépourvue de signification. Ce qu'il reproche à Morgenthau, c'est de ne pas donner une définition suffisamment précise et opérationnelle de l'intérêt national. Quant à lui, il préfère rechercher dans chaque cas particulier les motivations qui ont pu inspirer les dirigeants des Etats dans la conduite des relations internationales, au lieu de tout ramener au prétendu intérêt national.

Malgré ces divergences, Raymond Aron et Morgenthau sont d'accord pour affirmer que la société internationale est caractérisée essentiellement par l'alternative de la paix et de la guerre, chaque Etat ayant en définitive un choix discrétionnaire entre l'une ou l'autre de ces solutions. Tous les deux n'accordent également qu'une attention tout à fait marginale aussi bien au droit international qu'à la morale internationale. C'est ainsi par exemple que Morgenthau écrit : « La reconnaissance que le droit international existe n'équivaut pas à affirmer qu'il constitue un système juridique aussi effectif que le système juridique national et que plus spécialement il réglemente et limite effectivement la lutte pour le pouvoir sur la scène internationale. » Autrement dit, Morgenthau ne nie pas que le droit international existe, mais il affirme que le droit international n'a pas d'effectivité. Bien plus, il est nuisible dans la mesure où, selon les termes employés par l'ancien ambassadeur des E.U.A. en U.R.S.S., C. Kennan (American diplomacy, Chicago, Univ. press, 1951, p. 98), il constitue une « camisole de force juridique » (legal strait jacket) destinée à paralyser l'Etat.

Cette idée se retrouve également chez *Georges Burdeau* qui n'est pas moins sévère pour le droit international. Toute son argumentation vise à démontrer l'impuissance du droit international. Pour lui, sans doute cette impuissance du droit international est due au défaut d'organisation de la société internationale, à l'absence d'un législateur et d'une force coercitive, mais surtout à l'existence même des Etats soucieux de leur indépendance, constamment préoccupés de la défense de leurs intérêts nationaux et non pas de ce qu'il appelle le bien commun international, des Etats qui sont incessamment engagés dans des rivalités qui souvent les conduisent à l'affrontement armé, à la violence. Sa conclusion est que, en fait, il n'y a pas de véritable droit international. « Ce que nous appelons aujourd'hui « droit international », écrit-il, c'est simplement du droit national à usage externe. C'est un ensemble de règles sans cohérence ni principe directeur autre que celui qui peut se dégager de l'intérêt particulier des Etats du contenu duquel les Gouvernements nationaux sont les seuls maîtres et dont l'autorité dépend de leur bon vouloir. » Dans ces conditions, puisque le droit international est incapable de régir les rapports internationaux, il n'est pas curieux que pour Georges Burdeau, comme pour Morgenthau et Raymond Aron, les relations internationales soient des relations de force et placent la société internationale dans un véritable état d'anarchie.

BIBLIOGRAPHIE

Les idées de nos trois auteurs sont exposées à partir des ouvrages suivants :

— H. Morgenthau, *Politics among nations New York*, Knopf, 1948, 1re éd. Cet ouvrage a connu cinq éditions de 1948 à 1972.

— R. Aron, *Paix et guerre entre les nations, op. cit.* Ajouter la série d'articles rassemblée sous le titre « Etudes politiques ».

— G. Burdeau, *Traité de science politique,* T. I, 2e éd., p. 361 et s.

SECTION II

EXAMEN CRITIQUE

De façon générale, on peut dire que les théories qui considèrent la société internationale comme une société anarchique pèchent à la fois par excès et par défaut.

§ 1. — LES PECHES PAR EXCES

On peut reconnaître, avec les auteurs dont nous avons parlé, que la société internationale n'est pas, à l'heure actuelle, une société intégrée au même titre que les sociétés nationales. C'est l'évidence et nous le verrons plus en détail dans le titre II (p. 77 et s.). Mais, cela dit, on peut faire quelques observations.

L'idéalisation des sociétés nationales.

D'abord, est-ce que les sociétés nationales sont des sociétés aussi intégrées qu'on le dit ? Il ne le semble pas. Aujourd'hui il y a un nombre considérable d'Etats nouveaux, les Etats du Tiers Monde, issus du raz de marée de la décolonisation qui les a fait successivement accéder à l'indépendance. Le colonisateur avait fait coexister, au besoin par la force, dans le cadre de frontières tracées au pantographe des intérêts ou selon les hasards de la conquête, des populations qui, antérieurement à la conquête, appartenaient à des sociétés globales différentes. Certaines de ces sociétés avaient d'ailleurs atteint le stade d'Etat, de sorte qu'on a vu coexister à l'intérieur d'un même territoire des Etats tout à fait différents les uns des autres aussi bien par l'histoire que par les coutumes, la langue, la civilisation, etc. Aujourd'hui, les Etats nouveaux issus de la colonisation sont placés devant un problème qui, pour certains politologues, constitue le problème prioritaire à résoudre : celui de l'intégration nationale. Disons que les problèmes de la « question nationale » sont à l'ordre du jour. Si ces problèmes existent, cela veut dire que ces Etats ne sont pas des sociétés nationales intégrées. La nation est une nation à venir, une nation en voie de formation.

Une deuxième observation concerne la violence. Sans doute, il est exact que la violence, une violence polymorphe, caractérise la société internationale (infra p. 294). Ceci provient du fait que le pouvoir (en tant que capacité d'agir) dans la société internationale se présente avec trois caractéristiques essentielles. Il est éparpillé, c'est-à-dire qu'il est réparti, de façon inégale, entre les Etats qui composent la société internationale ; inconditionné, dans la mesure où il dépend de la volonté même de l'Etat de l'utiliser ou de ne pas l'utiliser ; violent, ce qui veut dire que l'Etat a le monopole de la contrainte. Il en résulte que l'action internationale est gouvernée en définitive par deux sortes de règles : des règles de droit et des règles non écrites, qui autorisent implicitement les Etats à recourir légalement au moins à certaines formes de violence. Nous n'irons pas jusqu'à dire, comme Raymond Aron, que les Etats peuvent légitimement et légalement recourir à la force armée puisque la Charte des Nations Unies proclame le principe d'interdiction du recours à la force (infra p. 310).

Mais, si tel est l'état de la société internationale, comment se présentent, en fait, les sociétés nationales ? Il est exact que l'Etat dispose du monopole de la contrainte et peut éventuellement l'utiliser contre les citoyens pour les obliger à exécuter les décisions prises par l'autorité publique. Mais on est bien obligé de constater que le monopole de la violence au bénéfice de l'autorité publique n'empêche pas, pour autant, les citoyens eux-mêmes de recourir aussi, éventuellement, à la violence, lorsqu'ils estiment qu'ils sont victimes d'une politique contraire, soit aux intérêts de l'ensemble de la population, soit aux intérêts de telle ou telle classe ou catégorie sociale. Les exemples sont nombreux, particulièrement dans les Etats du Tiers Monde, mais également dans d'autres Etats beaucoup plus anciens, d'une contre-violence qui répond à la violence institutionnelle de l'Etat, de sorte qu'on se trouve dans cette spirale de la violence décrite par Dom Helder Camara. En fait, les Etats ne sont pas des sociétés aussi policées qu'on voudrait le faire croire.

Inversement, la société internationale n'est pas aussi désordonnée, aussi anarchique qu'on le laisse entendre. Un usage abusif des moyens d'information modernes conduit à polariser l'attention de l'opinion publique sur les conflits internationaux parce que c'est souvent le moyen de mieux vendre la marchandise-information. Ceci contribue à faire croire que la vie internationale n'est qu'une succession d'affrontements entre les Etats. En fait, une observation un peu plus attentive de la vie internationale montrerait que les relations internationales sont aussi des relations pacifiques et, dans un grand nombre de cas, les rapports entre les Etats se déroulent de façon satisfaisante sur la base de l'observation scrupuleuse du droit international. Si cet aspect n'est pas perçu, il n'est pas ressenti au niveau des consciences individuelles, c'est parce que dans une grande mesure, les moyens de communication modernes et les théories développées par des auteurs comme Raymond Aron et Morgenthau contribuent à faire pénétrer dans les esprits une représentation exagérément pessimiste de la société internationale.

Une distinction négligée : fonctions et structures.

Cela ne veut pas dire, pour autant, que les fonctions propres à toute société ne sont pas remplies. Il faut établir une distinction entre le problème des structures et le problème des fonctions.

Sous l'influence de Montesquieu et des juristes attachés au formalisme, nous sommes accoutumés à ce qu'à des fonctions précises, notamment les fonctions juridiques de l'Etat (législative, exécutive et juridictionnelle), correspondent des structures, c'est-à-dire un parlement, un gouvernement, des tribunaux. Cette loi de correspondance n'est pas évidente. D'abord elle n'a pas toujours existé, notamment au niveau des communautés primitives, et il n'est pas non plus certain qu'elle existera encore dans quelques siècles. Un des mérites de la théorie marxiste est de montrer que l'Etat, en tant qu'instrument de domination d'une classe, ne fait pas partie de l'éternel. Aujourd'hui certains ethnologues (cf. Clastres, op. cit.) reprennent cette idée en mettant en parallèle l'Etat et la société. Mais, à défaut d'Etat, la question se pose de savoir comment, en l'absence de structures, sont accomplies les fonctions nécessaires à la survie de toute société, y compris la société internationale.

Sur ce point, l'internationaliste français, G. Scelle a, bien avant les théoriciens contemporains du fonctionnalisme, appelé l'attention sur le fait que dans toutes les sociétés, y compris la société internationale, « les fonctions sociales doivent être et sont remplies, bien entendu avec plus ou moins de perfection selon le degré d'intégration de la société envisagée ». A partir de cette affirmation, il entreprend de démontrer que dans la société internationale : « ces fonctions s'accomplissent par la collaboration et par l'action concurrente des gouvernements et agents étatiques agissant comme gouvernants et agents internationaux ». Dans cette phrase, Georges Scelle introduit un concept intéressant, celui de dédoublement fonctionnel (1). L'idée qu'il met en avant est que les gouvernants nationaux agissent tantôt pour le compte des sociétés nationales, à la tête desquelles ils se trouvent placés, tantôt pour le compte de la société internationale dont ils font partie. Pour l'époque, cette idée était surprenante. Aujourd'hui, elle ne nous étonne plus depuis que les théories fonctionnalistes développées par les anthropologues comme Radcliffe-Brown et Malinowski et reprises par les sociologues et les politistes, nous ont appris qu'il faut accorder plus d'attention aux fonctions qu'aux structures.

Pour Georges Scelle, la fonction législative est parfaitement remplie sur le plan international, mais elle l'est d'une autre façon que sur le plan national. Alors que dans l'Etat cette fonction est remplie concurremment par le Parlement (lois) et par le Gouvernement (règlements, décrets), ou par le seul pouvoir exécutif (dictatures, monarchies absolues), sur le plan international, elle n'est pas remplie par une sorte d'autorité supranationale supérieur aux Etats, mais par les Etats eux-mêmes. Georges Scelle nous dit : « le traité correspond ici à la loi du droit interne ».

Georges Scelle soutient également que la collaboration entre les Etats se manifeste aussi dans le domaine exécutif, gouvernemental et administratif. Il écrit : « Il arrive qu'à certaines époques on voie se réaliser dans les sociétés internationales et même dans la société internationale globale de véritables collèges gouvernementaux de fait auxquels il est possible d'appliquer la théorie du gouvernement de fait de droit interne. Il en est ainsi dans les époques troublées, après les grandes guerres notamment. La prise de contact des gouvernements se réalise alors dans des congrès ou conférences qui remplissent toutes les fonctions internationales par une sorte de confusion des pouvoirs, de dictature collective : Congrès de Vienne, Congrès de Berlin, surtout Conférence de la paix de 1919. »

Sans approuver toutes les idées de Georges Scelle, ni, de façon plus générale, les théories fonctionnalistes ou structuro-fonctionnalistes, ne serait-ce que parce qu'elles occultent les contradictions en justifiant le système établi et qu'elles n'expliquent pas réellement les phénomènes observés, il n'en reste pas moins qu'il faut être attentif au problème des fonctions et se demander dans quelle mesure les fonc-

(1) Ce concept trouve également des applications en droit interne. Ainsi le maire est une sorte de Janus, tantôt agent de l'Etat(en tant qu'officier d'état civil, par exemple), tantôt agent de la commune, en tant que collectivité décentralisée.

tions propres à la société internationale peuvent être remplies par des moyens différents de ceux qui existent dans le cadre des sociétés nationales.

Un oubli : l'intégration.

Mais il faut aller encore plus loin. Si au lieu de se limiter à la société internationale globale, on se penche sur les sociétés internationales particulières, on voit alors se manifester avec plus ou moins de force des mouvements d'intégration politique externe, qui conduisent des Etats jusqu'alors séparés, distincts, indépendants et souverains à se rapprocher les uns des autres, à faire abandon au moins d'une partie de leur souveraineté. C'est ce qui se passe en particulier dans le cadre européen (voir la 2e partie, titre II, chap. III). Il ne faut donc pas négliger le niveau régional où l'on voit, éventuellement, se manifester des phénomènes d'intégration comparables à ceux qui se sont manifestés dans le cadre des Etats. En fait, c'est probablement une étape vers la substitution à une poussière d'Etats européens souverains et indépendants d'un ensemble politique dont on ne peut pas préjuger la nature juridique (Union d'Etats, Confédération ou Etat fédéral), ni sociale (Europe des monopoles ou Europe des travailleurs).

Finalement, la théorie selon laquelle la société internationale serait une société anarchique présente un tableau exagérément noirci de la société internationale. La tendance perverse des auteurs dont nous avons parlé est de monter en épingle les situations conflictuelles, tandis que les situations de coopération pacifique, et même les situations d'intégration, sont volontairement laissées dans l'ombre. Ainsi, les tenants de la « Realpolitik », les réalistes, ne sont en fait que d'incurables pessimistes, voire des cyniques qui se repaissent de la violence internationale, qui devient une sorte de « maladie professionnelle de la vie politique » (R. Sterling, op. cit., p. 33).

§ 2. — LES SILENCES DES THEORIES EXPOSEES

Comme nous le verrons dans le deuxième titre, on ne peut pas réduire, sinon de façon tout à fait abusive, la société internationale aux seuls Etats qui la composent, encore moins à certains d'entre eux. En fait, la société internationale est beaucoup plus qu'une simple société d'Etats souverains.

Les organisations internationales.

D'abord les partisans de la thèse de l'anarchie laissent volontairement de côté ou minimisent le fait que la novation de la période contemporaine est l'apparition d'organisations internationales de plus en plus nombreuses, de plus en plus diversifiées, des organisations capables d'agir au même titre que les Etats dans l'ordre international (infra p. 170). Sans doute, on pourrait objecter que ces organisations internationales ne sont que des créatures des Etats et les membres de ces organisations uniquement des Etats. Ceci est tout à fait exact. Mais on peut se demander si toute organisation n'a pas, dans une certaine mesure, tendance à acquérir, sinon une indépendance, tout au moins une certaine autonomie de pensée et d'action. Il y a peut-être une sorte de loi sociologique qui fait qu'à partir du moment où une institution a été créée, elle tend à s'affranchir de ses créateurs et à acquérir une vie plus ou moins autonome. C'est l'opinion qui est défendue en particulier par Michel Virally dans son livre intitulé *L'Organisation mondiale.* Elle soulève la question de savoir si, effectivement, à côté des Etats, il n'y a pas aussi des organisations internationales qui peuvent être des acteurs plus ou moins autonomes de la vie internationale. Nous y reviendrons dans le titre II.

Les individus, réalité première.

En second lieu, il ne faut pas non plus oublier que la société internationale est également composée d'individus et de groupements d'individus. On peut même dire que la réalité première, aussi bien de la société internationale que des sociétés nationales, c'est l'individu, les hommes qui la composent.

Dans son ouvrage sur Clausewitz, R. Aron admet un instant, l'hypothèse « qu'il n'y ait que des individus et que l'Etat, la nation, l'armée n'existent pas de la même manière que les individus » (p. 229). Mais c'est aussitôt pour déclarer que « l'histoire politique devient incompréhensible ». Non seulement l'Etat demeure central, mais le summum du progrès serait l'Etat personnifié (p. 253) sous la forme d'un homme d'Etat, pétri d'intelligence et capable de faire des choix politiques rationnels. Il rejoint ici les thèses exposées par H. Kissinger, dont on connaît l'admiration pour Metternich et Bismarck et le rôle personnel dans l'orientation de la politique extérieure des Etats-Unis d'Amérique. C'est la glorification du héros, de l'homme providentiel et exceptionnel, bref la conception élitiste des relations internationales. On voit poindre la crainte d'une démocratisation des relations internationales.

On peut cependant poser une question : dans quelle mesure les peuples, par opposition aux gouvernants, sont-ils capables de sécréter une opinion publique internationale, susceptible d'influencer les relations internationales ? Dans quelle mesure les groupements privés, particulièrement ceux qui ont une dimension internationale, sont-ils susceptibles de constituer des acteurs internationaux plus ou moins indépendants à l'égard des Etats ? Ces questions méritent au moins d'être posées. Nous y reviendrons ultérieurement (infra, p. 213 et s.).

La nature sociale de l'Etat.

Une dernière critique concerne le silence de nos trois auteurs sur le contenu social de l'Etat (ou du pouvoir politique). Ainsi, lorsque Morgenthau soutient que le pouvoir est guidé par l'intérêt national, il ne précise pas la nature du pouvoir qui définit l'intérêt national. Comme le remarque le R.P. Bosc dans son ouvrage *Sociologie de la paix,* à propos de Hans Morgenthau : « Non seulement il idéalise, mais il rationalise. Il semble considérer la société internationale comme un milieu où les Etats sont interchangeables, où leurs réactions sont identiques. Il ne connaît que des Etats forts et des Etats faibles. Mais à égalité de puissance, un Etat communiste, un Etat du Tiers Monde réagiront-ils comme un Etat libéral ? »

La question mérite effectivement d'être posée. Il ne suffit pas de dire, comme le fait Hans Morgenthau, qu'il n'y a pas de différence de nature entre la politique internationale et la politique intérieure. Il ne suffit pas de dire, comme le fait Raymond Aron, qu'il faut être attentif aux rapports de force, à la « diversité infinie des conjonctures », à la philosophie politique des gouvernements (en affirmant au passage que « les communistes mentent comme jamais peut-être aucun grand mouvement historique avant eux »). Il est peut-être beaucoup plus utile de s'interroger sur la nature et les caractéristiques fondamentales des formations sociales, en se souvenant que, selon la formule ramassée de Lénine, « La politique est une expression concentrée de l'économie. » Ceci signifie que la base économique est, *en dernier ressort,* déterminante, la politique ne faisant qu'exprimer, en quelque sorte, la base économique par l'intermédiaire de l'Etat. Ceci explique que la politique extérieure ne soit en définitive que la continuation de la politique intérieure par d'autres moyens. Pour autant, la politique extérieure d'un Etat n'est pas tout entière en puissance dans la base économique d'une formation sociale déterminée. Une formation sociale, c'est aussi une superstructure qui possède son influence propre, et même une relative autonomie (*supra*). Ce qu'il faut prendre par conséquent en considération, c'est la totalité de la formation sociale (base économique et superstructure). Enfin, il faut tenir compte également de la complexité de la société internationale contemporaine composée de systèmes sociaux radicalement différents et parvenus à des degrés différents de développement et par conséquent des influences exercées de l'extérieur sur la politique étrangère d'un Etat déterminé.

BIBLIOGRAPHIE

Sur *les thèses de Morgenthau,* voir les critiques formulées par J. W. BURTON, *International relations ; A general theory,* Cambridge, 1965, p. 31 et s. Le R. P. BOSC, *Sociologie de la paix* (ouvrage précité), et C. V. CRABLE et J. SAVOY. H. J. MORGENTHAU'S, version of realpolik, *Political science rewiever,* 1975, 5, p. 189-228.

La défense de Morgenthau est présentée par H. BULL dans son étude « International theory. The case for a classical approach », *World politics,* avril 1966. Reproduite dans l'ouvrage publié par K. KNORR et J. N. ROSENAU, *Contending approaches to international politics,* Princeton, 1969, p. 20 et s.

Sur *R. Aron,* voir les critiques de ORAN R. YOUNG, « Aron et la baleine », « Un Jonas dans la théorie » (dans l'ouvrage précité *Contending approaches...,* p. 129 et s.).

Ces critiques n'ont pas empêché R. Aron de persister dans ses erreurs à travers les nombreux ouvrages publiés depuis 1962, notamment son interprétation de la pensée de Clausewitz (*Penser la guerre,* Clausewitz, Gallimard, Paris 1976).

Voir la critique de M. MERLE (*op. cit.,* p. 28, note 1 et p. 37-40).

Sur H. KISSINGER, outre ses ouvrages : *A world restored,* Houghton Mifflin, Boston, 1957 (sur le Congrès de Vienne et la Sainte Alliance), Nuclear weapons and foreign policy, Harper Bros, N. Y., 1957. The necessity for choice. Harper Bros, N.Y., 1961. En français, *Pour une nouvelle politique étrangère américaine,* Fayard, 1970, et *Le chemin de la paix,* Denoël, 1972, voir : S. R. GRAUBARD, Kissinger, *W.W. Norton,* 1973 et les commentaires de J. E. et D. S. DORAN, The works of H. A. Kissinger, *Political science rewiever,* 1975, n° 5, p. 47-128.

Sur G. Burdeau, voir les critiques de G. SCELLE dans la revue du Droit public, 1943.

Une conception plus nuancée du pouvoir (power), comme concept de base des relations internationales est présentée par R. STERLING, *Macropolitics,* A.A. Knopf, Londres, 1974, p. 25 et s. On y trouvera également une critique de l'école « réaliste ».

Sur la dissociation du politique et de l'Etat, voir l'excellent ouvrage de P. CLASTRES, *La société contre l'Etat,* Ed. de Minuit, 1974.

CHAPITRE II

LA THESE DE L'ORDRE

Les théories qui présentent la société internationale comme une société ordonnée comportent, comme les précédentes, de nombreuses variantes (écoles) et donc des différences qu'on ne saurait sous-estimer. Elles ont cependant un trait commun, dans la mesure où elles mettent l'accent plus sur ce qui unit les éléments composants de la société internationale que sur ce qui la divise. Le maître-mot est sans doute celui d'interdépendance. Ceci permet alors, en privilégiant ce qui fait l'unité de la société internationale, de présenter une image plus aimable, plus souriante, mais quelque peu inexacte, déformée, de la société internationale.

Ce sont surtout les juristes internationalistes qui ont fait appel à ce type de représentation de la société internationale. Mais certains internationalistes, qui sont des philosophes, des politistes ou des sociologues, sont également hantés par cette image de la société internationale, ce qui, à la limite, fait apparaître les utopies mondialistes.

SECTION I

LA SOCIETE INTERNATIONALE DES JURISTES

Il y a chez les juristes, à travers le temps et encore à l'époque contemporaine, de nombreux courants de pensée. Il y a même des juristes, comme G. Burdeau, qui sont des négateurs du droit international (supra, p. 42). C'est dire que tous les juristes ne voient pas la société internationale du même œil. Cependant, on peut dire que, par formation professionnelle, ils sont portés à mettre l'accent sur le fait que la société internationale est (ou devrait être) une société ordonnée. Cette tendance est encore accentuée par la méthode qu'ils emploient et qui les conduit soit à considérer le droit international comme un univers clos, fermé sur lui-même, ce qui les dispense de se pencher sur les réalités internationales, soit à faire appel à la très vieille doctrine du droit naturel, dont ils pensent qu'il guide (ou qu'il devrait guider) l'action des Etats, soucieux du bien commun international. Ainsi les juristes s'opposent aux auteurs dont nous avons parlé précédemment dans la mesure où ils s'élèvent vigoureusement contre l'idée que la société internationale serait une société anarchique.

Reconnaissance et critique de l'Etat souverain.

Cependant, il y a un point commun aux juristes et aux «réalistes». Les uns et les autres acceptent généralement l'idée que la société internationale est une société d'Etats indépendants et souverains, même si certains d'entre eux le déplorent et s'attaquent parfois au concept de souveraineté en tant qu'élément caractéristique de l'Etat.

C'est ainsi que, dans son manuel d'institutions internationales, le professeur Paul Reuter, tout en reconnaissant qu'il existe d'un point de vue sociologique des sociétés internationales formées d'individus et de groupements d'individus, souligne « la *prédominance des sociétés interétatiques,* et plus précisément la prédominance de la société universelle formée par tous les Etats ». Il fait remarquer à ce sujet, d'ailleurs, que cette prédominance « n'est que l'expression de la prédominance de l'Etat dans la vie sociale et de la collectivisation de celle-ci dans le cadre étatique », ce qui conduit l'autorité publique à contrôler ou à interdire les rapports internationaux de ceux qui sont soumis à son autorité.

Même si le professeur Reuter reconnaît que la société internationale est composée d'éléments autres que les Etats, il souligne que leur statut est déterminé par l'Etat lui-même, de sorte que, d'un point de vue juridique, les individus et groupements d'individus n'auraient aucune espèce d'autonomie.

De la même façon, il reconnaît également que la société internationale comprend des organisations internationales, mais il déclare qu'elles ne sont en définitive qu'un « prolongement et une variante du phénomène étatique lui-même ».

Sa conclusion est qu'il est « conforme à la réalité d'étudier les institutions internationales à partir des Etats ». L'unité d'analyse est donc l'Etat souverain.

Cette idée se retrouve également dans le traité de droit international public du professeur Cavaré, revu par J.-P. Quéneudec. Dès les premières pages, le professeur Cavaré constate : « La caractéristique fondamentale de la société internationale est de constituer une société entre Etats. » Très logiquement, à partir de ce postulat, il en tire la conséquence que « le droit international public lui-même apparaît d'abord comme un droit interétatique ». Même s'il admet qu'il y a dans la société internationale d'autres éléments, il affirme que « l'Etat reste malgré tout l'*élément essentiel* de cette société internationale ».

On pourrait facilement multiplier les citations de ce genre. De façon générale, on peut dire que le point de vue classique des juristes internationalistes est que, pour l'essentiel, la société internationale est une société d'Etats souverains.

Il y a cependant des juristes dissidents, en particulier Georges Scelle, pour qui la société internationale n'est pas du tout une société d'Etats, mais une société d'individus et de groupements d'individus. C'est la raison pour laquelle il intitule son ouvrage : *Précis du droit des gens,* le terme « gens » étant pris au sens courant d'individus.

L'idée essentielle qui est à la base de sa systématisation est que la réalité première, aussi bien dans les sociétés nationales que dans la société internationale, est l'individu, un individu non pas isolé, mais lié aux autres individus par des liens de solidarité, qu'il s'agisse d'une solidarité par similitudes ou d'une solidarité établie sur la base de la division du travail. Par suite, écrit-il, la société internationale est « une collectivité d'individus, sujets de droit, appartenant déjà aux sociétés nationales ». Il en résulte que, pour lui, il n'y a pas de différence de nature entre les sociétés nationales et la société internationale, puisque les unes et les autres sont composées d'individus et de groupements d'individus.

Ayant formulé ce postulat, très logiquement, Georges Scelle part en guerre, après d'autrés, contre la conception classique de l'Etat considéré comme une personne morale souveraine. Il lui semble absolument inutile de faire appel à un concept de ce genre, car il n'y a que des individus, dont les uns sont des gouvernants, les autres des gouvernés, étant entendu que les positions respectives des uns et des autres dans la société internationale seraient déterminées par le droit international.

On trouve un reflet de cette conception hostile à la souveraineté de l'Etat chez de nombreux juristes des Etats capitalistes. C'est ainsi que le Doyen Colliard, dans son manuel d'institutions internationales, soutient l'idée que la souveraineté serait « inexacte du point de vue scientifique, et dangereuse par les conséquences politiques qu'elle implique ». De même, René-Jean Dupuy, dans le *Que sais-je ?,* qu'il a consacré au droit international, écrit que la notion de souveraineté est « l'obstacle majeur à la primauté du droit international sur ses sujets, les Etats ». Il lance cette belle formule : « Une seule souveraineté est admissible, celle du droit. »

Il y a donc, en définitive, deux courants de pensée chez les juristes contemporains. Les uns constatent, même s'ils le déplorent parfois, que la société internationale est une société d'Etats. Les autres, comme Georges Scelle, font de cette société internationale une société d'individus et de groupements d'individus.

L'idéalisme : l'exagération du rôle du Droit.

Cela dit, tous ces juristes affirment que la société internationale est une société ordonnée. A cet égard, il est assez caractéristique que certains, comme le professeur Reuter par exemple, n'hésitent pas à faire appel à la vieille expression de « communauté internationale », qui était déjà utilisée par les théologiens catholiques au XVIe siècle.

L'utilisation de cette expression n'est pas indifférente. Les sociologues, en particulier Ferdinand Tönnies, dans son ouvrage *Gesellschaft und Gemeinschaft* (trad. fr. aux Presses Univ. de France), ont souligné la distinction entre ces deux phénomènes : société et communauté (1). La communauté est caractérisée par son unité fondamentale, par le fait qu'elle est un tout organique, dans laquelle il y a des intérêts communs, des règles de vie communes et une organisation destinée à assurer la survie de la communauté. Par opposition, la société est un ensemble dans lequel prédominent les intérêts particuliers, la compétition, la lutte, les situations conflictuelles, l'absence d'organisation.

Lorsque des internationalistes comme Paul Reuter emploient le terme de communauté, ils veulent souligner que la société internationale est caractérisée par l'existence d'intérêts communs, qui résultent de la solidarité croissante des Etats, de règles de vie communes, qui se présentent sous la forme de principes de droit international acceptés par tous les Etats, et par une certaine organisation de la société internationale, du fait même qu'il existe à l'époque contemporaine des organisations internationales. Il y a là rassemblés les éléments qui contribueraient à faire de la société internationale une communauté au sens fort du terme. Cependant, le professeur Reuter est finalement assez

(1) Sur cette distinction, voir l'excellent ouvrage de « Sociologie générale » (Introduction à la), de G. ROCHER, éd. H.M.H., 1968, p. 54-55.

prudent, dans la mesure où, ayant constaté que les bases d'une communauté internationale existent, il indique cependant que c'est beaucoup plus une virtualité qu'une réalité.

Le professeur Cavaré est beaucoup plus catégorique. L'idée essentielle autour de laquelle il construit sa théorie est que la société internationale est gouvernée par le droit international, qui constitue en quelque sorte le ciment capable d'unir les éléments composants de la société internationale en un bloc solide et indestructible. « Ecarter l'idée d'un droit positif, écrit-il, aboutit à consacrer l'arbitraire des Etats et l'anarchie internationale. » Ayant formulé cette idée, il entreprend alors de démontrer que le droit international, au moins les règles de droit international qu'il appelle « normatives », c'est-à-dire « les règles fondamentales, indiscutables, les principes généraux qui dominent les systèmes juridiques », ne dépendent pas de la volonté des Etats. En fait, ces derniers ne feraient que *constater* l'existence de ces règles normatives, qui trouveraient leur source profonde dans « la force des choses, les nécessités humaines ». Le droit positif « naît en quelque sorte de lui-même, consacré par les volontés humaines, agissant elles-mêmes, librement, guidées par leur instinct vital et leur raison. *Ubi societas, ibi jus.* » C'est d'ailleurs ce mode de formation des règles de droit international qui expliquerait leur caractère obligatoire.

Non seulement le professeur Cavaré affirme que les règles de droit international positif trouvent leur source profonde dans les besoins de la société internationale, tels qu'exprimés par les Etats, mais encore il consacre de longs développements à démontrer que, si les sanctions sont exceptionnelles en droit international, elles n'en existent pas moins. La seule différence avec le droit interne est que, en général, les sanctions, dans la société internationale, ne sont pas appliquées par une autorité supérieure aux Etats, mais par les Etats eux-mêmes, étant entendu que ces Etats agiraient dans l'intérêt de la société internationale, en vue du bien commun.

La thèse qui est ainsi soutenue par le professeur Cavaré est également développée avec une rigueur encore plus grande par Georges Scelle. Pour lui, la société internationale sécréterait en quelque sorte spontanément son propre droit. Elle ne peut pas ne pas le faire, parce qu'il s'agit d'une nécessité d'ordre biologique. Le droit est nécessaire à la survie même de la société internationale. Mais, dans son esprit, ce droit n'est pas le droit positif, mais un droit que certains appellent naturel, au sens propre du terme, et qu'il préfère appeler objectif. Il reste à traduire ce droit naturel ou objectif en droit positif. C'est précisément le rôle des gouvernants. G. Scelle affirme d'ailleurs qu'il y a une hiérarchie entre le droit objectif et le droit positif. Il pose le principe que « la règle de base de la vie juridique internationale est : toute norme intersociale prime tout norme interne en contradiction avec elle, la modifie ou l'abroge ipso facto ».

La construction logique élaborée par Georges Scelle l'amène à affirmer que la société internationale est organisée, en ce sens que les gouvernants opérant dans leur personne une sorte de dédoublement fonctionnel légifèrent, gouvernent et jugent pour le compte de la société internationale (*supra*, p. 46).

L'erreur des juristes : formalisme et fétichisme du Droit.

Que faut-il penser de ces théories ? Il y a d'abord une idée juste, à savoir que la société internationale n'est pas une société totalement anarchique, dans la mesure où, comme les sociétés nationales, elle est régie par le droit international. L'ouvrage du professeur Pinto est précisément intitulé *Le droit des relations internationales.* Il s'efforce de montrer que, non seulement le droit international existe, mais qu'il y a des moyens pour le faire appliquer.

Ce point de vue est également celui des internationalistes des Etats socialistes. Dans son ouvrage *Voprosy teorii mejdunarodnogo prava,* le professeur Tunkin, de l'Institut des relations internationales de Moscou, affirme : « La doctrine soviétique du droit international se fonde, aujourd'hui comme par le passé, sur le fait qu'il existe un droit international général, dont les normes règlent les relations entre tous les Etats indépendamment de leur système social, et que les possibilités de son développement progressiste futur augmentent avec l'accroissement des forces de la paix. »

Il y a donc un accord entre les juristes des Etats capitalistes et les juristes socialistes. Les uns et les autres affirment que la société internationale est régie par le droit international. Il y a cependant un point de divergence sur le mode de formation des règles de droit international.

Ainsi que nous l'avons vu, pour certains juristes des Etats capitalistes, les règles de droit international dériveraient d'idées aussi nébuleuses que le solidarisme, l'équité, la raison, la conscience juridique, etc. Dans tous les cas, les juristes des Etats capitalistes se gardent bien de s'interroger sur la question de savoir quel est la nature sociale des Etats dont le rôle est de fabriquer les règles de droit international positif. Or, si on prend en considération ce problème, au lieu de se réfugier dans l'idéalisme, il faut constater que tout Etat est caractérisé par l'existence d'une formation sociale d'un type déterminé (*infra*, p. 124 et s.). Dès lors le droit international ne peut être qu'un élément de la superstructure, conditionnée et déterminée par la base économique.

Cependant, il ne faut pas simplifier le problème, et le professeur Tunkin le souligne fort bien : « Il ne convient pas, bien entendu, lorsqu'on tente de suivre l'influence qu'exerce le régime économique d'une société sur le droit international, de simplifier cette étude. La structure économique d'une société détermine les traits fondamentaux de la superstructure en général, et du droit international comme un de ses éléments, et cela dans des conditions complexes d'actions réciproques des phénomènes sociaux. Non seulement le régime économique de la société, mais aussi les différents éléments de la superstructure politique (droit constitutionnel interne, philosophie, morale, etc.) influent sur l'évolution du droit international. Celui-ci, qui se ressent de l'action de la superstructure, exerce lui-même une action sur eux. »

Nous verrons dans la deuxième partie la place qu'il convient d'assigner au droit international dans les relations internationales. Mais d'ores et déjà, nous pouvons souligner qu'à partir d'une idée juste on aboutit à des conclusions erronées si on assigne au droit international une origine mythique. En outre, on se condamne à ne pas voir la spéficité du droit international par rapport aux droits nationaux. Alors que ces derniers expriment, en dernier ressort, la volonté de la classe dominante, le droit international est, non pas l'expression d'un vague solidarisme ou communautarisme, mais le résultat d'un processus complexe qui fait intervenir des systèmes sociaux opposés et les contradictions qui existent entre ou au sein de ces systèmes. Par suite, le droit international ne peut se développer que sur la base d'un accord entre les Etats et d'une politique de coexistence pacifique.

BIBLIOGRAPHIE

Consulter :

— Le *Manuel d'Institutions internationales*, de P. Reuter, 1re partie, p. 45 et s.

— Le *Traité de Droit international public*, de Cavaré, t. I, p. 110 et s.

— Le *Précis du Droit des gens*, de G. Scelle, t. I.

— Tunkin, *Problèmes de droit international public*, Pedone, 1965.

La 2e édition de cet ouvrage (en Russe) a fait l'objet d'une traduction en langue anglaise sous le titre *Theory of international law*, G. Allen and Unwin, Londres, 1974.

Bien qu'il ne concerne pas spécialement le droit international, la lecture de l'ouvrage précité de M. MIAILLE est utile pour comprendre le rôle du Droit en général.

SECTION II

LA SOCIETE INTERNATIONALE DES POLITISTES ET DES SOCIOLOGUES

Si, comme nous l'avons vu, certains philosophes, sociologues ou politistes peuvent être rattachés à l'école réaliste, il y en a d'autres qui voient la société internationale d'un œil tout à fait différent en ce sens que, comme certains juristes, ils considèrent que la société internationale est une société ordonnée, policée. Ils sont donc conduits à mettre l'accent beaucoup plus sur ce qui unit les éléments composants de la société internationale que sur ce qui la divise. Il y a naturellement, ici également, de nombreux courants de pensée. Cependant, on peut les ordonner autour de deux pôles différents : les uns utilisent le concept de système (*supra*, p. 16) et analysent la société internationale comme un système global. Les autres utilisent le concept d'intégration (*infra*, p. 497) et mettent l'accent sur les facteurs qui conduiraient la société internationale vers un statut comparable à celui des sociétés nationales, c'est-à- dire vers le statut de société plus ou moins intégrée, voire même vers l'Etat mondial.

§ 1. — LA SOCIETE INTERNATIONALE CONSIDEREE COMME UN SYSTEME GLOBAL

Le concept de système a été introduit dans les sciences sociales par le sociologue américain, Talcott Parsons (*supra*). Bien entendu, chaque auteur a ses propres idées sur le concept de système. Ceci est tout à fait normal, car un système n'est qu'une restructuration mentale de la réalité. Il se situe dans le domaine de l'abstraction, même s'il est construit à partir d'éléments extraits de la réalité et transformés en concepts dans le but d'interpréter la pratique. Il s'agit finalement d'une réalité simplifiée et stylisée.

Cette démarche a été suggérée aux spécialistes des sciences sociales par ce qui se passe dans le domaine des sciences exactes et dans celui des sciences économiques. Il est bon de rappeler que Talcott Parsons fut profondément influencé par l'économiste Wifredo Pareto et que sa pensée n'est pas exempte d'un certain « scientisme » (appel à la cybernétique par exemple).

De façon très générale, on peut dire que le concept de système repose sur trois postulats fondamentaux :

— Premier postulat : la réalité est composée d'éléments qui sont en état d'interdépendance. Ceci conduit à distinguer ce que les sociologues appellent des variables, certaines variables étant des variables dépendantes, d'autres des variables indépendantes. Les variables dépendantes sont celles qu'il s'agit d'expliquer ; les variables indépendantes sont celles qui constituent les facteurs d'explication. Bien entendu, toutes ces variables n'ont pas le même poids, ce qui conduit à distinguer les variables lourdes et les variables légères.

— Deuxième postulat : la totalité formée par ces éléments interdépendants est irréductible à la somme de ces éléments. Elle constitue quelque chose de différent, tout en étant cependant le résultat des éléments composants.

— Troisième postulat : les rapports d'interdépendance entre les éléments de la totalité, comme la totalité elle-même, sont régis par des règles qui peuvent s'exprimer en termes logiques.

L'application de l'analyse systémique à l'étude des Relations Internationales : Morton Kaplan.

L'application de ces idées au domaine des relations internationales a été faite par Morton Kaplan dans *System and process in international politics* et ses ouvrages postérieurs : *Macropolitics* (1969) et *New approaches to international politics* (1968). Sa théorie est très abstraite et sa pensée n'est pas toujours très claire. Essayons de décrypter.

M. Kaplan, comme T. Parsons, déclare s'attacher plus aux actions qu'aux acteurs. « C'est la thèse du présent ouvrage qu'une étude scientifique de la chose politique ne peut se développer que si les matériaux sont traités en termes de systèmes d'actions. Un système d'action est, par opposition à l'environnement, une série de variables, reliées de telle façon que des régularités de comportements définissables caractérisent les relations des variables l'une avec l'autre et les relations extérieures d'une série de variables particulières avec une combinaison de variables (*op. cit.*, p. 4).

Ceci dit, pour M. Kaplan, la société internationale est conçue comme un système composé à la fois par les Etats et les groupements d'Etats, que ces groupements soient organisés (organisations internationales) ou inorganisés (blocs). En ce qui concerne les Etats, ce qui intéresse Morton Kaplan, ce ne sont pas tous les Etats, mais surtout les Etats les plus puissants, ce qu'il appelle les acteurs nationaux essentiels, ceux qui sont capables d'exercer une influence dans la société internationale. Il rejoint ainsi l'analyse de Morgenthau qui ne compte également au nombre des acteurs internationaux que ceux qui sont capables d'avoir une influence sur l'exercice du pouvoir politique, tel qu'il le conçoit (*supra,* p. 35).

A partir de cette idée du système international global, Morton Kaplan affirme que les acteurs internationaux sont guidés par un certain nombre de règles. Mais ces règles ne sont pas uniquement les règles des juristes. Il s'agit aussi de ce que Talcott Parsons appelle les « normes », c'est-à-dire des règles de conduite sociale que les acteurs internationaux s'imposeraient à eux-mêmes afin d'assurer la survie et l'équilibre du système. Une autre différence avec les juristes vient de ce que ces règles ne sont pas des règles immuables, ce qui est le cas pour les juristes qui pensent que la conduite des Etats est régie par des règles de droit naturel, qui auraient un caractère permanent à travers le temps (*supra,* p. 55). Au contraire, Morton Kaplan pense que les règles de conduite qui régissent l'action des Etats varient dans le temps. Il est ainsi conduit à distinguer, d'un point de vue historique et prospectif, les types suivants de systèmes internationaux :

— le système « Balance of Power » (le système de l'équilibre du pouvoir) ;
— le « Loose bipolar system » (système bipolaire lâche ou souple) ;
— le « Tight bipolar system » (le système bipolaire rigide) ;
— le système universel ;
— le système hiérarchique ;
— le système qu'il appelle de façon bizarre « Unit veto system », où chaque unité faisant partie du système international a un droit de veto, une faculté d'empêcher, comme aurait dit Montesquieu.

Le premier système aurait caractérisé les relations internationales jusqu'à la deuxième guerre mondiale. A ce moment-là apparaît un autre système : le système bipolaire souple.

Quant aux autres systèmes, ils relèvent de la futurologie. En particulier le système universel supposerait que la société internationale ait atteint le stade de la Confédération d'Etats. On se trouverait dans le cadre d'un système international solidaire et intégré, unifié.

Dans une étude parue en 1966, M. Kaplan a affiné sa typologie et distingue :

— le système bipolaire très lâche dans lequel les blocs sont plus faibles et moins rigides ;

— le système de la détente dans lequel les tensions et les conflits entre les blocs diminuent d'intensité ;

— le système des blocs instables qui est l'inverse du précédent ;

— le système de diffusion incomplète de l'arme nucléaire dans lequel 15 à 20 Etats posséderaient cette arme.

Pour chacun de ces systèmes, il y aurait un certain nombre de règles qui dicteraient leur conduite aux Etats. C'est la raison pour laquelle il s'agit des règles normatives. Mais, en même temps, ce sont des règles prédictives, c'est-à-dire des règles qui permettent à l'homme d'Etat et au spécialiste de relations internationales de prévoir à l'avance ce que sera la conduite des Etats dans tel ou tel type de système international.

A titre d'illustration, nous indiquons quelles sont les règles qui, selon Morton Kaplan, s'appliqueraient dans le cadre du système de l'équilibre du pouvoir. Voici les six règles que Morton Kaplan estime essentielles pour le fonctionnement du système :

— augmenter la capacité, la puissance de chaque acteur plutôt par la négociation que par le combat ;

— combattre plutôt que renoncer à augmenter sa capacité ;

— arrêter le combat plutôt que d'éliminer un acteur essentiel du système ;

— s'opposer à toute coalition ou à tout acteur isolé qui chercherait à s'assurer une position prédominante dans le système ; ceci explique que, dans l'esprit de Morton Kaplan, les alliances qui ont pu exister dans le cadre de ce système international étaient nécessairement des alliances fluides, qui se faisaient et qui se défaisaient selon l'intérêt des différents acteurs ;

— s'opposer à toute action favorable à un système d'organisation supranationale ;

— permettre aux vaincus de retrouver dans le système un rôle acceptable, honorable, ou à de nouveaux acteurs surgissant sur la scène internationale, de participer au système, de sorte que le système est un système modéré et ouvert.

Sur ce point, M. Kaplan retrouve H. Kissinger, selon lequel l'art de gouverner « ne consiste pas à châtier, mais à intégrer » (au système dominant). D'où l'admiration de l'historien et de l'homme d'Etat pour la Sainte Alliance et le Concert Européen. D'où sa proposition — inspirée par l'actuel conseiller du Président Carter, Zbigniew Brzezinski (Betwen two ages, 1970) — faite en 1973, de la constitution d'une Communauté des nations développées (capitalistes), naturellement placée sous la houlette des E.U.A., « leader » désigné de la Communauté atlantique.

La conséquence de l'existence de règles est que le système international, dans l'esprit de Morton Kaplan, est un système en état de stabilité relative. C'est dans ce sens que l'on peut rattacher Morton Kaplan à ceux qui pensent que la société internationale est une société ordonnée. Il est conduit à cette conclusion parce qu'il est prisonnier du concept même du système. Tous ceux qui utilisent ce concept partent en effet de l'idée que tout système tend à persévérer dans son être. Il cherche à se défendre, à survivre et à se maintenir en état d'équilibre. Sans doute, il peut y avoir des variations à l'intérieur du système, mais ce sont toujours des variations modérées, dans ce sens que le système tend toujours à revenir à un état d'équilibre stable.

On est cependant contraint de constater qu'il y a des phénomènes pathologiques, des phénomènes déviants qui menacent de mettre en danger la vie même du système. Alors Morton Kaplan est conduit à soutenir l'idée que l'existence de comportements anormaux suppose un mécanisme régulateur, comme dans une machine électronique ou dans le système biologique. En matière de relations internationales, ce mécanisme varie selon les époques. Dans le cadre du système de l'équilibre du pouvoir, il serait constitué par l'existence d'une puissance plus forte que les autres, qui peut intervenir, en raison même de sa plus grande capacité d'agir, pour faire respecter les règles du système. Cette puissance aurait été, selon Morton Kaplan, la Grande-Bretagne, plus forte que les autres puissances européennes et tenant entre ses mains la balance de façon à ce que le fléau de la balance ne penche ni d'un côté ni de l'autre.

Critique de l'analyse systémique : le discours et la réalité.

Que faut-il penser de cette théorie ? Nous laissons de côté l'aspect méthodologique du problème sur lequel nous nous sommes expliqué dans l'introduction. Ce qui nous intéresse ici, c'est le résultat, c'est-à-dire l'image de la société internationale perçue et que l'auteur s'efforce de transmettre à travers l'analyse systémique.

D'abord on peut observer qu'à travers l'idée de système la société internationale est présentée comme une entité dominée par la recherche de la stabilité relative, qui ne peut varier que dans les limites étroites du système. Les règles formulées par Morton Kaplan, en dehors de leur caractère arbitraire ou abstrait, supposent par conséquent que la sauvegarde de l'équilibre du système soit l'objet unique ou au moins le souci prédominant des acteurs internationaux. Or, en fait, il n'en est rien, car la société internationale a toujours été caractérisée, non pas uniquement par la stabilité, non pas uniquement par l'harmonie universelle, mais aussi par l'existence de situations conflictuelles nombreuses et variées. Sans doute ces situations conflictuelles ne sont pas ignorées par Morton Kaplan, mais elles sont considérées comme des phénomènes pathologiques.

Ainsi, Morton Kaplan passe d'un extrême, qui est celui de la société internationale conçue comme une société anarchique, à un autre extrême qui est celui de la société internationale ordonnée selon le jeu de règles impératives, s'imposant aux acteurs nationaux. Or ceci est, dans une large mesure, une vue de l'esprit, car l'observation de la réalité historique montre qu'en particulier la société à laquelle il applique le système de l'équilibre du pouvoir, c'est-à-dire la société européenne du XIXe siècle, a été caractérisée par l'existence de conflits nombreux en Europe et hors d'Europe. C'est la grande époque du partage du monde, par le moyen de la conquête coloniale, entre les puissances européennes. Comme le remarque H. Bull, des auteurs comme M. Kaplan font preuve d'un « puritanisme intellectuel qui les maintient... aussi éloignés de la substance des relations internationales que les pensionnaires d'un couvent de femmes (nunnery) victorien l'étaient de l'étude du sexe ». Du réalisme, on verse dans l'idéalisme sous prétexte de science.

En second lieu, le rôle que jouent dans la société internationale les facteurs qui influencent la conduite des acteurs n'est guère examiné par Morton Kaplan. Il ne s'interroge pas plus que les auteurs dont nous avons parlé antérieurement sur la nature sociale des éléments composants de la société internationale et plus précisément sur la nature sociale de l'Etat. Ceci veut dire que Morton Kaplan est conduit à négliger l'étude des forces qui poussent un Etat déterminé à agir dans un sens ou dans un autre, à appliquer plutôt une des règles énumérées par lui que d'autres règles. Pourquoi, par exemple, choisir la négociation plutôt que le combat ? La recherche de la puissance n'est-elle pas le critère suprême ? Dans ce cas, ne revient-on pas à la « power politics » ?

A fortiori, M. Kaplan ne s'interroge pas non plus sur la nature du système étudié. C'est ainsi que le système de l'équilibre des puissances fait abstraction du fait que les puissances européennes étaient parvenues au stade du développement capitaliste et surtout à des stades différents de développement (*infra* p. 131 et s.). Il y avait par conséquent entre ces puissances des situations d'inégalité, notamment du point de vue de la puissance économique. Ceci est essentiel, car c'est ce phénomène du développement inégal des Etats capitalistes qui explique dans une large mesure les manifestations d'hégémonie que l'on constate à cette époque pour le couvert du prétendu système de l'équilibre du pouvoir : en Europe, hégémonie d'une puissance sur les autres puissances et, hors d'Europe, hégémonie des puissances européennes sur le reste du monde, en raison des différences énormes de développement entre ces puissances et les autres puissances qui font partie aujourd'hui du « tiers monde ». Par conséquent, le système international, décrit en termes abstraits par Morton Kaplan, n'est pas du tout un système international ordonné mais, au mieux, un système qui réalise un compromis entre l'Etat de nature et le règne de la loi, c'est-à-dire du droit international.

Une dernière critique que l'on peut formuler à l'encontre de la théorie de Morton Kaplan, c'est qu'il ne prend en considération que les Etats et groupements d'Etats. Il encourt par conséquent les mêmes reproches que les sociologues et les juristes qui persistent à voir dans la société internationale uniquement des Etats et leurs prolongements, c'est-à-dire les organisations internationales. Or, la société internationale n'est pas que cela. Il y a également ce qu'on appelle les forces transnationales, c'est-à-dire des groupements d'individus qui ont une dimension internationale et dont on peut se demander dans quelle mesure elles ne sont pas capables, en raison de leur puissance, de l'emporter à la fois sur les Etats eux-mêmes et sur les organisations internationales.

L'influence de l'analyse systémique en France; les adaptations de M. Merle.

Cette dernière critique disparaît si on conçoit le système international d'une façon plus large. C'est ce que fait Marcel Merle dans son cours consacré à la « théorie des relations internationales », puis dans son ouvrage « Sociologie des relations internationales ».

D'abord M. Merle demeure fidèle à l'analyse systémique, tout en reconnaissant que les conceptions de M. Kaplan sont contestables. « La méthode d'investigation, écrit-il, sera empruntée à l'analyse systémique. Il semble, en effet que cette approche soit la plus féconde à condition d'être adaptée à son objet, qui est l'étude de la société internationale contemporaine, dans son ensemble » (Sociologie, *op. cit.*, p. 146). Il s'agit de la macropolitique. Mais, pour la micropolitique (étude d'organisations particulières), M. Merle est plus affirmatif puisqu'il écrit : « L'analyse systémique s'avère donc (et non plus « semble », P.F.G.) être une méthode d'approche *très* (nous soulignons) féconde pour l'étude des relations internationales... » (*op. cit.*, p. 123). La dernière partie de son ouvrage est consacrée à définir les caractéristiques, le fonctionnement et l'avenir du *système* international (global).

Mais, ce qui gêne M. Merle, c'est l'application à l'étude des relations internationales, dans leur ensemble, du schéma bien connu de David Easton, appliqué à l'étude des systèmes politiques et qui suppose une distinction entre le système étudié et ce qu'il appelle l'environnement.

Voici comment il définit le système international : « je propose d'appeler « système international » l'ensemble des relations entre les principaux acteurs que sont les Etats, les organisations internationales et les forces transnationales ».

En outre, puisqu'il utilise l'analyse systémique, il fait appel à l'idée d'environnement. « L'environnement, dit-il, sera constitué par l'ensemble des facteurs naturels (sic) (économique, technologique, démographique, idéologique), dont la combinaison influe sur la structure et sur le fonctionnement du système. » (*Ibid.*).

Ainsi entendu, le système international, avec son environnement, n'est pas autre chose, semble-t-il, que la société internationale elle-même. Effectivement, M. Merle, pour demeurer fidèle à l'analyse systémique, est conduit à dire que « l'environnement se trouve placé à l'intérieur et non à l'extérieur du système » (*op. cit.*, p. 146 et 407). Ceci revient à dire que la société internationale globale est une totalité (« système global », « système clos », « universalité du système »), même si on reconnaît les contradictions, l'hétérégonéité et la complexité ainsi que les difficultés de régulation du système. Les termes « société internationale » et « système international » semblent donc être *équivalents*.

Au premier abord, par conséquent, il semble qu'il ne s'agisse, en définitive, que d'une question de mots. Cependant, si Marcel Merle utilise le vocabulaire de l'école systémique et utilise le concept de système, ceci n'est pas dépourvu totalement de signification. Le recours au concept de système implique en effet une représentation de la société internationale qui, pour l'essentiel, va dans le même sens que celle de Morton Kaplan.

On trouve chez Marcel Merle, comme chez Morton Kaplan, l'idée d'interdépendance nécessaire des éléments composants de la société internationale. Ceci le conduit à considérer que la société internationale contemporaine est un système unifié, « en ce sens que toutes ses parties sont désormais interdépendantes et que toute perturbation se produisant en un point particulier du système se répercute forcément sur tous les autres points » (1).

On retrouve également chez Marcel Merle l'idée d'équilibre et donc de stabilité relative des rapports internationaux. Pour la période actuelle, ce qui lui semble caractériser la société internationale, c'est, non plus la bipolarité, mais la multipolarité ou le polycentrisme, en ce sens qu'il y aurait actuellement des pôles d'influence multiples. Cependant, malgré cette multipolarité, Marcel Merle croit pouvoir affirmer que le système international actuel est caractérisé au moins par une stabilité relative. C'est ce qui apparaît dans un ouvrage publié par la Fondation nationale des Sciences politiques (*Conflits et coopération entre les Etats*) où M. Merle a fourni une étude intitulée « Stabilisation internationale et crise des structures nationales ». Dans cette étude, il nous dit que, « au niveau des rapports internationaux, la stabilité se traduit par le maintien, ou la consolidation du statu quo territorial, la faculté de localiser les conflits et la possibilité de réduire les tensions. Dans ces trois domaines la multipolarité n'a pas eu, jusqu'ici, d'effets plus nocifs que la bipolarité. »

L'image de la société internationale, ainsi présentée par Marcel Merle, est certainement plus satisfaisante que celle qui est donnée par Morton Kaplan, dans la mesure où, tout en affirmant qu'il y a un équilibre réel dans la société internationale contemporaine, une stabilité au moins relative, il admet, par ailleurs, qu'il y a également des situations conflictuelles. Cependant on peut faire à la théorie (ou à l'hypothèse) développée par Marcel Merle au moins deux critiques.

D'une part, Marcel Merle ne se préoccupe pas de la nature sociale des éléments composants de la société internationale, notamment des Etats. Même s'il appelle, à juste titre, l'attention sur le jeu des méca-

(1) Voir *Sociologie...*, p. 431 et s., « Les phénomènes d'interdépendance ».

nismes constitutionnels et les forces politiques, même s'il affirme, avec raison, que la politique extérieure ne peut jamais être dissociée de l'étude de la politique intérieure (et inversement), il n'en reste pas moins que derrière l'écran de l'Etat, il ne voit « tantôt que le pouvoir d'un homme ou d'une petite équipe, tantôt l'influence d'une caste professionnelle ou d'un groupe d'intérêts, tantôt le triomphe d'une passion collective, tantôt les hésitations de l'opinion et les atermoiements de la classe politique ». Jamais il ne voit derrière l'écran de l'Etat les classes sociales. Il évite même soigneusement d'utiliser cette expression de « classe sociale ». Dans la citation précédente, il s'agit d'un homme, d'une « petite équipe », d'une « caste », d'un « groupe d'intérêts », etc. Jamais il ne fait allusion au fait que tout Etat est un Etat de classes, ce qui veut dire que cette classe cherche à faire triompher ses propres intérêts en utilisant l'instrument de l'Etat. Mais, on est ainsi ramené au problème de la méthode (*supra,* p. 16 et s.) sur lequel il est facile d'ironiser en taxant toute analyse qui ne serait pas systémique d' « options idéologiques » ou d' « opérations de propagande » (*op. cit.,* p. 405). L'argument pourrait être facilement retourné.

Une deuxième critique concerne l'environnement, dans lequel Marcel Merle situe les relations internationales. Même si cet environnement est conçu en termes concrets et non pas d'une manière abstraite et intemporelle, ce qui est déjà un progrès, sa nature n'est pas définie. M. Merle élimine, en effet, de façon arbitraire, de cet environnement le facteur économique parce que, dit-il, « le facteur économique ne peut être considéré comme une variable indépendante au niveau de l'environnement global du système » (1). Dans son ouvrage, « Sociologie des relations internationales » (p. 236), il admet que « sous cet aspect (de compétition entre systèmes sociaux différents), le facteur économique doit être retenu comme un élément de l'environnement international ; mais son action se combine avec celle des autres facteurs qui lui sont étroitement associés ».

Cette dernière affirmation revient à dire que le facteur économique n'est qu'un facteur parmi d'autres et il ne saurait être question de lui reconnaître un rôle déterminant (*op. cit.,* p. 228). M. Merle mêle dans sa critique les marxistes « orthodoxes » (« ceux qui demeurent fidèles aux directives de l'U.R.S.S. » (et les néo-marxistes (confondus pêle-mêle,

(1) Cours de « Théorie des relations internationales. Les cours de Droit », Paris, 1972-1973.

en une seule catégorie). Les uns sont condamnés pour avoir abandonné « l'économisme originel » (celui de Marx-Engels ?), les autres pour avoir substitué à l'économisme le volontarisme.

La critique est facile, d'autant plus facile qu'elle travestit la pensée des fondateurs de la théorie marxiste, qu'on ne peut certes pas accuser d'économisme déterministe (voir ci-dessus, p. 23).

En outre, M. Merle a une conception curieuse du facteur économique qu'il distingue à la fois du « facteur naturel » (la nature, les ressources), du facteur technique » (progrès technique, notamment des moyens de communication) et du « facteur démographique » (croissance et mouvements des populations).

Une telle conception est inacceptable. Comme nous l'avons indiqué à propos de la méthode et comme nous le verrons plus en détail dans la première partie du présent ouvrage, le réalisme commande d'admettre que la planète « Terre » est partagée entre un nombre grandissant d'Etats souverains, possédant *chacun* sa propre formation sociale (1). S'il faut parler d'économie, il doit être entendu que la base économique de cette formation est un bloc indissociable, dont tous les éléments sont imbriqués les uns aux autres. En outre, c'est la totalité de la formation sociale qu'il faut prendre en considération, c'est-à-dire non seulement les forces productives (nature, hommes, techniques), mais aussi la nature des rapports de production et la superstructure considérée dans ses différents aspects. Rappelons l'avertissement de F. Engels (Œuvres choisies, Ed. du Progrès, Moscou, 1965, vol. 2, p. 535) : « D'après la conception marxiste de l'histoire, le facteur déterminant est en *dernière instance* la production et la reproduction de la vie réelle... Si quelqu'un dénature cette proposition en ce sens que le facteur économique serait *le seul* déterminant, il le transforme en une phrase vide, abstraite, absurde ». C'est dire qu'on ne peut pas isoler des forces productives, dans leur ensemble, un facteur tel que le facteur technique qui serait « décidément le grand agent de bouleversement » (M. Merle, *op. cit.*, p. 261). On peut encore moins l'isoler des rapports de production, c'est-à-dire du système de classes sociales. Rappelons enfin que, pour Marx, une formation sociale n'est pas quelque chose de figé, de statique, mais une réalité dynamique, en constante mutation. En déclarant qu'il n'y a « qu'une seule science, la science de l'histoire », Marx et Engels entendaient saper à la racine « cette morale puérile qui prétend au titre de sociologie » (Lénine) lorsque ses tenants

(1) C'est ce que H. Lefebvre (De l'Etat, tome I, coll. 10/18, U.G.E., 1976, p. 11) appelle joliment la « catholicité » de l'Etat.

parlent de société en général, une société intemporelle et immuable dans sa nature.

BIBLIOGRAPHIE

Les idées de M. KAPLAN sont exposées dans son ouvrage *System and process in international politics,* J. Wiley, N.Y., 1964. Voir aussi, dans l'ouvrage collectif *The analysis of international politics,* l'étude de M. KAPLAN : « Freedom in history and international politics » (p. 99 et s.) et, dans l'ouvrage déjà cité *Contending approaches...,* son étude : « The new great debate : Traditionalism v. science in international relations » (p. 39 et s.).

Ce dernier ouvrage contient également une critique de la théorie de M. KAPLAN par H. BULL : « International theory : the case for a classical approach » (p. 39 et s.).

Voir aussi NORTHEDGE F.S., *The international political system,* Londres, 1976.

Les idées de M. MERLE sont exprimées dans son cours polycopié *Théorie des relations internationales.* Les cours de Droit, 1972- 73, et dans son ouvrage *Sociologie des relations internationales,* déjà cité.

D'un point de vue général, le concept de système est analysé dans les ouvrages déjà cités de J.-P. COT (vol. 1, p. 197 et s.), de Mad. GRAWITZ (p. 439 et s.) et de G. ROCHER (vol. 2, p. 124 et s.).

« Sur la catégorie de « formation économique et sociale », voir la revue *La Pensée,* oct. 1971 (N° spécial) et *infra,* p. 124 et s.).

§ 2. — LES UTOPIES MONDIALISTES

Dans les théories précédentes, la société internationale est plus ou moins idéalisée. Ici, nous sommes en présence de représentations de la société internationale qui confinent à l'utopie dans la mesure où à partir d'éléments qui sont réels, même s'ils sont également idéalisés, on prédit que la société internationale est en train d'évoluer vers une société radicalement différente de la société actuelle, c'est-à-dire vers une sorte d'Etat mondial.

Le fédéralisme mondial.

Ce courant de pensée n'est pas, à vrai dire, nouveau. A toutes les époques, et particulièrement depuis la constitution de l'Etat moderne, c'est-à-dire depuis le XVIe siècle, il y a eu des penseurs qui ont réagi contre l'existence de guerres internationales, contre le nationalisme belliciste et qui ont mis l'accent sur l'internationalisme. Il faut citer des auteurs tels qu'Erasme, Emeric Crucé, dans lequel Victor Hugo saluait le précurseur de la Société des Nations, Sully, l'abbé de Saint-Pierre, qualifié par Voltaire de « Abbé Sainte-Utopie », le philosophe Kant qui, dans son traité *Zum ewigen Frieden* (Pour la paix perpétuelle) affirmait que l'humanité devait s'acheminer vers ce qu'il appelait une « Welt Republik » (une république mondiale) ou, à défaut d'une République mondiale, vers une Fédération mondiale de peuples (Völker Bund).

Il est curieux de constater que l'idée du mondialisme continue à cheminer à travers les siècles et débouche, à l'époque contemporaine, sur un certain nombre de théories, qui prennent d'ailleurs leur point de départ, non pas tellement dans l'état de guerre de la société internationale, mais dans le fait que la société internationale serait déjà, pratiquement, une société unifiée. « Ce qui s'unifie, écrit le Révérend Père Bosc, ce qui est déjà unifié c'est la société économique, la société mondiale du travail et de la technique, c'est-à-dire l'ensemble des relations humaines qui ont pour objet la lutte contre la nature extérieure, la libération à l'égard des contraintes imposées par la nature à l'homme ».

A partir de cette constatation, un philosophe comme Jacques Maritain pense que la société internationale s'achemine vers ce qu'il appelle « un corps politique organisé ». Ce dernier serait un corps politique pluraliste, c'est-à-dire qu'il laisserait subsister les corps politiques particuliers, les Etats, étant entendu que les Etats délégueraient au corps politique mondial les fonctions que, dans l'état actuel des choses, ils seraient parfaitement incapables d'accomplir correctement.

De même, un autre philosophe, Eric Weil, auquel on doit notamment un ouvrage intitulé *Philosophie politique,* appelle de ses vœux un Etat mondial superposé aux Etats particuliers et qui serait chargé tout particulièrement de régler les problèmes que les Etats sont incapables de régler, c'est-à-dire les problèmes économiques.

Cette vue de la société internationale existe également chez les juristes, en particulier chez Clark et Sohn qui ont écrit un ouvrage intitulé *World peace through world law* (La paix mondiale à travers le droit mondial), où ils proposent la constitution d'une Fédération mondiale, dans le but d'éviter le déclenchement d'une troisième guerre mondiale et de sauvegarder les intérêts de l'humanité. Il s'agit, en fait, de transformer l'O.N.U. en une sorte d'Etat mondial possédant son appareil coercitif (forces armées) et ses organes législatif, exécutif et judiciaire.

On trouve des opinions analogues exprimées par le Professeur américain P.C. Jessup, ancien juge à la Cour internationale de justice, et par le Professeur anglais, G. Schwarzenberger. Il n'est pas jusqu'au Pape Jean XXIII, qui, dans son encyclique *Pacem in terris* (1963), n'invoque l'interdépendance croissante des économies nationales, la mondialisation de l'économie pour appeler de ses vœux la création d'une autorité publique mondiale capable de promouvoir le « bien commun universel ».

Le courant fonctionnaliste ou le fédéralisme sans douleur.

A côté de ce courant fédéraliste mondial, un deuxième courant, plus réaliste, est le courant « fonctionnaliste ». Ce fonctionnalisme ne doit pas à être confondu avec le fonctionnalisme des anthropologues (*supra*, p. 45). Il s'agit ici de fonctionnalisme international. Les fonctionnalistes partent de la constatation de l'existence d'organisations internationales. Ils pensent qu'en multipliant, par le truchement des organisations internationales, principalement techniques, les liens économiques, sociaux, culturels, scientifiques, bref en faisant travailler les gens ensemble (cf. Saint-Exupéry), non seulement ils ne penseront plus à se battre et on éliminera, par conséquent, la guerre internationale, mais encore on les habituera à prendre conscience qu'au-delà de la tribu, de la Nation, de l'Etat, il y a la Société mondiale.

Dans cette conception, au lieu de mettre l'accent sur le politique, comme les partisans d'un Etat mondial, on met l'accent sur le technique en espérant que l'on créera ainsi des communications horizontales entre les peuples et les Etats, ce qui paraît préférable à la création de structures de type vertical. En somme, le fonctionnalisme apparaît comme un moyen de construire une société internationale ordonnée sans avoir besoin de recourir à l'utopie de l'Etat mondial. En court-circuitant le politique, on croit avoir découvert la porte cachée par laquelle on pourra enlever sans coup férir le château-fort des souverainetés.

Cette théorie a été développée en particulier par un auteur américain, le professeur Mitrany, qui, en pleine guerre mondiale, en 1943, avait écrit un livre intitulé *Working peace system*. Un certain nombre d'autres auteurs ont suivi la même voie, parmi lesquels il faut mentionner E. Haas, Innis Claude, Galtung. Chez tous ces auteurs, on trouve l'idée que le cadre de l'Etat est en définitive devenu trop étriqué, que l'Etat, en raison de son exguïté dans l'espace, ne peut plus résoudre correctement les problèmes contemporains et notamment les problèmes économiques, sociaux, techniques. On en tire la conclusion logique qu'il faut transférer aux organisations internationales de caractère technique les fonctions que les Etats sont incapables d'accomplir. On espèce que par ce moyen, à plus ou moins long terme, on aboutira à la disparition complète des Etats. Il s'agit, en définitive, d'une sorte de fédéralisme clandestin ou d'un fédéralisme sans douleur, car ce processus doit déboucher sur une véritable union politique sous la direction éclairée des technocrates internationaux. En somme, dans une autre perspective, on aboutirait au dépérissement de l'Etat, qui n'est certainement pas celui qui avait été prévu par Karl Marx.

Où est l'utopie ?

Il n'est pas nécessaire d'insister sur ces théories en raison de leur caractère utopique.

Le fédéralisme mondial est utopique parce que sa réalisation supposerait que la société internationale soit une société homogène. On ne conçoit pas qu'il puisse y avoir de système fédéral entre des Etats que tout oppose, aussi bien les systèmes socio-économiques que les systèmes politiques. Or, à l'heure actuelle, ce qui caractérise la société internationale contemporaine, c'est qu'elle est une société extrêmement hétérogène, infiniment plus hétérogène que ne l'était la société du XIXe siècle (*infra*, p. 133 et s.). Par suite, si l'on veut créer une fédération mondiale, ceci ne peut être réalisé que de deux façons : ou bien en usant de la contrainte — il ne s'agirait plus alors d'une fédération mondiale mais d'un empire mondial —, ou bien en rendant la société internationale actuelle homogène, ce qui signifierait l'élimination, par la force probablement, soit du capitalisme, soit du socialisme. Il est vrai qu'une idéologie a surgi : celle de la convergence des systèmes socio-économiques. Mais il s'agit d'une idéologie, au sens péjoratif du terme, dont les formulateurs prennent leurs vœux pour des réalités. Nous verrons plus loin ce qu'il faut en penser (*infra*, p. 148).

Remarquons, en outre, le formalisme juridique des propositions visant à créer une forme quelconque de gouvernement mondial. On en revient au problème de la méthode. En séparant arbitrairement la superstructure (institutions) de la base économique, on est conduit à faire endosser à l'Etat souverain en général, des responsabilités qui, en fait, sont imputables à un système (capitalisme). C'est ce système qui, de façon contradictoire, engendre les guerres en même temps que les nécessités de son développement font craquer les frontières de l'Etat.

Le « fonctionnalisme » paraît beaucoup plus séduisant dans la mesure où il ne prétend pas, pour l'immédiat en tout cas, empiéter sur la souveraineté des Etats. Mais, en fait, cette théorie fonctionnelle se heurte également à un certain nombre de critiques. Michel Virally, dans son ouvrage *L'Organisation mondiale,* considère, pour sa part, le fonctionnalisme comme une idéologie réformiste. D'un point de vue théorique, on retrouve dans l'analyse fonctionnaliste la même faiblesse que dans d'autres théories : la méconnaissance d'une des lois fondamentales de la connaissance, c'est-à-dire la loi de « l'unité des phénomènes ». A partir d'une évolution qui est réelle, c'est-à-dire la différenciation croissante des activités humaines, on croit qu'il est possible d'isoler les uns des autres les différents secteurs de l'activité humaine, de mettre d'un côté le culturel, de l'autre le social, de l'autre le scientifique, etc. Bien plus, on croit qu'il est possible d'isoler le technique du politique, le technique ayant, dans l'esprit des auteurs fonctionnalistes, la supériorité sur le politique.

Ces vues sont, d'un point de vue théorique, erronées, car tout se tient (*supra,* p. 18). Il ne sert pas à grand-chose, par exemple, de développer l'éducation grâce à une organisation internationale telle que l'Unesco, si par ailleurs ceux qui en sont les bénéficiaires ne trouvent pas des emplois correspondant à leurs capacités. C'est ce qui se produit actuellement dans les pays du Tiers Monde où se manifeste le phénomène bien connu de « l'exode des cerveaux », qui conduit les ressortissants des pays du Tiers Monde à s'exiler dans les pays étrangers pour trouver des emplois correspondant à leurs diplômes. Mais le Tiers Monde n'est pas le seul à être touché par cette maladie. L'inégal développement des Etats capitalistes et l'incapacité des gouvernements des Etats moins avancés à résoudre le problème de l'emploi poussent également les diplômés et les travailleurs qualifiés à s'établir dans les Etats plus avancés, notamment aux E.U.A. La maîtrise de la technologie n'est plus ici en cause, mais le type d'organisation de telle ou telle société incapable d'utiliser ses propres forces productives. Il ne sert à rien, non plus, de réaliser des progrès dans le domaine de la santé grâce à une organisation comme l'Organisation Mondiale de la Santé, si la production agricole ne croît par parallèlement au développement de la population dont la croissance est favorisée par les progrès sanitaires. Le danger, très actuel, est celui de la famine.

Ceci montre qu'il est difficile, sinon impossible, d'isoler les unes des autres les différentes activités humaines pour les confier à des organisations internationales distinctes, plus ou moins autonomes. A la limite, on peut dire qu'un développement désordonné des activités internationales, secteur par secteur, aggrave les problèmes au lieu de les résoudre. Il ne s'agit pas seulement d'un problème de coordination, mais aussi d'un problème de moyens et de priorités, c'est-à-dire, au premier chef, d'un problème de choix politiques. Il s'agit de savoir quels moyens seront attribués à telle organisation internationale ; il s'agit aussi de savoir ce qui va prédominer : le développement de la production, le développement de l'éducation, le développement de la santé, etc. Il est donc impossible, non seulement de séparer les différentes activités techniques, mais également le technique du politique, même si, pour des motifs intéressés, les technocrates internationaux estiment que cette séparation est possible et souhaitable. En fait, une telle conception technocratique ne fait que traduire, sur le plan international, la position hégémonique acquise par certains Etats grâce à leur puissance économique, financière et technique.

Par ailleurs, l'idée de la séparabilité du technique et du politique repose sur la croyance simpliste en l'automaticité, au caractère inéluctable des effets politiques des transformations accomplies dans un domaine spécialisé, notamment économique. Le déterminisme socio-économique vulgaire n'est pas du côté que l'on croit. Or, de ce point de vue, l'expérience montre que si l'activité des organisations internationales favorise l'action de l'Etat, pour autant elle n'a pas pour effet d'affaiblir automatiquement la souveraineté de l'Etat. Au contraire, « aussi fourni soit-il », écrit Michel Virally, « le faisceau des coopérations techniques ne permet pas de passer à la coopération politique même s'il en facilite l'acceptation, sans une mutation, une transformation qualitative ». Or, cette transformation qualitative, c'est-à-dire le passage de la coopération dans un domaine spécialisé au politique, dans la meilleure hypothèse à une union des Etats de caractère mondial, ne peut se réaliser que si les Etats intéressés possèdent des systèmes sociaux, économiques et politiques identiques ou similaires. Même dans ce cas, d'ailleurs, l'expérience prouve qu'il y a malgré tout des facteurs de résistance qui s'opposent au passage du technique au politique ainsi que le montre en particulier l'expérience réalisée actuellement par les Etats européens.

C'est ce qui a conduit un des partisans du fonctionnalisme (Ernst Haas) à rectifier sa position en 1967. Constatant l'existence de crises au niveau des communautés européennes, il est conduit à penser que l'union politique ne peut être automatique, qu'il s'agit d'une probabilité, d'un « processus fragile, susceptible de retours en arrière ».

Il redécouvre ainsi une observation faite déjà en 1921 par Lénine. De façon très réaliste, ce dernier constatait que, même dans un système socialiste, les différences nationales subsisteront « pendant un temps très long même après la réalisation de la dictature du prolétariat à l'échelle mondiale ». Même à l'échelle d'un Etat socialiste, l'expérience montre que cet Etat traîne pendant longtemps un legs transmis par le système capitaliste, qui porte en lui des différences et des inégalités de toutes sortes difficiles à liquider en quelques décennies. A fortiori, le problème est-il encore plus complexe à l'échelle internationale. Ceci conduisait Lénine à conclure que même le socialisme ne peut pas conduire automatiquement et rapidement à la disparition de l'Etat souverain.

Tout ce que l'on peut dire, c'est que les organisations internationales sont certainement un facteur de transformation de la société internationale, mais l'idée, qui est exprimée par Michel Virally, selon laquelle « elles pourraient entraîner des transformations aussi radicales et probablement aussi profondes et plus durables que la révolution la plus violente » relève d'une conception romantique de l'évolution de la société internationale.

BIBLIOGRAPHIE

R. BOSC, *Sociologie de la paix ; Guerre froide et affrontements*, p. 183 et s.

A. BRIMO, *Les grands courants de la philosophie du Droit et de l'Etat*, Pedone, 1967 (sur les doctrines).

CLARK et SOHN, *La paix mondiale par le Droit*, P.U.F., 1961, 3e éd., Harvard Univ. press., 1966.

P.-F. GONIDEC, *Cours d'institutions internationales. Les Cours de Droit*, 1969-1970 (sur l'évolution des idées, voir p. 138 et s. ; 330 et s. ; 492 et s.).

A. JEANNIÈRE, « Les utopies du mondialisme », *Revue de l'action populaire*, déc. 1963.

E. B. HAAS, *Beyond the Nation state*, Stanford University press, 1964.

— *The uniting of Europe*, 1950-1957, Stanford University press, 1968.

— *The uniting of Europe and the uniting of Latin America.* Journal of common market studies, juin 1967.

D. MITRANY, *A working peace system*, Londres, 1943.

Pour avoir une vue générale de fonctionalisme, voir J. CAPORASO, *Functionalism and regional integration*, Sage publications, 1972.

M. VIRALLY, *L'organisation mondiale* (développements sur le fonctionnalisme, p. 335 et s.).

Sur le mondialisme, voir L. PÉRILLIER et J.-J. TUR, *Le Mondialisme,* Coll. Que sais-je ?, 1977.

Voir la critique de l'Etat mondial dans l'ouvrage du Professeur TUNKIN, *Theory...,* p. 336 et s., ainsi que dans les ouvrages de BOURQUIN (*L'Etat souverain et l'organisation internationale,* 1959), Ch. de VISCHER (*Théories et réalités en droit international public,* Pedone, Paris), VERDROSS (*Le problème d'une autorité mondiale, Comprendre,* n° 28, 1965).

TITRE II

LES REALITES DE LA SOCIETE INTERNATIONALE

La brève incursion que nous avons faite dans le champ des théories contemporaines nous a permis de voir que l'accord est loin d'être fait entre les auteurs, aussi bien sur la façon dont ils conçoivent la composition de la société internationale, que sur ses caractéristiques fondamentales. Ces divergences viennent de ce que les auteurs privilégient tel ou tel élément composant de la société internationale, auquel ils attribuent, selon les tendances, soit une vertu unifiante, soit, au contraire, une puissance machiavélique qui conduirait fatalement la société internationale à l'anarchie, à moins qu'ils ne projettent sur la société internationale leurs fantasmes qui, finalement, aboutissent à de véritables utopies.

Pour avoir une vue plus juste de la société internationale, il convient de reprendre ses éléments composants : d'abord l'Etat, ensuite les organisations internationales, enfin l'individu et les groupements d'individus, dont certains ont une dimension internationale. Nous étudierons ces trois éléments composants de la société internationale, avec la préoccupation de chercher à définir leur nature et de les situer sur l'échiquier international, pour voir quel est leur valeur respective et leur articulation.

BIBLIOGRAPHIE GENERALE

Sur l'Etat, les organisations internationales et la place de l'individu dans la société internationale, consulter les manuels d'Institutions internationales et de Droit international public (aspects juridiques).

CHAPITRE PREMIER

L'IRREDUCTIBLE ETAT SOUVERAIN (1)

D'un point de vue statique, il est tout d'abord nécessaire de préciser le concept d'Etat au sens international du terme.

En second lieu, d'un point de vue dynamique et historique, il est nécessaire de préciser quels sont les types d'Etats qui sont apparus sur la scène internationale, et qui existent à l'époque contemporaine. Il ne s'agit pas des types juridiques d'Etat, mais de types définis en fonction de la nature sociale de l'Etat.

Enfin, d'un point de vue relationnel, on peut se demander quels sont les types de relations entretenues entre les Etats, ce qui nous conduira à préciser quelles sont les différentes « constellations » diplomatiques qui existent dans la société internationale.

SECTION I

QU'EST-CE QUE L'ETAT ?

Il y a évidemment différentes façons d'élaborer le concept d'Etat. Tout dépend de la méthode dont on s'inspire. Compte tenu de ce que nous avons dit dans l'introduction, l'Etat ne peut être qu'un tout complexe, historiquement défini, observation faite que l'Etat, en tant que phénomène historique, n'a pas toujours existé et n'existera sans doute pas éternellement (cf. Clastres, *op. cit.*). Mais, pour l'instant, l'Etat est une réalité indiscutable qu'il s'agit de définir.

Dans un but didactique, nous distinguerons les éléments de fait, variables selon les Etats et qui sont plus ou moins réglementés par

(1) Certains problèmes abordés dans ce chapitre ne sont pas indispensables à l'étude des Relations Internationales, à condition que les étudiants aient déjà acquis des connaissances sur la notion d'Etat, ce qui, en fait, n'est pas le cas. L'incohérence des programmes nous contraint donc à traiter des aspects à la fois juridiques, politiques et économiques de l'Etat.

le droit, et les éléments proprement juridiques communs à tous les Etats. Ces deux sortes d'éléments contribuent, les uns et les autres, à caractériser l'Etat au sens international du terme. Cette présentation analytique ne doit pas pour autant faire oublier que *ces deux types d'éléments sont solidaires les uns des autres et que l'Etat est une totalité, un tout indissociable.* Il est, par conséquent, tout à fait arbitraire et artificiel de vouloir isoler l'un des éléments composants de l'Etat pour le privilégier.

§ 1. — LES ELEMENTS DE FAIT

Ces éléments de fait sont les conditions mêmes de l'existence de l'Etat, ce qui veut dire que l'Etat est un phénomène social qui n'a pu — et ne peut actuellement — apparaître que lorsque ces conditions sont réunies. Ceci veut dire aussi que le concept d'Etat ne peut pas être un concept purement abstrait. Contrairement à ce qu'affirme en particulier le professeur Burdeau, qui avance que l'Etat est : « Essentiellement et d'abord idée, c'est-à-dire réalité abstraite », l'Etat est d'abord un fait, c'est-à-dire un phénomène issu de la pratique sociale, à partir de laquelle et en fonction de laquelle on peut construire le concept d'Etat. Ceci veut dire enfin que, si le concept d'Etat est articulé sur la pratique sociale il n'est pas demeuré immuable dans le temps. C'est un concept qui évolue en fonction des éléments de fait qui sont à la base même de l'Etat.

Du point de vue sociologique, tout Etat suppose l'existence de trois éléments de fait : d'abord un espace, l'espace national, ensuite une population, et enfin un système de gouvernement.

A. — L'ESPACE NATIONAL

On affirme parfois un peu rapidement que, à l'époque contemporaine, la division de l'espace entre les différents Etats ne peut plus être une source de conflits graves, du fait même qu'il n'y aurait plus d'espace à conquérir. La prophétie de Paul Valéry, selon lequel l'ère du monde fini commence, serait effectivement réalisée. C'est la thèse qui est défendue par Marcel Merle. Selon lui, la stabilité relative des relations internationales se traduirait notamment par le « statu quo » territorial.

Cette opinion est pour le moins hasardeuse. Sans parler de nombreux conflits, qui visent à augmenter ou à restreindre l'espace national, ainsi que le démontre, par exemple, le conflit israélo-arabe, ou l'annexion du Sahara ex-Espagnol par le Maroc et la Mauritanie, sans parler des nombreuses revendications territoriales qui existent un peu partout dans le monde, et qui conduisent, comme le cas de la Chine et de l'U.R.S.S., à mobiliser sur les frontières un nombre impressionnant de troupes et d'armements, il faut bien constater qu'il y a de nombreuses incertitudes qui continuent d'exister en ce qui concerne la délimitation précise de l'espace national. Aussi curieux que cela puisse paraître, *l'espace national,* en tant qu'élément constitutif de l'Etat, *est largement indéterminé.*

I. — Que comprend l'espace national ?

L'espace national comprend trois éléments physiquement différents : la terre, la mer et l'air.

L'espace terrestre.

L'espace terrestre est délimité par des frontières historiquement établies et généralement consacrées par des actes juridiques, c'est-à-dire des conventions internationales, souvent des traités de paix. Concrètement les frontières peuvent être matérialisées sur le terrain par des lignes naturelles telles que des fleuves, des lignes de crête, etc., que les Etats ont parfois tendance, comme le montre le conflit israélo-arabe, à considérer comme des frontières naturelles « sûres et reconnues ».

Ceci dit, il s'en faut de beaucoup pour que les frontières terrestres soient connues avec précision. Particulièrement dans le cas des Etats issus du vaste mouvement de décolonisation qui s'est manifesté dans le monde au début du XIXe siècle et après la deuxième guerre mondiale, il subsiste de nombreuses incertitudes qui sont à la source de conflits, parfois armés.

Mais, même pour les vieux Etats, l'espace terrestre demeure encore largement indéterminé. En effet, depuis la deuxième guerre mondiale, les Etats se sont mis à revendiquer une partie de la croûte terrestre, située sous la mer, au-delà des limites de la mer territoriale, et connue sous le nom de *plateau continental,* prolongement naturel du continent sous la mer, soit 13 % de la masse terrestre globale.

Avant la deuxième guerre mondiale, le plateau continental ne présentait qu'un intérêt réduit pour les Etats riverains en raison de l'incapacité où ils étaient de l'exploiter à partir de la surface. La situation s'est modifiée à partir du moment où le progrès technique a permis de tirer profit des ressources contenues sur le sol ou dans le sous-sol du plateau continental.

Il est tout à fait caractéristique que c'est la puissance la plus avancée sur le plan de la technique qui, la première, a formulé cette revendication. C'est aux Etats-Unis que le Président Truman, dans une déclaration unilatérale du 28 septembre 1945, revendiqua un droit exclusif au profit des Etats-Unis sur les ressources du sous-sol et du sol du plateau continental situé autour des côtes américaines. C'est la totalité du plateau continental, au sens géographique du terme, qui désormais était incorporée à l'espace national américain. Comme il arrive souvent dans le domaine international, cette décision unilatérale fut rapidement imitée par d'autres Etats. La pratique internationale était devenue anarchique, dans la mesure où chaque Etat pour son propre compte, par décision unilatérale, déterminait, selon ses intérêts, la portion du plateau continental qu'il considérait comme faisant partie de son espace national.

C'est pour mettre fin à cette anarchie que les Etats s'étaient réunis à Genève, dans le cadre d'une conférence internationale, et avaient adopté en 1958 une convention relative au plateau continental. Cette convention consacra la pratique en formulant des règles destinées à préciser les droits et obligations des Etats. Elle indique que l'Etat riverain exerce des droits exclusifs et souverains sur le plateau continental aux fins d'exploitation. Quant à la dimension du plateau continental, elle est déterminée soit par un point situé à 200 m en dessous de la surface des eaux, soit, de façon beaucoup plus vague, par un point qui varie en fonction des possibilités techniques d'exploitation. Ainsi, à une limite fixe s'opposait une limite variable, fonction du critère d'exploitation.

En fait, assez rapidement, le progrès technique a permis d'aller au-delà de la limite déterminée par la profondeur de 200 m.

Indépendamment des problèmes délicats soulevés par la répartition du plateau entre des Etats voisins ou des Etats qui se font face [voir l'arrêt de la Cour Intern. de Justice sur le plateau continental de la mer du Nord, 1969. Carte p. 85 et la sentence arbitrale rendue le 18 juillet 1977 dans le différend anglo-français relatif à la mer d'Iroise (1)], la tendance des Etats maritimes à étendre leur souveraineté sur la totalité du plateau continental nécessite un nouvel examen de la question. C'est le but des conférences successives (Caracas, Genève, New York), réunies sous les auspices de l'O.N.U. Il semble

(1) *Le Monde*, 26 et 27 juillet 1977. Carte jointe.

désormais acquis que, sous réserve des problèmes de partage et des problèmes d'exploitation (navigation, pollution), le plateau continental dans sa totalité fait partie de l'espace national des Etats maritimes, ce qui devrait conduire les géographes à réviser leurs cartes et leur évaluation de l'espace terrestre des Etats.

Au-delà de la question du plateau continental, le problème du statut juridique des *fonds sous-marins se trouve également posé*. Les Etats qui sont pourvus des moyens techniques les plus perfectionnés, c'est-à-dire les grandes puissances, ont tendance à revendiquer, sinon la souveraineté, c'est-à-dire l'incorporation des fonds sous-marins à l'espace national, tout au moins à revendiquer le droit exclusif d'exploiter pour leur propre profit les fonds sous-marins. Les Etats moins favorisés, en particulier les Etats du Tiers Monde, ont une position tout à fait différente. Ils demandent que les fonds sous-marins soient considérés comme faisant partie de ce que, selon la terminologie de l'Organisation des Nations Unies, ont appelle le « Patrimoine commun de l'humanité ». Une résolution votée en 1970 a consacré cette revendication. Il reste à la traduire en règles juridiques, ce qui constitue une entreprise difficile en raison des intérêts divergents des Etats ou groupes d'Etats. C'est ainsi que les Etats industrialisés consommateurs de matières premières, revendiquent un droit de recherche et d'exploitation largement reconnu afin d'assurer leur indépendance par rapport aux pays producteurs. Inversement, ces derniers craignent un effondrement des prix, qui constituent parfois l'essentiel de leur richesse nationale.

Cette idée que les fonds sous-marins devraient faire partie du patrimoine commun de l'humanité et non pas des différents espaces nationaux est formulée avec l'objectif que l'exploitation des fonds sous-marins ne devrait pas bénéficier seulement à quelques-uns, mais à tous. Sans doute les Etats du Tiers Monde (groupe des 77 de la Conférence des Nations-Unies pour la coopération et le développement, C.N.U.C.E.D. En fait, actuellement ce groupe comprend une centaine d'Etats), constatent que seules les grandes puissances ont la possibilité technique d'exploiter les fonds sous-marins. Mais les grandes puissances ne devraient avoir qu'une sorte de concession d'exploitation, qui leur serait accordée par une organisation placée sous l'autorité de l'O.N.U., moyennant le paiement d'une redevance. On pourrait ainsi constituer un fonds de solidarité internationale, où serait versée une partie des profits réalisés par les grandes sociétés chargées de l'exploitation des fonds sous-marins. Ce fonds de solidarité servirait à venir en aide aux Etats du Tiers Monde. Pour l'instant, le statut des fonds sous-marins demeure indéterminé et fait l'objet de négociations aux conférences sur le droit international maritime. La conférence de New York (1976) avait marqué sur ce point un recul plutôt qu'un progrès. Celle de 1977 a élaboré un texte (« de négociation composite officieux »), plus favorable au Tiers Monde, mais il se heurte à l'hostilité des E.U.A. (*Le Monde*, 17-18 juillet 1977). Une chose est cependant certaine : les fonds sous-marins ne pourraient faire l'objet d'une appropriation privée par les Etats et, par conséquent, faire partie de leur espace national. Le droit international évolue ainsi vers un régime juridique voisin de celui qui s'applique à la haute-mer et à l'espace extra-atmosphérique (*infra*).

L'espace maritime.

Si l'espace terrestre est encore largement indéterminé, on peut faire la même observation en ce qui concerne *l'espace maritime*. De façon coutumière, on avait admis que les Etats maritimes exercent leur souveraineté sur une portion de mer connue sous le nom de mer territoriale, dont la largeur avait été fixée dans la pratique à trois milles marins (5 556 mètres). Les préoccupations qui avaient guidé les Etats étaient surtout d'ordre militaire. A l'époque, les canons avaient une portée qui ne dépassait pas trois milles marins. Par suite, une largeur de trois milles était suffisante pour mettre l'Etat riverain à l'abri d'une attaque venant de la mer. Selon la formule d'un internationaliste du XVIIIe siècle : « le pouvoir de l'Etat finit là où finit la force des armes ».

L'affirmation que la mer territoriale fait partie de l'espace national produit cette conséquence que, sur cette portion de mer, l'Etat riverain a des droits souverains et par conséquent exclusifs. En particulier, les droits de pêche sont réservés aux seuls ressortissants de l'Etat riverain, à l'exclusion des ressortissants des Etats étrangers. L'Etat riverain a des droits exclusifs, non seulement sur la mer elle-même et sur ses ressources biologiques, mais également sur le sous-sol marin situé sous la mer territoriale. Seul il a le droit d'exploiter cette portion des fonds sous-marins.

Il a cependant fallu tenir compte des nécessité du commerce international. La mer territoriale est, en effet, une voie de communication naturelle. En conséquence, d'abord de façon coutumière, puis en vertu de conventions internationales, on a admis que les navires étrangers, qu'il s'agisse de navires de guerre ou de commerce, ont un droit de passage inoffensif, sous réserve du droit, pour l'Etat riverain, de réglementer la circulation.

Jusqu'à la deuxième guerre mondiale, l'accord semblait fait sur la détermination de la largeur de la mer territoriale, observation faite que l'avis des pays qui sont actuellement du Tiers Monde n'avait naturellement pas été sollicité. Cependant, à l'époque contemporaine, l'espace maritime demeure, lui aussi, largement indéterminé, car si le droit international a fixé un minimum, il n'a pas fixé de largeur maximale. La Convention de Genève de 1958 avait amélioré la situation des Etats riverains puisqu'à la règle coutumière des trois milles, elle avait substitué la règle des douze milles, observation faite que cette règle des douze milles était loin d'être acceptée par tous les Etats.

En fait, certains Etats ont porté la largeur de la mer territoriale très au-delà de ce qui avait été envisagé par la Convention de Genève. En particulier, certains Etats latino-américains avaient décidé, dès 1952 (Conférence de Santiago réunissant le Pérou, le Chili et l'Equateur) que la largeur de leur mer territoriale irait jusqu'à une distance de deux cents milles marins (370,4 km). La préoccupation majeure, différente de celle qui existait à l'époque où on avait fixé la largeur de la mer territoriale à trois mille, était d'ordre économique. Il s'agissait de préserver les ressources biologiques de la mer qui, selon les Etats du Tiers Monde, sont pillées par les grandes puissances grâce à des moyens techniques perfectionnés leur permettant de pêcher des quantités de plus en plus considérables de poissons. Comme le remarque J.-P. Quéneudec, « les problèmes de la pêche maritime constituent à certains égards « le centre de gravité » du droit de la mer ».

En fait, les documents publiés par l'O.N.U. montrent que la convention de Genève est devenue caduque, les pratiques nationales des Etats variant entre la limite traditionnelle de 3 milles et un maximum de 200 milles. A la suite des conférences tenues sous les auspices de l'O.N.U., il semble, à travers le projet de convention de 500 articles mis au point à New York en 1976 et le texte précité de 1977, qu'un consensus se soit dégagé : la largeur de la mer territoriale pourrait être fixée à 12 milles (22,2 km). Mais l'adoption d'une règle commune suppose que les autres problèmes (plateau continental, fond sous-marin, zone économique, pollution, recherche scientifique) soient réglés simultanément. L'enjeu est de taille. On a calculé que si la majorité des Etats étendait la mer territoriale jusqu'à une distance de 200 milles, plus de 144 millions de km² sur une superficie totale de 366 millions deviendraient parties intégrantes de l'espace national des Etats.

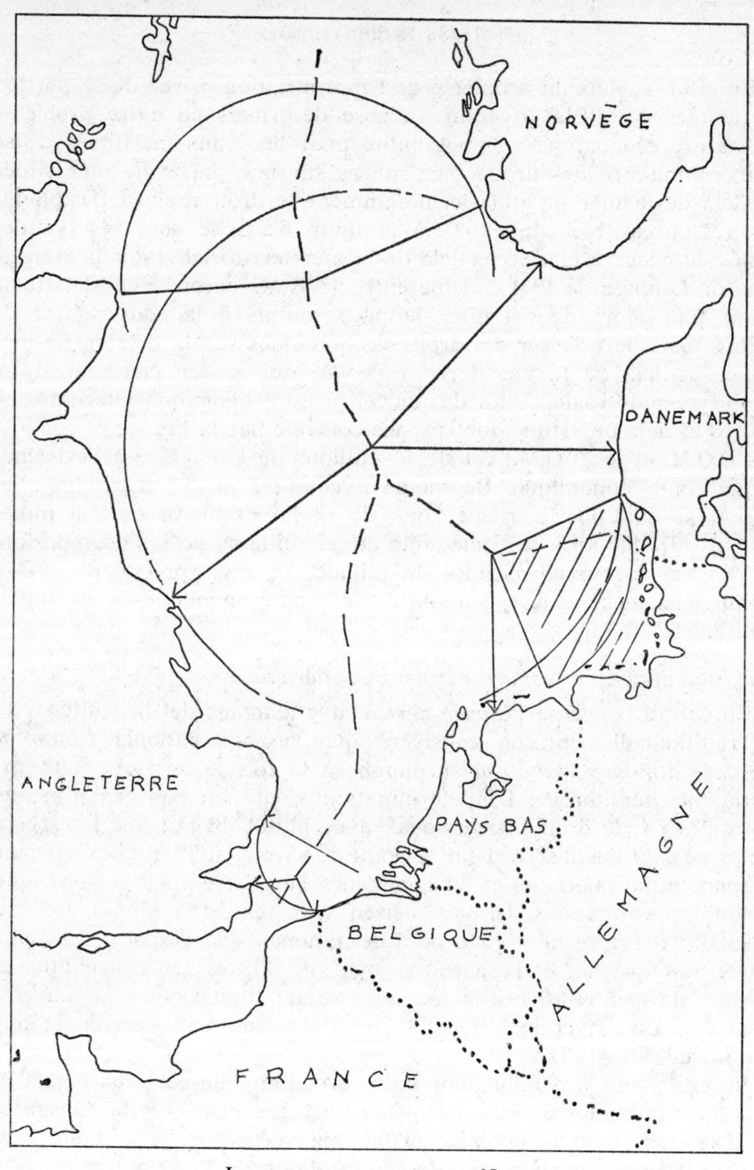

LE PARTAGE DE LA MER DU NORD
CONFORMÉMENT A L'APPLICATION DU PRINCIPE DE LA LIGNE MÉDIANE
PRÉCONISÉE PAR LA CONVENTION DE GENÈVE EN 1958.

En effet, au-delà du problème de l'appropriation privée d'une portion de la mer par l'Etat riverain, se pose désormais un autre problème de nature économique : la possibilité pour les Etats maritimes de se voir reconnaître des droits particuliers sur une partie de mer située au-delà de la mer territoriale, notamment le droit exclusif d'exploiter les ressources biologiques. Déjà certains Etats se sont réservé des zones de pêche exclusive au-delà de la mer territoriale (voir la convention de Londres de 1964 conclue entre 13 Etats européens). Mais il ne s'agit plus alors de délimiter l'espace soumis à la souveraineté de l'Etat, mais de préciser ses droits économiques sur la portion de mer située au-delà de la mer territoriale. Ce qui est en cause, c'est un problème plus vaste : celui du nouvel ordre économique international. D'ores et déjà on estime que l'espace contrôlé par la France (y compris les D.O.M. et les T.O.M.) est de 10 millions de km² grâce à l'existence d'une zone économique. De même à compter du 1er mars 1977, les E.U.A. se sont attribué une zone de pêche exclusive de 200 milles marins (370,400 km), soit une zone de 5,2 millions de km² comportant 10 % des ressources marines du monde. Le texte précité de 1977 a admis l'existence et la spécificité d'une zone économique de 200 milles nautiques.

L'espace aérien et l'espace extra-atmosphérique.

En ce qui concerne l'*espace aérien,* il y a moins de difficultés.

Traditionnellement, on considère que l'espace national comprend *l'espace atmosphérique* qui surplombe à la fois le territoire terrestre et la mer territoriale. L'indétermination vient non pas des principes formulés par le droit international, mais plutôt du fait que les spécialistes ne sont pas d'accord sur le point de savoir où s'arrête exactement l'espace atmosphérique, et où commence l'espace extra-atmosphérique. Selon les estimations, l'espace aérien varie entre 85 km et 160 km. Cela dit, il est certain, en droit international, que l'espace atmosphérique fait partie de l'espace national de l'Etat. La convention de Genève de 1958 relative à la mer territoriale stipule que « la souveraineté de l'Etat riverain s'étend à l'espace aérien au-dessus de la mer territoriale » (art. 2).

Ici également il a fallu tenir compte du fait que cet espace sert de voie de communication. Le problème s'est posé à partir de l'invention de l'aéronef. D'où la nécessité d'une réglementation. Elle a été faite à deux reprises, d'abord par les conventions de Washington de 1919, auxquelles se sont substituées en 1944 les conventions de Chicago. Un certain nombre de libertés ont été reconnues en faveur des aéronefs étrangers : liberté du survol innocent, mais seulement pour les avions civils, liberté des escales techniques, etc. Une organisation internationale, l'organisation de l'aviation civile internationale, créée en 1944, est chargée notemment d'uniformiser les règles de la navigation aérienne.

Le problème du statut de l'*espace extra-atmosphérique* n'a préoccupé les Etats qu'à partir du moment où, pour la première fois, le 4 octobre 1957, l'U.R.S.S. a lancé dans l'espace extra-atmosphérique le « Spoutnik », sur un orbite dont le point le plus proche de la terre était situé à 228 km. Dans le cadre de négociations qui se sont engagées à l'Organisation des Nations Unies, les Etats ont réussi à se mettre d'accord et en 1967 à été adopté un traité qui pose le principe que : « l'exploration et l'utilisation de l'espace extra-atmosphérique, y compris la lune et les autres corps célestes, doivent se faire pour le bien et dans l'intérêt de tous les pays quel que soit le stade de leur développement économique ou scientifique ». En outre, le traité de 1967 pose également le principe de la « liberté d'exploitation et d'utilisation sur la base du droit international et conformément au principe de l'égalité des Etats » (1).

On retrouve ici le même principe que celui qui a été posé par la haute mer par opposition à la mer territoriale à la suite d'une discussion célèbre qui avait opposé, au XVIIe siècle, Grotius qui était partisan du principe de la liberté de la mer (« mare liberum ») et l'Anglais Selden qui était partisan de la reconnaissance de la souveraineté de l'Etat sur la haute mer (d'où le titre de son ouvrage « mare clausum »). Il est évident que Selden plaidait pour la cause de la Grande-Bretagne qui, à cette époque, dominait en fait les mers et qui aurait bien voulu que, juridiquement, cette domination lui fût reconnue.

Telle est la consistance de l'espace national, étant précisé qu'il subsiste, encore à l'heure actuelle, beaucoup de discussions et une assez large indétermination à propos de la configuration de chaque espace national. Ceci entraîne un certain nombre de situations conflictuelles qui vont parfois jusqu'à l'affrontemvent armé, bien que, d'un autre côté, le droit international essaie d'apporter des solutions à ce genre de problèmes.

BIBLIOGRAPHIE

Sur *l'espace terrestre,* voir l'ouvrage de Ch. de VISSCHER, *Problèmes de confins en droit international public,* 1969, et les manuels de droit international, par exemple celui de THIERRY et autres, *Droit international public,* éd. Montchrétien, 1975, p. 298-307.

(1) Voir les accords soviéto-américains des 24 mai 1972 et 18 mai 1977. *Docts d'act. int.,* 16 sept. 1973 et 1er juillet 1977.

L'espace maritime a suscité une littérature considérable (ouvrages, articles, thèses et mémoires). Voir notamment « Actualités du Droit de la mer », Pedone, 1973, les chroniques parues à l'A.F.D.I., à la R.G.D.I.P. et les documents publiés par l'O.N.U.

Sur le *plateau continental,* voir l'ouvrage de Ch. VALLÉE, *Le plateau continental dans le droit positif actuel,* Paris, 1971.

Sur le *fond des mers,* voir A. PIQUEMAL, *Le fond des mers, patrimoine commun de l'humanité, Université de Nice,* 1973, 278 p.

R. P. ANAND, *Legal regime of the sea-bed and the developing countries,* Sijthoff, 1976.

Le point de vue soviétique sur les conférences de l'O.N.U. relatives au droit de la mer est exposé dans les études parues dans « La vie internationale », août 1976 et février 1977.

Sur l'*espace aérien,* voir le Que sais-je ? du Professeur CHAUMONT (N° 883).

Sur le droit international de l'*espace extra-atmosphérique,* voir l'ouvrage du Professeur A. PIRADOV (Ed. du Progrès, Moscou, 1976) et celui de N. MATEESCO MATTE, *Droit aérospatial,* 2 vol., Pedone, 1969 et 1970 (textes et annexes).

II. — ESPACE ET PUISSANCE.

S'il y a autant de discussions sur la délimitation des espaces nationaux, c'est que l'espace national est un facteur essentiel de la puissance de l'Etat. Il constitue en effet l'un des éléments des forces productives. Dès lors on ne voit pas comment on pourrait se désintéresser de ce facteur lorsqu'on s'interroge sur le poids des Etats dans la vie internationale. A cet égard, il faut envisager trois aspects : d'abord l'étendue de l'espace national, ensuite la position de l'espace national à la surface du globe et enfin les ressources que recèle l'espace national.

L'étendue de l'espace national.

En ce qui concerne l'importance de l'étendue de l'espace national, on soutient parfois que les progrès réalisés dans le domaine de l'armement (*infra,* p. 389), et plus particulièrement l'apparition de l'arme atomique, des engins intercontinentaux et des sous-marins atomiques de plus en plus nombreux, auraient finalement conduit, sinon à faire disparaître, tout au moins à réduire de façon considérable, l'importance de l'étendue de l'espace national. L'argumentation repose sur le fait qu'à partir du moment où l'espace national n'est plus à l'abri d'une attaque nucléaire, il est assez indifférent, du point de vue militaire, que cet espace soit petit ou grand.

Cette opinion contient une part de vérité, mais elle est excessive. La possession d'une grande étendue d'espace donne en effet à un Etat des possibilités de retraite, de résistance sur les lignes de défense établies en profondeur. Elle permet aussi de réaliser une dispersion des centres industriels et militaires et d'espérer que, même dans l'hypothèse d'une attaque nucléaire, certains de ces centres subsisteront. A cet égard, l'U.R.S.S., avec une superficie de 22 millions de km² (espace terrestre), est dans une position beaucoup plus confortable que ne le sont, par exemple, les Etats-Unis avec ses 10 millions de km² environ ou la France (métropolitaine) avec ses 550 000 km².

Donc, en fait, l'étendue du territoire d'un Etat n'est pas une chose indifférente, même à l'époque contemporaine où les armements ont fait des progrès fantastiques qui permettent théoriquement d'atteindre avec une très grande précision n'importe quel point du territoire d'un Etat déterminé.

Si l'étendue du territoire est importante, il ne faut pas, pour autant, verser dans le déterminisme géographique, ce que l'on fait parfois en soutenant qu'un espace national très étendu confère nécessairement à l'Etat qui le possède une puissance beaucoup plus grande que celle qui appartient à un Etat lilliputien. Il faut tenir compte d'autres éléments, en particulier des possibilités d'occupation du territoire, donc de la population, et de la possibilité d'aménagement effectif de l'espace, donc de la technique, qui permet de rendre cet espace habitable et d'assurer la circulation des hommes, des marchandises et même des idées. Ceci veut dire que l'établissement de moyens de communication de toutes sortes est une condition indispensable pour réaliser l'utilisation effective de l'espace. Kipling disait que « la civilisation, c'est d'abord une route ». S'il écrivait à l'époque actuelle, il dirait sans doute : « la civilisation, c'est d'abord l'avion », en particulier pour les Etats qui ont des territoires immenses.

S'agissant de l'étendue de l'espace national, tout ce qu'on peut dire, c'est qu'un espace national considérable est, potentiellement, un facteur de puissance pour l'Etat. Ceci explique les tentatives faites par les Etats pour réaliser leur intégration politique en fusionnant les uns avec les autres, en recherchant une union politique ou, plus simplement, une union économique (*infra*, p. 397), qui peut d'ailleurs être le prélude à une union politique. C'est ce qui se manifeste en Europe dans le cadre de la Communauté économique européenne, dite marché commun. C'est ce qui se manifeste également dans d'autres parties du monde, en particulier en Afrique, où il y a un courant qui vise à mettre fin au morcellement du continent, dont les puissances coloniales sont rendues responsables.

La position de l'espace national sur la planète.

La position de l'espace national sur la planète revêt également une grande signification, aussi bien sur le plan militaire que sur le plan économique.

Sur le plan militaire, l'importance de l'espace est démontrée par les efforts qui ont été faites par tous les Etats, à toutes les époques, pour s'assurer la maîtrise de bases militaires. Même à l'époque actuelle, en dépit du progrès réalisé dans le domaine de l'armement, on peut dire que l'arme nucléaire, loin de diminuer la valeur stratégique de l'espace, l'a, peut-être, assez paradoxalement, renforcée. Le Général Mitterand, dans une étude parue dans la revue *Défense nationale* (juin 1970), faisait remarquer que, d'un point de vue stratégique, les territoires naguère ou encore colonisés par les Etats européens ont acquis une importance non négligeable. L'existence de l'arme nucléaire a, sinon supprimé, du moins diminué provisoirement la probabilité d'une guerre généralisée, ce qui explique que les Etats mammouths prennent grand soin de ne pas s'affronter directement, mais par Etats interposés, dans le cadre de conflits locaux. Comme le constate le Général Mitterand, « Le Moyen-Orient en est aujourd'hui le témoignage. Qui peut dire que des situations identiques ne peuvent, dans des jours prochains, apparaître en Amérique latine ou en Afrique noire » ? D'où l'intérêt porté par les Etats à la possession de petits territoires (à première vue insignifiants) dispersés sur l'ensemble du globe. Ainsi les E.U.A. s'intéressent beaucoup à l'atoll de Diego Garcia, situé au centre de l'Océan Indien. Une base aérienne et navale, pour laquelle ils ont dépensé 13,8 millions de dollars en 1976, y a été installée. D'où les réactions des Etats non-alignés. A la conférence de Colombo (août 1976), les chefs d'Etat et de Gouvernement ont confirmé la résolution votée par l'assemblée générale de l'O.N.U. en 1971, tendant à proclamer l'Océan Indien zone de paix et à liquider les bases militaires.

Du point de vue économique, la position de l'espace national sur la planète n'est pas moins importante. En particulier les Etats qui ont la bonne fortune de posséder un débouché sur la mer, les Etats maritimes, possèdent un avantage incontestable dans la mesure où ils ont la possibilité, non seulement d'utiliser les ressources biologiques de la mer et les ressources naturelles du sol et du sous-sol marin (*supra*, p. 80), mais également, et surtout, d'utiliser cette voie de communication naturelle et gratuite qu'est l'océan. Ceci avait été parfaitement aperçu par les auteurs anglais à l'époque où la Grande-

Bretagne possédait la maîtrise des mers. Un écrivain du XVIIe siècle, cité dans l'ouvrage de Silberner (*La guerre dans la pensée économique du XVIe siècle au XVIIIe siècle,* 1939), écrivait : « Celui qui maîtrise l'océan, maîtrise le commerce mondial et celui qui maîtrise le commerce mondial, maîtrise les richesses du monde, et celui qui en est le maître maîtrise le monde lui-même ». Il n'est donc pas indifférent qu'un Etat soit situé en bordure des océans ou qu'au contraire il n'ait aucune possibilité d'accès vers la mer. Ceci explique d'ailleurs que l'Organisation des Nations Unies ne soit préoccupée de la situation des Etats enclavés. En particulier, dans le cadre des conférences sur le droit de la mer, la préoccupation est apparue de faire bénéficier les Etats qui ne sont pas riverains de la mer des ressources tirées de l'exploitation des zones économiques. Ceci explique également qu'à travers l'histoire les Etats se sont toujours efforcés de pratiquer une politique leur permettant d'accéder aux mers voisines. Ce fut, en particulier, la politique traditionnelle de la Russie tsariste. C'est encore la politique de l'U.R.S.S. (cf. Méditerranée, Océan Indien).

Ici également il faut se garder de verser dans le déterminisme géographique, comme le font ceux qui demeurent plus ou moins influencés par la célèbre théorie des climats à laquelle Montesquieu a donné tout son lustre. En l'état actuel des choses, il faut se garder de dire que le climat, donc la position de tel ou tel Etat dans telle ou telle zone climatique, a pour effet d'influer, de façon décisive et irrémédiable, sur la puissance. Il est certain que la situation d'un Etat dans telle ou telle zone climatique impose un certain nombre de contraintes. Elle entraîne même parfois l'impossibilité d'installation permanente des êtres humains sur certaines portions de l'espace, tout au moins sur une vaste échelle. C'est le cas des espaces polaires. Ceci explique qu'un accord ait pu se faire entre les Etats intéressés pour réaliser un régime international de l'Antarctique (traité de 1959 adopté par 12 Etats intéressés), caractérisé par l'interdiction de toute activité militaire et la coopération dans le domaine scientifique. Mais déjà on s'interroge sur l'exploitation des ressources biologiques (le krill, crustacé de 3 à 4 cm de long) et minérales (charbon, fer, hydrocarbures, peut-être uranium) de l'Antarctique (*Le Monde,* 30 juillet 1977), ce qui risque de mettre en cause le club des 12.

Donc, du point de vue économique, la position de l'espace national à la surface du globe n'est pas indifférente. En particulier, la position d'un grand nombre d'Etat du Tiers Monde dans les zones tropicales a une grande influence sur leur développement. On a même pu établir des cartes montrant que les frontières du Tiers Monde coïncident grosso modo avec les zones climatiques caractérisées par des températures élevées, par un climat tropical (voir carte p. 93).

Mais il ne faut pas exagérer l'influence du climat sur le développement des pays du Tiers Monde. Ici encore ce facteur dépend de l'état de la technique et, de façon plus générale, du niveau des forces productives. L'idée de Jules Verne (voir son livre *Sens dessus dessous*) de redresser l'axe de la terre sur le plan de l'écliptique, pour modifier les climats, l'idée reprise par un romancier soviétique Yvan Effrémov (*La nébuleuse d'Andromède*) relève de la science fiction. Mais, sans aller aussi loin, les ressources actuelles de la technique sont capables d'accomplir des miracles, ainsi que le montre, par exemple, la construction du barrage d'Assouan. Ces miracles sont possibles pour peu que l'on cesse d'accorder la priorité à la recherche du profit et que l'on se préoccupe davantage du bien-être et du développement économique des peuples.

Les ressources de l'espace national.

Les ressources sont sans doute l'aspect le plus important de l'espace national. Le problème des rapports entre les ressources naturelles et les relations internationales n'a pas cessé, depuis des siècles, de préoccuper ceux qui s'intéressent aux relations internationales. D'un côté, il est certain que la volonté d'acquérir la maîtrise des ressources naturelles est à la racine des conflits internationaux, dans la mesure où ces ressources naturelles constituent l'objectif des puissances belliqueuses ou impérialistes. Sur ce point, l'accord est loin d'être fait entre les spécialistes des relations internationales. Nous aurons l'occasion d'y revenir dans la deuxième partie lorsque nous parlerons des conflits internationaux. Mais, en dehors de ce problème, il est incontestable que la possession des ressources naturelles abondantes et facilement exploitables sur un espace déterminé est une des conditions de la puissance de l'Etat. L'exemple des Etats-Unis, de l'U.R.S.S. ou de la Chine le démontre à l'évidence.

Cependant il serait simpliste de tout ramener au problème des ressources naturelles. L'histoire nous montre en effet que certaines portions de l'espace national ont pu être tenues pour négligeables à une époque où la technique ne permettait ni de déceler la présence de ressources naturelles, ni a fortiori de les exploiter. C'est ainsi qu'au XIXe siècle la Grande-Bretagne était tout à fait satisfaite d'abandonner à la France, au Coq Gaulois, les déserts de sable du Sahara, pour y

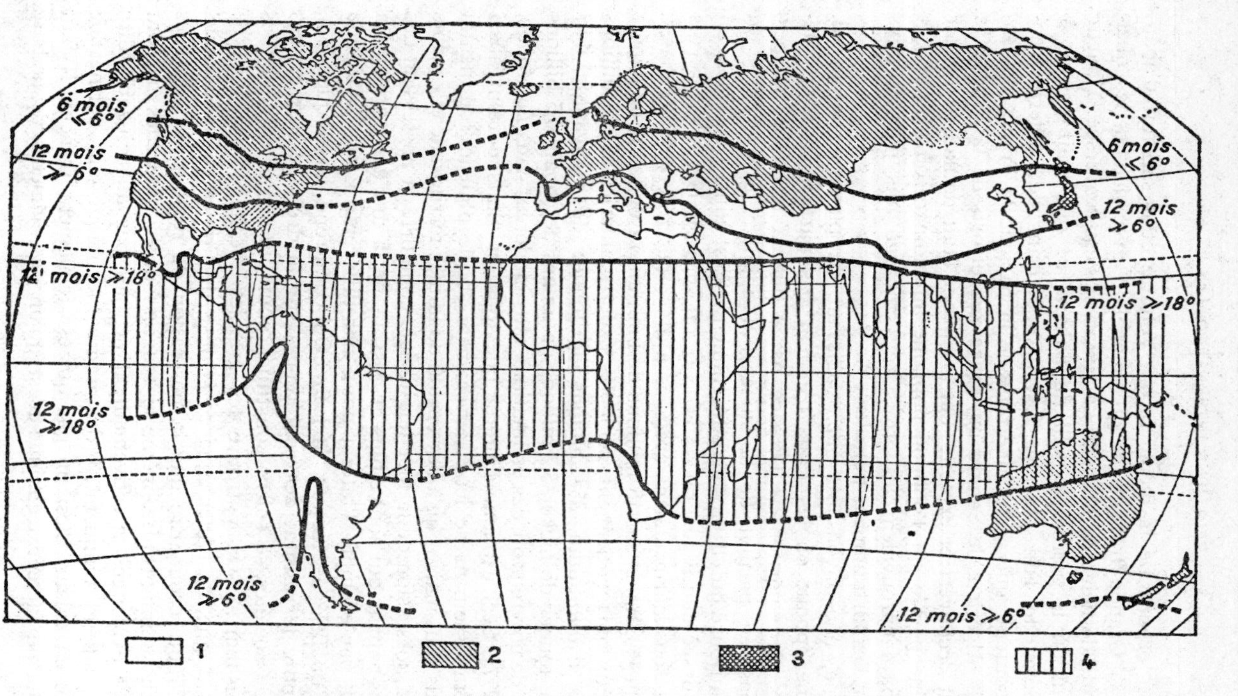

FIG. 1. — Carte schématique des limites du Tiers Monde et des principales zones thermiques du globe. 1, pays sous-développé ; 2, pays développé ; 3, région ou pays présentant d'importantes séquelles d'une situation voisine du sous-développement ; 4, régions qui ont pendant 12 mois une température moyenne supérieure à 18°.

Source : Y. LACOSTE, *Géographie du sous-développement*, P.U.F., 1968, p. 22.

aiguiser ses ergots. De la même façon, Voltaire était satisfait d'abandonner à la Grande-Bretagne ce qu'il appelait, avec dédain, les quelques arpents de neige du Canada. La situation s'est renversée, à partir du moment où le pétrole a jailli du Sahara, ce qui avait permis à Jacques Soustelle, l'un des plus fervents partisans de l'Algérie française, de soutenir que ce fut une folie de la part de la France d'abandonner aux Algériens le Sahara où, grâce aux efforts de la France, le pétrole fut découvert et exploité. Cet argument était de nature à avoir une certaine portée sur l'opinion publique au moment où l'Europe et d'autres pays éprouvaient les effets de l'embargo mis par les pays arabes sur l'exportation du pétrole.

De même, nous avons vu que, s'agissant du plateau continental, il a eu une époque où les Etats n'étaient pas particulièrement intéressés par cette portion de l'espace parce que la technique ne permettait pas, en partant de la surface, d'exploiter les richesses du sous-sol. Aujourd'hui il en va différemment. C'est ainsi que selon un rapport du secrétaire général de l'O.N.U. du 26 avril 1971, les réserves de pétrole sous-marin étaient évaluées à 21 % des réserves mondiales. Au fond du Pacifique, sur 15 millions de km², gisent de fabuleux dépôts de minéraux qui contiennent, selon les experts américains, 43 billions de tonnes d'aluminium, 358 billions de tonnes de manganèse, 14,7 billions de tonnes de nickel, 5,2 billions de tonnes de cobalt, 7,5 billions de tonnes de cuivre (voir des estimations plus modérées dans *Le Monde,* 17 mai 1977). Ceci explique l'intérêt que tous les Etats portent aussi bien à l'établissement de leur souveraineté sur le plateau continental et les fonds sous-marins qu'à l'extension de la mer territoriale elle-même puisque la possession de la mer territoriale comporte la possession des fonds sous-marins qui sont situés au-dessous de la mer territoriale. On comprend, par exemple, l'intérêt porté par différents Etats à Cabinda (Angola), qualifié de Koweit Africain. On comprend aussi que déjà, sans attendre le résultat des conférences sur le droit de la mer, des groupes de sociétés se soient constitués pour étudier et exploiter les fonds sous-marins. On y trouve les grandes sociétés des E.U.A., de Grande-Bretagne, de l'Allemagne de l'Ouest, de France et de Belgique.

Mais il faut reconnaître que la possession de ressources naturelles est une chose importante, même si ces ressources naturelles ne sont pas encore exploitées effectivement, il ne faut pas aller jusqu'à dire que tout dépend uniquement du progrès technique qui permet de les mettre en valeur. C'est un pas qui est facilement franchi. Il faut répéter que le facteur technique n'est qu'un des éléments de la base économique d'un Etat. Il est tout à fait arbitraire et artificiel de l'isoler des autres facteurs. En particulier, le type de rapports de production joue un rôle qu'il ne faut pas sous-estimer. C'est ainsi qu'avant la Révolution, la Chine n'était ni plus pauvre ni plus riche en ressources naturelles qu'elle ne l'était 50 ans auparavant. Cependant la Chine, jusqu'à la révolution, était une puissance qui ne comptait pas sur la scène internationale. Le passage du régime mi-féodal, mi-colonial, qui caractérisait la Chine antérieurement à 1949, à un régime de type socialiste a permis de réaliser une véritable mutation. La Chine aujourd'hui fait figure de grande puissance, une puissance avec laquelle il faut compter, ainsi que le montre le rapprochement des Etats-Unis vers le régime chinois, alors que jusqu'à une date récente les Etats-Unis s'étaient absolument refusés à établir des relations avec la Chine et avaient même fait pression sur les autres Etats pour interdire la représentation de l'Etat chinois au sein de l'organisation des Nations Unies par le gouvernement de la Chine socialiste. Ceci montre que les caractères du régime politique ne sont pas indifférents.

Enfin, le problème des ressources naturelles ne peut pas non plus être dissocié du problème plus général des relations économiques internationales. Même si un Etat n'a pas été bien pourvu par la nature, il peut encore, grâce au commerce international et à ses capacités techniques, devenir une grande puissance industrielle. Le meilleur exemple est celui du Japon qui a bâti toute sa puissance sur l'importation et la transformation des matières premières. Cependant, malgré tout, la puissance économique, fondée sur les échanges internationaux, demeure fragile, dans la mesure où un pays comme le Japon doit compter sur ses partenaires internationaux pour faire fourner ses machines. Le conflit israélo-arabe démontre à l'évidence combien il est dangereux de dépendre de l'extérieur pour son approvisionnement en énergie.

A l'inverse, un Etat qui est bien pourvu en ressources naturelles est beaucoup moins vulnérable, aussi bien sur le plan économique que sur le plan diplomatique, qu'un Etat dont la puissance économique dépend des échanges internationaux. La contre-épreuve par rapport à un Etat comme le Japon serait fournie par l'U.R.S.S. qui, en dépit des tentatives faites par les autres Etats après la Révolution d'Octobre pour réaliser un véritable étranglement de l'U.R.S.S., aussi bien par des moyens militaires que par des pressions économiques, a pu, non seulement survivre dans une société internationale hostile, mais même se développer de façon étonnante au point de se poser, à l'heure actuelle, en rival des Etats-Unis d'Amérique.

En définitive, considéré dans sa totalité, dans tous ses aspects, dans toutes ses virtualités, l'espace national est incontestablement la base de la puissance de l'Etat, encore qu'il ne faille pas exagérer et verser dans le mécanicisme en soutenant que nécessairement, parce qu'un Etat dispose d'un grand espace, bien situé à la surface du globe, pourvu de ressources naturelles abondantes, cet Etat serait un Etat puissant. Il y a d'autres éléments dont il faut tenir compte. De façon générale, il faut situer l'espace national dans l'ensemble de ce qui constitue la base économique de l'Etat.

L'idée d'espace national.

S'il ne faut pas isoler le problème de l'espace national et le séparer artificiellement de l'ensemble de la base économique, il ne faut pas non plus faire abstraction de ce qui peut se passer au niveau de la superstructure. Il est certain que l'idée que les hommes se font de l'espace national est extrêmement important et doit être prise en considération lorsque l'on étudie les relations internationales. En fait, l'espace national est perçu de façon différente selon les Etats, selon les populations intéressées et selon les époques. C'est dire que les idéologies, qui, par exemple, relèvent de la superstructure, sont capables de jouer un rôle non négligeable.

C'est ainsi qu'un auteur anglais, Mackinder, avait lancé l'idée d'espace vital, qui ne demeura pas à l'état de pure idée puisqu'elle fut utilisée aussi bien par le régime hitlérien que par le Japon. Sous la dénomination de « sphère de coprospérité », le Japon estimait que la totalité de l'Asie devait entrer dans sa zone d'influence (1). De telles idéologies, utilisées par les Etats, ont contribué à faire croire que les populations allemandes ou japonaises étaient injustement traitées dans la mesure où elles manquaient d'espace (*Volk ohne Raum*). A partir de là, on a pu sans grande difficulté justifier les entreprises belliqueuses destinées à s'assurer la maîtrise d'espaces appartenant à d'autres Etats, ainsi que les revendications de territoires coloniaux, dont l'Allemagne, préoccupée au XIXe siècle de construire l'Etat et de développer sa puissance industrielle, s'était quelque peu désintéressée.

De même l'idéologie des frontières naturelles, encore bien vivante, comme le montre la politique extérieure d'Israël, sert de justification

(1) Voir l'intérêt porté actuellement par le Japon à l'A.S.E.A.N. (sigle anglais pour Association des Nations du Sud-Est asiatique).

à toutes les politiques qui visent à l'agrandissement de l'espace national. Ainsi, le chef du parti vainqueur aux élections du 17 mai 1977, M. Menahen Begin, n'hésite pas à déclarer que « Eretz Israël » (la patrie d'Israël) s'étend de la Méditerranée au Jourdain et que « le mot Palestine n'est que la traduction étrangère et la patrie *historique* du peuple juif en terre d'Israël ».

Enfin, sur le plan de la superstructure, il est également bon de mentionner que la représentation de l'espace national dans l'esprit des hommes contribue à former l'idée de patrie. Le professeur Burdeau, dans son monumental traité de science politique, écrit : « Il n'y a pas de patrie sans territoire », ce qui n'est pas sans rappeler la formule célèbre selon laquelle « on n'emporte pas sa patrie à la semelle de ses souliers ». Non seulement l'espace national est à la racine de l'idée de patrie, mais c'est également au nom de la défense de l'espace national, dont l'intégrité est menacée par des entreprises extérieures, qu'en définitive les peuples acceptent d'être mobilisés et de mourir pour leur patrie.

De façon générale, il faut non seulement prendre en considération l'espace national, en tant que facteur économique et facteur d'ordre militaire, mais on doit également rechercher ses implications au plan de la superstructure, et plus particulièrement au plan des idéologies, dont nous verrons qu'elles sont capables de jouer un rôle non négligeable sur le plan des relations internationales (*infra,* deuxième partie).

BIBLIOGRAPHIE

R. ARON, *Paix et guerre entre les nations* (ouvrage précité, p. 187-214).

A. BIROU et P.-M. HENRY (sous la direction de), *Pour un autre développement,* P.U.F., 1976 (comparaison du Tiers Monde et des Etats industrialisés).

C. BATAILLON et autres, *Etat, pouvoir et espace dans le Tiers Monde,* P.U.F., 1977.

DUROSELLE et RENOUVIN, *Introduction à l'étude des relations internationales,* p. 6-29.

J. GOTTMANN, *La politique des Etats et leur géographie,* A. Colin, 1957.

P. CÉLERIER, *Géographie et géostratégie,* Que sais-je ?, n° 693.

H. ISNARD, *Géographie de la décolonisation,* P.U.F., 1971 (Coll. S.U.P.).

P. LAVIGNE, *Climats et sociétés,* Dalloz, 1966.

Y. LACOSTE, *Géographie du sous-développement,* P.U.F., 2e éd., 1976.

De façon générale, consulter les ouvrages de géographie économique et humaine.

Sur les problèmes posés aux Etats enclavés, voir Z. CERVENKA, *Land locked countries of Africa,* Uppsala, 1973, et le mémoire de Zalmai HAQUANI, *Les pays sans littoral aux Nations Unies,* Faculté de Droit de Nice, 1972 (concerne l'accès à la mer et le droit de transit).

B. — La population

La population est un élément aussi essentiel du concept d'Etat que l'espace lui-même. S'il n'y a pas d'Etat sans espace (voir le problème palestinien), il n'y a pas non plus d'Etat sans population. Il en résulte que le spécialiste des relations internationales ne peut se passer des enseignements de la démographie.

I. — Aspects quantitatifs.

Comme l'espace, la population peut être un facteur de puissance de l'Etat. D'un point de vue statique, on peut tenir compte de la population d'un Etat à un moment déterminé. D'un point de vue dynamique, il faut être attentif au phénomène de la croissance démographique. Enfin on peut s'interroger sur la relation de l'homme et de l'espace, c'est-à-dire la densité de la population.

Le chiffre global de la population.

C'est un problème qui préoccupe les économistes qui ont élaboré toute une théorie autour du problème de la dimension nationale. Se demandant à partir de quel moment un Etat constitue une « grande nation » au sens économique de l'expression, ils utilisent parfois un critère démographique. Ainsi, pour Kuznets, « tout Etat souverain dont la population est égale ou inférieure à 10 millions d'habitants » serait une petite nation.

Cependant, ici également, il faut se garder de verser dans le déterminisme démographique en établissant une équation rigoureuse entre la population d'une part et la puissance de l'Etat d'autre part. C'est cependant dans ce déterminisme géographique que verse un auteur comme Gottmann (*op. cit.*) lorsqu'il affirme : : « Dans l'histoire politique du monde on a observé que les grandes puissances ont toujours eu des populations nombreuses, pour la période et pour la partie du monde considérées. »

Cette opinion est tout à fait contestable. Le chiffre brut de la population d'un Etat n'a de signification réelle qu'en fonction de la nature de la formation sociale considérée. C'est ainsi que la Chine a toujours eu une population importante. Ceci ne veut pas dire, pour autant, que la Chine était une grande puissance. Elle a même été, jusqu'à la seconde guerre mondiale, une puissance secondaire soumise à la domination des autres Etats. Les 800 millions de Chinois n'ont acquis une importance sur le plan des relations internationales et la Chine n'est devenue une grande puissance qu'à partir du moment où elle a réalisé sa révolution politique et sociale. Ce qui le montre, c'est qu'un Etat dont la population avoisine celle de la Chine et qui se trouve situé dans la même zone climatique, c'est-à-dire l'Inde (600 millions d'habitants), n'a pas, sur le plan des relations internationales, une puissance comparable à celle de la Chine, même si elle est capable de procéder à des explosions nucléaires.

Inversement, l'idée exprimée par Raymond Aron dans son livre *Paix et guerre entre les nations* selon laquelle la puissance militaire ne dépend plus exclusivement du nombre mais, dans une large mesure, de la technique, est aussi fausse. L'expérience que les Etats-Unis ont faite au Vientnam leur a démontré que la puissance technique ne suffit pas à établir le contrôle d'un Etat sur un autre Etat. Il faut tenir compte d'autre chose que de la technique. Il faut tenir compte de l'esprit révolutionnaire et de méthodes de combat qui ne font pas tellement appel aux techniques modernes de l'armement qu'au peuple lui-même, décidé à préserver son indépendance. C'est dans ce sens qu'il faut entendre l'expression de « Tigre de papier » utilisé par Mao Ze Dong à l'égard des Etats-Unis.

Tout ce qu'on peut dire, c'est que le grand nombre est certainement un avantage potentiel, qui ne peut acquérir sa pleine signification que si la nature de la formation sociale permet effectivement d'en tirer toutes les conséquences.

Cela dit, le nombre brut n'est pas totalement dépourvu de signification sur le plan des idéologies. En particulier, la peur du grand nombre sert à fabriquer des mythes qui permettent de justifier telle ou telle politique internationale. Il en est ainsi, par exemple, du fameux « péril jaune ». L'ouvrage de Decornoy, intitulé *Péril jaune et peur blanche,* montre que le mythe du « péril jaune » remonte très loin dans le passé et a servi, non seulement à justifier les entreprises coloniales des puissances européennes en Asie, mais, même à l'époque contemporaine, à justifier certaines attitudes à l'égard de la Chine.

De même, avec la modification de l'équilibre politique au sein des organisations internationales, on voit apparaître l'idée que les mini-Etats devraient être dotés d'un statut différentiel, c'est-à-dire d'un statut inférieur à celui des autres Etats, car on pense qu'il est intolérable que les Etats aussi insignifiants du point de vue de la puissance et du point de vue du nombre (les Iles maldives, membre de l'O.N.U. depuis 1965, ont 100 000 habitants) puissent, en vertu de la règle de la majorité, jouer un rôle aussi important dans les organisations internationales. Ceci explique la proposition faite au Congrès des Etats-Unis d'Amérique de procéder à une révision de la Charte des Nations Unies afin de minimiser le rôle joué par les petits Etats.

La croissance démographique.

Si l'on envisage maintenant l'accroissement de la population, on peut constater qu'il est apprécié de façon différente selon les auteurs. Devant l'explosion démographique qui se manifeste dans les Etats du Tiers Monde, un certain nombre d'auteurs en sont venus à se poser des questions. Ainsi Hermann Kahn et Anthony Wiener, dans un ouvrage intitulé *L'an 2000,* envisagent pour la deuxième moitié du prochain siècle que la population mondiale atteindra 20 milliards d'habitants. Effrayés par un chiffre aussi astronomique, ils lancent un cri d'alarme, le cri de « halte à la croissance démographique ». Dans la même perspective, le fameux Club de Rome, dans un rapport publié en français sous le titre *Halte à la croissance* (Editions Denoël, 1972), affirme que la croissance démographique illimitée, donc exponentielle, de même que la croissance illimitée de la production industrielle rendront la vie impossible sur notre planète. La conclusion est qu'il faut limiter les naissances, pour éviter d'aggraver une situation qui, comme la démographie elle-même, risque de devenir très rapidement explosive. C'est la revanche de Malthus qui, déjà au XVIIIe siècle, s'affolait devant l'accroissement des populations européennes.

Ce cri d'alarme est lancé, non seulement par les économistes, mais aussi par les personnalités scientifiques. On voit, par exemple, le professeur Monod, prix Nobel de médecine, souligner la menace qui pèserait « sur l'espèce humaine dans son entier, et même sur la culture et la civilisation telle que nous la connaissons », si on ne mettait pas un terme à cet accroissement démographique inconsidéré.

En fait, pour apprécier l'accroissement de la population qui se manifeste surtout dans les Etats du Tiers Monde, il faut tenir compte de la nature des formations sociales. Comme le déclarait le délégué de l'Ukraine à l'Organisation des Nations Unies : « Avec un régime social adéquat il est possible de faire face à toute augmentation de population. C'est l'économie qu'il faut adapter à la population et non l'inverse. » Ce point de vue est partagé également par certains dirigeants des Etats du Tiers Monde. C'est ainsi que dans un discours du 19 juin 1969 le Président Boumédienne déclarait : « Nous ne sommes pas partisans des fausses solutions telles que la limitation des naissances. Nous croyons que la véritable solution de ce problème (celui de l'emploi) réside dans le développement, même s'il requiert plus de temps et d'efforts ». C'est ce point de vue qui a prévalu à la conférence sur la population réunie à Bucarest en 1974. Une résolution affirme que « la formulation et la mise en œuvre des politiques démographiques relèvent du droit souverain de chaque Etat ». On peut déplorer le conflit ainsi créé entre la macropolitique, celle du système international global, et la micropolitique, celle des Etats (cf. R.W. Sterling, *op. cit.*, p. 333 et s.). Mais on peut se demander aussi si la macropolitique n'est pas un autre terme pour désigner la politique des puissances dominantes, inquiètes des menaces qui pèsent sur leur suprématie et leur confort.

En fait, le vrai problème n'est pas uniquement démographique, mais aussi et surtout économique. Ceci veut dire que l'accroissement démographique n'est pas nécessairement un mal absolu. Disons qu'il constitue un des nombreux défis lancés aux dirigeants du Tiers Monde, qu'il rend plus difficile, mais non pas impossible, la solution des problèmes économiques, sociaux, culturels qui se posent aux pays du Tiers Monde. On peut même aller plus loin et dire que l'accroissement démographique peut être une bonne chose dans la mesure où il peut constituer un aiguillon de nature à pousser les dirigeants des pays qui connaissent un accroissement démographique considérable à trouver des solutions aux problèmes de plus en plus difficiles qui leur sont posés par cet accroissement. En définitive, tout dépend du régime socio-économique et politique et il est artificiel de séparer le problème de l'accroissement démographique du régime d'un pays déterminé. En outre, la croissance démographique pose, de façon concrète, les rapports de solidarité entre ce qu'on appelle en termes humiliants, les riches et les pauvres. Le défi est ici lancé aux organisations internationales.

La densité démographique.

Enfin, il faut tenir compte des relations de l'homme et de l'espace, c'est-à-dire de la *densité de la population.* Dans la mesure où un Etat est surpeuplé apparaît le problème de la faim, sur lequel Josué de Castro, dans son livre *Géopolitique de la faim,* ainsi que R. Dumont et Rozier, dans un ouvrage intitulé *Nous allons à la famine,* ont appelé l'attention. C'est un problème que les Etats et les organisations internationales, notamment la F.A.O., sont obligés de prendre en considération, afin d'essayer de trouver des solutions économiques capables d'aider les Etats du Tiers Monde à nourrir des populations en voie d'accroissement rapide.

En outre, la relation de l'homme et de l'espace a également des implications importantes sur le plan international, dans la mesure où un Etat, n'étant pas capable de faire face aux besoins d'une population croissante, est condamné à déverser à l'extérieur le trop plein de sa main-d'œuvre. Ainsi apparaît le phénomène des migrations internationales qui soulève de nombreux problèmes, tant nationaux qu'internationaux.

Finalement, il n'y a pas un seul aspect quantitatif du phénomène démographique qui n'ait une incidence sur le plan des relations internationales. Mais, il ne faut pas non plus surestimer le facteur démographique en l'isolant soit des autres éléments de la formation sociale, soit du contexte international.

C'est une tentation à laquelle n'échappent pas toujours les spécialistes de la démographie. Ainsi D.G. Johnson (*op. cit.* en bibliogr.) lance, après d'autres, un cri d'alarme à propos des rapports entre la démographie et les ressources alimentaires. Tout en faisant des pronostics raisonnables sur la possibilité d'augmenter la production agricole, surtout dans le Tiers Monde, l'auteur insiste sur la nécessité de faire régresser le taux de croissance démographique, en tant que facteur indépendant. En fait, une solution démographique de ce genre ne peut être qu'un adjuvant à une solution plus générale d'ordre économique, social et culturel. Or, D.G. Johnson ne se pose même pas le problème de la transformation radicale et profonde des formations socio-économiques des Etats du Tiers Monde.

ANNEXE : *Population par régions*

	Population en millions	Pourcentage de la population mondiale	Taux moyen annuel de croissance (1970-1974)
Monde	3 890		1,9
Afrique	391	10,0	2,7
Amerique du Nord	235	6,0	0,9
Amérique latine	315	8,1	2,7
Asie	2 206	56,7	2,1
Europe	470	12,1	0,6
Océanie	21	0,5	2,0
U.R.S.S.	252	6,5	0,9

Source : *Annuaire statistique de l'O.N.U.*, 1975 (publié en 1977).

II. — *Aspects qualitatifs.*

Les aspects qualitatifs du phénomène démographique ne sont pas moins importants. Par « aspect qualitatif », nous entendons l'homogénéité plus ou moins grande d'un Etat déterminé. Le maximum d'homogénéité est atteint lorsqu'il y a coïncidence entre l'Etat et la Nation lorsque l'Etat est un Etat-Nation.

La question nationale.

Ceci introduit dans l'analyse le concept de « Nation ». On retrouve ici l'opposition entre les conceptions idéalistes et la conception marxiste.

On connaît la définition donnée par Ernest Renan dans son étude *Qu'est-ce qu'une nation ?* : « La Nation est une âme, un principe spirituel. Deux choses, qui, à vrai dire, n'en font qu'une, constituent cette âme, ce principe spirituel. L'une est dans le passé, l'autre dans le présent. L'une est la possession en commun d'un riche legs de souvenirs, l'autre est le consentement actuel, le désir de vivre ensemble, la volonté de faire valoir l'héritage qu'on a reçu indivis... Une Nation est donc une grande solidarité constituée par le sentiment de sacrifices qu'on a faits et ceux qu'on est disposé à faire encore. » Cette conception spiritualiste ou idéaliste est très répandue. On la trouve, par exemple, dans l'œuvre du professeur Burdeau qui déclare que la Nation, est « un rêve d'avenir partagé ».

En fait, la Nation, comme l'Etat lui-même, est d'abord, non pas une idée, mais un fait historique que différents éléments, matériels et spirituels, liés les uns aux autres, ont contribué à faire apparaître.

La définition donnée par Staline fait apparaître à la fois la réalité historique de la Nation et la complexité de ses éléments composants : « La Nation est une communauté stable, historiquement constituée de langue, de territoire, de vie économique et de formation psychique, qui se traduit par la communauté de culture. » C'est dire que la Nation, comme l'Etat lui-même, ne saurait être réduite à un seul élément. Il s'agit en vérité d'un tout complexe dans lequel se mêlent à la fois des éléments d'ordre matériel comme le territoire et la vie économique commune et des éléments d'ordre spirituel tels que la langue et la culture nationales.

Il est donc arbitraire d'isoler un de ces éléments pour le privilégier. En fait, la Nation est un ensemble d'éléments solidaires, étant entendu que, dans la conception marxiste, l'élément caractéristique de la Nation, celui qui achève de constituer la Nation, est l'élément d'ordre économique. Avant l'apparition d'une vie économique commune, on peut bien se trouver en présence d'une nationalité (ethnie), mais non d'une Nation. C'est dans ce sens que Lénine a pu dire : « Nos journaux bourgeois... ne cessent de parler de libération nationale, mais ils laissent dans l'ombre la libération économique. Et pourtant c'est précisément cette dernière qui est la plus importante ».

En fait, en Europe tous les efforts des gouvernants ont tendu à faire coïncider l'Etat et la Nation. Ceci explique que l'Etat (l'appareil) a été le formateur, le créateur de la Nation. Il a utilisé à cet effet des moyens variés, y compris la violence, parce que l'espace national englobait plusieurs nations ou nationalités que l'Etat a contribué à fondre les unes avec les autres de façon à faire place à une seule et même Nation. Il n'en reste pas moins qu'il subsiste encore aujourd'hui un problème mal résolu des minorités nationales, à tel point qu'on parle parfois de colonialisme interne ou qu'on englobe (abusivement) ces minorités dans le Tiers Monde.

Ce qui caractérise la situation du Tiers Monde, c'est que, dans le cadre de frontières généralement héritées du colonisateur, coexistent des sociétés globales très différentes les unes des autres, parvenues soit au stade de la nation, soit au stade de la nationalité (ethnie) et situées parfois dans des formations socio-économiques différentes. Les Etats du Tiers Monde se trouvent ainsi placés devant un problème : faut-il suivre la ligne d'évolution des Etats européens et mettre en œuvre tous les moyens possibles afin de réaliser l'unité nationale ? Dans la majorité des cas, les dirigeants du Tiers Monde, influencés par l'idéologie occidentale, se sont effectivement engagés dans cette voie, qui aboutit à faire coïncider l'Etat et la Nation. Les sociologues et les politistes les y poussent en affirmant que l'une des tâches prioritaires, après la construction et la consolidation de l'appareil d'Etat, est l'intégration nationale.

Or, cette voie n'est pas la seule possible. On peut même se demander dans quelle mesure la voie de l'Etat national est, dans l'état actuel des choses, la meilleure.

En fait, il y a deux formules : celle dont nous venons de parler qui est celle de l'Etat-Nation et celle de l'Etat multinational, adoptée notamment par l'U.R.S.S. et la Chine. Cette formule suppose qu'à l'intérieur d'un Etat déterminé soient respectées la personnalité et l'identité de chaque Nation ou Nationalité. L'idée est que l'Etat ne doit pas nécessairement chercher à opprimer et à faire disparaître, au besoin par la coercition, les identités nationales ou nationalitaires.

Quelle que soit la politique pratiquée par l'Etat, il est évident que le fait national est extrêmement important, que ce fait national soit envisagé à l'échelle de l'Etat ou dans ses implications internationales. Comme nous le verrons, le fait national a fait surgir une idéologie, celle du nationalisme. L'idéologie du nationalisme, comme toute idéologie, a, selon les cas, des aspects positifs (c'est notamment le cas du nationalisme anti-colonialiste ou anti-impérialiste) ou des aspects négatifs (c'est le cas du nationalisme belliqueux qui peut éventuellement déboucher sur le chauvinisme et sur la xénophobie). L'antidote de ces aspects négatifs du nationalisme est l'internationalisme (*infra*, p. 335 et s.).

Le statut juridique : nationaux et étrangers.

Du point de vue juridique, il faut mentionner le fait que la population d'un Etat se distingue entre nationaux et étrangers, ceux qui possèdent la nationalité (au sens juridique du terme) de l'Etat, c'est-à-dire ceux qui sont unis par un lien d'allégeance juridique à l'Etat, et ceux qui ne l'ont pas.

Cette distinction est extrêmement importante, aussi bien du point de vue interne qu'international. En particulier, l'individu qui ne possède pas la nationalité d'un Etat déterminé ne peut solliciter l'exercice à son profit du droit de protection diplomatique. Ceci est important lorsqu'un individu a des réclamations à présenter sur le plan international. L'individu privé de nationalité, l'apatride, se trouve dans une situation inconfortable, car il ne sait à quel Etat s'adresser pour obtenir satisfaction sur le plan international. Seuls les apatrides, qui possèdent le statut de réfugiés bénéficient d'une protection internationale, assurée par le Haut-Commissaire des Nations Unies pour les réfugiés dans le cadre de la Convention de Genève de 1951 et du protocole de New York de 1967.

En droit international, chaque Etat est libre de déterminer les conditions selon lesquelles on peut acquérir ou perdre sa nationalité. Le seul correctif qui a été apporté par les tribunaux internationaux est le principe d'effectivité, c'est-à-dire que, lorsqu'il y a un conflit entre deux Etats, la Cour internationale de Justice, en particulier, prend en considération la nationalité effective de l'individu, c'est-à-dire les liens de fait qui existent entre un individu déterminé et un Etat déterminé. D'autre part, il faut également tenir compte du fait que, dans ce domaine, il existe des conventions internationales multilatérales ou bilatérales qui viennent introduire un peu d'ordre dans le désordre.

BIBLIOGRAPHIE

L'Annuaire démographique des Nations Unies et les documents publiés par la division de la population de l'O.N.U. donnent tous les renseignements nécessaires sur les données statistiques.

Consulter le Que sais-je ? de P. George, *La population,* son ouvrage « Sociologie et géographie », Coll. S.U.P., 1966, ainsi que A. Armengeaud, *Démographie et sociétés,* Stock, 1968.

Sur la croissance démographique, voir l'ouvrage collectif : *Halte à la croissance* (trad. fr. Fayard), et la critique de cet ouvrage dans « L'anti-Malthus », Editions du Seuil, 1974 (titre anglais : *Thinking about the future,* 1973).

Le problème du rapport des ressources et de la population a été repris par D. G. Johnson, *World food problems and prospects,* Washington, 1975.

Sur les problèmes posés par la croissance démographique, voir les documents publiés par l'O.N.U. à la suite de la conférence de Bucarest (1975) et les Notes et études documentaires du 8 octobre 1975 (N°s 4218-4220).

Sur les migrations internationales, voir P. George, *Les migrations internationales,* P.U.F., 1976, et l'ouvrage de l'O.C.D.E. : *L'O.C.D.E. et les migrations internationales,* Paris, 1975. Pour une étude de cas, voir l'ouvrage collectif : *Modern migrations in West Africa,* O.U.P., 1974.

Sur la question nationale, voir l'ouvrage collectif : *L'idée de Nation,* P.U.F., 1969, et celui de G. Starouchenko, *Le principe d'auto-détermination des peuples et des Nations* (s.d.), Moscou. Consulter l'ouvrage de G. Haupt et autres, *Les marxistes et la question nationale,* Maspéro, 1974, ainsi que l'article de Troitski, *La vie internationale,* avril 1977, et la thèse d'Hélène Carrère d'Encausse, *Bolchevisme et Nation,* Univ. de Paris 1, 1976. Un point de vue critique sur les positions soviétiques relatives au Tiers Monde est donné par A. Saint-Girons dans sa thèse sur « L'U.R.S.S. et le Tiers Monde », Univ. de Paris 1, 1977.

Sur le statut des nationaux et des étrangers, voir un manuel de droit international privé ; par exemple celui de P. Mayer, éd. Montchestien, 1976, p. 585. et s.

Sur les réfugiés en Afrique, voir l'ouvrage de Diallo, I.B.Y., Braümuller, Vienne, 1974.

C. — Le gouvernement

Au sens large, le gouvernement est l'ensemble de l'appareil politico-juridique dont les structures et les fonctions sont déterminées par le droit de chaque Etat, en particulier par le droit constitutionnel.

Quelle est la signification de ce troisième élément de l'Etat du point de vue des relations internationales ? Pour répondre à cette question, il faut se placer sur un double plan : sur un plan politique et sur un plan juridique, c'est-à-dire sur le plan du droit international.

I. — *La forme de gouvernement et le droit international.*

Est-ce que le droit international impose une forme déterminée de gouvernement pour qu'un Etat soit accepté ou bien, au contraire, toutes les formes de gouvernement sont-elles également admissibles ?

Dans l'hypothèse où il y a une indifférence du droit international à l'égard de la forme de gouvernement, quelles doivent être les caractéristiques d'un gouvernement pour qu'une collectivité humaine déterminée (à supposer que tous les autres éléments soient réunis), soit considérée comme un Etat au sens international du terme ?

En ce qui concerne la première question, il y a eu des tentatives à différentes époques pour imposer certaines normes auxquelles devrait nécessairement satisfaire un gouvernement pour qu'on puisse en tirer les conséquences sur le plan international.

A cet égard, il faut rappeler, pour la vérité de l'histoire et la honte des Etats occidentaux qu'au XIXe siècle encore les Etats non européens étaient considérés comme exclus de la société internationale ils ne répondaient pas aux normes qui se trouvaient réalisées dans les Etats européens. C'est ainsi qu'en 1836, un auteur anglais, Wheaton, écrivait : « Le droit international public, à peu d'exceptions près, a toujours été et est encore limité aux peuples civilisés et chrétiens d'Europe et à ceux d'origine européenne. » Encore au début du XXe siècle, un autre auteur anglais, Westlake, considérait que la société internationale n'était composée que des Etats européens (moins la Turquie) et des Etats d'origine européenne (Etats-Unis d'Amérique). Il consentait toutefois à ajouter à ces Etats le Japon, entré dans la voie du développement capitaliste. Tous les autres pays étaient considérés comme absents de la société internationale et ne pouvaient revendiquer le droit ni de participer à la vie internatioanle, ni de se voir appliquer les règles de droit international. Une telle conception allait de pair avec les théories justificatrices de la colonisation. Elle permettait, en particulier, de considérer les territoires colonisés comme des territoires vacants et sans maître, et donc de justifier la conquête coloniale, l'annexion.

Il faudrait également rappeler qu'à l'époque de la Sainte Alliance, les Etats européens subordonnaient la reconnaissance des gouvernements à une condition impérative : la forme monarchique de gouvernement. C'était une réaction contre les révolutions démocratiques, bourgeoises, parfois hostiles aux monarchies.

De même, sur le continent américain, au XIXe siècle, on avait voulu substituer à l'idée de légitimité monarchique une autre idée : l'idée de légitimité démocratique. Devaient être considérés comme valables les seuls gouvernements issus du suffrage. C'était la doctrine exprimée par le docteur Tobar, ministre des Affaires étrangères de l'Equateur. Il avait même réussi à faire passer cette doctrine dans un traité conclu en 1907 entre les cinq Etats de l'Amérique centrale. La doctrine de Tobar fut reprise par le Président Wilson (discours de Mobile du 11 mars 1913) qui en fit application à un certain nombre d'Etats latino-américains entre 1912 et 1931.

Aujourd'hui les positions sont renversées. « La pratique américaine actuelle consiste à reconnaître les gouvernements, quelle que soit leur légitimité démocratique, pourvu qu'ils ne soient pas socialistes » (J. Salmon, *La reconnaissance d'Etat, A. Colin,* 1971, p. 32). On pourrait ajouter : surtout s'ils sont favorables aux intérêts et à l'idéologie des E.U.A. (cf. Chili). Ainsi l'Etat-modèle des démocraties libérales est le plus gros exportateur de dictatures. Le moralisme du Président Carter se traduira-t-il par un changement de politique ? On peut en douter lorsqu'on voit le gouvernement français, dans le cadre de la gestion trilatérale des crises, assumer une partie du fardeau et voler au secours du Président Mobutu, stipendié par la C.I.A. et placé à la tête d'un régime corrompu qui selon le rapport sur les droits de l'homme établi par le département d'Etat des E.U.A., fait bon marché des droits et libertés des citoyens (cf. *Le Monde diplomatique,* mai 1977).

Il y a donc eu des tentatives pour faire passer dans le droit international cette idée que les gouvernements, pour être valables sur le plan international, doivent répondre à certains canons, à certaines normes. En fait, le droit international n'impose finalement aucune forme déterminée de gouvernement. Les tentatives auxquelles nous faisions allusion n'étaient au fond que des prétextes invoqués par les Etats pour justifier le refus de reconnaître tel ou tel gouvernement, alors qu'en réalité les motifs étaient d'ordre essentiellement politique. On pourrait ajouter aussi que les prétendues doctrines relatives à la forme des gouvernements ne sont que des moyens pous justifier l'immixtion dans les affaires intérieures des Etats, ce qui avait d'ailleurs été reconnu par le secrétaire d'Etat américain Stimson, en 1931.

L'Etat du Droit est formulé par la résolution 2131 (XX) de l'Assemblée générale de l'O.N.U. ainsi conçue : « Tout Etat a le droit inaliénable de choisir son système politique, économique, social et culturel sans aucune forme d'ingérence de la part de n'importe quel autre Etat. » Les termes de cette résolution ont été repris par l'acte final de la conférence sur la sécurité et la coopération en Europe (Helsinki, 1er août 1975), improprement dénommé accords d'Helsinki. Cela dit, rien n'interdit à une organisation internationale régionale d'exiger de ses membres un type déterminé de régime politique, à condition qu'une telle exigence ne serve pas à justifier une intervention contre l'Etat qui persisterait à conserver un système de gouvernement contraire à la Charte de l'organisation. En ce cas, la seule solution est d'exclure cet Etat de l'organisation.

Quelle est donc l'exigence du droit international ? Il n'exige qu'une seule chose : pour qu'un gouvernement soit pris en considération, il faut qu'il soit effectif. C'est la seule condition, nécessaire et suffisante. Cela veut dire que les individus qui se présentent comme étant qualifiés pour parler au nom de l'Etat, doivent, en fait contrôler la majeure partie, sinon la totalité, de la population.

Ceci dit, peu importe la façon dont ce gouvernement a conquis le pouvoir ; peu importent les méthodes qu'il a utilisées : méthodes pacifiques et légales ou méthodes qui impliquent la violence. La pratique est en ce sens. C'est ce que montre la reconnaissance du gouvernement chinois par la Grande-Bretagne. Le 6 janvier 1950, le gouvernement de Sa Très Gracieuse Majesté britannique adressait au gouvernement de Mao Tsé-toung une note diplomatique ainsi conçue : « J'ai l'honnneur d'informer votre Excellence que le gouvernement de Sa Majesté ayant noté que le gouvernement chinois détient actuellement le contrôle effectif de la très grande partie du territoire de la Chine a aujourd'hui reconnu ce gouvernement comme le gouvernement de droit de la Chine. » En conséquence, le gouvernement britannique indiquait qu'à partir de ce moment, il cessait de considérer que le gouvernement de Tchang Kaï-chek fût le gouvernement de l'Etat chinois.

Les guerres de libération qui se sont multipliées dans les pays du Tiers Monde au cours des dernières années ont confirmé l'importance de l'effectivité comme condition de la reconnaissance d'un gouvernement (voir par ex. la Guinée-Bissau).

De même, la majorité de la doctrine admet que l'effectivité est la seule chose qui importe au droit international. Appelons en témoignage Hans Kelsen qui écrit : « Une norme du droit international général, qui est reconnue par la théorie et par la pratique, est que tout le gouvernement, même s'il est parvenu au pouvoir à la suite d'une révolution ou d'un coup d'Etat, est légitime du point de vue du droit international s'il est indépendant et effectif, c'est-à-dire s'il est capable de faire respecter de façon durable les normes qu'il édicte. » Et il ajoute : « Le principe d'effectivité est ainsi une des règles fondamentales du droit international. »

Le principe d'effectivité peut cependant entrer en conflit avec le principe d'autodétermination des peuples. C'est le cas par exemple dans les Etats racistes d'Afrique Australe, où la minorité blanche maintient un système de gouvernement repoussé par la majorité africaine. Ici le principe d'autodétermination l'emporte sur le principe d'effectivité. La pratique de l'O.N.U. est en ce sens. A propos de la Rhodésie du Sud, le Conseil de Sécurité demandait aux Etats de s'abstenir de reconnaître le régime illégal de Ian Smith et de se refuser à entretenir avec lui des relations. Cette position est également celle de la Cour internationale de Justice (Avis du 21 juin 1971, sur la Namibie). Bien plus, la pratique de l'O.N.U. favorise la reconnaissance des mouvements de libération nationale (cf. les colonies du Portugal en Afrique).

II. — Gouvernement et relations internationales.

Du point de vue des rapports entre le système de gouvernement et la conduite des relations internationales, les spécialistes des relations internationales, historiens et sociologues, ne manquent pas de s'interroger sur le rôle des gouvernants, des hommes d'Etat et, de façon beaucoup plus large, sur la corrélation qui peut exister entre la nature du régime politique et la politique extérieure d'un Etat.

Un certain nombre d'historiens, au nombre desquels Renouvin, mettent l'accent sur le rôle personnel qui est joué par les hommes d'Etat ; ils vont jusqu'à faire appel aux ressources de la psychologie et même de la psychanalyse pour essayer de dégager la personnalité de l'homme d'Etat, son caractère, et pour essayer d'en déduire les conséquences sur le plan de la définition de la politique extérieure d'un Etat.

C'est également la vision des relations internationales qu'on trouve dans l'œuvre et l'action d'Henri Kissinger (*supra*, p. 48). D'où sa méfiance à l'égard de l'opinion publique, qui priverait l'homme d'Etat de sa totale liberté de choix. Aussi bien le Peuple serait ignorant des problèmes internationaux. D'où le goût de la diplomatie personnelle et secrète.

On ne peut évidemment pas exclure le facteur humain de la conduite des relations internationales. Mais, pour l'instant, ceci n'autorise pas à dire, comme le fait Marcel Merle (*La vie internationale*, Coll. U, Armand Colin, 1re Ed., p. 121) à propos de la France, que « la politique extérieure de la France depuis 1958 est donc l'œuvre personnelle du chef de l'Etat », et à conclure que « l'évolution qui transfère à l'échelon le plus élevé la responsabilité des grandes décisions internationales, présente un caractère universel en dépit des différences de régime, de tradition et d'idéologie ». Marcel Merle ne croit d'ailleurs pas lui-même, finalement, que le rôle personnel des chefs d'Etat soit aussi déterminant, puisqu'il ajoute que les parlements, les partis politiques, les groupes de pression, l'opinion publique de façon générale, ont également un rôle plus ou moins considérable selon les régimes politiques. Ceci veut dire que le pouvoir de décision qui peut appartenir au chef d'Etat n'est pas absolument discrétionnaire.

En outre, certains Etats pratiquent le système de la direction collégiale, ce qui implique une limitation au rôle d'un seul individu (1).

En fait, l'autonomie d'action des hommes d'Etat sur le plan des relations internationales dépend d'un grand nombre de variables, telles que la stabilité plus ou moins grande de la fonction, le mode de désignation, le prestige personnel, le statut constitutionnel, les origines sociales, le poids de l'opinion publique, les pressions qui peuvent être exercées par des puissances extérieures. Il est donc assez malaisé de soutenir l'opinion selon laquelle les relations internationales reçoivent leur orientation décisive au niveau des hommes d'Etat. Un historien, Duroselle, qui a collaboré avec Renouvin à l'ouvrage intitulé *Introduction à l'histoire des relations internationales,* déclare à ce sujet : « Nous ne savons pas réellement quelle est la limite d'autonomie du choix de l'homme d'Etat, nous ne savons pas réellement ce que l'homme d'Etat a la possibilité de changer et ce qu'il n'a pas la possibilité de changer. »

On peut dire, sans négliger le facteur personnel, que c'est plutôt de l'ensemble du régime politique d'un Etat dont il faut tenir compte, en précisant qu'un régime politique n'est pas seulement un ensemble d'institutions politiques ou, comme le dit Maurice Duverger dans son manuel de sociologie politique, « les cadres institutionnels directs à l'intérieur desquels se déroule la vie politique. » Il faut tenir compte de la nature profonde du régime politique, de son contenu social et pas seulement des formes juridiques ou autres qui ne sont qu'un des éléments (formels) d'un régime politique.

Finalement, « la politique étrangère d'un Etat est étroitement liée à

(1) Divers, *La direction collégiale en Union Soviétique* (Coll. U2, Armand Colin, 1972) et l'ouvrage de CHARVIN sur les Etats socialistes.

sa politique intérieure et constitue en quelque sorte son prolongement. La ligne générale de la politique étrangère d'un Etat dépend surtout des principes de son régime social ; en même temps, l'Etat édifie sa politique étrangère compte tenu à la fois de la fluctuation de la situation intérieure et de la politique internationale » (Tunkin). C'est dire qu'on ne peut pas établir des relations simples entre le gouvernement d'un Etat déterminé et le profil de sa politique extérieure.

En outre, la politique extérieure d'un Etat déterminé ne s'élabore pas en vase clos. Elle est plus ou moins influencée, selon les circonstances et la nature des relations, par la politique des autres Etats, ce qui pose le problème de l'indépendance nationale.

BIBLIOGRAPHIE

Sur les *aspects juridiques du problème,* voir les manuels de Droit international ou d'Institutions internationales.

Sur le *principe d'effectivité,* voir :

— J. TOUSCOZ, *Le principe d'effectivité dans l'ordre international,* L.G.D.J., 1964.

— Ch. de VISSCHER, *Les effectivités du droit international public,* Pedone, 1967.

Sur le *rôle du gouvernement dans les relations internationales,* voir :

— DUROSELLE et RENOUVIN, *op. cit.*

— ST. HOFFMANN, Politique intérieure et politique extérieure, *Relat. Int.,* 1975, n° 4, et sous le même titre, l'étude de M. MERLE dans la revue *Polit. étr.,* 1976, n° 5.

— L'ouvrage de B. PETROVSKI (*Les conceptions américaines de la politique extérieure,* Editions des « Relations internationales », Moscou, 1976. En Russe) passe en revue les théories contemporaines développées par les auteurs américains.

Sur la *reconnaissance de gouvernement,* voir l'ouvrage de VERHOEVEN, Pedone, 1975, et les chroniques de Ch. ROUSSEAU dans la revue générale de Droit international public.

§ 2. — LES ASPECTS JURIDIQUES DE L'ETAT

Sur un plan strictement juridique, l'Etat est caractérisé par deux propriétés essentielles : d'une part, il possède la personnalité internationale ; il est, comme disent les internationalistes, un sujet du droit des gens ; d'autre part, il est souverain ou indépendant.

A. — La personnalité juridique

Débarrassé de toutes les obscurités dont on l'a souvent entourée, la personnalité juridique signifie que l'individu ou la collectivité qui la possède a, par là même, la capacité d'avoir des droits et des obligations. Si l'on transpose cette définition très simple sur le plan international, affirmer qu'un Etat est une personne morale, signifie que l'Etat, comme entité, comme collectivité humaine, possédant des assises territoriales et des individus qualifiés pour agir en son nom, est capable d'être titulaire de droits et l'obligations ayant une portée, une dimension internationale.

Cette idée de personnalité morale est extrêmement importante, car elle entraîne un certain nombre de conséquences.

D'abord, la personnalité morale implique qu'il y a une continuité de l'Etat dans le temps, malgré les transformations de toutes sortes dont les éléments sociologiques de l'Etat peuvent être le siège.

Par exemple, l'Etat connaît des mutations territoriales, soit parce que le territoire national est amputé de certaines de ses parties (Etats coloniaux affectés par la décolonisation, sécessions-Pakistan par exemple, etc.), soit au contraire parce que le territoire s'accroît à la suite de la mise en œuvre de procédés qui peuvent être pacifiques (cessions volontaires) ou violents (guerres internationales). Un tel phénomène soulève des difficultés sur le plan juridique (succession d'Etat) comme sur le plan politique (reconnaissance internationale). Ce qu'il faut retenir, c'est que ces mutations territoriales laissent intacte l'existence même de l'Etat ; le fait que l'Etat n'ait plus les mêmes dimensions spatiales n'affecte aucunement sa continuité.

De même, les changements de gouvernement, en violation des règles du droit constitutionnel en vigueur, peuvent également soulever un certain nombre de problèmes, notamment, sur le plan international, le problème de la reconnaissance du nouveau gouvernement par les autres Etats ; mais l'existence de l'Etat n'est pas du tout affectée par ces changements de gouvernement. C'est la raison pour laquelle il est tout à fait faux de dire, comme on le fait couramment dans la presse, qu'il y a deux Chines. En réalité, malgré les mutations profondes subies par cet Etat depuis 1949, il n'y a toujours eu et il n'y a en 1977 qu'un seul Etat chinois. C'est ce qui avait été constaté dans le communiqué qui faisait suite à la visite de Kissinger en Chine en novembre 1973. Le seul problème venait de ce qu'il y a deux gouvernements chinois : le gouvernement de la Chine continentale et le gouvernement de Formose. Au niveau de l'Organisation des Nations Unies, la question n'était pas de savoir s'il fallait admettre ou non la Chine à l'O.N.U., car elle en faisait partie depuis 1945. Elle était de savoir quel gouvernement avait qualité pour représenter l'Etat chinois au sein de l'Organisation des Nations Unies. L'accumulation des reconnaissances individuelles (Etats) obtenues par le gouvernement de la Chine nouvelle et le rapprochement sino-américain ont finalement résolu le problème en faveur du gouvernement effectif.

Des problèmes de ce genre peuvent se poser avec les changements de gouvernement, mais l'Etat en tant que tel n'est pas modifié dans son existence. Ceci implique que les nouveaux gouvernements continuent d'être tenus par les obligations internationales qui ont été contractées par le gouvernement évincé du pouvoir ; il est d'ailleurs très fréquent de voir les nouveaux gouvernants déclarer qu'ils entendent respecter les engagements internationaux de l'Etat, ce qui montre la conscience qu'ils ont de la continuité de l'Etat. La solution peut cependant être différente lorsqu'il y a eu une révolution au sens fort du terme (Révolution d'Octobre par exemple).

L'idée de personnalité morale permet également de comprendre que les actes dont les gouvernants sont les auteurs ne leur sont pas imputables personnellement, mais à l'Etat lui-même en tant qu'entité distincte de ceux qui ont qualité pour agir en son nom. C'est toute la différence entre le vieux système de l'Etat princier ou monarchique et le système de l'Etat moderne.

Dans le premier système, il y a une sorte d'identification quasi totale entre les intérêts du Prince et de sa famille et les intérêts de l'Etat. D'où la possibilité, pour le Prince, de disposer librement du territoire national, confondu en quelque sorte avec ses propriétés personnelles, et même de disposer librement de ses sujets qui, à une certaine époque, pouvaient être vendus librement par le monarque pour servir de soldats dans les armées des autres souverains.

Dans le système de l'Etat national, il en va différemment : les gouvernants ne sont que des représentants (au sens du droit constitutionnel) qui agissent au nom de l'Etat, c'est-à-dire que, dans le cadre de la théorie de la souveraineté populaire, les gouvernants doivent agir conformément à la volonté de celui qui est considéré comme le titulaire du pouvoir politique, à savoir le peuple. Ceci explique l'existence, sur le plan du droit international, d'institutions telles que le plébiscite international (qui n'a rien à voir avec le plébiscite en droit constitutionnel interne), ou le droit d'option, qui permettent aux populations concernées par une mutation territoriale de faire connaître leur volonté, de décider si elles seront rattachées à l'Etat qui s'accroît territorialement ou si elles continueront d'être rattachées à l'Etat dont elles dépendaient jusque-là.

Actuellement, on peut dire qu'il y a un principe juridique selon lequel les peuples ont le droit de décider eux-mêmes de leur propre destin. Cependant, il faut reconnaître que la pratique internationale est contradictoire et n'assure pas toujours le respect de ce droit. D'où l'idée exprimée par le Professeur Chaumont qu'il appartient aux peuples de « témoigner d'eux-mêmes » notamment à travers la lutte, y compris la lutte armée. Cette lutte est finalement la preuve (par témoignage) que tel ou tel Peuple a la volonté d'exister, d'être reconnu et, éventuellement, de créer un Etat.

L'idée de personnalité internationale permet de comprendre tout le mécanisme de la responsabilité internationale. Dans ce domaine, le droit international présente un aspect particulier, à savoir qu'en matière de responsabilité internationale, les relations sont toujours des relations d'Etat à Etat. Même lorsque le dommage dont on demande réparation a été causé par des particuliers, il y a toujours l'écran de l'Etat qui s'interpose, l'Etat pouvant prendre fait et cause pour ses nationaux en mettant en œuvre la protection diplomatique.

Si la personnalité internationale est une caractéristique importante de l'Etat, il ne s'ensuit pas cependant que l'Etat soit le seul sujet du droit des gens. Il ne suffit donc pas de dire que l'Etat est une personne internationale pour distinguer l'Etat, en tant qu'entité, d'autres collectivités qui existent dans la société internationale. Nous verrons que les organisations internationales possèdent une certaine personnalité internationale. De même, la doctrine soviétique du droit international admet aussi que la Nation, sur la base du droit à l'autodétermination, peut se voir reconnaître en certaines circonstances une personnalité internationale. Elle le peut à partir du moment où elle a entrepris une lutte de libération, à partir du moment où elle a entrepris, par des moyens pacifiques ou violents, de se constituer en Etat. Il y a donc une sorte d'anticipation qui fait qu'avant même que l'Etat n'existe, il peut y avoir déjà une reconnaissance de la personnalité internationale de la Nation en lutte pour sa libération.

On trouve un reflet de cette conception dans l'institution de la reconnaissance comme nation, qui existe à côté de la reconnaissance de gouvernement. Elle a été utilisée au moment de la première guerre mondiale en faveur des Tchèques et des Polonais qui luttaient à côté des alliés pour se voir reconnaître leur droit, comme nation, à se constituer en Etat. Elle a eu des conséquences importantes et notamment celle de permettre aux Tchèques et aux Polonais de créer une armée nationale embryonnaire et de leur attribuer certains droits de représentation diplomatique.

Si la personnalité internationale n'appartient donc pas à l'Etat en exclusivité, il faut cependant ajouter que, encore aujourd'hui, l'Etat demeure la seule personne majeure ou à part entière du droit des gens, c'est-à-dire la seule entité possédant une personnalité internationale totale, complète. En outre, seul l'Etat est une personne internationale à titre originaire, en vertu de qualités qui lui sont propres, alors que les organisations internationales ne sont que des personnes internationales dérivées, parce que leur personnalité résulte, expressément ou implicitement, de la volonté des Etats qui les ont créées (*infra*, p. 198).

BIBLIOGRAPHIE

Sur la *personnalité internationale* et ses conséquences, voir un manuel de Droit international, par ex. celui de THIERRY H. et autres, p. 226 et s.

Sur le *droit des peuples à disposer d'eux-mêmes*, voir, sous ce titre, l'ouvrage de CALOGEROPOULOS, *Stratis*, Bruxelles, 1973 (Bibliographie), et surtout Ch. CHAUMONT, *Cours à l'Académie de Droit International de La Haye* (Recueil, 1970, I, p. 333-528) et son article sur « le droit des peuples à témoigner d'eux-mêmes » (Annuaire du Tiers Monde, 1975-1976, Berger-Levrault, 1977).

Voir aussi l'état du Droit international sur les mouvements de libération nationale dans les deux études de G. PETIT et de CAHIN, publiées dans ce même annuaire du Tiers Monde, ainsi que la thèse précitée de A. SAINT-GIRONS sur les relations de l'internationalisme prolétarien et l'aide aux mouvements de libération nationale.

B. — LA SOUVERAINETÉ

La souveraineté est la caractéristique juridique la plus importante.

Historiquement, la notion de souveraineté est liée à l'apparition de l'Etat moderne. Elle a d'abord été un fait avant d'être une théorie ; les théoriciens de la souveraineté n'ont fait que systématiser ce qui apparaissait dans les faits, c'est-à-dire, sur le plan interne, la concentration du pouvoir entre les mains du monarque, par opposition au morcellement du pouvoir dans les régimes de type féodal, et, sur le plan international, le rejet par les monarques de toute autorité extérieure. C'est la rébellion contre l'autorité que, sur un plan temporel, prétendait exercer l'empereur du Saint-Empire romain-germanique, et sur le plan spirituel, le Pape.

A partir du moment où elle a fait l'objet d'une théorisation, notamment par des juristes comme Jean Bodin, l'idée de souveraineté a été pendant très longtemps indiscutée dans la doctrine du droit international. Il est assez curieux de constater que la souveraineté a commencé à être critiquée, et même repoussée, à partir du moment où le capitalisme a acquis une dimension internationale, c'est-à-dire à partir de la fin du XIXe siècle et surtout du XXe siècle. Pourquoi cette coïncidence ? Parce que, à ce stade de l'évolution, où le cadre de l'Etat était trop étroit pour un capitalisme de plus en plus international, la notion de souveraineté devenait gênante ; il convenait donc de s'en débarrasser.

Certains internationalistes se sont effectivement attelés à cette tâche. En particulier, toute l'œuvre de Georges Scelle est consacrée à démontrer que la notion de souveraineté, non seulement est périmée et qu'il convient donc de la reléguer au musée des antiquités, mais qu'elle est également juridiquement fausse et constitue une atteinte très grave à la logique juridique (*supra*, p. 53). Cette opinion a rallié un certain nombre d'internationalistes. Par exemple, le Doyen Colliard, auteur d'un manuel d'Institutions des relations internationales (*Dalloz*, 1974), écrit : « Inexacte du point de vue scientifique, dangereuse par les conséquences politiques qu'elle implique, la théorie de la souveraineté n'est plus aujourd'hui soutenue en doctrine. On la rencontre encore dans la pratique internationale, mais c'est alors une notion émoussée qui comporte des limitations et qui donc ne constitue pas un critère de l'Etat et ne saurait être utilisée comme tel » (p. 89).

Cette opinion ne peut pas être retenue. En fait, il est excessif d'affirmer que la doctrine se serait débarrassée de l'idée de souveraineté. C'est oublier notamment la doctrine soviétique qui, dans le temps même où un certain nombre de juristes occidentaux abandonnaient l'idée de souveraineté, affirme avec force et de façon constante la souveraineté comme attribut essentiel de l'Etat. En outre, comme le reconnaît le Doyen Colliard, la pratique internationale demeure fidèle quoi qu'on en ait, à l'idée de souveraineté. Il n'y a pas un texte international, pas même une constitution, parmi les constitutions récentes des Etats nouveaux, qui n'insiste très fortement, plutôt deux fois qu'une, sur la souveraineté (et l'indépendance) de l'Etat. Loin d'être devenue une idée anachronique, l'idée de souveraineté mérite donc d'être conservée. C'est elle finalement qui permet de caractériser l'Etat et de le différencier d'autres entités du droit international. Le problème est de savoir ce que l'on met derrière ce mot de souveraineté.

D'un point de vue négatif, la souveraineté est tout simplement l'absence de subordination à l'égard d'un autre Etat, à l'égard d'une autre entité internationale. De là découle un principe extrêmement important, dont il est fait application dans le droit des organisations internationales : le principe de l'égalité juridique des Etats. Il est consacré par exemple par la Charte des Nations Unies qui parle de l'« égalité souveraine des Etats ». Il en résulte qu'à partir du moment où un Etat est devenu souverain il a vocation à devenir membre de l'Organisation des Nations Unies et à se voir traité comme le sont les autres membres de l'Organisation. En particulier, sur le plan des votes, la formule est : « un Etat, une voix », que cet Etat soit grand ou petit, faible ou puissant.

Du point de vue négatif, il ne faut pas, pour autant, aller jusqu'à dire que la souveraineté, ainsi conçue, est le rejet de toute règle de droit international et, par conséquent, la négation de toute limitation de la souveraineté de l'Etat. Bien au contraire, la souveraineté est parfaitement compatible avec l'acceptation par un Etat de règles de droit international qui viendront limiter sa liberté d'action. En les acceptant, l'Etat ne fait qu'user de sa souveraineté. L'essentiel est que cette limitation ait été librement acceptée, qu'elle ne lui ait pas été imposée par une autorité supérieure à la sienne, dans un but de domination.

De même, la souveraineté de l'Etat, et le principe de l'égalité juridique qui en résulte, ne signifient pas non plus qu'il n'y ait pas des inégalités de fait, qui trouvent leur origine dans les éléments d'ordre sociologique qui définissent l'Etat. Il y a des Etats dont le territoire est immense et des Etats exigus, des Etats peu peuplés et d'autres qui ont une population très importante, des Etats qui ont des gouvernements stables et d'autres qui ont des gouvernements faibles et instables, etc. Mais sur le plan du droit international, cela ne fait aucune différence. Celle-ci se retrouve à un autre niveau, celui des relations internationales. Il est bien évident que les inégalités de fait qui existent entre les Etats entraînent des inégalités de responsabilité dans la conduite des relations internationales. Ceci est parfois traduit sur le plan du droit lorsque les Etats les plus puissants se voient reconnaître avec l'accord des autres Etats une position privilégiée dans les organisations internationales. C'est le cas de l'O.N.U. (Conseil de Sécurité).

La souveraineté peut également être précisée *d'un point de vue positif*. En utilisant l'idée de compétence, comme le fait le professeur Ch. Rousseau, nous pouvons dire que la souveraineté implique l'exclusivité, l'autonomie et la plénitude de la compétence.

L'exclusivité de la compétence signifie que seules les autorités habilitées à agir au nom de l'Etat ont qualité pour exercer les compétences habituellement reconnues à tout Etat, aussi bien dans l'ordre interne que dans l'ordre international.

Il en résulte qu'à partir du moment où, à « la belle époque » de la colonisation, un régime de protectorat avait été établi dans un pays déterminé, l'Etat protégé n'était plus en fait un véritable Etat au sens international du terme, même s'il conservait sa personnalité internationale. Ce régime transférait en effet l'intégralité des compétences internationales à l'Etat protecteur et reconnaissait à ce dernier un contrôle sur l'exercice des compétences internes. Sans doute, le régime de protectorat était fondé sur un traité mais, comme ce dernier était généralement imposé par la violence, on peut dire qu'il n'était guère qu'un voile pudiquement jeté sur un fait de domination. A fortiori, en est-il ainsi dans les cas de colonisation pure et simple, dans les cas d'annexion par conquête coloniale, puisque cette annexion a pour conséquence de transférer à l'Etat colonial l'intégralité des compétences, qu'il s'agisse des compétences internationales ou des compétences de droit interne. Dans ce cas, l'Etat disparaît par absorption.

L'exclusivité de la compétence implique en particulier que, sauf accord international, seules les autorités qualifiées de l'Etat, à l'exclusion de toutes les autres, peuvent exercer des actes de contrainte sur le territoire de l'Etat. Ceci explique le caractère illicite, sur le plan du droit international, d'actes tels que l'enlèvement de telle ou telle personne par les agents d'un Etat étranger sur le territoire d'un autre Etat. Ceci explique également que, en dehors de la « hot pursuit », admise à partir de la mer territoriale, l'exercice du droit de poursuite par la police, à partir du territoire d'un Etat jusque sur le territoire d'un autre Etat, soit considéré comme une violation de la souveraineté de ce dernier. La seule possibilité est d'utiliser l'extradition ; encore faut-il qu'une convention internationale ait prévu l'extradition, étant précisé qu'il est de règle qu'il n'y a pas d'extradition des délinquants politiques. Tous ces actes — enlèvement de personnes, exercice du droit de poursuite — sont des actes illicites du point de vue du droit international et sont, par conséquent, susceptibles d'engager la responsabilité internationale de l'Etat, auteur de ces actes.

Dans la pratique, l'exclusivité de la compétence peut disparaître. Il en est ainsi lorsqu'en fait les décisions sont prises par des autorités étrangères. C'est le cas lorsque les experts de l'assistance technique, au lieu de se cantonner dans leur rôle de conseillers, se substituent en fait aux autorités de l'Etat. D'où l'expression de « coopération de substitution », utilisée pour désigner cette déviation (cf. thèse d'A. Bourgi). Ce genre de situations peut aussi se manifester dans le cadre de l'activité exercée par des sociétés étrangères ou multinationales, particulièrement puissantes. On se trouve alors devant des phénomènes de domination, c'est-à-dire de néocolonialisme ou d'impérialisme (*infra*, p. 157 et s.).

L'autonomie de la compétence signifie que les autorités qualifiées de l'Etat ont la liberté pleine et entière de décision. Cela implique que les autorités d'un Etat déterminé ne peuvent être soumises aux injonctions, aux directives, aux ordres formulés par une autorité extérieure.

D'où un principe fondamental du droit international : le principe de non-intervention dans les affaires intérieures d'un Etat, principe consacré par de nombreux textes (conventions, résolutions des organisations internationales). En fait, la pratique internationale offre de nombreux cas d'intervention d'Etats-tiers dans les affaires intérieures d'un Etat, que ces interventions visent à consolider le régime établi ou, au contraire, à favoriser un groupe d'individus insurgés contre le pouvoir établi. Mais la réalité du principe de non-intervention est démontré par le fait que l'on s'ingénie dans la pratique internationale à légitimer ce genre d'intervention.

On reconnaît la licéité d'une intervention lorsqu'elle est sollicitée par le gouvernement de l'Etat concerné. Il n'y a pas de difficulté (juridique) lorsqu'il n'y a qu'un seul gouvernement établi et lorsqu'on peut démontrer que ce gouvernement a effectivement formulé une demande d'intervention (cf. l'intervention franco-marocaine au Zaïre en avril 1977). La question devient beaucoup plus complexe lorsqu'on est en présence de deux gouvernements qui s'affrontent, l'un pour conserver le pouvoir et l'autre pour le conquérir. C'est ce qui s'est passé en Hongrie en 1956, au Liban en 1958, à Saint-Domingue en 1965.

Dans toutes ces hypothèses, on se trouvait en présence de deux gouvernements. Le problème est de savoir de quelle demande on va tenir compte : celle qui a été formulée par le gouvernement chancelant et sur le point d'être évincé du pouvoir, ou bien celle qui est formulée par le gouvernement qui est en train de conquérir de pouvoir ? En tout cas, chaque fois qu'il est possible d'établir sans équivoque qu'il y a eu une demande du gouvernement d'un Etat, l'intervention extérieure est licite au regard du droit international.

Inversement, l'absence de demande formulée par le gouvernement en place rend l'intervention illégale et illégitime. Ainsi l'intervention des forces armées des Etats socialistes en Tchécoslovaquie, justifiée, au nom de l'internationalisme socialiste, par l'U.R.S.S., à partir de l'idée que la Communauté des Etats socialistes doit être défendue contre les tentatives de subversion dirigées contre l'un d'entre eux, a donné naissance à la théorie de la souveraineté limitée, exprimée pour la première fois en Yougoslavie en 1968. Pour sa part, l'U.R.S.S. affirme que l'expression « souveraineté limitée » ne fait pas partie de son vocabulaire diplomatique, tandis que les Chinois y voient une confirmation du social-impérialisme.

En second lieu, on utilise également, pour légitimer les interventions dans les affaires intérieures d'un Etat, une institution telle que celle de la reconnaissance. En dehors de la reconnaissance de gouvernement, de la reconnaissance de nation (*supra*), il y a aussi une reconnaissance de belligérance qui a l'intérêt de reconnaître aux insurgés un statut international, en particulier de ne pas les considérer comme des bandits purs et simples et de leur appliquer les lois de la guerre. Il est évident qu'à partir du moment où un Etat décide d'utiliser une telle reconnaissance, il prend parti et il apporte aux insurgés au moins un soutien moral, à défaut d'un soutien matériel, car la reconnaissance de belligérance emporte avec elle la neutralité des Etats-tiers.

Cette forme de reconnaissance a été abondamment utilisée. Elle est apparue au début du XIXe siècle pour favoriser les mouvements de libération nationale qui se manifestaient en Amérique latine. Cette institution, que les Etats-Unis ont contribué à faire apparaître dans la pratique internationale, fut d'ailleurs retournée contre eux au moment de la guerre de Sécession (1861-1865). Les puissances européennes utilisèrent la reconnaissance de belligérance en faveur des insurgés du Sud.

Un pas supplémentaire est franchi à partir du moment où l'on décide de reconnaître le gouvernement en lutte contre le gouvernement établi, car cette reconnaissance implique un soutien actif.

On va encore plus loin si on décide de reconnaître comme Etat la partie de l'Etat où se manifeste une insurrection, comme ce fut le cas pour l'Etat du Biafra, né de la sécession d'une partie des habitants de la fédération de la Nigeria et comme ce fut le cas de la Guinée-Bissau, avant son accession à l'indépendance.

Il n'en reste pas moins que, sous réserve de ces moyens indirects employés par les Etats pour justifier une intervention dans les affaires intérieures d'un autre Etat, on peut affirmer qu'un principe bien établi, même s'il est parfois violé, est le principe de non-intervention dans les affaires intérieures d'un Etat.

La plénitude de la compétence signifie qu'aucun domaine n'est fermé à l'Etat. Il y a eu dans l'histoire des exemples d'Etats théocratiques, c'est-à-dire d'Etats dans lesquels même la religion était une affaire d'Etat et dominait les structures et le droit de l'Etat. A fortiori, tout ce qui est en dehors de la religion entre dans le domaine normal de la compétence de l'Etat, qui peut aller jusqu'à absorber l'intégralité des activités nationales, comme c'est le cas dans les Etats socialistes où la totalité des moyens de production, l'éducation et la culture ont été transférés du secteur privé au secteur public.

Si aucun domaine en principe n'est fermé à l'Etat, ce dernier a cependant la possibilité, s'il le désire, de transférer tel ou tel secteur de l'activité nationale à une autorité qui lui est extérieure, que celle-ci soit un Etat — c'est ce qui se passe lorsque se réalisent des phénomènes d'intégration politique externe (*infra,* p. 397) — ou une organisation internationale, spécialement lorsque celle-ci est dotée d'un pouvoir de décision à l'égard des matières qui lui ont été transférées (*infra,* p. 195 et deuxième partie).

La notion de souveraineté ainsi définie demeure importante parce qu'elle permet de distinguer les collectivités humaines, qui sont des Etats, au sens international du terme, d'autres collectivités humaines qui ne sont pas des Etats. Par exemple une collectivité telle que la Commune comporte les éléments sociologiques dont nous avons parlé : elle a un territoire délimité dans l'espace, ses habitants, sa population connue et recensée, son gouvernement (conseil municipal et municipalité). La commune présente même l'une des caractéristiques juridiques dont nous avons parlé : elle possède la personnalité morale.

Cependant, la commune n'est pas un Etat, d'abord parce que sa personnalité morale lui a été donnée par l'Etat dans lequel elle est englobée et surtout parce que la commune n'a pas cette qualité essentielle qu'est la souveraineté. Par exemple, elle n'a pas la plénitude de la compétence : elle ne peut opérer que dans le domaine qui a été circonscrit par les autorités supérieures. Si elle voulait délibérer dans un domaine qui n'est pas le sien, les délibérations du Conseil municipal comme les décisions du maire seraient considérées comme illégales.

De la même façon, les colonies, bien que présentant les mêmes caractéristiques que la commune, n'étaient pas non plus des Etats, parce qu'il leur manquait ce pour quoi elles combattaient, c'est-à-dire la souveraineté, l'indépendance.

De même, enfin, les organisations internationales ne peuvent pas non plus être considérées comme des Etats, car, outre qu'elles ne possèdent pas les éléments sociologiques de l'Etat, il leur manque la souveraineté (*infra*, p. 198 et s.).

En définitive, l'Etat est une entité définie par un certain nombre d'éléments sociologiques — territoire, population, gouvernement — et par des éléments juridiques — à savoir la personnalité morale et la souveraineté.

Lorsque ces éléments existent, l'Etat lui-même existe indépendamment de sa reconnaissance par les autres Etats. Ainsi la Rhodésie du Sud n'a pas été reconnue. Elle n'en existe pas moins comme Etat souverain, ce qui explique qu'en fait, sinon en droit, elle entretient des relations avec les autres Etats. Pour autant, la reconnaissance n'est pas un acte indifférent. Elle a toujours une valeur politique et, en outre, elle permet d'établir entre l'Etat reconnu et l'Etat qui reconnaît des relations juridiques (échange d'agents diplomatiques, conclusion de traités, etc.).

BIBLIOGRAPHIE

Sur la *souveraineté,* voir R. J. DUPUY et autres, *La souveraineté au XXe siècle,* Coll. U, A. Colin, 1971, et surtout l'étude de F. DEMICHEL, *Le rôle de la souveraineté dans les relations internationales contemporaines.* Mélanges Burdeau, Libr. gén. de Droit, 1977, p. 1053-1071.

Le point de vue soviétique est exposé par TUNKIN (*op. cit.*) et par N. OUCHAKOV dans l'ouvrage collectif : *Droit international contemporain* (Moscou), p. 142-172. Voir aussi le point de vue du R. P. CALVEZ, *Droit international et souveraineté en U.R.S.S.,* A Colin, 1953, et l'article de TOUSCOZ dans la *Revue algérienne* de 1965.

Sur la souveraineté limitée (doctrine Brejnev), voir la thèse yougoslave dans la *Revue de la politique internationale,* Belgrade, 5 nov. 1968 (extraits dans les notes et études documentaires n° 3585-3586, p. 48-50). Réponse soviétique dans la *Vie internationale,* nov. 1969.

Sur le contenu de la souveraineté, voir le cours de Ch. ROUSSEAU dans le recueil de cours de l'Académie de Droit international de La Haye, 1961, vol. 102.

Sur « l'influence des inégalités de développement, sur le statut juridique de l'Etat », voir la thèse de A. PIQUEMAL, Univ. de Nice, 1975.

Sur la reconnaissance d'Etat, voir :

— J. J. A. SALMON, Coll. U, A. Colin, 1971.

— VERHOEVEN J., *Le reconnaissance internationale dans la pratique contemporaine,* Pedone, Paris, 1975.

Etude de cas : « La reconnaissance de la Guinée-Bissau », par I. FALL, *Annales Africaines,* 1973, et YAKEMTCHOUK, Etude dans la *Revue belge de Droit international,* 1970, n° 2.

Ajouter les études parues dans l'Annuaire du Tiers Monde en 1976 et en 1977 et les chroniques de Ch. ROUSSEAU dans la *Revue générale de Droit international public.*

SECTION II

ESSAI DE TYPOLOGIE DES ETATS

Par définition, tous les Etats possèdent les mêmes propriétés, les mêmes caractéristiques, puisqu'il n'y a pas d'Etat au sens international du terme si les éléments de fait et les éléments de droit dont nous avons parlé ne se trouvent pas réunis. Cependant, en fait, il y a de très grandes différences entre les Etats, de sorte qu'il est indispensable, pour apprécier le poids et le rôle des Etats dans la société internationale, de présenter, d'un point de vue sociologique, un essai de typologie des Etats.

§ 1. — LE CRITERE DE CLASSIFICATION : LE CONCEPT DE FORMATION SOCIALE

On pourrait classer les Etats en tenant compte des formes juridiques qu'ils revêtent en droit international et en droit public interne. De ce point de vue, les juristes internationalistes distinguent quatre types d'Etats :

— l'Etat unitaire,

— l'Etat fédéral,

— les confédérations d'Etats,

— les unions d'Etats, qu'il s'agisse d'unions réelles ou d'unions personnelles.

Nous laisserons de côté, pour l'instant (1), ce point de vue qui ne comporte, en définitive, d'intérêt que pour déterminer où se trouve le siège de la souveraineté ou bien pour souligner, d'un point de vue historique, les formes successives revêtues par l'Etat. C'est ainsi, par exemple, que dans les confédérations d'Etats chaque Etat conserve, en principe, sa souveraineté, sous réserve des délégations de compétence qui ont été faites à la confédération. En revanche, s'agissant d'un Etat fédéral, la situation est tout à fait différente puisque la règle générale, mais non pas exclusive, est que la personnalité internationale et la souveraineté n'appartiennent qu'à l'Etat fédéral lui-même, à l'exclusion des Etats fédérés. C'est la règle générale, mais il y a des Etats fédéraux, par exemple l'U.R.S.S., où la règle est différente puisqu'en vertu de la Constitution soviétique les Républiques fédérées ont conservé, en principe, leur souveraineté, sous réserve des dispositions de la Constitution qui prévoient l'attribution à l'Etat fédéral d'un certain nombre de compétences qui sont, en fait, les compétences les plus importantes. Néanmoins, le fait que les Républiques fédérées ont conservé, potentiellement, en quelque sorte, leur souveraineté explique que l'Ukraine et la Biélo-Russie font partie de l'Organisation des Nations Unies en tant qu'Etats souverains.

Seul le point de vue sociologique nous retiendra ici. On pourrait se contenter de données purement quantitatives, ce qui conduirait à souligner qu'il y a, entre les Etats, de grandes inégalités ; par exemple des Etats qui ont un territoire considérable, comme l'U.R.S.S., avec 22 millions de kilomètres carrés, et d'autres Etats qui sont exigus, avec quelques milliers ou quelques centaines de kilomètres carrés (430 km² pour la Barbade), ceux qui ont une population importante et ceux qui n'ont que quelques milliers d'habitants ; ceux qui ont un revenu national brut (par tête) élevé et ceux qui doivent se contenter de quelques centaines de dollars (E.U.A.), etc...

Si des distinctions de ce genre ne sont pas inintéressantes, elles sont cependant tout à fait insuffisantes. Le critère doit être recherché dans une autre direction. Il faut, pour atteindre l'essence même de l'Etat, pour découvrir sa nature profonde, tenir compte de la nature de la formation sociale. C'est, par conséquent, le concept de formation sociale que nous retiendrons comme critère de la typologie des Etats.

(1) Nous y reviendrons dans la deuxième partie (titre II, chap. III).

A plusieurs reprises, nous avons fait allusion, sans y insister, au concept de formation sociale. Les partisans de l'analyse systémique, notamment Talcott Parsons, déclarent que le concept de système est fondamental pour toute science. Le concept de formation sociale est encore plus fondamental, car il permet de faire apparaître une totalité concrète et non pas abstraite.

A. — La dominance d'un mode de production.

Pour préciser le concept de formation sociale, il faut partir de la constatation, valable pour toutes les époques, que toute société, quelle qu'elle soit, est caractérisée par l'existence d'un mode de production dominant, qui s'articule en deux éléments interdépendants, indissociables l'un de l'autre : d'une part les forces productives, d'autre part les rapports de production.

Les forces productives sont deux des éléments dont nous avons parlé et qui constituent les éléments de fait de l'Etat : la population et l'espace national. Ces deux éléments font apparaître ce qui constitue les forces productives, c'est-à-dire la nature, l'homme et les instruments de production créés par l'homme dans son rapport dialectique avec la nature, qu'il cherche sans cesse à dominer afin d'en tirer le maximum, d'éviter les cataclysmes ou de la protéger (lutte contre la pollution ou la disparition des espèces animales).

Quant aux rapports de production, ce sont les relations établies entre les hommes dans le processus de production, c'est-à-dire des rapports de coopération, de domination ou de transition.

S'il faut ainsi distinguer ces deux éléments, il faut aussi insister sur le fait qu'ils sont liés l'un à l'autre. Ils constituent l'un et l'autre une unité de caractère dialectique (cf. p. 18).

Les forces productives et les rapports de production constituent la base économique de toute société. Mais, en dehors de la base économique, toute société est également caractérisée par ce que, en termes marxistes, on appelle la « superstructure », c'est-à-dire l'ensemble des institutions, les idées, les idéologies, les valeurs, les croyances qui sont propres à une société déterminée. La superstructure est, en quelque sorte, sécrétée par la base économique. Il y a donc un rapport de caractère dialectique entre la base économique d'une part et la superstructure d'autre part. Ceci veut dire qu'à une base économique déterminée correspond une superstructure déterminée, étant entendu qu'il n'y a pas de rapport mécanique entre l'une et l'autre, qu'il n'y a pas non plus de rapport unilatéral, ce qui veut dire que la superstructure est capable de réagir sur la base économique. L'ensemble de ces deux éléments, base économique d'un côté et superstructure de l'autre, constitue une formation socio-économique, plus brièvement une formation sociale.

Lorsqu'on parle de l'Etat, il y a toujours une certaine ambiguïté, car, selon les auteurs, on vise deux choses différentes. Lorsque les juristes parlent de l'Etat, ils visent généralement une partie seulement des éléments qui constituent l'Etat, c'est-à-dire l'appareil juridico-politique. Il s'agit de l'Etat en tant qu'institution, au sens organique du terme. Mais l'Etat, comme totalité, peut et doit également être considéré comme une formation sociale qui englobe bien les institutions, l'appareil juridico-politique, mais aussi les autres éléments de la superstructure et la base économique.

Si l'on considère l'Etat comme une formation sociale, cela veut dire qu'il a toujours quelque chose d'unique, de singulier, dans la mesure où les éléments de la formation sociale présentent des caractéristiques différentes selon les Etats et dans la mesure où ces éléments sont articulés de façon différente, selon les Etats considérés. En particulier, nous l'avons vu en définissant le concept d'Etat, les forces productives varient de façon considérable selon les Etats. Ceci justifie les études de micro-politique, les monographies nationales de politique extérieure ou de tel aspect de la politique extérieure d'un Etat. Cependant, malgré ces différences, si on considère l'Etat sur une période de temps assez longue, il y a un élément dans la formation sociale qui demeure relativement stable, pour un groupe d'Etats déterminé : les rapports de production. C'est, par conséquent, cet élément qui permet de définir l'essence même de l'Etat.

B. — Le système de classes sociales.

La nature des rapports de production constitue le fil conducteur, le fil d'Ariane, qui permet de s'orienter dans le labyrinthe des faits et de découvrir des lois sociales dans le chaos apparent. C'est dans ce sens qu'Engels, dans sa préface à l'édition de 1883 du Manifeste du Parti Communiste, a pu dire : « Toute l'histoire a été une histoire de lutte de classes, de lutte entre classes exploitées et classes exploitantes, entre classes dominées et classes dominantes, aux différentes étapes de leur développement social. »

Engels fait ainsi référence à l'expression de « classe sociale » sur la signification de laquelle il convient de s'entendre. Sur ce point, il y a de nombreuses conceptions. La meilleure définition qui a été donnée des classes sociales est celle de Lénine dans la *Grande initiative :* « On appelle classes, dit-il, de vastes groupes d'hommes qui se distinguent par la place qu'ils tiennent dans un système *historiquement défini* de la production sociale, par leurs rapports (la plupart du temps fixés et consacrés par la loi) aux moyens de production, par leur rôle dans l'organisation sociale du travail et donc par les moyens d'obtenir leurs revenus et la grandeur de la part des richesses sociales dont ils disposent. Les classes sont des groupes d'hommes dont l'un peut s'approprier le travail de l'autre à cause de la différence de la place qu'ils tiennent dans un régime de l'économie sociale. »

Ainsi définies, les classes sociales permettent de caractériser les types d'Etats qui existent à l'époque contemporaine. Il y a des Etats dans lesquels les rapports de production sont de type capitaliste, c'est-à-dire qu'ils sont fondés sur l'appropriation privée des moyens de production, ce qui donne naissance à une classe, la classe capitaliste ou bourgeoise, et ce qui, par contrecoup, fait apparaître une autre classe antagoniste, celle des travailleurs, privés des moyens de production et contraints de vendre leur force-travail pour vivre.

Ce sont ces deux classes qui constituent les classes fondamentales de la société capitaliste. Les classes fondamentales, c'est-à-dire les classes qui sont l'une et l'autre indispensables (car elles sont dialectiquement liées) au fonctionnement du mode de production capitaliste. Si nous employons le qualificatif de « fondamental », c'est qu'il existe également d'autres classes non fondamentales dans la société capitaliste. Dans notre société française, par exemple, il continue de subsister des artisans, des petits commerçants, des paysans propriétaires de la terre qu'ils exploitent eux-mêmes. Il existe, non seulement des classes non fondamentales, mais aussi, au sein des classes, des couches sociales ou fractions de classe, et même, en dehors des classes, des groupes d'individus qu'on ne peut pas considérer comme des classes sociales, mais des catégories sociales. Il en est ainsi par exemple des intellectuels. Ceci est important à noter, par la complexité des sociétés capitalistes est beaucoup plus grande qu'on veut bien le reconnaître.

A côté des rapports de type capitaliste, il y a également des rapports de type socialiste, fondés sur une base tout à fait différente : la propriété collective des moyens de production. Ceci signifie que les classes exploiteuses, qui existaient dans les différents secteurs du système capitaliste, ont été éliminées et que les rapports de production sont, non plus des rapports de domination et d'exploitation, mais des rapports de coopération et d'égalité.

Mais, il ne faut pas simplifier le problème. Si la base économique des classes sociales n'existe plus, ceci ne veut pas dire que toute différenciation sociale a disparu. Il subsiste, par exemple en U.R.S.S., une distinction entre la classe ouvrière et les paysans qui continuent d'utiliser le système des kolkhoses. Ceci implique qu'il y a, sinon des antagonismes, du moins certaines contradictions entre les intérêts de la classe ouvrière et les intérêts de cette partie de la paysannerie. De même, il subsiste encore, malgré les efforts qui ont été faits pour faire disparaître cette distinction, une différence entre les travailleurs manuels et les travailleurs intellectuels. Là également il y a certaines contradictions entre les intérêts de l'intelligentsia d'une part et les intérêts des travailleurs manuels d'autre part.

En outre, il faut faire remarquer que dans la mesure où une classe sociale a une réalité, non seulement au niveau de la base économique, puisque c'est la base économique qui lui donne naissance, mais également au niveau de la superstructure, et notamment au niveau des idéologies, la conscience de classe, même dans une société socialiste, peut subsister pendant un temps plus ou moins long. Il peut même arriver que cette conscience de classe ressuscite. Ce phénomène a été mis en valeur par les marxistes chinois. L'une des significations de la Révolution culturelle est précisément la volonté de lutter contre les vestiges idéologiques des classes sociales qui caractérisaient la société chinoise au moment où s'est produite la révolution.

C. — La complexité des formations sociales.

Tout serait relativement simple si les formations sociales étaient homogènes, c'est-à-dire caractérisées par l'existence d'un mode de production unique, qui aurait saisi la société dans sa totalité. En fait lorsqu'un mode de production nouveau apparaît, il ne chasse pas automatiquement, mécaniquement et totalement, le mode de production ancien. Lorsque ces mutations se produisent, il y a, en fait, une période de transition au cours de laquelle l'ancien et le nouveau, en lutte l'un contre l'autre, le nouveau cherchant à triompher de l'ancien, coexistent dans la même société. C'est d'ailleurs cette lutte des contraires qui est à la racine du développement. C'est pourquoi le concept de contradiction, sur lequel Mao Ze Dong a beaucoup insisté, est fondamental pour comprendre qu'une formation sociale constitue une totalité indissociable, mais en même temps une unité divisée en parties contradictoires (deux en un et un en deux). Ce concept de contradiction ne fait qu'exprimer une des thèses capitales de la dialectique matérialiste, formulée par Lénine : « L'unité des contraires est conditionnelle, temporaire, passagère, relative. La lutte des contraires s'excluant réciproquement est absolue, de même que sont absolus le développement, le mouvement. » Ceci explique que, même dans les formations sociales de type socialiste, les contradictions subsistent. Ce qui disparaît ce sont les contradictions antagoniques, c'est-à-dire les contradictions entre les classes dont les intérêts seraient absolument inconciliables. « L'antagonisme et la contradiction ce n'est nullement la même chose. L'antagonisme disparaîtra, la contradiction restera dans la société socialiste » (Lénine).

Le fait que l'ancien et le nouveau coexistent, pendant une période de temps qui peut être longue, implique qu'une formation sociale est non seulement une totalité indissociable, mais aussi une totalité complexe. Cette complexité est particulièrement visible dans la quasi-totalité des Etats du Tiers Monde. En effet, au moment où ces pays ont été placés sous la domination des Etats européens, ils connaissaient un mode de production tout à fait différent de celui qui était en vigueur dans les Etats européens. Alors que ceux-ci entraient dans la phase du développement capitaliste, les pays colonisés ou dominés en étaient encore à un mode de production pré-capitaliste : mode de production féodal, mode de production dit « asiatique » ou même communauté primitive.

Un des résultats de la pénétration européenne a été d'introduire, de l'extérieur, dans les pays du Tiers Monde, un mode de production nouveau, qui était, bien entendu, celui des Etats européens, c'est-à-dire le mode de production capitaliste. Il y a là une situation absolument originale. Alors que dans les Etats européens, le mode de production capitaliste est le produit de la société elle-même, qu'il s'est formé en réaction contre le mode de production féodal, au contraire, dans les pays du Tiers Monde, le mode de production capitaliste a été introduit de l'extérieur et a été en fait imposé aux sociétés conquises ou dominées par les Etats européens.

A partir de ce moment, les sociétés du Tiers Monde deviennent par conséquent des sociétés infiniment plus complexes qu'elles ne l'étaient antérieurement, car le mode de production capitaliste n'a pas chassé les modes de production pré-capitalistes. En fait, dans un grand nombre de cas, seule une faible fraction des sociétés dominées ou colonisées a été pénétrée par le mode de production capitaliste, le reste de la société continuant de vivre comme elle l'avait fait antérieurement, c'est-à-dire selon un mode de production pré-capitaliste. Ainsi, lorsque les pays du Tiers Monde accèdent à l'indépendance, ils y accèdent avec une formation sociale extrêmement complexe caractérisée par la coexistence de deux types de mode de production radicalement différents. Ceci signifie que, sur le plan social, les sociétés du Tiers Monde sont caractérisées par la coexistence de deux systèmes de classes sociales différents : un système de classes ancien correspondant aux modes de production pré-capitalistes et un système de classes sociales nouveau correspondant au mode de production capitaliste.

D. — Les inégalités de développement.

Si l'on compare les différentes formations sociales les unes avec les autres, on s'aperçoit que les formations sociales du même type sont à des degrés différents de développement. Ceci ne tient pas seulement au fait que les formations sociales ne disposent pas des mêmes quantités de forces productives. Il faut tenir compte, non seulement des données statistiques, mais aussi du facteur « temps ».

Il faut tenir compte du fait que les nouveaux modes de production, qui sont objectivement plus progressistes, ne sont pas apparus au même moment dans tous les Etats. Il y a une période de temps au cours de laquelle un Etat déterminé, parti le premier sur une nouvelle voie de développement, bénéficie, tout comme un coureur dans un stade, d'une avance sur ses concurrents. Mais il faut ajouter que cette situation n'est jamais une situation définitive. Des conditions naturelles, particulièrement favorables, notamment la possession de ressources importantes et facilement exploitables, le degré d'inventivité de la population permet parfois aux retardataires, non seulement de combler le retard, mais même de dépasser le peloton de tête.

Le décalage qui existe ainsi entre les différentes formations sociales, la loi du développement inégal, permet de comprendre que les formations sociales les plus avancées soient tentées d'abuser de leur supériorité, du fait qu'elles sont en compétition avec des formations sociales du même type. Ceci est vrai, non seulement de la société des

Etats capitalistes, mais également du système (ou de la Communauté) des Etats socialistes. Sans doute, en ce qui concerne les Etats socialistes, le principe fondamental de l'internationalisme prolétarien est proclamé comme le principe de base des relations entre les Etats socialistes (*infra*, p. 337). Il n'en reste pas moins que, dans la phase actuelle de la construction du socialisme, il y a, parmi les Etats socialistes, un Etat qui est parti le premier sur la voie du développement socialiste. Comme le soulignait le XXIe Congrès du Parti Communiste de l'Union Soviétique, « l'U.R.S.S. a été la première à frayer à l'humanité le chemin du socialisme. Elle est, à l'heure actuelle, l'Etat le plus puissant du système socialiste mondial ».

Etant donné cette supériorité, il en résulte pour l'U.R.S.S. un danger, auquel elle n'a pas tout à fait échappé, particulièrement pendant la période stalinienne : le danger qu'elle n'abuse de sa supériorité. Même si toute idée de domination est exclue, il n'en reste pas moins que l'U.R.S.S., en raison de sa supériorité, se trouve placée dans une situation de « leadership », c'est-à-dire, au sens étymologique du terme, dans une situation qui lui permet de montrer la voie à ceux qui, à leur tour, souhaitent s'engager dans la voie du développement socialiste. De là à accuser l'U.R.S.S. d'impérialisme, comme le font les théoriciens bourgeois, ou de social-impérialisme, comme le font les théoriciens chinois, il y a un pas qui, en fait, est rapidement franchi (*infra*, p. 150).

Enfin, et c'est la dernière observation, il faut prendre en considération, non seulement le facteur «temps» pour évaluer le poids des formations sociales, leurs forces respectives dans l'arène internationale, mais également pour évaluer la nature profonde d'une formation sociale. En effet, une formation sociale ne demeure pas immuable dans le temps, qu'il s'agisse de formations sociales de type capitaliste ou de type socialiste. Il est bien évident que les sociétés capitalistes, qui étaient celles de l'aube du capitalisme, ne sont pas du tout les sociétés capitalistes du XXe siècle. Cela veut dire que, tout en continuant d'appartenir au même type, une formation sociale ne cesse de se transformer, car la loi universelle est la loi du changement. Ceci veut dire que, lorsque l'on s'interroge sur la nature des formations sociales actuelles, on ne peut pas faire abstraction de l'histoire, qui contribue, chaque jour, à changer les caractères spécifiques d'une formation déterminée. La clef du présent est dans le passé.

§ 2. — LA TYPOLOGIE

Sur la base du concept de formation sociale nous pouvons, à l'époque contemporaine, distinguer deux types d'Etat : l'Etat de type capitaliste et l'Etat de type socialiste.

Cela veut dire que la société internationale contemporaine est une société qualitativement différente de la société qui l'a précédée, plus précisément de la société qui précédait la Révolution d'Octobre. Elle est qualitativement différente en ce sens qu'elle est divisée en deux catégories d'Etat appartenant à des types de formation sociale radicalement différents, puisque les unes correspondent à des formations sociales divisées en classes sociales antagonistes, alors que les autres ont fait disparaître la base économique des classes sociales en supprimant l'appropriation privée des moyens de production.

Ce phénomène a été exprimé par Raymond Aron dans son ouvrage *Paix et guerre entre les nations,* en faisant appel à l'idée d'hétérogénéité de la société internationale qu'il a empruntée à Papaligouras, auteur d'une thèse, soutenue à Genève, intitulée *Théorie de la société internationale.* Selon Raymond Aron, ce qui caractériserait la société internationale actuelle, par opposition à la société internationale homogène (c'est-à-dire capitaliste) du XIXe siècle, c'est qu'elle est une société internationale hétérogène. On retrouve également cette idée dans l'ouvrage de M. Merle (*op. cit.,* p. 413 et s.). Cette idée est tout à fait inacceptable, car la société internationale a toujours été hétérogène. Antérieurement à l'apparition des Etats socialistes, il y avait, en effet, en présence des Etats de type capitaliste et des Etats type « féodal ». Par conséquent, l'hétérogénéité de la société internationale ne date pas de l'apparition des Etats socialistes sur la scène internationale. En outre, contrairement à ce que ces auteurs affirment, l'hétérogénéité du système planétaire n'est pas non plus le résultat de l'extension à la planète tout entière du système diplomatique. En effet, déjà au XIXe siècle, le champ diplomatique était un champ planétaire. La différence avec ce qui existe actuellement est que, désormais, non seulement les Etats capitalistes se heurtent à des Etats de type différent, c'est-à-dire les Etats socialistes, mais encore le raz de marée de la décolonisation a transformé des pays antérieurement colonisés ou dominés, inclus dans les sphères d'influence des puissances européennes, en Etats souverains et indépendants. S'il est exact que la société internationale actuelle est une société hétérogène, cette hétérogénéité résulte donc de l'existence sur la scène internationale de deux catégories d'acteurs internationaux : les Etats capitalistes et les Etats socialistes, possédant des formations sociales opposées aussi bien en ce qui concerne la nature de la base économique qu'en ce qui concerne la superstructure.

D'un autre côté, les caractéristiques du champ diplomatique ont varié, non pas parce que le système diplomatique est devenu planétaire, mais parce que la domination de l'Europe sur le Monde est en voie de disparition et parce que, corrélativement, les Etats du Tiers Monde, du fait même qu'ils sont devenus souverains et indépendants, sont désormais capables d'exercer une influence sur la scène internationale et même de faire chanceler les économies des Etats capitalistes ainsi que le montre la politique décidée par les Etats arabes en ce qui concerne la production et l'exploitation du pétrole.

Du point de vue de la typologie par conséquent il convient d'examiner successivement les deux types d'Etat qui dominent la scène internationale, c'est-à-dire les Etats capitalistes, puis les Etats socialistes, mais il convient également de consacrer quelques réflexions aux Etats du Tiers Monde, non pour les constituer en type d'Etats spécifique et distinct, mais pour les situer par rapport aux deux types précédents.

A. — L'Etat capitaliste

Notre propos n'est pas de retracer la genèse, les caractéristiques et l'évolution de l'Etat capitaliste. Il est cependant indispensable de retenir ce qui, dans la naissance et dans la transformation de l'Etat capitaliste, est utile pour la compréhension des relations internationales.

De ce point de vue, deux phénomènes nous paraissent importants :

— d'abord le phénomène d'inégal développement du capitalisme ;

— ensuite les changements intervenus dans les caractéristiques de l'Etat capitaliste au cours de l'évolution.

I. — L'inégal développement des Etats capitalistes.

Généralement, ce développement inégal est surtout pris en considération pour opposer les Etats du Tiers Monde et les Etats dits développés, les riches et les pauvres selon la terminologie consacrée (cf. Sterling, *op. cit.*, p. 359 et s.). Or, comme nous l'avons dit à propos du concept de formation sociale, le développement inégal se manifeste dans n'importe quel type de formation sociale. En particulier, dans le type capitaliste, il se manifeste à deux points de vue : d'abord dans les rapports entre les formations sociales différentes existant au moment de l'apparition du capitalisme et ensuite dans les rapports entre les formations sociales capitalistes elles-mêmes.

Le décalage dans le temps.

Dans les rapports entre les différentes formations sociales existant à l'aube du capitalisme, il est important de relever que le mode de production capitaliste n'est pas apparu partout au même moment. Il n'y a pas eu une sorte de génération spontanée et généralisée du capitalisme sur toute la surface de la planète. En effet, tandis que certains Etats évoluaient effectivement du mode de production féodal au mode de production capitaliste, d'autres au contraire demeuraient attachés aux modes de production pré-capitalistes.

Ce décalage dans le temps est facilement explicable si on prend en considération à la fois l'inégale répartition des forces productives dans le monde et la force de résistance opposée par les modes de production anciens au surgissement d'un mode de production nouveau. Si on tient compte de ces éléments, on peut alors essayer de répondre à la question : pourquoi les pays non européens n'ont-ils pas connu la même évolution (ou la même révolution) que les pays européens ? Pourquoi une telle divergence historique ? Pourquoi la révolution industrielle n'a-t-elle pas été faite par les Chinois ou par les Arabes ou par les Africains ? A cette question on apporte des réponses différentes qui ne sont pas toujours satisfaisantes.

Une explication qu'il faut écarter est celle selon laquelle l'Europe était en quelque sorte prédestinée pour accomplir la révolution industrielle. En fait, elle ne l'était pas ; elle l'était d'autant moins que le degré d'évolution technique de la Chine, de l'Inde, de certains pays musulmans, au Moyen-Age, était très supérieur à celui qu'avaient atteint à la même époque les pays européens. Logiquement, si on ne tenait compte que de ce facteur technique, privilégié par un certain nombre de spécialistes des relations internationales, il faudrait dire que la révolution industrielle aurait dû se produire plutôt dans les pays asiatiques, arabes ou africains que dans les pays européens.

En fait, tel n'a pas été le cas. Il s'est produit un arrêt du développement économique dans ces pays, alors qu'au contraire les Etats européens connaissaient un développement prodigieux des forces productives dans le cadre du mode de production capitaliste. Le problème est donc de savoir pourquoi cet arrêt s'est produit.

Si l'explication de la prédestination de l'Europe doit être écartée, il faut également écarter les explications géographiques, telles que l'insuffisance de ressources naturelles, le climat, etc., parce qu'elles sont de type déterministe et ne fournissent pas d'explication satisfaisante à la stagnation des pays asiatiques, arabes ou africains.

De même, il faut écarter l'explication proposée par certains économistes, tels que Günnar Myrdal, dans sa *Théorie économique des pays sous-développés.* Selon lui, le retard de certains pays par rapport à l'Europe serait dû à l'absence d'une « classe entreprenante ». En admettant que cette explication soit exacte, elle ne ferait que soulever une autre question à laquelle il faudrait répondre : pourquoi cette classe entreprenante, cette classe bourgeoise, pour l'appeler par son nom, n'est-elle pas apparue dans les pays asiatiques, africains ou arabes ?

En fait, l'explication de la stagnation des pays dits sous-développés doit être recherchée d'abord dans les structures économiques et sociales prédominantes. C'est l'explication qui avait été retenue par Karl Marx lorsque, frappé par « l'immutabilité des sociétés asiatiques », il cherchait à découvrir la cause de ce phénomène. Il croyait découvrir l'explication de ce phénomène dans le fait que les sociétés asiatiques, dans le cadre du mode de production dit « asiatique », avaient conservé des traits de la Communauté primitive, en particulier l'absence de propriété privée du moyen de production essentiel, c'est-à-dire la terre. De même il soulignait le fait que ces sociétés étaient demeurées des sociétés profondément religieuses, imprégnées, dans tous leurs aspects de « sacré ». Ces deux faits contribuaient à rendre plus acceptable la situation des sociétés asiatiques dans lesquelles, sur la base du mode de production dit asiatique, étaient apparues des classes dominantes et des classes dominées.

Mais il y a une autre explication, qui est complémentaire de la précédente. Les facteurs endogènes n'expliquent pas tout. Il faut tenir compte également des facteurs exogènes, c'est-à-dire la domination établie sur les pays africains, asiatiques ou arabes par les puissances européennes. Nous y reviendrons plus loin (p. 152). Ceci fait dire à Galtung (Pour un autre développement, *op. cit.*, p. 133), que le type de développement capitaliste n'est plus possible, pour les Etats du Tiers Monde (ni même souhaitable) « parce qu'une grande partie du développement occidental a reposé sur l'exploitation des autres » et qu' « une telle exploitation ne peut plus continuer » (ce qui reste à démontrer).

Après cette parenthèse, revenons au décalage dans l'apparition du mode de production capitaliste. Il est, en fait, limité à ce petit cap de l'Europe qu'est l'Europe occidentale. A l'autre bout de l'Europe, au contraire, la Russie des Tsars demeure une Monarchie féodale de type absolu. En fait, les rapports capitalistes ne commencent à apparaître qu'à la fin du XVIIIe siècle. Encore faut-il ajouter que même au milieu du XIXe siècle les rapports féodaux continuent de dominer l'économie russe et le servage qui est une des caractéristiques du mode de production féodal ne fut aboli qu'en 1861. En fait, c'est à partir de ce moment-là que la Russie va véritablement entrer à son tour, bien après les autres Etats européens, dans l'ère du capitalisme industriel. Mais elle le fait comme un pays sous-développé, avec l'aide des capitaux étrangers, c'est dire que la Russie est, selon l'expression de R. Portal, « une sorte de colonie britannique » ; de façon plus générale elle est en situation semi-coloniale, même si la croissance industrielle est importante.

Ce décalage dans le temps explique la domination de l'Europe occidentale sur le reste du monde. Du fait même que les Etats européens sont passés à un mode de production objectivement supérieur, ils sont devenus capables de développer, de façon prodigieuse, le niveau des forces productives, même si par ailleurs ce développement des forces productives a impliqué des souffrances pour les travailleurs et l'asservissement des régions ou des pays moins développés. En fait, c'est sur cette base économique rénovée, qui en son temps a constitué une révolution et donc un progrès, que l'hégémonie de l'Europe va s'étendre sur le reste du monde (*infra*, p. 162).

Mais la loi de l'inégalité du développement joue également *dans les rapports entre les formations sociales capitalistes elles-mêmes*, en ce sens qu'il y a de grandes inégalités de développement entre les différents Etats capitalistes. Comme l'a remarqué François Perroux, « l'économie mondiale ne s'est pas développée par la concurrence de partenaires égaux, mais par l'apparition et l'influence d'économies nationales *successivement* dominantes ». Ceci veut dire que le « leadership » n'est pas resté, de façon constante, entre les mains du même Etat. Au début, parce qu'elle était partie la première sur la voie du développement capitaliste, que la première elle avait réalisé la révolution industrielle et créé un vaste empire colonial, la nation dominante a été la Grande-Bretagne. En 1850, la Grande-Bretagne était véritablement l'usine du monde puisqu'elle produisait 39 % de la production industrielle mondiale totale, alors qu'à l'autre bout de la chaîne les Etats-Unis d'Amérique n'en produisaient que 15 %. La Grande-Bretagne a conservé cette position de domination jusqu'à la fin du XIXe siècle.

Mais aujourd'hui les positions sont renversées. La Grande-Bretagne et d'une façon générale, les puissances européennes ont perdu leur suprématie. Les Etats-Unis se sont développés à l'abri de la doctrine de Monroe et à la faveur des deux guerres mondiales. Déjà en 1913, les Etats-Unis avaient la première place en ce qui concerne la production industrielle. Ils produisaient autant que l'Allemagne, l'Angleterre et la France réunies, l'Allemagne venant au second rang. A la veille de la deuxième guerre mondiale, la production industrielle des Etats-Unis était de 50 % supérieure à celle de ces trois pays réunis et, après la deuxième guerre mondiale les Etats-Unis seuls produisaient 60 % de la production totale des Etats capitalistes. Ceci explique que les Etats-Unis soient devenus le centre des centres, le centre du monde capitaliste, une République impériale, pour reprendre le titre du livre de Raymond Aron ou que se soit constitué un Empire américain (selon le titre de l'ouvrage de Cl. Julien).

Ces inégalités du développement du monde capitaliste doivent être prises en considération pour découvrir les contradictions qui existent à l'intérieur du monde capitaliste. Sans doute, dans une certaine mesure, la société capitaliste est une société homogène puisque tous les Etats ont le même type de formation sociale. C'est sur cet aspect qu'insistent généralement les spécialistes des relations internationales, en particulier Raymond Aron, qui en profite pour régler son compte à la société socialiste (cf. l'épais ouvrage intitulé « Plaidoyer pour l'Europe décadente. R. Laffont, Paris, 1977). Mais ce qu'il n'indique pas, c'est qu'il y a également une très grande diversité de situations économiques à l'intérieur du monde capitaliste, que les Etats capitalistes sont situés à des degrés différents sur l'échelle du développement.

Ce fait doit être pris en considération, car il y a une tentation à laquelle échappent difficilement les Etats les plus puissants, celle d'établir leur domination sur les Etats les plus faibles. Ceci explique également que, pour réagir contre ces phénomènes de domination, les Etats les plus faibles cherchent à s'unir, appliquant le vieux proverbe : « l'union fait la force ». C'est ce qui explique, en partie, les tentatives faites par les Etats Européens pour établir, face au colosse américain, une union capable de contrebalancer la puissance américaine (*infra*, p. 515).

En outre, les distorsions dans le développement économique doivent également être prises en considération pour expliquer les disparités qui existent sur le plan du développement politique. Ceci veut dire que les conditions politiques de la révolution sociale se présentent de façon différente selon les Etats, en raison des inégalités de développement qui existent dans les différents Etats capitalistes. C'est un fait qui avait été aperçu par Lénine qui soulignait que « la révolution prolétarienne grandit de façon inégale, les conditions de la vie politique variant d'un pays à l'autre, le prolétariat étant faible dans un pays alors que dans un autre il est plus fort. Si dans certains pays, ajoutait-il, l'aristocratie ouvrière est faible, ailleurs il arrive que la bourgeoisie arrive à diviser pour un temps les ouvriers. » C'est ce qui s'est produit en Angleterre et en France. « Voilà pourquoi, concluait-il, la révolution prolétarienne se développe de façon inégale. »

Sur la base d'une analyse concrète des contradictions du capitalisme, Lénine, ayant fait cette constatation, arrivait à la conclusion que la révolution ne pouvait pas triompher simultanément dans tous les Etats, comme le pensait Marx, mais qu'il était possible de la réaliser dans un seul pays, dans le pays où se trouvait le maillon le plus faible de la chaîne de l'impérialisme, c'est-à-dire en Russie.

Cette prévision faite par Lénine est généralement présentée comme une déviation par rapport aux enseignements de Marx. C'est ce qui est souligné par Marcel Merle dans sa *Sociologie des relations internationales* (p. 59 et s.). Mais c'est oublier que Marx et Lénine écrivaient à deux époques différentes. Entre le milieu du XIXe siècle, où se situe Marx, et le début du XXe siècle, où se situe Lénine, le capitalisme avait évolué, ce qui veut dire que les contradictions du monde capitaliste ne se présentaient plus de la même façon à la veille de la première guerre mondiale. Il faut donc prendre en considération les mutations de l'Etat capitaliste.

Les mutations de l'Etat capitaliste.

Il est en effet aussi important de tenir compte des mutations de l'Etat capitaliste que de tenir compte de l'inégalité du développement des Etats capitalistes. Comme tout phénomène, l'Etat capitaliste est soumis à la loi du changement et, en fait, il n'est pas demeuré immuable dans le temps.

Dans une première phase, on est en présence d'un capitalisme de petites unités de production et d'un capitalisme de libre concurrence, ce qui, sur le plan de l'idéologie, puis des institutions, correspond à la période de l'Etat libéral. C'est la période d'implantation et de développement du capitalisme, en opposition au mode de production ancien qu'il fallait détruire, c'est-à-dire le mode de production féodal. Le problème qui se posait aux Etats capitalistes était de briser les obstacles qui s'opposaient au développement du capitalisme, les résistances qui résultaient de vestiges de la société féodale. Il en résultait que la classe montante, c'est-à-dire la classe bourgeoise, qui, objectivement, était une classe révolutionnaire, devait conclure une alliance avec le pouvoir royal, également intéressé à la consolidation et à l'accroissement de l'Etat, et finalement conquérir le pouvoir d'Etat par le moyen de la révolution politique. Ceci explique que l'Etat capitaliste devient un Etat national par opposition à l'Etat féodal. Ceci explique également que les révolutions sont des révolutions bourgeoises, en ce sens que les bénéfices de la révolution, même si elle s'est produite avec l'appui du peuple, vont en définitive à la bourgeoisie. C'est le système de la « démocratie gouvernée » (G. Burdeau). Une fois le féodalisme balayé et le pouvoir d'Etat conquis par la bourgeoisie, l'intérêt de cette bourgeoisie est de limiter le rôle de l'appareil d'Etat afin de permettre le libre développement du capitalisme, enfin débarrassé de ses entraves. Ceci explique que l'Etat du XIXe siècle soit un Etat libéral, un Etat auquel on demande simplement d'intervenir pour assurer la paix sociale à l'intérieur et la conquête de débouchés et de sources de matières premières à l'extérieur. Ceci explique également que cet Etat libéral soit en même temps, de façon assez apparemment contradictoire, un Etat de type colonialiste, dominateur et sûr de lui-même.

La deuxième phase est caractérisée par l'existence d'un capitalisme monopoliste par opposition au capitalisme de petites unités de production. Il y a une concentration de plus en plus grande de la production dans de grandes unités de production, employant un grand nombre de travailleurs et exigeant de gros investissements de capital. Ceci explique, en particulier, l'apparition du phénomène des sociétés anonymes à la fin du XIXe siècle.

Cette phase est caractérisée non seulement par l'apparition de monopoles, mais également par le phénomène de fusion du capitalisme bancaire et du capitalisme industriel, phénomène qui s'explique par la nécessité pour les grandes entreprises de trouver des capitaux de plus en plus abondants. Enfin, cette phase est caractérisée par l'exportation des capitaux dans le monde et par l'aggravation des conflits sociaux.

Sur le plan international, l'évolution de l'Etat capitaliste explique l'aggravation des conflits internationaux qui deviennent de plus en plus aigus, de plus en plus généralisés. Ce n'est pas par hasard si, en 1914, éclate la première guerre mondiale.

Cette évolution explique également les nouvelles conquêtes coloniales, qui aboutissent à achever le partage du monde entre les puissances européennes à la fin du XIXe siècle et au début du XXe siècle.

Cette évolution explique aussi l'abandon du principe politique des nationalités ou du droit des peuples à disposer d'eux-mêmes. Alors que, dans la première phase, on mettait l'accent sur ce principe, parce qu'il était nécessaire pour créer de grands marchés nationaux et unifier économiquement l'espace national de l'Etat, dans la deuxième phase, on constate l'abandon quasi général du principe des nationalités. En particulier, les Etats européens refusent de faire application de ce principe aux peuples qu'ils ont colonisés ou dominés.

Enfin, l'évolution de l'Etat capitaliste explique également, en grande partie, l'apparition des premières grandes organisations internationales, désormais considérées comme indispensables pour résoudre un certain nombre de problèmes qui dépassent le cadre de l'Etat national. Ces problèmes sont devenus, en raison de l'évolution du capitalisme, qui est lui-même un capitalisme international, des problèmes internationaux (*infra*, p. 170 et s.).

Dans sa dernière forme, le capitalisme est un capitalisme monopoliste d'Etat. Ceci veut dire que le système capitaliste actuel est caractérisé par l'intervention croissante de l'Etat dans la vie des Nations. Sans doute ce phénomène n'est pas nouveau. Ce qui est nouveau, c'est le degré d'intervention de l'Etat dans la vie nationale, une intervention qui, au cours des dernières décennies, a pris des proportions considérables, même dans les Etats qui, comme les Etats-Unis, se déclarent fidèles au système de la libre entreprise.

Paradoxalement, l'intervention de l'Etat dans la vie économique, financière, sociale, culturelle, est devenue inévitable en raison des conditions nouvelles du développement du capitalisme de monopoles. C'est ainsi qu'en matière d'investissements le vieux système des sociétés par actions et devenu incapable d'assurer, à lui seul, le financement des grandes entreprises modernes. Désormais, il est devenu nécessaire de faire appel aux capitaux publics. De même, dans le domaine scientifique, la recherche nécessite des moyens si gigantesques qu'ils excèdent même les capacités des plus grands trusts mondiaux.

Inversement, la non-rentabilité de certaines entreprises, soit pour des raisons naturelles ou techniques, soit pour des raisons d'ordre social, conduit également l'Etat à prendre la relève des entreprises privées défaillantes. Ceci a conduit, en France par exemple, à nationaliser les houillères, les chemins de fer, la production et la distribution du gaz et de l'électricité. Même lorsque l'Etat n'utilise pas des moyens aussi extrêmes, qui conduisent à créer, à côté du secteur privé, un secteur public important, il est amené à soutenir directement ou indirectement les entreprises privées. C'est ainsi que le renforcement du potentiel militaire des Etats contemporains est finalement une bénédiction pour les grandes entreprises industrielles. L'économiste américain Galbraith a pu écrire un livre traduit en français et intitulé *La paix indésirable ? Rapport sur l'utilité des guerres.* Sa conclusion est qu'une paix internationale durable serait en définitive une véritable catastrophe pour les grands Etats capitalistes. Il en résulterait un grave préjudice pour le développement économique des Etats-Unis. Il fonde son raisonnement sur le fait que plus de 5 millions de civils et de militaires travaillent pour le Pentagone et que 5 autres millions exercent une activité professionnelle dans des industries privées liées à la production de guerre.

C'est dire que, à un titre ou à un autre, l'Etat capitaliste contemporain remplit de plus en plus des fonctions économiques et sociales. Ce n'est plus l'Etat libéral du XIXe siècle, ce n'est plus l'Etat gendarme auquel on demandait d'assurer la sécurité, la défense du territoire et l'exercice de fonctions de souveraineté telles que la justice.

La conséquence de ce phénomène est qu'on aboutit à un renforcement de l'union entre l'appareil d'Etat d'une part et les grands monopoles d'autre part. C'est en ce sens qu'on est en présence d'un système capitaliste monopoliste d'Etat. Ceci ne veut pas dire qu'il y a, pour autant, une subordination, en quelque sorte mécanique et automatique, de l'appareil d'Etat aux monopoles, car à l'intérieur du système capitaliste, il y a des contradictions, des luttes d'influence entre les monopoles privés, et entre ces derniers et les monopoles étrangers qui ont, dans le cadre de sociétés multinationales, des ramifications sur le territoire des autres Etats. Ceci explique que l'Etat capitaliste ait une certaine marge de manœuvre dans les limites tracées par le système lui-même.

Sur le plan des relations internationales, cette évolution explique l'influence décisive exercée par les grands monopoles sur la politique internationale. C'est ainsi que le désir de conserver des marchés privilégiés ou des sources de matières premières dans les anciennes colonies explique une politique de coopération qui, théoriquement, devrait être conçue comme un instrument destiné à venir en aide aux pays sous-développés, à leur permettre de sortir du tunnel du sous-développement, et qui, en fait, n'est souvent qu'un moyen de perpétuation de la domination coloniale.

De même, la nécessité de créer des marchés élargis explique, en grande partie, le phénomène d'intégration économique européenne et la création d'organisation de type économique au plan européen (*infra*, p. 515).

De même enfin, comme le souligne le journal *Le Monde* du 1er décembre 1973, dans un article intitulé « La politique au bord du gouffre », cette évolution explique « que les gouvernements ont pratiquement démissionné devant les grandes compagnies pétrolières internationales. Ils ont laissé ces dernières moduler les prix de l'énergie de façon à retarder le plus possible le moment où le nucléaire deviendrait rentable. La politique énergétique de l'Occident et du Japon a ainsi été définie par des sociétés privées dont la fonction est de sécréter du profit et non pas d'œuvrer d'abord pour l'intérêt général. Quant aux sociétés d'Etat, elles n'avaient pas assez de poids pour infléchir la tendance et ne pas subir, elles aussi, la loi du profit. »

BIBLIOGRAPHIE

Sur l'Etat capitaliste, voir :

— Ralph MILLIBAND, *L'Etat dans la société capitaliste,* publié en 1969 en langue anglaise chez Weidenfeld et Nicholson (Londres), trad. franç. chez Maspero (1973).

— P. BOCCARA, *Etudes sur le capitalisme monopoliste d'Etat,* Editions Sociales, 1973.

— G. BURDEAU, *Traité de science politique,* t. VI, 2e éd.

— LEFEBVRE H., *De l'Etat,* U.G.E., Paris, 1976.

— N. POULANTZAS et autres, *La crise de l'Etat capitaliste,* 1976.

— R. W. STERLING, *Macropolitics,* Alfred A. Knopf, New York, 1974.

Consulter la revue « Economie et politique », notamment les numéros spéciaux, 251 à 253, Ed. Soc., 1975.

Sur le capitalisme en France, voir l'ouvrage collectif, *L'impérialisme français aujourd'hui,* Ed. soc., 1977.

Sur la situation des Etats européens dans leur passage au socialisme, voir R. CHARVIN, *Les Etats socialistes européens,* Dalloz, 1975, et l'ouvrage de R. PORTAL, *La Russie industrielle,* 1881-1977, C.D.U., Paris, 1966.

Sur les inégalités de développement, voir WALLERSTEIN I. (sous la direction de), *Les inégalités entre Etats dans le système international.* Centre de relations internationales, Québec, 1975 (traite également des Etats du Tiers Monde).

B. — L'ETAT SOCIALISTE

Avec l'apparition du socialisme en Russie et dans son empire colonial, en 1917, avec la multiplication des Etats socialistes dans le monde après la deuxième guerre mondiale, la société internationale se transforme, non pas parce qu'elle serait devenue hétérogène (*supra,* p. 133), mais parce que l'hétérogénéité est d'une autre nature. Désormais, s'affrontent deux types d'Etat totalement différents : l'Etat capitaliste, parvenu au stade du capitalisme monopoliste d'Etat dans les régions les plus avancées du monde, et l'Etat socialiste, engagé dans la construction du socialisme sur la base de la dictature du prolétariat avant de devenir, dans la phase actuelle, selon les Soviétiques, l'Etat du peuple tout entier et d'aller du socialisme vers le communisme.

Les adversaires du marxisme se plaisent à souligner la contradiction qu'il y aurait entre la théorie marxiste du dépérissement de l'Etat et l'existence de l'Etat — qui plus est un Etat qui se veut souverain (*supra,* p. 116, et *infra,* p. 145) — en régime socialiste. Effectivement dans son ouvrage *Origines de la famille, de la propriété et de l'Etat,* Engels écrivait : « L'Etat n'a pas existé de tout temps ; il y a eu des sociétés qui s'en sont passé et qui n'avaient pas la moindre notion de l'Etat et du pouvoir gouvernemental. A un certain degré du développement économique, nécessairement lié à la division de la société, l'Etat devient, par suite de cette division, une nécessité. Nous marchons à présent à grands pas vers un développement de la production tel que l'existence de ces classes a non seulement cessé d'être une nécessité, mais devient un obstacle même à cette production. Les classes disparaîtront d'une façon aussi inévitable qu'elles se sont formées. En même temps que les classes diparaîtront, diparaîtra inévitablement l'Etat. La société qui organise à nouveau la production sur le principe de l'association libre et égale des producteurs reléguera la machine gouvernementale à la place qui lui convient : au musée des antiquités, à côté du rouet et de la hache de bronze. »

Cependant, Marx est moins affirmatif. Dans sa *Critique du programme de Gotha* (1875), il écrivait : « Entre la société capitaliste et la société communiste se situe la période de la transformation révolutionnaire de celle-là à celle-ci, à quoi correspond une période de transition politique où l'Etat ne saurait être que la dictature du prolétariat. »

I. — L'ETAT SOVIÉTIQUE OU LE SOCIALISME SOLITAIRE.

Les idées de Marx à propos de l'Etat seront, par la suite, précisées par Lénine, dans son ouvrage *L'Etat et la Révolution.* Il indique, que pendant une période transitoire, l'Etat subsistera sous une nouvelle forme. Après la révolution, ce qui est destiné à disparaître, c'est l'Etat bourgeois. Comme le faisait remarquer Lénine : « Toutes les révolutions antérieures n'ont fait que perfectionner la machine d'Etat, alors qu'il faut l'abattre, la briser... Le cours des événements oblige la révolution à concentrer toutes ses forces de destruction contre le pouvoir d'Etat ; il lui impose, non pas d'améliorer la machine gouvernementale, mais de la détruire, de l'anéantir. »

Pour autant, l'Etat ne disparaît pas. Après la destruction de l'Etat bourgeois, lui succède un Etat de type nouveau, qui est l'Etat prolétarien ou socialiste. Non seulement l'Etat subsiste, mais encore la souveraineté de l'Etat soviétique est affirmée avec force au moment où l'idée de souveraineté commence à faire l'objet d'attaques très sérieuses dans la doctrine des Etats capitalistes (*supra,* p. 117).

Si la souveraineté est affirmée, il y a tout de même quelque chose de nouveau, car l'Etat soviétique est un Etat de classe, un Etat prolétarien. Cette considération conduit à affirmer : « La souveraineté se ramène, en définitive, à la notion d'auto-disposition nationale » (Korovine) (1). Cette idée apparaît fort bien dans la déclaration des droits des peuples de Russie du 2 novembre 1917, qui parlait de « l'égalité et de la souveraineté des peuples de Russie » et qui proclamait le droit de chaque peuple » de disposer librement de lui-même jusque et y compris la séparation et la formation d'un Etat indépendant ». De même, la Constitution soviétique du 10 juillet 1918 prévoyait que les ouvriers et paysans de chaque nation avaient le pouvoir « de décider à leur congrès soviétique s'ils désiraient et sur quelles bases participer au gouvernement fédéral et autres institutions soviétiques fédérales ». C'est sur cette base que se constitua en 1922 l'Union des Républiques socialistes soviétiques (2).

Le 29 décembre 1922, des délégations de plénipotentiaires des Républiques socialistes, c'est-à-dire les Républiques Russe, Ukrainienne, de Biélorussie et Transcaucasienne (qui rassemblait l'Arménie, la Géorgie

(1) E. KOROVINE, *Sovremenoye mezdunarodnoye publicnoye pravo* (Droit international public contemporain), Moscou, 1926.

(2) U.R.S.S. Le sigle russe est C.C.C.P. (caractères cyrilliques. Prononcer S.S.S.R.).

et l'Azerbaïdjan), se réunirent et adoptèrent un document important intitulé : « *Déclaration de la fondation de l'Union des Républiques socialistes soviétiques* ». Cette déclaration soulignait que « L'Union constitue une association libre de peuples égaux en droit, que chaque République se voit assurer le droit de sortir librement de l'Union (1), que l'adhésion à l'Union demeure ouverte à toutes les Républiques socialistes soviétiques tant présentes que futures ». Le jour suivant, c'est-à-dire le 10 décembre 1922, le 1er Congrès des Soviets de l'Union approuva le *pacte de formation de l'U.R.S.S.*, pacte qui fut incorporé par la suite dans la première Constitution de l'U.R.S.S., celle de 1924, dont les principes demeuraient sensiblement identiques à ceux de la Constitution de la République socialiste fédérative de Russie adoptée en 1918.

Tel qu'il existait ainsi après la Révolution d'Octobre, l'Etat soviétique présentait des traits originaux qui expliquent que les opinions les plus contradictoires aient été émises au sujet de la nature juridique de ce nouvel Etat. S'agissait-il d'une confédération d'Etat, d'un Etat fédéral, d'un Etat unitaire ? Pour déterminer la nature de cet Etat, il faut se reporter aux déclarations d'intention des fondateurs de l'U.R.S.S. ; or la Constitution de 1924 donnait sans équivoque à l'U.R.S.S. la qualification d'Etat fédéral.

En outre, l'expérience soviétique montre qu'il n'est pas possible de détacher, sinon de façon arbitraire et déformante, un régime fédéral de son contenu économique et social. Dans le cas de l'U.R.S.S., il est évident que la prise en charge de l'économie par la puissance publique, l'abolition de la base économique des classes sociales, l'institution d'un parti unique, commun à toutes les Républiques fédérées, confèrent à ce fédéralisme une signification tout à fait différente de cette qu'elle peut avoir dans un pays tel que les Etats-Unis d'Amérique, dont le régime politique, social et économique s'oppose à celui de l'U.R.S.S. Cela dit, il n'y a aucune raison de refuser à l'U.R.S.S. la qualification d'Etat fédéral, observation faite que cet Etat n'est pas semblable aux autres Etats fédéraux, bien qu'ils présentent un certain nombre de traits communs.

L'apparition de l'Etat soviétique a eu une grande signification sur le plan des relations internationales, mais cette signification ne s'est dégagée pleinement qu'avec la consolidation et le développement du nouvel Etat.

(1) Droit réaffirmé par l'article 71 de la constitution de 1977.

Malgré les tentatives d'étranglement (guerre civile, intervention étrangère, refus de reconnaissance, blocus économique, propagande), qui poussèrent les Républiques socialistes à s'unir (*supra*), malgré l'amputation d'une partie importante de son territoire (700 000 km² et 28 500 000 habitants) — récupérée après la deuxième guerre mondiale —, malgré les ruines causées par la guerre et la chute de la production agricole, réduite aux deux tiers de la production antérieure à la guerre, et de la production industrielle réduite au septième, le nouvel Etat a survécu et s'est développé.

Sur le plan culturel, il y avait en Russie, avant la Révolution d'Octobre, 75 % d'illettrés. En 1960, ce pourcentage était tombé à 0,50 %. 88 % des femmes étaient illettrées. Aujourd'hui, les trois quarts des médecins, 70 % des enseignants, 30 % des ingénieurs, etc., sont des femmes. Les progrès ont été particulièrement spectaculaires dans les pays naguère colonisés. En 1917, la République Ouzbèque avait 90 % d'analphabètes. Elle n'avait aucune université. Aujourd'hui, la situation est renversée. Il y a 95 % d'alphabétisés et l'Ouzbékistan possède son académie des sciences et 34 établissements d'enseignement supérieur.

Sur le plan économique et technique, des progrès importants ont été accomplis. Aujourd'hui, l'U.R.S.S. rivalise avec les E.U.A. dans un certain nombre de secteurs, dont les secteurs de pointe.

Le poids de l'U.R.S.S. dans la société internationale a évidemment varié dans le temps. Il a été fonction de son développement et du contexte international. A l'époque de la consolidation de l'Etat, alors que l'U.R.S.S. était en butte à l'hostilité des autres Etats, le problème central était d'assurer la survie de l'Etat. Par suite, bien que Lénine ait posé les bases de la coexistence pacifique entre Etats à systèmes sociaux différents, et que le Commissaire aux affaires étrangères, Tchicherine, y ait fait expressément mention à la conférence de Gênes en 1920, l'accent fut mis sur le renforcement de la puissance de l'Etat, la résistance à toutes les tentatives d'anéantissement et l'utilisation de tous les moyens diplomatiques (alliances, S.D.N. — après 1934 —, conclusion de traités d'amitié, etc.) propres à préserver l'Etat soviétique de la destruction.

II. — La multiplication des Etats socialistes.

La situation se modifie au fur et à mesure que l'U.R.S.S. se développe. Actuellement la puissance de l'U.R.S.S. est telle qu'elle constitue le facteur majeur des relations internationales, d'autant plus que la seconde guerre mondiale a fait surgir de nouveaux Etats socialistes sur la scène internationale. On peut vérifier ainsi les liens entre la guerre internationale et les phénomènes révolutionnaires. L'histoire montre que les guerres créent des conditions objectives qui permettent aux partis révolutionnaires, non seulement de combattre les guerres injustes, mais aussi de s'élever contre le gouvernement en place et de le renverser. C'est ce qui s'était passé en Russie en 1917. C'est ce qui s'est passé en Europe et en Asie à l'époque contemporaine. C'est ce qu'on a pu observer dans le domaine colonial après la deuxième guerre mondiale. Pour autant il ne faut pas aller jusqu'à dire que la guerre a été l'unique facteur de l'évolution. La cause profonde réside dans les phénomènes, internes et internationaux, de domination. Elle explique l'apparition des démocraties populaires en Europe et l'évolution de pays comme la Chine, la Mongolie Extérieure, la Corée, le Vietnam, le Laos, Le Cambodge, Cuba, vers le socialisme.

Désormais, ce sont deux mondes qui s'opposent : d'un côté les Etats capitalistes, de l'autres les Etats socialistes, auxquels correspondent des formations sociales radicalement différentes, aussi bien au niveau de la base économique qu'au niveau de la superstructure. Dans la mesure où les politiques des Etats sont différentes et où ce que Morgenthau appelle le pouvoir et R. Aron, la puissance n'est, en définitive, que la capacité d'une classe ou d'un groupe social de faire prévaloir ses intérêts spécifiques, il en résulte sur le plan des relations internationales un affrontement ou une compétition. Il est vrai que les économistes et les sociologues des Etats capitalistes ont inventé une théorie de la convergence en privilégiant le facteur technico-économique (*supra* p. 72 et *infra* p. 324). A la suite de Galbraith, de W. Rostow, de Brzezinski, ancien conseiller du Président Johnson, et actuel conseiller du Président J. Carter et de bien d'autres, R. Aron prétend que les sociétés capitalistes et les sociétés socialistes deviennent de plus en plus semblables. Talcott Parsons prédit même que tous les systèmes politiques évolueront vers le modèle yankee ou bien seront condamnés à la régression. Par suite, l'opposition véritable ne serait pas entre le socialisme et le capitalisme, mais entre les pays industrialisés et le Tiers Monde. C'est une thèse qui a trouvé un écho dans les Etats du Tiers Monde, où apparaît l'idée d'une opposition dite « Nord-Sud » ou des « pauvres » et des « riches ».

Même si cette théorie trouve un fondement dans la réalité, elle a surtout pour but d'affaiblir la position des Etats socialistes en accréditant l'idée qu'il n'y a pas de différence de nature entre les Etats capitalistes et les Etats socialistes, ce qui supposerait une « érosion du socialisme » et l'abandon des principes marxistes-léninistes. En fait, il faut constater que, sur beaucoup de points, les positions des uns et des autres sont inconciliables. Ceci se reflète dans la doctrine de coexistence pacifique (*infra*, p. 331). Comme nous le verrons elle ne signifie ni l'abandon des principes du marxisme-léninisme, ni la lutte entre les deux systèmes, mais la reconnaissance que les Etats doivent renoncer à se conquérir par la force. Dans les conditions actuelles, la coexistence pacifique « est une forme particulière de la lutte de classes que le socialisme et le capitalisme se livrent dans l'arène mondiale. Le caractère spécifique de cette forme de lutte de classe consiste justement en ce qu'elle est menée exclusivement par des moyens pacifiques » (1).

C'est ce que Lénine appelait « le duel de deux Mondes, de deux méthodes, de deux économies ». La différence avec la concurrence capitaliste est qu'il ne s'agit pas d'un jeu à somme zéro, où l'un gagne ce que l'autre perd. La coexistence pacifique doit permettre le développement de chaque partenaire pour le plus grand bénéfice des peuples de chaque groupe d'Etats, ce qui implique une coopération dans tous les domaines.

Le poids des Etats socialistes dans le monde a fini par rendre crédible une telle doctrine, consacrée d'ailleurs par la déclaration des droits et des devoirs des Etats, adoptée par l'O.N.U., et les « accords d'Helsinki » (1975).

III. — L'inégal développement des Etats socialistes. Les contradictions.

Cependant l'expansion du socialisme dans le monde n'a pas que des aspects positifs. Ici, également, il faut tenir compte du fait que les révolutions sociales ne se sont pas produites au même moment dans tous les Etats et qu'il y a des niveaux différents de développement qui tiennent à la fois à l'antériorité de la construction du socialisme en U.R.S.S. et aux différences de potentiel économique et technique.

En 1949, certains Etats avaient encore des économies à prépondérance agricole et étaient, en fait, sous-développés. Ainsi en Bulgarie, 82 % de la population active était occupée dans l'agriculture. En 1970, reconnaît un auteur, Cath. Séranne, qui est loin d'être favorable aux Etats socialistes, « le trait le plus frappant de cette zone économique

(1) Principes du marxisme-léninisme, p. 174.

est la relative égalisation des niveaux de développement dans certains domaines. » Il n'en reste pas moins qu'il subsiste des différences sensibles entre les niveaux de développement qui ne sont d'ailleurs pas toujours à l'avantage de l'U.R.S.S., mais cette dernière conserve le bénéfice d'un potentiel plus élevé et une avance dans certains secteurs. Dans le cadre du C.A.E.M. (1), l'U.R.S.S. représente 89,7 % de la superficie, 69 % de la population, 90 % des ressources énergétiques, etc.

Ces inégalités de développement se traduisent par des différences de poids sur le plan des relations internationales. En outre, dans le cadre de la communauté des Etats socialistes, compte tenu de la persistance du fait national, prévue par Lénine qui y voyait un phénomène social « extrêmement durable » (*supra*, p. 75), il est inévitable que la définition et la mise en œuvre d'une politique commune, surtout si elle vise à l'intégration, se heurte à des difficultés. Comme le relève Nejinsky (*La Vie internationale*, août 1976, p. 134), il subsiste dans le système des Etats socialistes des contradictions non antagoniques qui résultent des inégalités de développement ainsi que des traditions historiques et culturelles. De là à parler d'impérialisme soviétique, il n'y a qu'un pas qui est rapidement franchi. C'est l'accusation portée par la Chine qui voit dans le C.A.E.M. un « instrument de la politique néo-colonialiste, du révisionnisme soviétique ». Un point de vue plus mesuré est présenté par un auteur américain, Wiles, dans son ouvrage *Communist international economics*. « En réalité, écrit-il, l'un des pires malentendus est de présenter le C.A.E.M. simplement comme une extension du pouvoir soviétique. » La vérité est que les inégalités de fait qui existent entre les Etats socialistes constituent une tentation pour l'Etat le plus favorisé d'établir sa domination sur les Etats plus faibles. Nous verrons que cette tentation n'a pas toujours été écartée.

D'un autre côté, l'extension du socialisme dans le monde a fait surgir des interprétations différentes du marxisme-léninisme. La première, la Yougoslavie, a été conduite à s'écarter de la voie soviétique. Sur le plan des relations internationales, cette différenciation se traduira par la participation de la Yougoslavie à l'idéologie du non-alignement (*infra*, p. 327), bien que la constitution de 1974 affirme, par ailleurs, l'adhésion de la Yougoslavie au « principe de l'internationalisme socialiste » (*infra*, p. 337). Surtout, à partir de 1956, après une période d'amitié et de la coopération avec l'U.R.S.S., des divergences ont com-

(1) Conseil d'assistance économique mutuelle. En anglais, C.O.M.E.C.O.N. (Council for mutual economic assistance). En russe, S.E.V. (Sovet ekonomicheskoj vzaimopomoschchi). Voir, sur ce point, la deuxième partie.

mencé à apparaître entre la Chine et l'U.R.S.S. à propos de la politique de coexistence pacifique, des formes de passage au socialisme et de l'appréciation de l'action de Staline. Le conflit apparut au grand jour lors du XXIIe Congrès du P.C.U.S., en 1961. L'U.R.S.S. est accusée de révisionnisme, les Chinois prétendant défendre les vrais principes du marxisme-léninisme.

Il est évident que ces divergences contribuent à affaiblir la position des Etats socialistes dans le monde, dans la mesure où elles conduisent les Etats qui n'acceptent pas l'intégralité des thèses définies par la majorité des Etats socialistes à poursuivre une politique étrangère qui, sur certains points, est opposée à celle de la majorité. D'où des tensions, voire des conflits inévitables, mais non pas insolubles, car il n'y a pas, quoiqu'en pense M. Merle, de contradictions antagoniques. En effet, ces contradictions ne doivent pas masquer le fait que tous les Etats socialistes ont finalement des formations sociales qui reposent sur des principes identiques et qui s'opposent aux formations sociales des Etats capitalistes, ce qui se traduit, au plan des relations internationales, par des conceptions et des politiques différentes, ainsi que nous le verrons dans la deuxième partie.

BIBLIOGRAPHIE

Sur l'économie des Etats socialistes, voir l'ouvrage de Mme LAVIGNE, Coll. U, A. Colin.

Sur l'économie de l'U.R.S.S., voir P. GEORGE, Coll. *Que sais-je ?*, et J. COLE, *L'U.R.S.S.*, Coll. U, A. Colin, 1969.

Sur l'enseignement, voir l'ouvrage de LE THANH KHÔI, *L'industrie de l'enseignement*, Les Editions de Minuit, 1967, et l'*Annuaire statistique de l'U.N.E.S.C.O.*

Sur les institutions des Etats socialistes, voir l'ouvrage de R. CHARVIN, *Les Etats socialistes européens*, Dalloz, 1975 (met bien en évidence les diversités et l'unité).

Sur l'histoire des relations internationales, il existe, en langue russe, deux ouvrages publiés sous la direction de V. G. TROUKHANOVSKI : l'un pour la période qui va de 1870 à la deuxième guerre mondiale (3 vol., 1961-1964), l'autre pour la période actuelle (3 vol., 1962-1965). En Français, voir de J. ELLEINSTEIN, *Histoire de l'U.R.S.S.*, 4 vol., Ed. soc., 1974. Plus accessible est le *Que sais-je ?* de BRUHAT sur l'U.R.S.S. et l'histoire parallèle d'ARAGON, Presses de la Cité, 1972.

Voir en Russe l'ouvrage collectif, *Le socialisme et les relations internationales*, Ed. Naouka, Moscou, 1975, 424 p., et en Français, *Histoire de la politique extérieure de l'U.R.S.S.* (1945-1970), Ed. du Progrès, Moscou, 1974.

Sur l'apparition de nouveaux Etats socialistes, voir notre cours de « Politique comparée du Tiers Monde », *Les Cours de Droit,* 1975.

Sur les conceptions divergentes de l'U.R.S.S. et de la Chine, voir :

— Mario BETTATI, *Le conflit sino-soviétique,* Coll. U2, A. Colin, 1971 (bibliographie).

— J. YIN, *Sino-Soviet dialogue on the problem of war. La Haye,* 1971 (bibliographie).

— *Leninism on social imperialism* (édition en langues étrangères), Pékin, 1970.

C. — LES ETATS ET PAYS DU TIERS MONDE

Si nous mettons à part le Tiers Monde, ce n'est pas parce qu'il constituerait un monde radicalement différent des deux autres. Même si, comme le soutient Régis Debray (*La critique des armes,* Seuil, 1974), l'expression « Tiers Monde » est un « coup de génie de l'idéologie bourgeoise », un « vocable européocentriste et aliénant », « une des plus belles escroqueries théoriques de l'époque », etc., il n'en reste pas moins que cette expression désigne une catégorie particulière d'Etats, ce qui ne veut pas dire qu'ils ont des formations sociales nécessairement distinctes des deux catégories précédentes. En effet, ces formations relèvent soit du type socialiste (Chine, Corée, Vietnam, Laos, Cambodge, Mongolie extérieure, Cuba), soit du type capitaliste, pur ou mitigé par l'adoption de voies spécifiques (asiatiques, arabes, africaines) du « socialisme », ou de la voie non capitaliste du développement.

Ce qui fait la spécificité du Tiers Monde, c'est qu'il englobe tous les pays qui, à un moment déterminé de leur histoire, ont subi la domination, globale et multiforme, des puissances capitalistes (y compris la Russie tsariste) et n'ont pas encore réussi à effacer complètement les effets néfastes de siècles ou de décennies de domination. Il s'agit donc d'une *catégorie d'Etats historiquement définie,* destinée à s'amenuiser au fur et à mesure qu'ils réaliseront leur libération ou, si l'on préfère, que leur souveraineté deviendra effective. Il ne s'agit donc pas d'un « mythe », d'une « nébuleuse » aux contours très vagues, mais d'une réalité historique, ce qui constitue un critère scientifique, à condition de bien vouloir regarder l'histoire en face.

I. — LA GESTATION DU TIERS MONDE.

Cette perspective historique permet de comprendre le phénomène du sous-développement, sur lequel il y a une littérature considérable sans que, pour autant, les spécialistes aient réussi à s'entendre. Le problème serait plus facile à résoudre si on voulait bien admettre que ce qu'il est convenu d'appeler le sous-développement résulte de la conjonction de deux séries de facteurs : des formations sociales demeurées à un stade inférieur de développement (mode de production féodal ou asiatique, communauté primitive) et la rencontre brutale avec un mode de production plus évolué, le mode de production capitaliste, porté, par sa nature, à établir sa domination sur les précédentes. C'est le phénomène du colonialisme ou, de façon plus générale, de l'impérialisme. Il est vrai, comme le remarque H. Madgoff, que « les érudits bien élevés ont pour règle de ne jamais employer le terme impérialisme », sinon pour le tourner en dérision ou le retourner contre ceux qui l'emploient pour mettre dos à dos les Etats capitalistes et les Etats socialistes ». Généralement, on préfère parler, à propos du Tiers Monde, de pauvreté, d'arriération, de sous-évolution, d'écarts ou de retards de développement, qui pourraient être comblés par l'aide internationale, considérée un peu comme une aumône des riches aux pauvres.

Au-delà de cette mythologie entretenue par les travaux des spécialistes, on feint d'oublier qu'il y a historiquement un lien entre le développement des Etats capitalistes et le sous-développement du Tiers Monde, que c'est la constitution d'un système capitalisme mondial qui a contribué à créer ces deux pôles contradictoires mais unis (deux en un, un en deux) : le pôle positif du développement et le pôle négatif du sous-développement.

On est obligé de constater que le déferlement de l'Europe sur le monde à coïncidé avec la naissance et le développement du capitalisme en Europe, ce qui fait présumer qu'il y a une relation de cause à effet entre les deux phénomènes. Il y a évidemment une image d'Epinal du colonisateur ou du conquérant européen, religieusement transmise par les manuels scolaires. On le présente volontiers comme un être noble, mû par des sentiments altruistes ou la recherche de la gloire (cf. R. Aron, « Impérialisme et colonialisme », in *Etudes politiques*). On ajoute même que l'opinion publique dans les Etats coloniaux n'a pas toujours été favorable à l'expansion coloniale (*infra,* p. 321 et s.).

La vérité est que le facteur déterminant a été, en dernier ressort, sous une forme ou sous une autre, d'ordre économique, ce qui ne veut pas dire que d'autres facteurs n'aient pas exercé une influence. Porteurs de foi, donnant le salut, les conquérants européens ont toujours été des chercheurs de gain, prenant le profit là où son niveau était le plus élevé et le mieux garanti. Cette motivation n'a pas changé à l'ère du néo-colonialisme. On voit, par exemple, la revue patronale *L'usine nouvelle* (24 septembre 1970) mentionner parmi les « avantages naturels » (sic) de l'île Maurice les taux de salaires très bas (100 à 300 F par mois). De même le dirigeant d'une société des E.U.A. relève qu'un investissement en Namibie assure un taux moyen de profit de 27 %, c'est-à-dire le double du profit réalisé aux E.U.A.

En outre, le fait qu'on trouve effectivement, à toutes les époques, un anticolonialisme bourgeois prouve seulement que les sociétés capitalistes sont traversées par des contradictions qui portent certaines couches de la bourgeoisie, en fonction de leurs intérêts spécifiques du moment (facteur « temps »), à désapprouver les conquêtes coloniales, mais non l'expansion dans le monde.

La cause véritable de l'impérialisme et du colonialisme explique que le but des puissances capitalistes n'a pas été de transformer de fond en comble les sociétés dominées ou colonisées en leur transmettant intégralement leur propre modèle et notamment les fruits de la révolution industrielle. Au contraire, la domination économique implique la ruine des économies dominées (voir, par exemple, la ruine du tissage en Inde). Le pays dominé ou colonisé se voit assigner, dans le cadre d'une division internationale du travail imposée, le rôle de pourvoyeur de matières premières et doit s'ouvrir aux marchandises et, éventuellement, au flot des immigrants européens, parfois expulsés de leur patrie pour des raisons de sécurité, d'ordre public (condamnés de droit commun, chômeurs, révolutionnaires).

De façon générale, les formations sociales des pays dominés ou colonisés ne sont pas de simples répliques des formations sociales des Etats capitalistes, mais des formations plus ou moins modifiées, selon la force de l'impact, par l'introduction du mode de production capitaliste, devenu le mode de production dominant, ce qui implique une hiérarchie des formations sociales. Ainsi la domination produit parallèlement le développement des métropoles et le sous-développement des pays dominés.

II. — Le tiers monde actuel.

Sauf dans les Etats socialistes et, à moindre degré, dans les pays qui suivent une voie de développement non capitaliste (Etats à orientation socialiste), où des progrès ont été enregistrés, la situation ne s'est guère modifiée depuis les indépendances. Comme par le passé, on continue de nier ou de minimiser la corrélation entre l'Etat de dépendance de la plupart des Etats de Tiers Monde par rapport aux Etats capitalistes et le maintien du sous-développement, voire « le développement du sous-développement » (titre d'un ouvrage de A. Gunder-Franck). Ainsi, Pour M. Merle, « c'est le décalage dans l'évolution de la technique plus que les différences de régimes politiques, économiques et sociaux qui a creusé le fossé » (*Cours,* p. 163). Il suffirait, par conséquent, d'injecter à haute dose aux Etats du Tiers-Monde des capitaux « et surtout des techniques » pour les sauver.

Cette affirmation est en contradiction avec les faits. D'abord, cette injection ne produit pas nécessairement le développement. L'exemple ivoirien ou brésilien, qui fait crier au miracle, montre qu'il y a croissance, mais non développement, qu'il s'agisse de développement économique, social, culturel ou politique, parce que la dépendance subsiste et même se renforce et que les inégalités sociales s'aggravent. Inversement, l'exemple des Etats socialistes montre que le sous-développement peut être combattu efficacement dans le cadre d'un régime qui s'efforce réellement de faire disparaître progressivement les effets de la domination qu'ils ont subie. Personne ne conteste plus aujourd'hui que la Chine est devenue une grande puissance, qui ne peut plus être ignorée. Si des résultats comparables n'ont pas pu être atteints dans d'autres Etats du Tiers Monde (Inde par ex.), comparables par leur masse et leurs ressources, c'est que la rupture entre le noyau central du système capitaliste et la périphérie ne s'est pas produite.

Pour expliquer la situation actuelle des Etats du Tiers Monde, qualifiés de néo-colonies, il n'est pas possible de simplifier : il faut tenir compte des facteurs endogènes et des facteurs exogènes. En fait, comme l'a souligné Mao Ze Dong, ces derniers ne peuvent jouer que dans la mesure où la nature de la formation sociale le permet. Ceci explique d'ailleurs les interventions extérieures destinées à soutenir ou à détruire les régimes politiques du Tiers Monde, selon qu'ils sont disposés ou non à tolérer leur situation de dépendance (cf. le Chili ou le Zaïre).

Ces interventions, ouvertes ou occultes, armées ou non armées, ne sont d'ailleurs pas les seuls moyens utilisés. Nous avons exposé dans notre cours de « Vie politique du Tiers Monde » (Les Cours de Droit, 1972-1973) comment, par différents mécanismes, y compris ceux de l'aide internationale, la plupart des Etats du Tiers Monde sont maintenus solidement arrimés au système capitaliste. Sur ce point, l'Etat et les entreprises privées conjuguent leurs efforts pour perpétuer une situation de dépendance qui plonge ses racines dans le passé colonial ou semi-colonial et qui explique les traits caractéristiques de ce qu'il est convenu d'appeler le sous-développement.

Cette situation produit — nous le verrons — des conséquences importantes sur le plan international, soit que les Etats du Tiers Monde cherchent à briser les liens de dépendance en adoptant le socialisme ou une orientation socialiste, soit qu'ils cherchent à atténuer les effets de la dépendance en adoptant des positions communes sur les problèmes internationaux, ce qui a donné naissance, par exemple, au groupe des 77 dans le cadre de la C.N.U.C.E.D. (1) ou la formation de groupes au sein de l'O.N.U. En fait, on peut dire qu'il n'y a pas un seul aspect des relations internationales qui ne soit affecté par l'existence du Tiers Monde sur la scène internationale (*infra*, p. 285 et s.).

BIBLIOGRAPHIE

Sur l'évolution des problèmes internationaux et le Tiers Monde, voir l'*Annuaire du Tiers Monde*, Ed. Berger-Levrault (depuis 1976). On y trouve également une abondante bibliographie classée par grands thèmes.

Sur le Tiers Monde en général, voir notre cours de « Politique comparée du Tiers Monde », *Les Cours de Droit*, 1975, et l'ouvrage d'Edmond JOUVE, *Relations internationales du Tiers Monde*, Ed. Berger-Levrault, 1976.

Sur les relations du développement et du sous-développement, voir Y. BENOT, *Qu'est-ce que le développement ?* Maspero, 1973, et l'ouvrage d'Y. LACOSTE, *Géographie du sous-développement*, P.U.F., 1976, 2e édition.

Sur l'impérialisme, voir :

— H. MAGDOFF, *L'âge de l'impérialisme*, Maspero, 1970.

— S. AMIN, *Le développement inégal*, Les Editions de Minuit, 1976 (bibliographie détaillée). *Impérialisme et sous-développement en Afrique*, Ed. Anthropos, 1976 (recueil d'études).

— A. P. LENTIN, *La lutte tricontinentale*, Maspero, 1966.

— R. OWEN et B. SUTCLIFFE (sous la direction de), *Studies in the theory of imperialism*, Longman, Londres, 1972.

Sur les effets de l'aide, voir l'ouvrage de Tibor MENDE, *De l'aide à la recolonisation*, Seuil, 1972.

Sur le néo-colonialisme, voir V. VAKHROUCHEV, *Le néo-colonialisme et ses méthodes*, Les éditions du Progrès, Moscou, 1974, et l'article de B. SOLOVIEV, Les leviers économiques de la politique néo-colonialiste, *La Vie internationale*, déc. 1976.

Adde l'ouvrage de Ch. PAYER, *The debt trap. The international monetary fund and the third World*. The monthly review Londres, 1974.

Sur les relations de l'U.R.S.S. et du Tiers Monde, voir la thèse précitée d'A. SAINT-GIRONS.

(1) Conférence des Nations-Unies pour le commerce et le développement. En anglais ; U.N.C.T.A.D.

SECTION III

LES CONSTELLATIONS D'ETATS

Dans une certaine mesure, les constellations d'Etats dépendent de la nature des formations sociales en présence. Ainsi les Etats socialistes pourraient être considérés comme une constellation, ce qui confirmerait le terme péjoratif de « satellites » utilisé pour caractériser la situation des Etats socialistes par rapport à l'U.R.S.S. En fait, il n'y a pas coïncidence absolue entre les types de formation sociale et les constellations d'Etats. Tout en étant liés, ces deux ordres de phénomènes demeurent distincts. Ceci pose un problème théorique : comment définir les constellations d'Etats ? En fonction de la solution apportée à ce problème, nous analyserons ensuite la pratique internationale.

§ 1. — LE PROBLEME THEORIQUE

En 1954, dans la *Revue française de Science politique,* R. Aron consacrait un article à « l'analyse des constellations diplomatiques ». Fidèle à son attitude éclectique, ondoyante et diverse, impressionniste, R. Aron ne définissait pas de façon abstraite le concept de constellation diplomatique. Il préférait adopter « une pluralité de points de vue », à partir desquels il est difficile de savoir ce que R. Aron entend au juste par constellation diplomatique. Nous verrons qu'à défaut de définition, il indique un jeu de critères qui permettent de repérer les constellations diplomatiques.

Pour notre part, nous partirons de la constatation que la société internationale des Etats a toujours été divisée en groupements relativement stables, possédant une certaine permanence dans le temps. Comme nous l'avons vu, l'Empire mondial ou l'Etat mondial relèvent de l'utopie. Nous appellerons donc constellations d'Etats les *groupements d'Etats, relativement stables, articulés autour d'un ou plusieurs Etats, et qui font apparaître des relations d'un type particulier.*

Cette définition est encore vague, car elle ne mentionne pas le critère qui permettrait de définir la nature de la constellation. Il convient donc de le préciser.

A. — Les pôles de puissance.

La plupart des analyses utilisent le concept de pôles de puissance. Les pôles joueraient un rôle comparable à celui d'un aimant qui attirerait irrésistiblement les Etats en fonction des puissances respectives. C'est dans ce sens que R. Aron, parlant de l'influence du fort sur le faible, écrit que « les Etats-Unis (par une sorte de fatalité historique. P.F.G.) y sont condamnés par leur puissance même ». Ce concept conduit à parler de systèmes définis en fonction des pôles de puissance. D'où l'expression de système bipolaire utilisée par Morton Kaplan. Nous ne reviendrons pas sur les idées de Morton Kaplan, sinon pour indiquer qu'elles ont influencé les spécialistes des R.I., même lorsqu'ils le critiquent. C'est le cas notamment de R. Aron, qui, « selon son habitude, formule ses propres idées tout en critiquant les idées des autres » (O. R. Young, *Aron et la baleine,* Ouvrage précité). Il a donc retenu l'idée de pôle (qui cadre avec sa vision de la société internationale) tout en rejetant la thèse de M. Kaplan, selon laquelle il y aurait des règles rationnelles (normatives et prédictives) qui s'imposeraient aux Etats (*supra,* p. 59 et s.).

Pour R. Aron, les pôles se définissent en fonction de la répartition des forces dans la société internationale. Il distingue à cet égard, entre la force potentielle et la force actuelle. La force potentielle est « l'ensemble des ressources naturelles, humaines et morales que chaque unité possède sur le papier ». La force actuelle correspond aux « ressources mobilisées pour la conduite de la politique extérieure, en temps de guerre ou en temps de paix ». Entre l'une et l'autre s'interpose la mobilisation, c'est-à-dire la capacité et la volonté d'un Etat de mettre en œuvre la force potentielle pour réaliser ses objectifs.

Ce point de départ explique que R. Aron parle de « configuration » de rapports de forces, tandis que M. Merle, qui suit de près l'analyse de R. Aron, parle de « combinaison » de forces. Selon R. Aron, « la répartition des forces sur le champ diplomatique (ce qui rappelle le champ magnétique - P.F.G.) est une des causes qui déterminent le groupement des Etats ». Mais il ajoute que « la conduite extérieure des Etats n'est pas déterminée par le seul rapport des forces : idées et sentiments influent sur la décision des acteurs ». On reconnaît ici l'éclectisme de R. Aron qui se refuse à distinguer entre les variables en précisant quelle est la variable déterminante.

Sur la base de ce second facteur, qui est d'ordre culturel, R. Aron reconnaît l'existence de systèmes homogènes « dans lesquels les Etats appartenant au même type obéissent à la même conception de la politique » et les systèmes hétérogènes « dans lesquels les Etats sont organisés selon des principes autres et se réclament de valeurs contradictoires ».

En combinant le rapport de forces et l'homogénéité ou l'hétérogénéité, R. Aron distingue le système multipolaire homogène et le système bipolaire hétérogène. Cette analyse rejoint celle de M. Kaplan qui distingue le système de l'équilibre du pouvoir, qui n'est pas autre chose que le système multipolaire de R. Aron, et le système bipolaire souple. Elle procède du même esprit. Comme M. Kaplan, R. Aron établit une opposition entre les deux systèmes. Le système homogène comporterait une plus grande stabilité parce que les hommes d'Etat obéiraient, sinon à des règles rationnelles à la fois normatives et prédictives, comme le voudrait M. Kaplan, du moins à des « règles éprouvées ou à des coutumes » et parce que l'homogénéité du système limiterait la violence. En revanche, « l'hétérogénéité du système développe des conséquences contraires ».

Il y aurait cependant un trait commun aux deux systèmes. « Quelle que soit la configuration, écrit R. Aron, la loi la plus générale de l'équilibre s'applique. » Ainsi, dans le système multipolaire homogène, l'Etat dont les forces s'accroissent voit ses partenaires rejoindre l'opposition afin de rétablir l'équilibre. En outre, cet Etat doit s'attendre à l'hostilité des autres Etats s'il ne modère pas ses ambitions. De même, dans le système bipolaire, où les Etats se groupent, selon leurs affinités, autour des deux Etats les plus forts, il y aurait une recherche constante de l'équilibre, avec des risques plus grands en raison de l'hétérogénéité des systèmes.

Toute cette analyse repose, en définitive, sur l'idée qu'à toutes les époques, le jeu international se ramène, pour l'essentiel, à un rapport de forces, plus ou moins aveugles, tempéré par l'équilibre.

Qu'il y ait un problème de rapports de forces dans le domaine des relations internationales, personne n'en disconviendra. Encore conviendrait-il de souligner la nature des forces en présence. Les forces ne sont pas impersonnelles. Il faut tenir compte des caractéristiques de la formation sociale, qui, derrière l'écran de l'Etat, font apparaître les intérêts contradictoires des classes ou catégories sociales, et des objectifs poursuivis par chaque formation sociale, qui ne relèvent pas seulement des sentiments et des idées.

Quant au concept d'équilibre, il a fait l'objet de critiques pertinentes sur le plan théorique. Il implique que les alliances et les coalitions ou l'action de l'Etat le plus puissant seraient motivées par le souci de préserver la stabilité relative de la société internationale. Or, comme le remarque Burton (*op. cit.,*), le résultat peut être tout à fait différent. Loin d'aider à réaliser un équilibre, elles peuvent aussi bien aggraver les tensions et la suspicion. Autrement dit, « le mécanisme est capable de créer les conflits qu'il a pour objectif de prévenir ». Au mieux, la politique de l'équilibre risque fort d'être un instrument destiné à préserver le statu quo au bénéfice des nantis et au détriment de ceux qui en sont les victimes et souhaitent un changement. Enfin, présenter l'équilibre comme la loi d'airain des relations internationales, c'est verser dans le déterminisme, dans la mesure où on pense que cette loi joue fatalement, au besoin en faisant intervenir la guerre, comme moyen de rétablir l'équilibre.

D'un point de vue historique, la politique de l'équilibre paraît bien mythique. Dans le cadre du système multipolaire homogène, il faut bien constater que chaque Etat a tendance à considérer que le principe de l'équilibre est bon pour les autres, mais non pour lui. Autrement dit, chacun s'efforce de sortir du système de l'équilibre pour tenir la balance et établir une hégémonie, peut-être même un empire, sur tous les autres Etats. On raconte que Henri VIII d'Angleterre avait peint dans sa main droite une balance en équilibre, la France occupant l'un des plateaux et l'Autriche l'autre plateau. Dans sa main gauche, il avait peint un poids prêt à tomber sur un des plateaux. Ce fut la politique que chercha à pratiquer l'Angleterre pendant tout le cours du XVIIIe siècle.

Considéré comme un principe modérateur, un frein à la frénésie du pouvoir, le principe de l'équilibre ne fit en fait que traduire les intérêts des Etats européens et fut impuissant à constituer une limite à la politique de puissance des Etats.

B. — Le concept d'hégémonie.

En réalité, le critère qui paraît le meilleur pour définir les constellations d'Etats est celui d'hégémonie. Il implique la capacité et la volonté d'un Etat ou d'un groupe d'Etats de dominer un autre Etat ou un autre groupe d'Etats en violant ainsi leur souveraineté. Il ne s'agit donc pas d'une sorte de fatalité historique, comme le laisse entendre R. Aron, mais d'une politique mûrement réfléchie.

A la racine de l'hégémonie, on trouve la loi du développement inégal (*supra,* p. 131). Les inégalités de développement créent les conditions propres à l'établissement des hégémonies. Poussée à l'extrême, la tendance hégémonique conduit à l'absorption des plus faibles par le plus fort, c'est-à-dire aux guerres de conquête, coloniales ou autres, destinées à accroître la puissance de l'Etat. A l'époque contemporaine, où la guerre est condamnée par le Droit, les phénomènes d'hégémonie demeurent généralement en deçà de ce seuil en ce sens qu'ils respectent, en apparence, la souveraineté des Etats, tout en les plaçant dans une situation de dépendance qui fait que la souveraineté n'a plus aucune réalité. Ils constituent, par conséquent, une variété d'impérialisme au sens large du terme.

Il faut rappeler, à cet égard, que la théorie de l'impérialisme, développée par Lénine dans son ouvrage *L'impérialisme, stade suprême du capitalisme,* n'était pas une théorie générale. Il ne visait qu'une époque du capitalisme, parvenu au stade des monopoles, et cherchait à expliquer les rapports entre les Etats capitalistes et les pays colonisés ou semi-colonisés. Or, aujourd'hui, le problème n'est pas tout à fait le même. Il y a un nouvel impérialisme, un « impérialisme sans colonies » pour reprendre le titre d'une étude de Magdoff, parue dans l'ouvrage collectif *Studies on the theory of imperialism.* Nous reviendrons sur le problème de l'impérialisme. Qu'il nous suffise pour l'instant de relier les phénomènes d'hégémonie à la nature des formations sociales et à l'inégal développement des Etats.

Par nature, les formations sociales de type capitaliste sont portées à l'hégémonie, car la loi suprême du capitalisme est la loi du profit maximum, ce qui conduit le plus fort à dominer le plus faible. Mais les Etats socialistes ne sont pas à l'abri de déviations par rapport aux principes du marxisme-léninisme. A cet égard, la période stalinienne et la conjoncture internationale avaient créé des conditions favorables au développement d'une tendance hégémonique en U.R.S.S. La différence avec les hégémonies capitalistes est que, par nature, le socialisme est à l'opposé de l'hégémonie, ce qui a permis de revenir à des conceptions plus saines des relations internationales. Cependant, le danger est toujours présent. Il implique une grande vigilance.

Si le concept d'hégémonie permet d'éclairer les types de rapports entre les Etats, il convient d'ajouter que les hégémonies ne sont jamais durables, même si elles ont une certaine permanence. D'abord, la puissance des Etats ne demeure pas constante. Elle s'accroît ou elle décline en fonction de différents facteurs. Ensuite, les phénomènes hégémoniques entraînent fatalement des réactions de la part de ceux qui les subissent, ce qui conduit soit à l'affaiblissement des positions hégémoniques, soit au renversement de la situation.

La conclusion est qu'on peut bien essayer d'analyser la société internationale en terme de systèmes, mais encore faut-il que les systèmes élaborés correspondent à la réalité internationale, qu'ils soient en prise directe avec le concret, et non pas une spéculation intellectuelle, très éloignée de la réalité. Or, les systèmes d'Etats sont conditionnés, qu'on le veuille ou non, par la nature des structures socio-économiques des Etats, lesquelles ont varié dans le temps (*supra*, p. 135). Si l'on admet ces liens entre le contenu social de l'Etat et son comportement dans la société internationale, il devient alors évident que les systèmes d'Etats ou les constellations d'Etats ont également varié selon les époques. Pour faire une analyse complète, il faudrait se situer à différents niveaux, essentiellement à deux niveaux : le niveau universel, celui du système international global et, d'autre part, les niveaux régionaux, lesquels font apparaître des sous-systèmes à l'intérieur du système international global.

§ 2. — LA PRATIQUE INTERNATIONALE

Jusqu'au début du XIXe siècle, la société internationale est caractérisée par son hétérogénéité à tous les points de vue, qu'il s'agisse du développement économique, culturel ou social. Certains Etats qui étaient entrés les premiers dans la voie du développement capitaliste avaient atteint un degré de développement infiniment supérieur à celui des autres Etats. D'autres Etats — qui étaient demeurés à un mode de production de type « féodal » — se trouvaient placés dans une situation d'infériorité (*supra*, p. 124 et s.).

A. — L'HÉGÉMONIE EUROPÉENNE.

Cette situation s'est traduite sur le plan international par l'hégémonie européenne dans le monde. Ses manifestations furent les phénomènes de colonisation, de conquête coloniale, mais aussi des phénomènes de domination économique et politique, même s'il n'y avait pas formellement conquête coloniale (Chine, par exemple). Dès cette époque, il existait donc un champ diplomatique universel. Contrairement à l'opinion soutenue par R. Aron, l'universalisation du champ diplomatique (*supra*, p. 134) n'est pas une caractéristique exclusive de la période contemporaine. Le déferlement de l'Europe sur le monde est un phénomène très ancien qui remonte à la fin du XVe et au début du XVIe siècle. La différence entre la période actuelle et la période antérieure à la deuxième guerre mondiale est que les pays colonisés ou dominés par les grandes puissances européennes ne participaient pas à la vie internationale. Ils en étaient exclus par l'Europe. Le revirement d'une Europe devenue dominatrice est visible dans l'œuvre des juristes et des écrivains à partir du XVIIe siècle. Au nom de la supériorité de la race blanche ou des civilisations européennes ou de l'inaptitude congénitale des populations colonisées à mettre en valeur leurs ressources et à se gouverner, les pays colonisés ou dominés furent considérés comme étant en dehors de la société internationale. La théorie venait ainsi renforcer la pratique. Il est remarquable que le Japon ne fut admis dans le cercle international réduit qu'à partir du moment où, ayant su tenir l'Europe à l'écart, tout en utilisant ses techniques, il devint une puissance capitaliste et se lança à la conquête de la Chine. Un diplomate japonais, doté d'un humour froid, déclarait à cette occasion : « Nous avons montré que nous étions vos égaux en matière de boucherie scientifique, et aussitôt nous sommes admis à votre table d'hommes civilisés. » Actuellement, les pays anciennement colonisés prétendent, non seulement ne plus être dominés politiquement et économiquement, mais jouer un rôle actif sur la scène internationale.

Jusqu'à la fin du XIXe siècle, la dominante est donc un système d'hégémonie des Etats européens les plus avancés sur la voie du développement capitaliste.

Si on quitte le plan universel pour descendre au niveau régional, c'est-à-dire au niveau européen, on s'aperçoit qu'il n'y a pas d'unité véritable entre les Etats européens, mais au contraire une compétition très vive pour la prépondérance en Europe et dans le monde. Le résultat de cette lutte acharnée dépend dans une très grande mesure du degré de développement atteint par les différents Etats européens, ce qui explique la prépondérance de la Grande-Bretagne, périodiquement contestée et toujours rétablie.

B. — Les deux hégémonies : l'européenne et l'américaine.

A partir du XIXe siècle, le système international se modifie. On est en présence de deux hégémonies qui se partagent le monde : d'une part, l'hégémonie européenne, qui persiste et qui même se développe dans la mesure où le partage du monde s'achève à la fin du XIXe siècle et au début du XXe siècle, et, d'autre part, l'hégémonie des Etats-Unis d'Amérique. Pour des raisons qui lui sont propres, ce pays va connaître un développement extraordinaire tout au cours du XIXe siècle. Sur la base de ce développement, les Etats-Unis vont poser comme fondement de leur politique étrangère deux principes cardinaux : le premier pourrait se traduire par le slogan « L'Amérique aux Américains », le second est le principe de neutralité.

« L'Amérique aux Américains » : cette formule résulte de la célèbre doctrine de Monroe, exprimée dans le message adressé en 1823 par le Président Monroe au Congrès des Etats-Unis, et complétée ensuite par les différents présidents des Etats-Unis d'Amérique. Il découle de cette doctrine que les Etats-Unis entendent interdire aux puissances européennes d'intervenir dans les affaires du continent américain, faire de ce continent une sorte de chasse gardée à l'intérieur de laquelle ils pourraient assurer librement leur propre développement et soumettre à leur influence les Etats américains, en particulier les jeunes républiques d'Amérique latine.

Le principe de la neutralité est jusqu'à la deuxième guerre mondiale un principe constant de la politique étrangère des Etats-Unis d'Amérique, un principe qui apparaîtra dès la fondation des Etats-Unis d'Amérique. Il implique que si les Etats-Unis entendent se réserver le continent américain, d'un autre côté, ils n'entendent pas non plus se mêler des affaires européennes. On pourrait faire observer que les Etats-Unis sont tout de même intervenus dans la première guerre mondiale, mais ils l'ont fait tardivement, en 1917, et ils ne sont intervenus qu'à partir du moment où leurs intérêts fondamentaux, c'est-à-dire leurs intérêts commerciaux menacés par la lutte sous-marine entreprise par l'Allemagne, et leur propre sécurité nationale ont été mis en cause. Au surplus, la première guerre mondiale terminée, les Etats-Unis retournèrent à leur spendide isolement jusqu'à Pearl Harbour. Le Congrès des Etats-Unis refusa d'ailleurs au Président Wilson l'autorisation de ratifier le Traité de Versailles qui créait la Société des Nations, de sorte qu'ils furent absents de cette première grande organisation internationale.

A partir de 1917, ces hégémonies sont contenues dans la mesure où, à la suite de la révolution d'octobre, apparaît l'Union des Républiques socialistes soviétiques. Sans doute ce nouvel état participe-t-il peu à la vie internationale, mais son existence implique qu'au moins dans son propre espace, après les tentatives d'étranglement qui suivirent la Révolution d'Octobre, les deux hégémonies se voient interdire toute activité de caractère dominateur dans la sphère soviétique.

Ce qui limite également, dans une certaine mesure, les phénomènes hégémoniques, c'est l'apparition, entre les deux guerres mondiales, du nationalisme dans les pays soumis à la domination des puissances européennes ou des Etats-Unis d'Amérique. C'est un phénomène avec lequel les puissances sont obligées de compter bien que la grande période des nationalismes se manifestera surtout après la deuxième guerre mondiale.

Il faut enfin rappeler que l'hégémonie européenne perd de son influence au bénéfice de l'hégémonie des Etats-Unis. A partir de la première guerre mondiale, il y a un certain déclin de l'Europe. Il est tout à fait caractéristique que vers les années 30 sont publiés un certain nombre d'ouvrages qui analysent ce phénomène (cf. Spengler, *Le déclin de l'Occident*). Il est aussi caractéristique que c'est à ce moment que l'on commence à parler de l'Union européenne (cf. projet de Briand), considérée comme un moyen de compenser le déclin de l'Europe.

Sous ces réserves, par conséquent, la société internationale est caractérisée, jusqu'à la deuxième guerre mondiale, par une double hégémonie : l'hégémonie européenne et l'hégémonie des E.U.A.

C. — L'EXTENSION DE L'HÉGÉMONIE DES E.U.A. DANS LE MONDE FACE A LA MONTÉE DU SOCIALISME.

Après la seconde guerre mondiale, la situation se modifie. Il y a une hégémonie qui se maintient, qui se confirme et acquiert une dimension mondiale : c'est l'hégémonie des Etats-Unis d'Amérique. Une des conséquences, à première vue paradoxale, de la deuxième guerre mondiale a été d'accroître la puissance aussi bien économique que militaire des Etats-Unis. Un auteur américain, Faulkner, qui a étudié l'histoire économique de l'Amérique, a pu parler d' « ascension vertigineuse de la production industrielle » des Etats-Unis d'Amérique, cette production doublant entre le début de la guerre en Europe et l'entrée en guerre des Etats-Unis, en décembre 1941. Cette nouvelle prospérité économique des Etats-Unis d'Amérique ne correspond pas seulement à la croissance de la production de guerre, mais également à un accroissement impressionnant de la production dans les différents secteurs de l'économie nationale. Elle s'accompagne d'un phénomène qui n'est pas nouveau, mais qui devient plus important : le phénomène de concentration des entreprises. Après la deuxième guerre mondiale, 135 sociétés américaines contrôlent 45 % des installations industrielles des Etats-Unis et assurent près du quart des biens manufacturés dans le monde entier.

Si la puissance économique des Etats-Unis croît dans des proportions fantastiques, il en va de même de leur puissance militaire. A cette époque, et jusqu'en 1950, les Etats-Unis bénéficiaient du monopole de l'arme atomique et, de ce fait même, indépendamment de toute autre considération, ils constituaient une superpuissance militaire avec laquelle aucune autre ne pouvait rivaliser. Ceci explique que, désormais, les Etats-Unis se sentaient investis d'une véritable mission dans le monde. Comme le déclarait, déjà avant la deuxième guerre mondiale, Walter Lippmann : « Nous pouvons témoigner de l'apparition d'une nouvelle puissance appelée à succéder à Rome et à l'Angleterre dans leur tâche pacificatrice, et dont le devoir est de se préparer à l'accomplissement de cette mission. » Désormais, l'hégémonie des Etats-Unis ne se limite plus au continent américain. Son ambition est de rayonner sur le monde entier.

Mais, à côté des Etats-Unis, s'est levée une autre superpuissance comme conséquence du développement économique intervenu entre les deux guerres mondiales, du rôle joué sur la scène internationale pendant la deuxième guerre mondiale, et enfin de la multiplication des Etats socialistes en Europe et en Asie : l'Union des Républiques socialistes soviétiques, qui entend également jouer un rôle de « leadership » dans le monde.

Cependant, immédiatement après la deuxième guerre mondiale, l'U.R.S.S. n'était pas encore en mesure de rivaliser avec les Etats-Unis, car la guerre avait eu pour elle des conséquences différentes. En effet, la production industrielle de l'U.R.S.S. avait baissé dans des proportions considérables alors que celle des Etats-Unis augmentait. A la fin de la guerre, en 1946, la production industrielle de l'U.R.S.S. était tombée à 60 % du niveau qu'elle avait atteint antérieurement à la deuxième guerre mondiale. D'un autre côté, le potentiel humain de l'U.R.S.S. avait subi des atteintes extrêmement graves. Selon certaines estimations (Pirenne, *Les grands courants de l'histoire universelle*, t. VII, p. 208), il y eut, au cours de la guerre, 25 millions de morts en U.R.S.S. Il faudrait y ajouter un déficit très important des naissances. En 1946, on estimait que la population des Républiques socialistes soviétiques avait un déficit de 45 millions par rapport aux prévisions.

En ce qui concerne la puissance militaire, la guerre avait grandement contribué à la renforcer, mais elle était loin d'être comparable à celle des Etats-Unis. En particulier, l'U.R.S.S. ne disposait pas de l'arme atomique.

Sous ces réserves, la scène internationale est dominée par deux groupes d'Etats de force inégale : un bloc dominé par les Etats-Unis d'Amérique, et un bloc dominé par la stature, moins importante, de l'Union des Républiques socialistes soviétiques. Dans une première phase, ces deux groupements d'Etats s'affrontent. Les Etats-Unis emploient tous leurs efforts à organiser le monde dit libre, c'est-à-dire la société des Etats capitalistes qu'on suppose menacée dans son existence même par la volonté d'hégémonie des Etats socialistes, conduits par l'U.R.S.S. Ce fut la période de guerre froide qui se développa jusqu'aux années 1955-1956 et qui, à certains moment, risqua de conduire à une nouvelle déflagration susceptible d'entraîner la destruction de la société internationale.

A partir de 1955-1956, cette situation se transforme, parce que la puissance de l'U.R.S.S. s'est développée. A cette époque, est relancée l'idée de coexistence pacifique, qui apparaît à la suite d'un certain nombre de circonstances, parmi lesquelles il faut mentionner l'équilibre des forces militaires obtenu par la mise au point de l'arme atomique en U.R.S.S. (*infra,* deuxième partie), le changement de direction intervenu en U.R.S.S. après la mort de Staline, en 1953, l'accession d'un grand nombre de pays jusqu'alors colonisés à l'indépendance et la volonté de ces nouveaux Etats de pratiquer une politique de non-alignement à l'égard des deux blocs en présence (*infra,* p. 327), enfin un certain relâchement à l'intérieur des deux blocs, la discipline étant beaucoup moins rigide qu'elle ne l'était immédiatement après la deuxième guerre mondiale.

Ce n'est pas à dire que cette politique de coexistence pacifique exclut totalement la compétition entre les Etats socialistes et les Etats capitalistes ; elle implique au contraire le maintien, on pourrait même dire le renforcement, de la compétition entre les deux blocs. Ce qui est nouveau, c'est que le recours à la violence armée dans les rapports entre les deux systèmes est exclu et que le principe du respect des régimes politiques et socio-économiques différents des Etats appartenant à l'un ou à l'autre bloc est affirmé. D'un point de vue négatif, chaque système renonce à détruire par la force armée l'autre système.

D'autre part, positivement, la coexistence pacifique implique également une volonté de coopération inter-systèmes. C'est ce que les Yougoslaves ont appelé la coexistence active, par opposition à la coexistence passive. On ne se contente pas seulement de s'interdire le recours à la force pour résoudre les problèmes à l'échelle planétaire, mais on affirme également, positivement, que les différences de régime n'empêchent pas que s'institue et se développe dans tous les domaines une coopération entre les deux grands systèmes d'Etats.

Il faut ajouter que la politique de non-alignement, qui caractérise la politique internationale après la deuxième guerre mondiale, va également dans le sens de cette politique de coexistence pacifique. Historiquement d'ailleurs, ce sont deux Etats du Tiers Monde, l'Inde et la Chine, qui, les premiers, ont formulé les principes du « panchila », de la coexistence pacifique, dans un traité adopté en 1955. La politique de non-alignement présente, en effet, deux aspects : négativement, c'est le refus de la domination, d'où qu'elle vienne ; mais positivement, c'est la revendication de jouer un rôle sur le plan international, notamment dans le domaine de la coopération et de la paix (*infra*, p. 327).

Cette politique de coexistence pacifique implique par conséquent que les phénomènes d'hégémonie, qui ont caractérisé la société internationale, avec des variantes, jusqu'à la période contemporaine, tendent à s'atténuer sinon à disparaître à l'échelle mondiale. Cela ne veut pas dire que les phénomènes d'hégémonie aient totalement disparu au niveau des sous-systèmes ; au contraire, à ce niveau, ils subsistent mais ils sont de plus en plus mal supportés.

C'est ainsi par exemple qu'au niveau des Etats capitalistes, la politique pratiquée par le Général de Gaulle a tendu à affranchir la France de la tutelle des Etats-Unis d'Amérique, allant jusqu'à décider le retrait de la France de l'Organisation du Traité de l'Atlantique Nord et à mettre en œuvre une politique de coopération entre la France et les Etats socialistes. De la même façon, certains Etats du Tiers Monde tentent de briser les liens de dépendance qui les unissent aux puissances étrangères. De même, enfin, à l'intérieur de la communauté des Etats socialistes, des tensions se manifestent. Notamment, la Chine et l'U.R.S.S. s'affrontent sur un certain nombre de problèmes. Il y a donc des indices qui montrent à l'évidence que les phénomènes d'hégémonie, à l'intérieur des sous-systèmes, deviennent de plus en plus difficiles à maintenir.

BIBLIOGRAPHIE

Les idées de R. ARON sont exprimées dans son ouvrage *Paix et guerre entre les nations,* p. 103 et s., 367 et s.

Sur la pratique internationale, voir les manuels et ouvrages d'histoire diplomatique ou d'histoire des relations internationales. Voir notamment l'ouvrage de J.-B. DUROSELLE, *Histoire diplomatique de 1919 à nos jours,* Dalloz.

Sur « les dominations socio-économiques dans le monde », voir sous ce titre l'ouvrage publié par les Ed. L'Harmathan en 1975 (notamment les communications de M. ROCARD et A. P. LENTIN).

Sur l'hégémonie européenne dans le monde, voir par exemple R. LURAGHI, *Histoire du colonialisme,* Coll. Marabout Université, 1964, et, pour l'Afrique, notre ouvrage sur les *Systèmes politiques africains,* 2 vol., Librairie générale de Droit, 1972-1974, 2e Ed. 1977. Voir aussi les ouvrages cités dans la bibliographie sur le Tiers Monde (*supra,* p. 156).

Sur l'hégémonie américaine, comparer l'ouvrage de R. ARON, *République impériale,* Calmann-Lévy, 1973, et l'ouvrage de Cl. JULIEN, *L'Empire américain,* 2e édit., 1973. Voir aussi l'ouvrage de P. QUEUILLE, *L'Amérique latine. La doctrine Monroë et le panaméricanisme.*

Sur l'Europe, voir l'ouvrage collectif *L'Europe avec un grand E,* Laffont, 1973 (« L'Europe et le Monde », « L'Europe et les Etats socialistes », « L'Europe et le Tiers Monde »).

Sur les Etats socialistes, voir les ouvrages cités dans la bibliographie relative aux Etats socialistes, p. 151.

Sur le rôle du Japon en Asie, voir J. HALLIDAY, *Japanese imperialism to-day,* Penguin books, 1973 (trad. franç., Seuil, 1973).

Ajouter les ouvrages sur l'impérialisme cités p. 156 et 339.

CHAPITRE II

L'AVENEMENT DES ORGANISATIONS INTERNATIONALES (O.I.) (1)

Les O.I. sont des groupements d'Etats, créés par accord entre les Etats fondateurs et dotés, comme les Etats, d'une certaine personnalité internationale et d'un appareil permanent qui leur permettent de poursuivre la réalisation des objectifs définis par l'accord de base.

L'existence des O.I. soulève trois sortes de problèmes :

— Pour quelles raisons les O.I. sont-elles apparues ?

— Quelle est la nature des O.I. ?

— Quelle est leur place dans la société internationale par rapport aux Etats ?

SECTION I

POURQUOI DES ORGANISATIONS INTERNATIONALES ?

Comme les Etats, les O.I. sont un produit de l'histoire. Par suite, les raisons qui expliquent la création des O.I. et leurs caractéristiques varient selon l'époque considérée.

De façon très schématique, on peut dire qu'il y a eu, historiquement, trois générations d'O.I., chacune de ces générations marquant un certain progrès théorique dans l'évolution.

(1) Nous n'étudions ici que l'évolution, la typologie et le problème de savoir dans quelle mesure une O.I. est un acteur plus ou moins autonome sur la scène internationale. Le problème des fonctions et des activités des O.I. est abordé dans la 2e partie. Il convient donc de compléter les développements qui vont suite par les développements ultérieurs. Voir les renvois et consulter l'index.

§ 1. — LA PREMIERE GENERATION D'ORGANISATIONS INTERNATIONALES. LA PRIMAUTE DE L'ECONOMIE

L'importance de l'économie, et plus précisément son internationalisation (*supra*, p. 134) est clairement démontrée par l'influence très directe qu'elle exerce sur la création des premières organisations internationales. En fait, il y a un lien de causalité entre ce phénomène nouveau, de caractère superstructurel, et l'évolution des économies capitalistes.

A. — Les commissions fluviales internationales

Les premières organisations internationales qui apparaissent au début du XIXe siècle sont *les commissions fluviales internationales*, créées pour essayer de régler les problèmes posés par l'utilisation des fleuves internationaux, c'est-à-dire les fleuves qui bordent le territoire de deux ou plusieurs Etats, ou qui traversent les territoires de différents Etats. Etant donné le caractère de ces fleuves, il est évident qu'ils ont une importance considérable pour les échanges internationaux, non seulement pour les Etats sur le territoire desquels ils coulent, mais également pour les autres Etats.

L'utilisation des fleuves internationaux pour les besoins des échanges commerciaux se heurtait, au début du XIXe siècle, à un grand nombre de difficultés. A l'époque, chaque Etat se considérait en quelque sorte comme propriétaire exclusif de la partie du fleuve située sur son territoire. Dans ces conditions, il prétendait se réserver le monopole de l'utilisation du fleuve et, en tout cas, le droit exclusif de lever des taxes sur les transports fluviaux. Une telle situation devenait parfaitement intolérable à partir du moment où, la production industrielle s'étant accrue dans des proportions considérables, le commerce international lui-même s'était intensifié. Il devenait nécessaire de lever les barrières constituées par les frontières des Etats.

Dans une première étape, une solution fut imposée de façon unilatérale. En 1792, un décret pris par le Conseil exécutif provisoire de la Convention mit fin au régime juridique antérieur pour deux fleuves : la Meuse et l'Escaut. Ce décret français posait le principe de la liberté de navigation. Comme conséquence des victoires remportées par les armées de la Révolution et de l'Empire, il fut étendu, par voie de traité, à l'un des fleuves européens les plus importants, c'est-à-dire au Rhin.

Cette idée de la liberté de navigation sur les fleuves internationaux fut retenue par les puissances alliées lors du Congrès de Vienne. L'acte final du Congrès de Vienne de 1815 formulait pour le Rhin le principe de la liberté de navigation, tout au moins en matière commerciale. Le principe ainsi posé pour le Rhin fut ensuite étendu à d'autres fleuves européens, et même africains, par voie de convention internationale. Non seulement le principe de la liberté de navigation était posé, mais l'acte final du Congrès de Vienne prévoyait également l'existence d'un organisme permanent, une commission internationale, chargée de régler les problèmes posés par la navigation sur le Rhin. Ce système de commission permanente, qui faisait ainsi apparaître une organisation internationale, fut également adopté par la suite pour d'autres fleuves européens. Par exemple, le traité de Paris de 1856, qui mit fin à la guerre de Crimée, adopta un système analogue pour le Danube.

Ainsi le système des commissions fluviales internationales, qui constitue le premier exemple d'organisation internationale, ne fut pas du tout, comme on l'a dit parfois, le résultat d'une volonté de coopération des Etats intéressés, la manifestation d'une solidarité internationale quelconque. Il fut imposé par les grandes puissances alliées, vainqueurs des guerres de l'Empire, qui avaient un intérêt très direct non seulement à ce que fût proclamé internationalement le principe de la liberté de navigation sur les fleuves internationaux, mais à ce qu'existât une organisation permanente chargée de résoudre les problèmes posés par l'application de ce principe.

Ceci explique qu'il y eut un certain nombre de résistances à la mise en œuvre de ce système de la part des Etats riverains. C'est ainsi que pour le Rhin, alors que le système avait été institué dès 1815, la commission centrale prévue par l'acte final du Congrès de Vienne ne commença à fonctionner que 16 ans plus tard, en 1831, en raison des résistances opposées par les Etats riverains. De la même façon, en ce qui concerne le Danube, la Roumanie, Etat principalement intéressé, ne cessa d'émettre des protestations extrêmement vives contre les pouvoirs reconnus à la commission européenne créée par le Traité de 1856. Quoi qu'il en soit, les nécessités du commerce international avaient suscité l'apparition des premières organisations internationales.

Le problème fut quelque peu différent pour une deuxième série d'organisations internationales : les unions administratives.

B. — Les unions administratives

Les premières organisations de ce genre apparurent dans le domaine des communications (télégraphe, postes, transports par voie ferrée). Ici les intérêts des Etats étaient communs. En effet, les possibilités extraordinaires offertes par les inventions nouvelles risquaient de perdre une grande partie de leur efficacité si les Etats n'arrivaient pas à se mettre d'accord pour mettre en œuvre un système destiné à éviter les inconvénients résultant de l'existence de frontières internationales. Le progrès technique réalisé dans le domaine des communications et les nécessités du commerce international exigeaient impérativement une coopération des Etats.

Comment essaya-t-on de résoudre ce problème ? D'abord, par une voie tout à fait classique, c'est-à-dire par la voie de traités bilatéraux, notamment en matière de télégraphe. Mais pour donner à ce moyen de communication toute son efficacité, il était absolument indispensable d'adopter une technique unique de transmission des messages, de régler un certain nombre de problèmes financiers tels que les problèmes de tarifs et de paiement, et les problèmes de sécurité, c'est-à-dire la protection des lignes de communication internationales. Il s'avéra que les traités bilatéraux étaient incapables de résoudre de façon satisfaisante de tels problèmes, de sorte que les Etats européens se résolurent, en 1865, à créer l'Union télégraphique internationale, dotée en 1868 d'un bureau permanent. C'est la première organisation internationale en date dans le domaine des communications et l'ancêtre de l'actuelle Union internationale des télécommunications, réorganisée en 1952.

Le même phénomène se reproduisit dans un domaine voisin : celui des postes. Là également, au départ, chaque Etat, usant de sa souveraineté, organisait comme il l'entendait ses propres services postaux ; quant aux relations postales entre les différents Etats, elles étaient réglées sur la base de traités bilatéraux. Ce système manquait d'uniformité. Il ralentissait de façon considérable les échanges internationaux et aboutissait à un grand nombre de complications sur le plan administratif et financier. Les Etats furent alors nécessairement conduits, comme en matière télégraphique, à mettre sur pied une organisation commune.

C'est sur l'initiative des Etats-Unis d'Amérique, qui avaient particulièrement à souffrir des inconvénients de la situation dans leurs relations avec les Etats européens, que se réunit une conférence internationale à Paris en 1863. Elle adopta un certain nombre de principes de coopération en matière postale. Mais il fallut attendre 1874 pour que soit créée l'Union générale des Postes, qui deviendra 4 ans plus tard, en 1878, l'Union postale universelle, qui existe encore de nos jours.

Ce qui est intéressant en matière postale, c'est que sur un plan limité, purement technique, la Convention qui est à la base de l'Union postale universelle aboutissait à abolir totalement les frontières entre les Etats. L'article 1er de la Convention de 1874 dispose en effet que « les territoires des Etats signataires ne forment qu'un seul territoire postal pour l'échange direct des correspondances ». En outre, elle établissait le principe de l'uniformité de la taxe postale, quel que soit le pays de destination ; enfin, elle créait, comme en matière télégraphique, un bureau permanent chargé de veiller à l'exécution des décisions prises en matière postale.

Des organisations internationales apparaissent également dans le domaine de la santé. Là encore ce sont les nécessités pratiques qui conduisent les Etats à organiser une coopération entre eux. L'amélioration des transports à la fin du XIXe siècle et au début du XXe siècle, jointe à l'expansion de l'Europe dans le monde, contribua à favoriser de façon inquiétante la dissémination de certaines maladies infectieuses telles que le choléra et la fièvre jaune. Dans ce domaine, les mesures nationales étaient absolument incapables de faire face aux problèmes posés. C'est la raison pour laquelle, en 1903, 20 Etats réunis à Paris adoptèrent un code sanitaire international formulant un certain nombre de principes communs en la matière et créèrent un office international d'hygiène publique qui commença à fonctionner en 1907 ; c'est l'ancêtre de l'actuelle organisation mondiale de la santé, créée après la deuxième guerre mondiale.

Par ces quelques exemples, on voit que dans différents domaines techniques — transports fluviaux, communications, santé — les nécessités des relations internationales avaient conduit les Etats, non seulement à élaborer un certain nombre de règles internationales, mais surtout à créer des organismes permanents de caractère international chargés de résoudre les problèmes posés dans ces différents domaines.

BIBLIOGRAPHIE

Sur les *commissions fluviales,* voir :
— CAVARÉ, *Droit international public positif,* t. II, 3e éd., p. 856 et s.
— Cl. A. COLLIARD, *Cours à l'Acad. de Droit int.* (La Haye). Recueil, 1968, III.
Sur les *Unions internationales,* voir : Cl. A. COLLIARD, *Précis Dalloz,* 6e éd., p. 573 et s.

§ 2. — LA DEUXIEME GENERATION D'ORGANISATIONS INERNATIONALES : LA PAIX INTERNATIONALE ET LA PAIX SOCIALE

Elle apparaît après la première guerre mondiale. On est désormais en présence, non seulement d'organisations de caractère technique, mais d'une organisation à caractère politique : la Société des Nations, premier exemple d'organisation universelle de caractère politique D'autre part l'amélioration des organisations internationales de caractère technique se manifeste notamment dans le cadre de l'Organisation internationale du Travail, créée par la partie XIII du Traité de Versailles et maintenue en vie après la deuxième guerre mondiale.

A. — LA SOCIÉTÉ DES NATIONS

La *Société des Nations* est véritablement fille de la première guerre mondiale. Cette filiation est établie par le fait que la Charte constitutive de la Société des Nations se trouve dans les Traités de paix de 1919-1920, dont elle fait partie intégrante. Ceci marque très fortement le lien entre les origines de la Société des Nations et la fonction essentielle de cette organisation, qui était de préserver la paix internationale dans le cadre de l'ordre international tel qu'il avait été défini par les traités de paix de 1919-1920 ; ce qui fut probablement une erreur des fondateurs de la Société des Nations. On suscita inévitablement un révisionnisme de la part des puissances vaincues, et notamment de la part de l'Allemagne, mettant ainsi en danger le système de la Société des Nations.

La deuxième caractéristique de la S.D.N. était sa vocation universelle. En dehors des puissances alliées victorieuses et de ce qu'on appelait « les bons neutres » — auxquels on avait décerné un certificat de bonne conduite pour leur comportement au cours de la guerre et qui faisaient partie de droit de la Société des Nations —, d'autres

Etats pouvaient en devenir membres sous réserve de respecter les formalités d'admission qui étaient prévues par le Pacte de la Société des Nations.

En fait, cet idéal d'universalisme ne fut pas atteint. Un certain nombre d'Etats, dont les Etats-Unis, ne ratifièrent pas le Traité de Versailles et par conséquent ne devinrent pas membres de la Société des Nations (voir p. 273 sur la signification de la ratification). De même, pendant un certain temps, l'Union des Républiques socialistes soviétiques demeura en dehors de cette organisation, considérée comme un instrument destiné à promouvoir les intérêts des Etats capitalistes. En outre, par la suite, un certain nombre d'Etats, mécontents des sanctions prises à leur égard par la Société des Nations, décidèrent de se retirer de cette organisation. On peut dire sans beaucoup d'exagération que la Société des Nations, conçue comme une organisation de caractère universel, fut surtout une organisation à l'échelle des Etats européens et toute sa politique fut marquée par cette orientation principalement européenne.

La dernière caractéristique de la Société des Nations était l'existence de structures élaborées, relativement perfectionnées.

On y trouvait en effet une assemblée, composée par les délégués de tous les Etats-membres, sur la base du principe de l'égalité, chaque Etat possédant le même nombre de représentants et, sur le plan de la votation, le même poids, selon le principe : un Etat, une voix.

Il y avait également un organisme plus restreint, le Conseil de la Société des Nations. Certains Etats en étaient membres de droit : il s'agissait des cinq puissances alliées (caractéristique que l'on retrouve dans le système de l'Organisation des Nations Unies en ce qui concerne le Conseil de Sécurité). En outre quatre Etats étaient désignés par un vote de l'Assemblée ; par la suite, le nombre des membres élus du Conseil de la Société des Nations augmenta de sorte qu'ils avaient la majorité.

Enfin, le Secrétariat se composait d'un Secrétaire général et d'un certain nombre de fonctionnaires internationaux, dont la caractéristique principale était leur indépendance à l'égard des gouvernements des Etats dont ils étaient les ressortissants.

En dehors de ces trois organes politiques, il y avait également un organe juridictionnel, la Cour permanente de Justice internationale, dont l'existence avait été prévue par le Pacte de la Société des Nations et dont le statut fut adopté en 1922.

En dépit de ces structures très perfectionnées, la Société des Nations ne parvint pas à réaliser ses objectifs, et notamment à empêcher le déclenchement de guerres de conquête, aussi bien en Asie — cas du Japon à l'égard de la Chine — qu'en Afrique — cas de l'Italie à l'égard de l'Ethiopie —, et en Europe — expansionnisme allemand culminant dans le déclenchement de la deuxième guerre mondiale.

B. — L'ORGANISATION INTERNATIONALE DU TRAVAIL

Parallèlement à la Société des Nations et placée sous son autorité, apparaît la première grande organisation internationale de caractère technique : *l'organisation Internationale du Travail* (O.I.T.).

Sur le plan des idées, les origines de cette organisation remontent au XIXe siècle. Dès cette époque en effet, on avait pensée que la nécessité d'égaliser les conditions de la concurrence internationale exigeait impérativement l'uniformisation à l'échelle mondiale des règles applicables aux relations professionnelles. Ceci explique qu'on trouve à l'origine du mouvement qui conduira à la création de l'O.I.T. des industriels comme l'Anglais Robert Owen ou le Français Daniel Legrand. En outre, l'internationalisation des organisations ouvrières à la fin du XIXe siècle (*infra,* p. 237) poussait dans le même sens, celles-ci désirant que tous les travailleurs, quels que fussent les pays auxquels ils appartenaient, bénéficient des mêmes conditions de travail. Il n'est pas surprenant dès lors que les organisations syndicales, en particulier l'American Federation of Labour et les Syndicats français, aient joué un rôle non négligeable dans l'élaboration de la Charte constitutive de l'O.I.T.

Comme dans le cas de la S.D.N., il y a un lien entre la création de l'O.I.T. et la première guerre mondiale. Ce lien se marque d'abord d'un point de vue formel dans le fait que la Charte constitutive de l'Organisation fait partie intégrante du Traité de Versailles (Partie XIII). D'autre part, du point de vue du fond, le Préambule même de la Constitution de l'O.I.T. établit un lien très net entre la préservation de la paix internationale d'une part et la paix sociale d'autre part.

Comme la S.D.N., l'O.I.T. est dotée de structures assez complexes. Ce sont des structures tripartites. On trouve, avec des dénominations différentes, l'équivalent de ce qu'il y avait dans la S.D.N. : une Conférence générale, qui groupe les délégués de tous les Etats-membres, un Conseil d'administration, composé d'un nombre restreint d'Etats et un Bureau international du travail, correspondant au Secrétariat de la Société des Nations.

Mais, s'il y a une similitude entre les structures de la S.D.N. et celles de l'O.I.T., il n'en reste pas moins que cette dernière présente une très grande originalité. Dans la S.D.N., les organes étaient composés exclusivement par des délégués des gouvernements des Etats, soumis, par conséquent, aux instructions impératives de ces gouvernements. En ce qui concerne l'O.I.T., le principe est celui de la composition tripartite des organes principaux : Conférence générale et Conseil d'Administration. A côté des délégués gouvernementaux, il y a des délégués des organisations professionnelles d'employeurs et de travailleurs, les uns et les autres étant désignés par les organisations professionnelles les plus représentatives. C'est la première fois qu'on voit apparaître en droit du travail cette idée de représentativité qui, par la suite, connaîtra une grande fortune dans les pratiques et les législations nationales. Le principe du tripartisme s'accompagne d'un principe de parité puisque les organes sont composés de deux délégués gouvernementaux d'une part et de deux délégués des organisations professionnelles d'autre part, ce qui implique pour ces derniers qu'il y a un représentant pour les travailleurs et un représentant pour les employeurs.

Une autre originalité existe sur le plan du fonctionnement de l'organisation. Alors qu'en principe, pour la S.D.N., la règle était celle de l'unanimité, pour l'O.I.T. c'est la règle de la majorité, simple ou renforcée, notamment pour l'adoption de conventions internationales du travail (majorité des deux tiers).

La fonction principale, mais non exclusive, de l'O.I.T., est effectivement l'adoption de conventions internationales du travail, ces conventions étant considérées comme l'instrument juridique approprié destiné à uniformiser les règles du droit du travail dans tous les Etats-membres de l'Organisation. A côté des conventions internationales du travail, relativement difficiles à adopter puisqu'il faut une majorité des deux tiers, chaque catégorie de délégués ayant son autonomie de vote, il y a également des recommandations qui, à la différence des conventions internationales, ne peuvent en aucun cas acquérir force obligatoire, sinon de façon indirecte, c'est-à-dire lorsque les Etats, volontairement, décident de traduire dans leur législation nationale les principes figurant dans les recommandations.

BIBLIOGRAPHIE

Sur la *S.D.N.*, voir :
— Cl. A. COLLIARD, *Précis*, p. 357 et s.
— CAVARÉ, *op. cit.*, t. I, 3e éd., p. 685 et s.

Sur le rôle de la S.D.N., voir l'ouvrage d'E. GIRAUD, *La nullité de la politique internationale des grandes démocraties*, Sirey, Paris, 1949.

Sur l'*O.I.T.*, voir le *Que sais-je ?*, n° 836, et pour plus de détails, l'ouvrage de VALTICOS, *Droit international du travail*, Dalloz, 1970 et les mises à jour.

Sur l'œuvre de l'O.I.T., voir la 2e partie (Coopération internationale).

§ 3. — LA TROISIEME GENERATION D'ORGANISATIONS INTERNATIONALES : MANIFESTATION DE LA SOLIDARITE OU DE LA DIVISION DE LA SOCIETE INTERNATIONALE ?

Ce qui caractérise la période contemporaine, c'est la multiplication absolument incroyable des organisations internationales. On a évalué en 1954 que 178 organisations internationales avaient été créées depuis l'origine ; sur ce total, 96 avaient été créées entre 1940 et 1954. En 1972, il y en avait 280. En l'an 2000, sur la base d'une hypothèse de lente augmentation (3,5 % par an), il y en aura 635. La proportion de créations postérieures à la seconde guerre mondiale serait encore plus considérable si l'on tenait compte des créations intervenues à l'échelle régionale, et notamment sur le continent africain où, après les années 1960, une quarantaine d'organisations internationales ont été créées.

Il faut se demander, d'une part, pour quelles raisons on assiste à cette prolifération d'organisations internationales, et, d'autre part, quelles sont les grandes tendances qui se manifestent après la deuxième guerre mondiale.

A. — LE POURQUOI DE LA PROLIFÉRATION DES O.I.

Les internationalistes mettent assez souvent l'accent sur le fait que la création d'O.I. ne serait pas autre chose que la manifestation de la solidarité croissante des Etats ou de l'interdépendance. Le doyen Colliard, dans son manuel d'Institutions internationales, écrit à ce sujet : « Les transformations qui sont intervenues au XXe siècle montrent à l'analyse qu'à côté de la société traditionnelle d'Etats existe et se développe une véritable société internationale, et que les règles qui régissent une telle société sont des règles de solidarité fondées sur l'interdépendance sociale telle que l'ont dégagée le doyen Duguit et Georges Scelle. »

Il est vrai que dans une certaine mesure la prolifération des organisations internationales est effectivement le résultat d'une solidarité croissante des Etats ; mais, dans une certaine mesure également, d'un point de vue global, elle est la manifestation d'un phénomène inverse, c'est-à-dire la conséquence de la division profonde de la société internationale actuelle.

D'abord, la division fondamentale de la société internationale entre un monde capitaliste et un monde socialiste (*supra,* p. 133) a suscité la création d'organisations régionales rivales ou, en tout cas, parallèles.

La volonté des Etats capitalistes de serrer les rangs et d'assurer leur propre développement (plan Marshall) ainsi que l'apparition de la guerre froide ont donné naissance dès 1948 à l'Organisation européenne de Coopération économique, qui s'est élargie en 1960 pour englober les Etats-Unis, le Canada et le Japon, et a pris le nom d'Organisation de Coopération et de Développement économique (O.C.D.E.). La réplique du côté socialiste fut la décision, un an plus tard, de créer une organisation connue sous le sigle COMECON ou de C.A.E.M. (*infra,* deuxième partie).

De la même façon, sur le plan militaire, le souci de la défense commune a conduit à la création d'abord de l'Union occidentale (traité de Bruxelles, 1948), limitée à certains Etats européens, puis en 1949, d'une organisation plus vaste : l'Organisation du Traité de l'Atlantique Nord (O.T.A.N.) (voir p. 400 les alliances). Ici encore, après le refus des Etats occidentaux de discuter d'un projet d'organisation de sécurité collective en Europe, présenté par les Etats socialistes, ceux-ci répondirent quelques années plus tard — il est intéressant de noter le décalage dans le temps — par la création, sur la base du Pacte de Varsovie de 1955, d'une organisation de type militaire, réplique exacte de l'O.T.A.N.

Sur le plan militaire également, la hantise d'une expansion soviétique dans le monde, la peur du communisme, conduisent les Etats occidentaux, et principalement les Etats-Unis d'Amérique, à dérouler autour du monde socialiste un véritable cordon sanitaire, sous la forme d'organisations régionales comme l'ANZUS (du nom des Etats qui en font partie : Australia, New-Zealand and United States) créée en 1961, l'OTASE (Organisation du Traité de l'Asie du Sud-Est) créée en 1954, ou la CENTO (Central Treaty Organisation) créée en 1955 pour le Moyen-Orient. Actuellement, il est question de créer une organisation destinée à assurer la défense de l'Afrique australe.

Ce bref rappel montre que, loin d'être la manifestation d'une solidarité internationale, un certain nombre d'organisations ne font en réalité que traduire l'affrontement, ou en tout cas la compétition, entre le monde socialiste et le monde capitaliste.

En second lieu, d'autres organisations internationales sont également la manifestation de l'hétérogénéité de la société internationale, qui apparaît avec le raz de marée décolonisateur, après la deuxième guerre mondiale. A partir de ce moment-là, les pays anciennement colonisés, devenus indépendants, manifestent la volonté de se grouper afin de mieux résister aux pressions extérieures et de constituer un front uni dans les négociations internationales.

C'est ainsi qu'apparaît, dès 1945, la ligue des Etats arabes à l'origine de laquelle on trouve l'Egypte et un certain nombre d'Etats du Moyen-Orient, et à laquelle viendront successivement adhérer les pays arabes au fur et à mesure qu'ils deviendront indépendants.

C'est ainsi également qu'à une échelle beaucoup plus vaste est créée, à la suite de la Conférence d'Addis-Abéba, en 1963, l'Organisation de l'Unité africaine qui groupe la totalité des Etats africains, à l'exception des Etats racistes. En dehors de cette grande organisation continentale, surgissent à différents moments un grand nombre d'organisations interafricaines telles que l'Union africaine et malgache, à laquelle succédera par la suite l'Organisation commune africaine, malgache et mauricienne ; telles que l'Union douanière des Etats d'Afrique centrale, la Communauté des Etats d'Afrique orientale ou la Communauté économique d'Afrique de l'ouest (1973) qui sont des organisations de caractère technique.

De la même façon, sur le plan européen, le double souci de remédier à la faiblesse des Etats européens, dont le déclin s'accentue après la deuxième guerre mondiale, et de renforcer, face à l'influence croissante des Etats-Unis, le poids des Etats européens sur le plan international, le désir de s'unir contre le danger supposé de l'expansion du communisme en Europe occidentale, conduisent les Etats européens à reprendre une très vieille idée, qui remonte à la fin du XVe siècle et qui n'avait jamais cessé de cheminer à travers les siècles, l'idée européenne. Ceci donne naissance à toute une série d'organisations enropéennes, les unes de caractère politique, comme le Conseil de l'Europe, d'autres de caractère technique, comme la Communauté européenne du charbon et de l'acier, dont l'inspirateur fut G. Monnet et son « brain trust » de technocrates et le promoteur Robert Schuman, l'EURATOM, la Communauté économique européenne ou Marché commun. Ici également, il y a une manifestation de solidarité à l'échelle régionale, mais aussi la conscience des Etats européens d'être écrasés par les deux géants qui dominent la scène mondiale, les organisations européennes étant officiellement présentées comme un moyen de se garantir contre l'hégémonie de ces deux superpuissances.

B. — Les grandes tendances

Il n'y a pas une tendance unique, mais des tendances multiples en conflit les unes avec les autres. Le fait que l'une ou l'autre des tendances prédomine conduit donc à créer tel ou tel type d'organisations internationales de préférence à tel autre type.

D'abord deux tendances s'affrontent : la tendance à l'*universalisme* et la tendance au *régionalisme*.

La tendance à l'universalisme s'était déjà manifestée au cours de la période précédente. Aussi bien la S.D.N. que l'O.I.T. avaient à la base même de leur Charte constitutive le principe de l'universalisme (*supra*, p. 175). Cette tendance se maintient après la deuxième guerre mondiale. Si la Société des Nations, rendue responsable dans une certaine mesure du déclenchement de la deuxième guerre mondiale, ou en tout cas de n'avoir pas su l'éviter, disparaît, une autre organisation, l'Organisation des Nations Unies, créée par la Charte de San Francisco, en 1945, prend la relève. D'autres organisations internationales, créées avant la seconde guerre mondiale, subsistent, telles que l'O.I.T. Certaines organisations se perfectionnent : par exemple, l'Office international d'hygiène publique devient l'Organisation mondiale de la Santé ; l'Institut international de coopération intellectuelle devient l'U.N.E.S.C.O. (United Nations Educational, Scientific, and Cultural Organisation). Enfin, d'autres organisations internationales de caractère universel sont créées postérieurement à la deuxième guerre mondiale, telles que l'Organisation de l'Aviation civile internationale.

Mais, ce qui est plus caractéristique de la période actuelle, c'est le triomphe de la tendance régionaliste (quel que soit le critère utilisé : contiguïté géographique, culture commune (arabo-islamisme), croissance économique, sécurité, etc...). La statistique des O.I. créées après la deuxième guerre mondiale montre que les organisations de caractère régionaliste sont beaucoup plus nombreuses que celles de caractère universel. Ceci pose des problèmes importants, juridiques et politiques.

D'abord, est posé le problème de la compatibilité entre les stratègies et les tactiques (sur la signification de ces concepts, voir ci-dessous, p. 342) des organisations régionales et celles des organisations universelles. C'est ainsi que l'O.N.U. a parmi ses objectifs la préservation de la paix internationale ; mais les organisations régionales à buts militaires, comme l'O.T.A.N. ou l'Organisation du Pacte de Varsovie, ont également, dans un cadre plus restreint, des buts identiques. La question est alors de savoir si l'O.N.U. a un monopole sur le plan de la sécurité internationale, auquel cas les organisations régionales doivent disparaître, ou si au contraire il est possible de faire coexister sur deux plans géographiques différents ces deux sortes d'organisations. Nous verrons ultérieurement qu'il y a dans la Charte des Nations Unies un certain nombre de principes qui ont été formulés et qui visent à essayer de résoudre ce problème (*infra,* deuxième partie, p. 313).

En outre, est posé le problème de la coordination des activités des différentes organisations internationales, le but étant d'éviter des politiques ou des décisions différentes, le gaspillage des moyens — bien modestes — dont disposent les organisations internationales. Théoriquement, on peut concevoir trois scénarios : coopération, compétition ou monopole. Le premier est optimiste, car il suppose que toutes les organisations contribuent à l'harmonie universelle, ce qui n'est pas évident. Le second est plus réaliste car il laisse subsister des possibilités de tensions. Le troisième est générateur de conflits. Seules des monographies peuvent révéler lequel de ces scénarios est le plus proche de la réalité.

En second lieu, on peut également relever une opposition entre la *tendance* qu'on pourrait appeler *interétatique,* qui conduit à ne créer que des O.I. de simple coopération entre les Etats demeurés souverains, et la *tendance supranationaliste,* qui vise au contraire à créer des O.I. dotées dans un secteur déterminé d'un pouvoir de décision, et donc supérieures aux Etats.

Entre ces deux tendances, c'est la première qui l'emporte. Au niveau mondial, il est très rare que les O.I. aient été dotées d'un véritable pouvoir de décision ; il n'y a pratiquement pas de trace de supranationalité. Au plan régional, il est vrai que dans certaines régions du monde, on a effectivement créé des organisations de caractère supranational. Ce fut le cas en Europe lorsqu'on créa la Communauté européenne du Charbon et de l'Acier, et surtout la Communauté économique européenne. S'agissant de cette communauté, à laquelle il faut ajouter l'Euratom, on est effectivement en présence d'organisations supranationales en ce sens que les Etats ont consenti, non seulement à leur transférer un certain nombre de secteurs, mais aussi à leur conférer un véritable pouvoir de décision (*infra,* p. 276). Encore conviendrait-il de noter qu'on a pu observer un certain retour en arrière, notamment avec l'adoption des accords dits de Luxembourg en 1966. On a posé alors le principe que dans le cas où la Commission commune des trois communautés a le pouvoir de prendre des décisions à la majorité, si « des intérêts très importants » d'un Etat-membre de ces communautés sont en jeu, on revient au principe de l'unanimité, c'est-à-dire que les décisions ne peuvent être prises que par voie d'accord unanime. Par le biais des intérêts nationaux, dont les Etats sont seuls juges, on revient à la règle de l'unanimité qui avait cependant été écartée par le Traité de Rome de 1957.

En dehors de l'Europe, on peut remarquer qu'il n'y a pas d'exemple d'organisations supranationales. En particulier, en Afrique, le rêve du Président N'Krumah de créer, sous une forme ou sous une autre, les Etats-Unis d'Afrique, n'a pas été réalisé et, deux fois plutôt qu'une, la Charte de l'Organisation de l'Unité africaine affirme le principe sacrosaint de la souveraineté et de l'indépendance des Etats, considéré comme intangible (*infra,* deuxième partie, p. 508).

Enfin, il y a une dernière opposition de tendances suivant qu'on décide de créer des *organisations* internationales de *caractère général ou politique ou des organisations* internationales *de caractère technique ou spécialisées.*

Il y a incontestablement une tendance à préférer les secondes aux premières, car il apparaît aux Etats qu'il est beaucoup moins dangereux pour leur souveraineté de créer des organisations qui ne peuvent intervenir que dans un secteur déterminé que des organisations internationales qui ont compétence pour s'occuper de toute espèce de problèmes, en particulier de problèmes purement politiques. Ceci est tellement vrai que sur le plan des idées, on a pu assister à la naissance d'une théorie, connue sous le nom de théorie du fonctionnalisme (*supra,* p. 71). L'idée générale est qu'il est préférable, dans un but tactique, et parce qu'on se heurte au mur de la souveraineté des Etats, de vider progressivement l'Etat de son contenu économique, social, culturel, en transférant ces différents secteurs de l'activité nationale à des organisations internationales dans l'espoir que, finalement, l'Etat étant vidé de son contenu essentiel, de ce qui fait son essence et sa raison d'existence, le pouvoir politique lui-même finira par s'effondrer et que l'on aboutira, par le biais du fonctionnalisme, à cet Etat mondial dont rêvent certains hommes politiques et certains spécialistes des relations internationales. Mais il semble bien que cette théorie soit loin d'avoir obtenu les résultats visés, car, quoi qu'on fasse, le primat appartient, dans les O.I., non pas à l'économique ou au social, mais au politique. L'évolution des communautés européennes montre bien que les Etats sont très sourcilleux de tout ce qui peut mettre en danger le primat du politique et par conséquent leur souveraineté.

BIBLIOGRAPHIE

Sur un plan général, l'ouvrage fondamental est celui de M. VIRALLY, *L'organisation mondiale,* A. Colin.

Sur les différentes organisations internationales en général, voir le manuel de Cl. A. COLLIARD, *Institutions des relations internationales,* Dalloz, 1974 (abondante bibliographie et analyse de chaque organisation).

Sur l'aspect diplomatique, voir l'ouvrage de J.-B. DUROSELLE, *Histoire diplomatique de 1919 à nos jours,* Dalloz.

Sur l'opposition entre le mondialisme et le régionalisme, voir les communications du colloque de la Société française pour le droit international (Bordeaux, 20-22 mai 1976). Ed. Pedone, 1977.

Sur les organisations régionales du Tiers Monde, voir notre ouvrage : *L'Etat Africain,* L.G.D.J., 1970 (en cours de réédition) ; l'ouvrage précité, d'Ed. JOUVE, les chroniques de l'*Annuaire du Tiers Monde* et celles de l'*An. Fr. de Dr. Int.*

Sur les organisations européennes, voir les manuels spécialisés et les ouvrages de la collection « Que sais-je ? ».

Sur les organisations des Etats socialistes, voir SZAWLOWSKI R., *The system of the international organisation of the Communist countries,* 1976 (documents en annexes).

Sur l'organisation des Etats américains, voir F. JULIEN-LAFERRIÈRE, L'O.E.A., P.U.F., 1972 (Dossiers Thémis).

L'annuaire des organisations internationales donne des renseignements précieux sur les O.I. existantes.

Les documents publiés par l'O.N.U. le 24 août 1976 (TD/B/609) donnent les textes des organisations régionales économiques du Tiers Monde (5 vol.). Deux autres volumes résument les structures et les activités de ces organisations (19 mai 1976. TD/B/609).

ANNEXE - L'O.N.U. ET LES INSTITUTIONS SPÉCIALISÉES (ORGANIGRAMME).

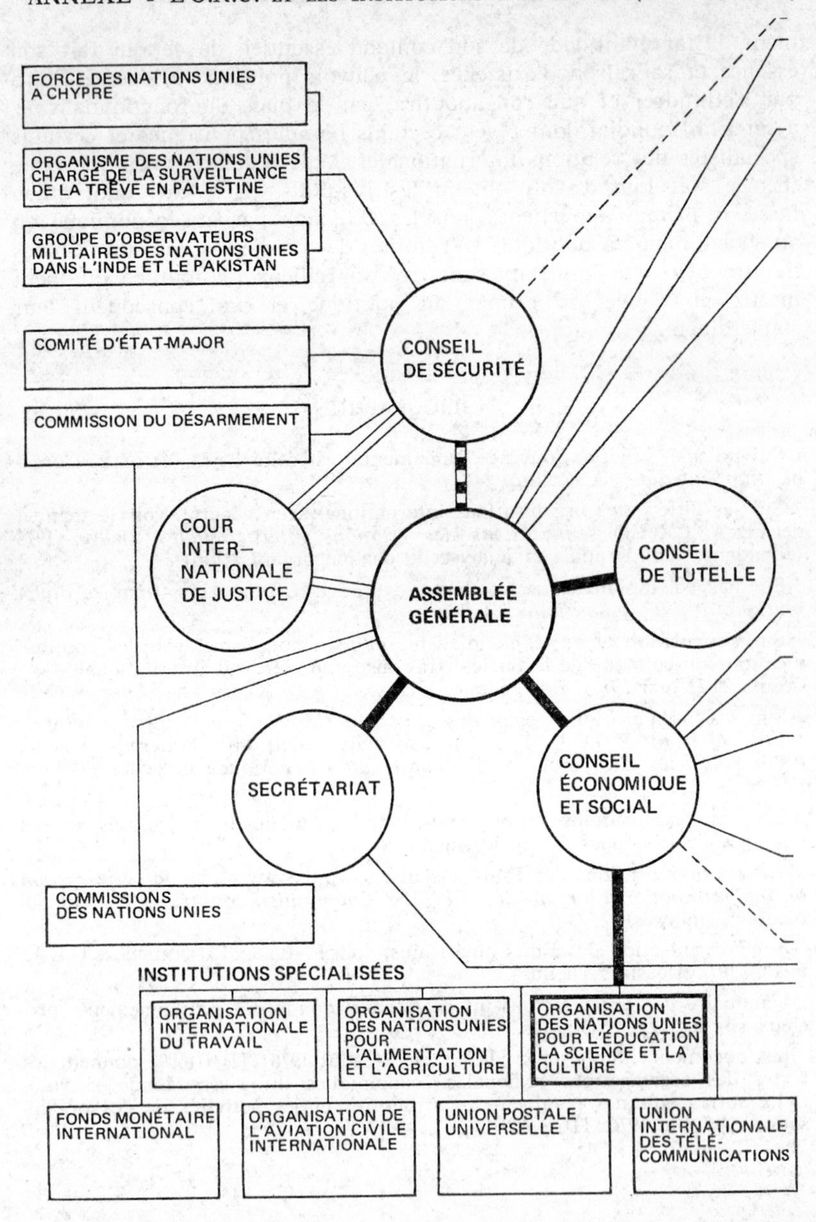

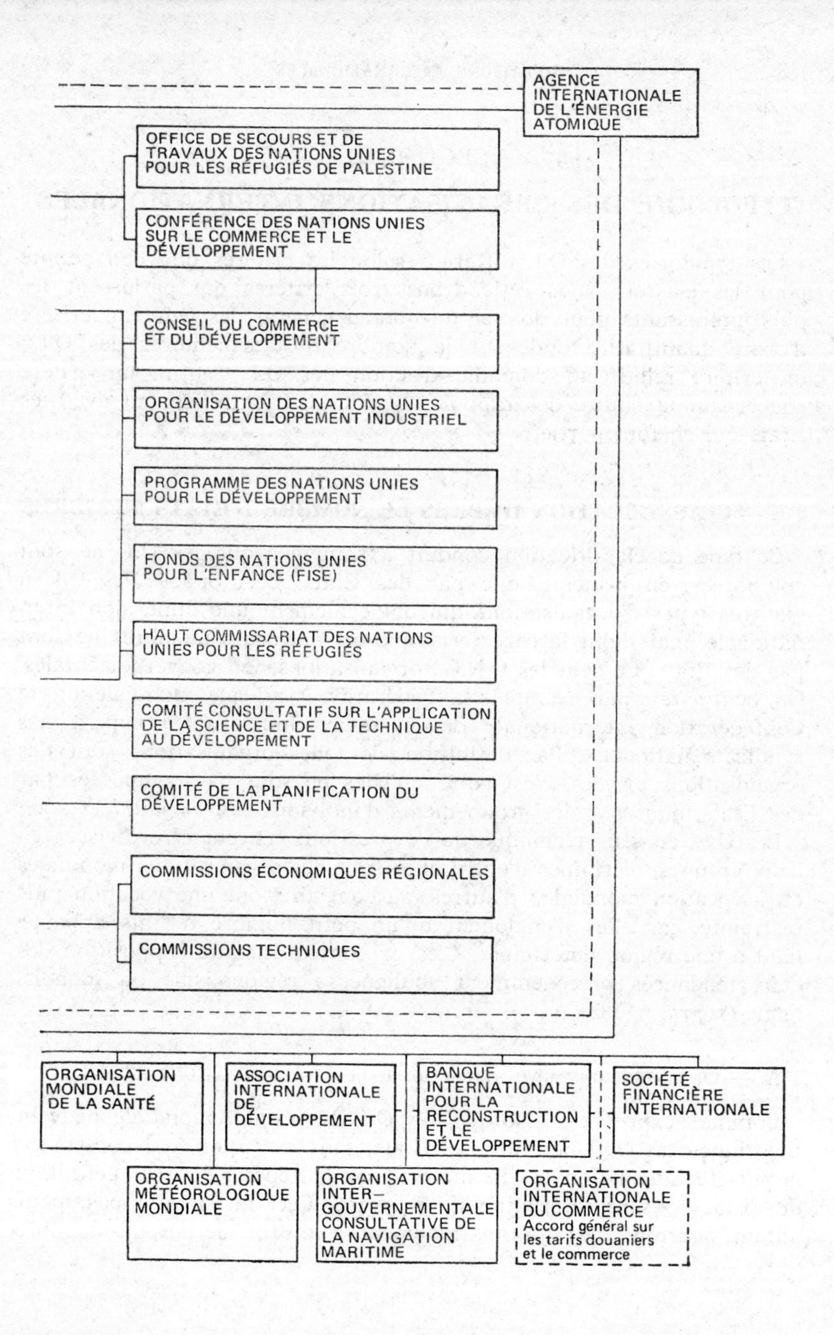
AGENCE INTERNATIONALE DE L'ÉNERGIE ATOMIQUE
OFFICE DE SECOURS ET DE TRAVAUX DES NATIONS UNIES POUR LES RÉFUGIÉS DE PALESTINE
CONFÉRENCE DES NATIONS UNIES SUR LE COMMERCE ET LE DÉVELOPPEMENT
CONSEIL DU COMMERCE ET DU DÉVELOPPEMENT
ORGANISATION DES NATIONS UNIES POUR LE DÉVELOPPEMENT INDUSTRIEL
PROGRAMME DES NATIONS UNIES POUR LE DÉVELOPPEMENT
FONDS DES NATIONS UNIES POUR L'ENFANCE (FISE)
HAUT COMMISSARIAT DES NATIONS UNIES POUR LES RÉFUGIÉS
COMITÉ CONSULTATIF SUR L'APPLICATION DE LA SCIENCE ET DE LA TECHNIQUE AU DÉVELOPPEMENT
COMITÉ DE LA PLANIFICATION DU DÉVELOPPEMENT
COMMISSIONS ÉCONOMIQUES RÉGIONALES
COMMISSIONS TECHNIQUES
ORGANISATION MONDIALE DE LA SANTÉ
ASSOCIATION INTERNATIONALE DE DÉVELOPPEMENT
BANQUE INTERNATIONALE POUR LA RECONSTRUCTION ET LE DÉVELOPPEMENT
SOCIÉTÉ FINANCIÈRE INTERNATIONALE
ORGANISATION MÉTÉOROLOGIQUE MONDIALE
ORGANISATION INTER-GOUVERNEMENTALE CONSULTATIVE DE LA NAVIGATION MARITIME
ORGANISATION INTERNATIONALE DU COMMERCE
Accord général sur les tarifs douaniers et le commerce

SECTION II

TYPOLOGIE DES ORGANISATIONS INTERNATIONALES

Les typologies des O.I. diffèrent selon les critères que l'on adopte pour les classer. Nous retiendrons trois critères qui paraissent les plus intéressants pour donner un aperçu général des O.I. : un critère d'ordre quantitatif, fondé sur le nombre d'Etats-membres des O.I. ; un critère relatif au domaine d'action des O.I. ; enfin, un critère concernant la nature des rapports que les O.I. entretiennent avec les Etats qui en font partie.

§ 1. — CLASSIFICATION D'APRES LE NOMBRE D'ETATS MEMBRES

Ce type de classification conduit à souligner que les O.I. ne sont composées, en principe, que par des Etats. Ceci oppose les O.I. à d'autres types d'organisations qui ont également une dimension internationale, mais dont la caractéristique est que leurs membres ne sont pas des Etats. Ce sont les O.N.G., organisations non gouvernementales. On peut citer, par exemple, la Fédération syndicale mondiale ou la Confédération internationale des syndicats libres qui groupent des syndicats nationaux. Par définition, de telles organisations sont des organisations privées, c'est-à-dire qu'elles ne sont pas composées par des Etats, mais par des groupements d'individus (*infra,* p. 237 et s.).

Les O.I., au sens technique de l'expression, peuvent être divisées en deux groupes : certaines d'entre elles sont des organisations mondiales ou à vocation mondiale ; d'autres, au contraire, ont une vocation plus restreinte, car elles n'englobent qu'un petit nombre d'Etats appartenant à une région déterminée. C'est la conséquence de l'opposition des deux tendances précédemment soulignées : régionalisme ou mondialisme (*supra,* p. 182).

A. — Organisations a vocation mondiale et organisations régionales

Comme l'expression l'indique, *les O.I. à vocation mondiale* peuvent théoriquement englober tous les Etats, sans exception, qui composent la société internationale, du moment qu'ils répondent à la définition de l'Etat au sens international du terme. Ceci ne signifie pas, pour autant, que tout Etat, automatiquement, a le droit de devenir membre d'une O.I. De la même façon que, pour être introduit, en Droit, dans la société internationale, un Etat doit être reconnu par les autres Etats, en règle générale, un Etat ne peut devenir membre d'une O.I. que s'il a été accepté par les autres Etats, cette acceptation se faisant soit dans le traité qui fonde l'organisation, soit par l'intermédiaire d'une procédure spéciale, la procédure d'admission.

Il y a un certain nombre d'organisations de ce type. Nous en avons rencontré dès l'apparition des O.I., en matière de communications (par exemple l'Union postale universelle). Cela ne veut pas dire que l'universalité est toujours effectivement réalisée. C'est en fait un idéal qui, dans certains cas, n'est pas atteint, pour différentes raisons.

Des raisons d'ordre politique aboutissent à fermer la porte de telle ou telle O.I. à certains Etats ou à expulser de l'organisation un Etat considéré comme indésirable. Inversement, il arrive que certains Etats ne désirent pas faire partie de telle ou telle O.I. Les Etats socialistes, notamment l'U.R.S.S., ont refusé de devenir membres de telle ou telle organisation internationale universelle de caractère technique parce qu'ils estiment qu'elle est dominée par les Etats-Unis ou qu'elle mène une politique internationale contraire à leurs propres intérêts. C'est ainsi que l'U.R.S.S. a refusé de devenir membre de la Banque Internationale de Reconstruction et de Développement ainsi que du Fonds monétaire international. En outre, il existe des Etats divisés : l'Allemagne, la Corée. Le fait même que ces Etats soient opposés l'un à l'autre à tous les points de vue et que chacun revendique la reconstitution de l'unité nationale à son profit constitue un empêchement à ce que ces Etats soient acceptés comme membres des O.I. Mais cet obstacle peut être levé (cf. Bettati, L'admission des deux Allemagnes à l'O.N.U. *An. Fr. de D.I.*, 1973, p. 213 et s.). En l'espèce, le traité de 1972 réglant les relations entre les deux Etats fut dirimant (cf. l'article de D. Collard dans la Rev. gén. de Droit int. public, 1972, n° 2).

Par définition, les *organisations régionales* n'englobent qu'un nombre restreint d'Etats, plus ou moins important selon la nature de l'organisation. Ce type d'organisation internationale a connu une grande vogue après la seconde guerre mondiale. Il faut rappeler que la première grande organisation régionale a pris naissance en Amérique puisque l'Union paraméricaine vit le jour à la fin du XIXe siècle. C'est l'ancêtre de l'organisation des Etats Américains créée par la Charte de Bogota en 1948 (voir CL. A. Colliard, *op. cit.*, bibliogr., p. 440-441). Ce qui les caractérise, c'est que les Etats se groupent par affinités.

Il peut s'agir d'affinités fondées sur la géographie. Le cas type est celui de l'Organisation de l'Unité africaine qui, d'après la Charte d'Addis-Abéba (1963), a vocation à englober, à l'exception des Etats racistes, tous les Etats du continent africain sans exception du moment qu'ils sont souverains et indépendants, ainsi que les Etats des zones avoisinantes, tels Madagascar ou l'île Maurice, qui font effectivement partie de cette organisation. De la même façon, l'Organisation des Etats américains a également vocation à englober tous les Etats qui font partie du continent américain. L'hégémonie des E.U.A. en a cependant écarté le Canada. Ce qui joue, c'est la contiguïté géographique, le fait que les Etats appartiennent à une même zone géographique.

Il peut aussi s'agir d'affinités fondées sur des considérations d'ordre économique. Il en va ainsi des organisations européennes dont certaines sont loin d'englober l'ensemble des Etats européens, même capitalistes. Les Communautés Européennes, par exemple, sont limitées à ce qu'il est convenu d'appeler la petite Europe, l'Europe des Neuf. Les considérations qui jouent ici sont essentiellement relatives aux intérêts économiques des Etats. Mais des considérations politiques (dictatures) jouent également.

Dans d'autres cas, ce sont des considérations d'ordre militaire qui conduisent à réunir dans des organisations de type régional des Etats qui peuvent être assez éloignés les uns des autres géographiquement. C'est le cas de l'Organisation du Traité de l'Atlantique Nord qui englobe, non seulement une partie de l'Europe occidentale, mais également d'autres Etats, tels que les Etats-Unis et le Canada, situés à des milliers de kilomètres du continent européen.

Enfin, les affinités peuvent être d'ordre ethnique et religieux. C'est le cas de la Ligue des Etats arabes qui a vocation à englober tous les Etats arabes et musulmans.

B. — Comment un Etat devient-il membre d'une O.I. ?

Qu'il s'agisse d'organisations à vocation universelle ou d'organisations de caractère régional, à vocation plus restreinte, pour qu'un Etat fasse partie d'une telle organisation, il est nécessaire que cet Etat ait été accepté dans cette organisation.

Cette acceptation peut se faire par l'acte constitutif. Il en est fréquemment ainsi, les Etats-membres originaires n'étant autres que les Etats qui ont signé et ratifié la Convention internationale qui a créé l'organisation, ainsi qu'éventuellement les Etats désignés dans l'acte constitutif. C'est ainsi que l'Organisation des Nations Unies a compté, à son origine, en 1945, au moment de l'élaboration de la Charte de San Francisco, 51 Etats.

Mais la qualité de membres d'une O.I., surtout si elle a vocation universelle, s'acquiert essentiellement par la mise en œuvre d'une procédure spéciale, la procédure d'admission. Ceci pose un certain nombre de problèmes.

I. — *Les conditions d'admission.*

Il y a d'abord le problème de savoir selon quelles *conditions* un Etat peut devenir membre d'une O.I.

Ce qu'il faut préciser ici, c'est que, même si ces conditions sont précisées par l'acte constitutif, le problème est d'ordre politique plutôt que d'ordre juridique. Il pourrait sembler à première vue qu'à partir du moment où un texte juridique énumère les conditions nécessaires et suffisantes pour devenir membre d'une O.I. il suffirait de vérifier objectivement si ces conditions sont ou non réunies ; si elles le sont, il semblerait qu'automatiquement l'Etat postulant puisse devenir membre de l'organisation. En fait, il n'en est pas ainsi car les conditions sont formulées assez souvent de façon tellement vague et imprécise qu'elles laissent place à une appréciation subjective des Etats qui font déjà partie de l'organisation. Ceci s'est manifesté notamment dans le cas de l'Organisation des Nations Unies.

L'article 4 de la Charte est ainsi conçu : « Peuvent devenir membres des Nations Unies tous autres Etats pacifiques qui acceptent les obligations de la présente Charte et, au jugement de l'organisation, sont capables de les remplir et disposés à le faire. » Il résulte de ce texte un certain nombre de conditions : être un Etat pacifique (« peace loving country »), accepter les obligations de la Charte (ce qui peut se faire simplement dans une déclaration faite par l'Etat candidat), être capable de remplir effectivement ces obligations et enfin être disposé à le faire. Certaines de ces conditions, en particulier les deux dernières, supposent une appréciation tout à fait subjective. Qu'est-ce qu'un Etat pacifique ? Comment apprécier la capacité de remplir les obligations prévues par la charte, notamment lorsqu'il s'agit d'Etats lilliputiens ?

Dans une grande mesure, l'admission dans une organisation comme l'O.N.U. devient par la force des choses un problème d'ordre politique. Ceci est tellement vrai que, pendant la période de la guerre froide, l'admission d'un certain nombre d'Etats à l'O.N.U. avait été bloquée parce que l'une ou l'autre des grandes puissances utilisait son droit de veto au Conseil de Sécurité pour fermer la porte de l'Organisation à tel ou tel Etat, dont le seul tort était de faire partie de tel ou tel bloc de puissances. La question était devenue tellement grave que l'Organisation avait demandé un avis à la Cour internationale de Justice. Dans l'avis rendu le 28 mai 1948, la Cour internationale avait fort bien reconnu que, dans une large mesure, le problème était un problème d'ordre politique et non pas juridique ; certains juges dissidents avaient même été jusqu'à considérer que le problème était uniquement un problème d'ordre politique. Ainsi, jusqu'en 1977, les E.U.A. se sont opposés à l'admission du Vietnam réunifié à l'O.N.U. La Corée du Sud fut admise à l'Unesco en 1950, tandis que la Corée du Nord ne le fut qu'en 1974. De même l'Allemagne de l'Ouest devint membre de cette organisation en 1951, tandis que la République Démocratique Allemande dut attendre 1972.

Dans d'autres cas, les conditions d'admission ne sont pas précisées par l'acte constitutif ; il devient alors évident que l'admission est un acte purement discrétionnaire de la part des Etats-membres de l'organisation. Il en est ainsi par exemple pour l'Organisation de l'Unité africaine. Sans doute tout Etat africain souverain et indépendant peut-il devenir membre de l'organisation ; aucune autre condition n'est précisée. En fait, comme il faut une décision d'admission et qu'elle n'est soumise à aucune condition particulière, elle devient pratiquement discrétionnaire. C'est ainsi que l'Organisation de l'Unité africaine a été amenée à écarter de l'Organisation des Etats africains dont il n'est pas discutable qu'ils sont souverains et indépendants, mais qui pratiquent une politique à base de domination et discrimination raciale. Ceci vise deux Etats racistes : l'Afrique du Sud et la Rhodésie du Sud (Zimbabwe).

L'acte constitutif peut aussi indiquer que les conditions d'admission sont déterminées à la suite de négociations entre les Etats-membres de l'organisation et l'Etat postulant. C'est ce qui est prévu par l'article 237 du Traité de Rome qui a créé la Communauté Economique Européenne. C'est sur cette base que se sont déroulées les négociations entre la Communauté Economique Européenne et la Grande-Bretagne.

Enfin, on rencontre un quatrième type de solutions : ce sont les O.I. dans lesquelles l'admission est automatique, la seule condition requise étant que l'Etat postulant fasse déjà partie d'une autre O.I., à savoir l'Organisation des Nations Unies. C'est ainsi que pour l'Unesco comme pour l'O.I.T., il suffit d'être déjà membre de l'O.N.U., de faire une déclaration auprès du Directeur général de l'Unesco ou de l'O.I.T. pour que l'admission soit accordée de plein droit, l'autorité administrative ayant seulement à vérifier qu'effectivement l'Etat candidat est déjà membre de l'O.N.U. et que par sa déclaration il a accepté d'adhérer aux principes qui sont à la base de ces organisations. Ceci n'empêche pas que des Etats qui ne sont pas membres de l'O.N.U. puissent être membres d'autres organisations mondiales (voir par exemple l'article II de l'acte constitutif de l'Unesco).

II. — QUI DÉCIDE ?

Un deuxième problème est celui de savoir quelle est dans l'organisation l'autorité qui a qualité pour décider. Les solutions sont très variables.

Parfois un seul des organes de l'organisation a le pouvoir de décision, selon la règle de la majorité ou de l'unanimité. Dans ce cas, c'est l'organe le plus représentatif, celui où tous les Etats-membres sont représentés. Pour l'Organisation de Coopération et de Développement économique (O.C.D.E.), c'est le Conseil des ministres, dans lequel chacun des Etats-membres est représenté, qui décide de l'admission.

Dans d'autres cas au contraire, la décision est le fait de deux ou plusieurs organes, décidant séparément, mais leurs décisions doivent être concordantes. Il en est ainsi pour l'Organisation des Nations Unies. L'article 4 prévoit que « l'admission comme membre des Nations Unies de tout Etat remplissant ces conditions se fait par décision de l'Assemblée générale sur recommandation du Conseil de Sécurité ». Les termes employés — décision, recommandation — ne doivent pas faire illusion : en fait, il faut qu'il y ait un double vote concordant, aussi bien du côté de l'Assemblée générale que du côté du Conseil de Sécurité. Ceci signifie par conséquent que si l'un des organes refuse l'admission, rien n'est fait. Il faut que les deux organes votent dans le même sens, chacun d'entre eux ayant par conséquent, un pouvoir équivalent. Ceci explique que, chacune des cinq grandes puissances possédant un droit de veto au Conseil de sécurité, l'admission de tel ou tel Etat soit fréquemment bloquée en raison de l'hostilité de telle ou telle grande puissance.

§ 2. — CLASSIFICATION D'APRES LE DOMAINE DE L'ACTION

Une première distinction peut être fondée sur l'étendue du domaine d'action de l'organisation internationale. Certaines O.I. ont un domaine d'action extrêmement étendu. Ce sont des organisations à vocation générale ou à caractère politique ; politique parce que leur activité est de même nature que celle de l'Etat lui-même (*supra*, p. 184).

Il existe une seule organisation politique à l'échelle universelle : l'Organisation des Nations Unies. Les buts et les fonctions de cette organisation, tels qu'ils sont définis dans le Préambule et à l'article 1er de la Charte, sont tels que, pratiquement, il n'y a pas un seul secteur d'activité qui soit fermé à l'Organisation malgré l'existence de l'article 2, paragraphe 7, qui réserve aux Etats les affaires intérieures. Sans doute, principalement, l'Organisation des Nations Unies a-t-elle parmi ses fonctions celle de préserver la paix internationale, mais il y a bien d'autres fonctions qui doivent être remplies par elle, qu'il s'agisse de fonctions d'ordre social, économique, culturel ou proprement juridique (il existe une Commission du droit international dont la fonction est de faire progresser le droit international). Le fait qu'il existe des institutions internationales spécialisées n'empêche pas l'O.N.U. d'intervenir dans ces différents domaines. Juridiquement, ces O.I. spécialisées sont même reliées à l'O.N.U. (art. 57). Il appartient au Conseil économique et social de conclure des accords à cet effet et de coordonner l'activité des O.I. spécialisées (art. 63 de la Charte de l'O.N.U.) (voir l'organigramme ci-dessus, p. 187).

D'autres organisations internationales ont des fonctions beaucoup moins étendues. Leur domaine d'action est restreint : il ne comprend que telle ou telle série de problèmes ou secteur de l'activité des Etats. Il peut évidemment être plus ou moins étendu selon ce qui a été décidé par l'acte constitutif. Ce qui caractérise ce type d'organisation, c'est la spécialité. C'est la raison pour laquelle, dans la terminologie anglaise, on appelle ces organisations des « specialized agencies » (institutions spécialisées).

Une deuxième distinction peut être faite selon l'*objet précis des fonctions de l'organisation*. De ce point de vue, les types d'organisations sont très divers. Il y a des organisations qui ont un objet principalement culturel : c'est le cas de l'Unesco. D'autres organisations ont un objet principalement social : c'est le cas de l'Organisation internationale du Travail. D'autres encore ont un objet principalement humanitaire : c'est le cas de l'Organisation internationale des réfugiés ou de l'Organisation mondiale de la Santé. D'autres organisations ont des fonctions principalement financières (Banque internationale pour la Reconstruction et le Développement, Fonds monétaire international, Association internationale de Développement) ou économique (O.C.D.E.,

Organisation pour l'alimentation et l'agriculture, F.A.O., etc.). D'autres enfin ont des fonctions principalement militaires : c'est le cas de l'OTAN.

En fait, il est très difficile de cantonner les organisations internationales dans ce qui est leur fonction principale. C'est ainsi que le Conseil de l'Europe, qui est une organisation régionale à caractère politique, avait cependant un domaine qui lui était interdit, à savoir le domaine militaire, pour la raison qu'il existait au moment de sa création une organisation européenne de type militaire, l'Union européenne occidentale. Ceci n'a pas empêché le Conseil de l'Europe de s'occuper de problèmes militaires en arguant du fait qu'ils peuvent avoir des implications politiques ; par ce biais, il a été amené à s'occuper de problèmes militaires. De même l'Unesco étudie toutes sortes de problèmes, ce qui a amené certains Etats à l'accuser d'être politisée (cf. M. Nerfin, The United States sanctions against Unesco and the three vetoes. *Development dialogue,* 1976, n° 2).

On peut faire enfin une classification plus juridique, qui tient compte de la *nature des fonctions* exercées par les O.I. On peut ainsi avoir des organisations qui exercent surtout des fonctions de caractère matériel, telles que la centralisation et la diffusion de documents concernant tel ou tel problème (cas des unions administratives) ou la gestion d'un organisme (Centre Européen de Recherches nucléaires par exemple). Il y a également des O.I. dont les fonctions sont surtout juridiques. L'O.I.T., par exemple, a pour fonction principale d'élaborer des conventions internationales du travail. Mais ici encore, presque toutes les O.I. exercent à la fois des fonctions matérielles et des fonctions juridiques. Il ne faut donc pas accorder à cette distinction plus d'importance qu'elle n'en a.

On peut aussi distinguer les O.I. selon la nature des délibérations que leurs organes sont habilités à adopter, ce qui nous amène à préciser la nature des rapports entre les O.I. et les Etats neutres.

§ 3. — CLASSIFICATION D'APRES LA NATURE DES RAPPORTS AVEC LES ETATS-MEMBRES

Ce critère permet d'abord de distinguer les organisations supranationales et les organisations interétatiques (*supra,* p. 183).

Ce qui caractérise les *organisations supranationales,* c'est d'abord qu'elles disposent d'un pouvoir de décision (à caractère obligatoire) à l'égard des Etats qui font partie de l'organisation et même, dans des cas limites, à l'égard des individus ou des groupes d'individus, de sorte que ceux-ci sont atteints directement, sans qu'on soit obligé de passer par le canal de l'Etat. Il en est ainsi pour les Communautés européennes. Dans chacune de ces communautés, le Conseil des ministres ou la Commission ont un pouvoir de décision. En outre, les décisions sont exécutoires de plein droit sur le territoire des Etats-membres, à la seule condition d'avoir été publiées.

Une deuxième caractéristique de la supranationalité est que, s'il peut y avoir un contrôle de la légalité des décisions prises, il n'y a pas de contrôle de l'opportunité. En ce qui concerne les Communautés européennes, le contrôle est exercé par la Cour de Justice des Communautés européennes. Il faut ajouter que les arrêts rendus par la Cour de Justice, non seulement ont un caractère obligatoire, comme toutes les décisions de justice, mais sont exécutoires de plein droit sur le territoire des Etats-membres.

La troisième caractéristique de la supranationalité est l'indépendance de l'organe qui prend la décision vis-à-vis des Etats-membres. Ceci peut être réalisé de deux façons : ou bien on crée un organe composé de personnalités compétentes et indépendantes : c'est le cas de la Commission (commune) des Communautés européennes ; ou bien on octroie le pouvoir de décision à un organe composé par les représentants des gouvernements des Etats, mais on précise que la décision sera prise, non pas à l'unanimité, mais à la majorité, ce qui implique que les Etats minoritaires doivent s'incliner, même s'ils ne sont pas d'accord, devant la décision qui a été prise.

A l'opposé de ces organisations supranationales, il y a des *organisations interétatiques.* Sauf exception. leurs organes ne sont pas dotés du pouvoir de décision. Ces organisations peuvent parler le langage de l'espérance, mais en aucun cas celui du commandement. C'est le cas pour l'Organisatiaon des Nations Unies, où seul le Conseil de Sécurité, dans des conditions particulières, est investi du pouvoir de décision (*infra,* p. 455) ; mais l'Assemblée générale n'a en aucun cas le pouvoir d'imposer les décisions aux Etats-membres : elle peut voter des recommandations, elle peut donner des avis, formuler des vœux, mais elle ne peut jamais prendre de décision (*infra,* p. 276).

Sur la base de ce troisième critère, on peut également faire une distinction entre *les O.I. qui peuvent gérer elles-mêmes,* directement, une activité déterminée aux lieu et place des Etats, *et les O.I. dont l'objectif est simplement de favoriser la coopération* entre les Etats, d'harmoniser l'action des Etats.

Le premier type d'organisation en fait est extrêmement rare : on peut citer l'Organisation européenne de recherche nucléaire, créée en 1953, qui gère effectivement certains types d'activités. Ainsi elle a été amenée à créer le Centre européen de recherche nucléaire (C.E.R.N.). Récemment, les Etats-membres de cette organisation se sont mis d'accord pour réaliser une extension des installations actuelles et créer un super-accélérateur qui dotera les pays européens de nouvelles possibilités, uniques au monde, pour étudier les particules élémentaires de l'atome en hautes énergies.

De même, INTELSTAT a été créée en 1971 pour gérer un système commercial mondial de télécommunications par satellites. En fait, la gestion a été confiée à une société américaine, COMSAT, régie par une loi américaine et bénéficiant d'un monopole. C'est la raison pour laquelle les Etats socialistes ont créé à leur tour en 1971 une organisation parallèle, Interspoutnik.

De même, enfin, si le projet est adopté, la prospection et l'exploitation des fonds sous-marins seraient confiées à une organisation internationale, placée sous le contrôle de l'O.N.U., sous réserve de la possibilité de conclure avec tel ou tel Etat un contrat de recherches ou d'exploitation (*supra*, p. 82).

BIBLIOGRAPHIE

Voir les ouvrages cités à la fin de la section I (p. 185) et les manuels d'Institutions internationales, notamment celui de Cl. A. COLLIARD, qui est très complet.

Une vue générale des O.I. est donnée par P. GERBET, « Les organisations internationales », *Que sais-je ?* et l'ouvrage de D.H. BOWETT, *The law of international institutions*. Stevens and Sons, Londres. 3e éd., 1975.

Sur l'Unesco, voir *Regard sur l'Unesco*, Editions de l'Unesco, Paris, 1973 (texte de l'acte constitutif en annexe).

Pour les institutions spécialisées, voir E. LABEYRIE-MENAHEM, *Des institutions spécialisées*, Pedone, 1953.

Une systématisation est donnée par M. VIRALLY dans son ouvrage *L'organisation mondiale*, Coll. U, A. Collin, 1973.

Consulter le *Yearbook of international organization*, la *Chronique mensuelle de l'O.N.U.* et la revue *International organization*.

Sur les expériences africaines, voir l'article de M. A. AJOMO dans *International and comparative law quaterly*, janvier 1976, p. 58-101, et le Répertoire des organisations intergouvernementales africaines établi par la Commission économique pour l'Afrique, 1976.

SECTION III

LA PLACE DES ORGANISATIONS INTERNATIONALES DANS LA SOCIETE INTERNATIONALE

Du point de vue des R.I., le problème est de savoir comment les O.I. se situent par rapport aux Etats. Est-ce que les O.I. marquent le déclin de l'Etat ? Est-ce qu'elles constituent, comme l'indique M. Virally, « une nouvelle forme d'organisation politique des sociétés humaines, dont la nouveauté et l'importance ne le cèdent en rien à celle qu'a présentée l'Etat moderne en son temps » ? Mieux, les O.I. mènent-elles le monde vers l'unification politique de la planète, comme le prétendent les fonctionnalistes (*supra,* p. 71) ? Ou, sans aller aussi loin, les O.I. sont-elles capables de « donner la réplique sur la scène mondiale comme un acteur autonome », comme le soutient M. Virally ? ou bien, comme l'affirme M. Merle, faut-il répondre négativement à cette question ?

Pour répondre à ces questions, il faut distinguer deux niveaux différents : le niveau juridique et le niveau sociologique. Comme il arrive souvent, il n'est pas évident que les réponses du juriste et du politiste soient identiques. Le Droit et la pratique doivent être confrontés.

§ 1. — LE POINT DE VUE JURIDIQUE

Du point de vue juridique, la réponse est claire. En règle générale, les O.I. n'ont en rien diminué la prééminence de l'Etat dans la société internationale, du fait même que les O.I., dans leur quasi-totalité, sont fondées sur le principe de la souveraineté des Etats. De là découlent des conséquences juridiques nombreuses et variées.

D'abord les O.I. sont *des créatures des Etats* fondées sur un accord entre les Etats, quelle que soit la dénomination utilisée : traité (de l'OTAN), Charte (de l'O.N.U., de l'O.U.A.), statut (du Conseil de l'Europe), pacte (de la S.D.N.), etc. Sans doute, des organismes privés peuvent jouer un rôle à titre d'observateurs et même formuler des suggestions. Mais, en dernier ressort, la décision finale appartient aux représentants des Etats. Il ne suffit d'ailleurs pas que l'accord ait été négocié et conclu. Il faut encore qu'il ait été accepté par chaque Etat pris individuellement ou au moins la majorité des Etats fondateurs pour que l'O.I. naisse à la vie internationale. Ainsi, la Charte des Nations Unies prévoyait qu'elle entrerait en vigueur après le dépôt des ratifications par les cinq grandes puissances et la majorité des autres Etats signataires de la Charte, ce qui fut réalisé le 29 octobre 1945.

L'accord entre Etats qui est ainsi à la base des O.I. est, en quelque sorte, la constitution de l'O.I. Ce terme est d'ailleurs employé par la Charte de l'O.I.T. Il en résulte que, comme une constitution, il a juridiquement une supériorité par rapport aux autres conventions internationales. C'est ce que précise la Charte des Nations Unies (art. 103). Il en résulte aussi que la constitution d'une O.I. ne peut être modifiée que selon les formes qu'elle a elle-même prévues. Il en résulte enfin que les compétences reconnues à l'O.I. se trouvent définies par sa charte constitutive. Ceci veut dire, comme l'a reconnu la C.I.J., dans son avis de 1948 relatif à la réparation des dommages subis par les agents des Nations Unies dans l'exercice de leurs fonctions, que si toute O.I. a une certaine personnalité internationale, celle-ci n'est pas équivalente à celle de l'Etat. Alors que l'Etat a une personnalité plénière, les O.I. n'ont qu'une personnalité limitée par les buts et fonctions de l'O.I. « énoncés ou impliqués par son acte constitutif et développés dans la pratique ». La C.I.J. concluait que l'O.N.U. n'est « ni un Etat ni, encore moins, un super-Etat ».

Outre la charte constitutive de l'O.I., d'autres accords interviennent pour définir le statut de l'O.I. Ainsi, faute de posséder, comme l'Etat, un territoire propre, toute O.I. est obligée de conclure avec l'Etat sur le territoire duquel elle est installée un accord dit de siège, dont le but est de préciser les privilèges et les immunités accordés à l'O.I.

En second lieu, en principe, *les O.I. sont composées d'Etats.* Ceci ne signifie pas que les Etats sont représentés uniquement par des personnes désignées par les organes de l'Etat et chargées d'exprimer leur volonté. Il arrive que des groupements privés soient représentés en tant que tels dans certaines O.I. Il en est ainsi à l'O.I.T. où, à côté des délégués gouvernementaux, il y a des représentants des organisations professionnelles des travailleurs et des employeurs (*supra,* p. 178). De même, dans la Communauté économique européenne, on trouve, dans le cadre du comité économique et social, des représentants des intérêts économiques, sociaux et culturels, bien que, dans ce cas, leur rôle soit consultatif et non délibératif. Cette représentation des groupements privés dans les organes des O.I., comme membres à part entière, est cependant exceptionnelle. En règle générale, les Etats sont représentés soit par des délégués gouvernementaux, soumis aux instructions de leur gouvernement, soit, comme dans l'assemblée du Conseil de l'Europe, par des parlementaires. Exceptionnellement, l'assemblée des Communautés Européennes, improprement dénommée Parlement Européen, est désormais composée de membres élus au suffrage universel.

En toute hypothèse, les personnes qui composent les organes principaux des O.I. représentent les Etats, même si elles ont été désignées par des groupements privés ou au suffrage universel. La seule exception à cette règle concerne le personnel des organes administratifs dont les membres sont recrutés par l'O.I. elle-même et qui doivent être indépendants de leur Etat d'origine.

Une troisième conséquence de la primauté de l'Etat souverain par rapport aux O.I. est que, *sauf exception* (*supra*, p. 195 et *infra*, p. 276), *une O.I. n'a pas le pouvoir d'adopter des décisions obligatoires capables de déterminer le comportement des Etats en dehors de l'organisation.* En revanche, les O.I. ont le pouvoir d'adopter, sous des formes variées, des actes obligatoires à l'intérieur de l'organisation. Ce sont des actes à portée interne par opposition aux actes à portée externe.

Les actes intérieurs sont en fait très nombreux et très divers. Certains concernent l'organisation et le fonctionnement des organisations internationales. Dans ce domaine, les principes, en quelque sorte constitutionnels, sont inclus dans le traité qui crée l'organisation internationale ; mais en outre les détails d'organisation et de fonctionnement résultent d'actes unilatéraux élaborés par les différents organes de l'organisation (comparer avec le droit constitutionnel des Etats).

C'est ainsi que dans les traités créant les O.I. est stipulé ce que l'on pourrait appeler le pouvoir d'auto-organisation, qui conduit à reconnaître à chaque organe de l'organisation le pouvoir d'élaborer son propre règlement intérieur (voir par ex. l'art. 21 de la charte de l'O.N.U. pour l'assemblée générale et l'art. 30 pour le Conseil de sécurité). Ce document important définit la structure interne de chaque organe, les règles de procédure, les modes de votation, les pouvoirs de l'organe à l'égard des Etats-membres, etc.

De même, en ce qui concerne le personnel des O.I., les chartes constitutives se bornent à formuler des principes généraux, mais le statut du personnel résulte, pour le détail, d'actes unilatéraux adoptés par les organes compétents. C'est ainsi que, pour l'Organisation des Nations Unies, l'article 101 de la Charte indique que le personnel est nommé par le Secrétaire général, « conformément aux règles fixées par l'Assemblée générale », ces règles constituant le statut du personnel de l'Organisation des Nations Unies.

Parmi les actes relatifs à l'organisation et au fonctionnement des O.I., il faut également mentionner les décisions par lesquelles tel ou tel organe crée des organes subsidiaires, les règlements dits de siège par lesquels l'O.I. détermine les règles applicables dans ce que l'on appelle le district administratif, c'est-à-dire le territoire sur lequel est implantée l'O.I. et destinés à fixer les conditions nécessaires à l'exercice de ses attributions, et enfin les règlements financiers qui fixent les règles applicables en matière budgétaire.

Tous ces actes unilatéraux relatifs à l'organisation et au fonctionnement des O.I. ont un caractère commun, à savoir leur caractère obligatoire à l'égard des Etats-membres. Ce caractère obligatoire est parfois sanctionné par l'intervention d'organes juridictionnels tels que le tribunal administratif de l'Organisation des Nations Unies ou le tribunal administratif de l'O.I.T., qui est également compétent pour d'autres O.I.

On s'est interrogé sur le point de savoir quelle est la nature juridique de ces actes. Il semble tout à fait inutile de s'appesantir sur le point de savoir si ces actes sont des actes réglementaires ou législatifs, ce qui traduit la tendance des internationalistes à transposer sur le plan international des catégories de droit interne. Il suffit de constater que ces actes unilatéraux créent des règles générales et impersonnelles à caractère obligatoire.

En revanche, on peut s'interroger sur le point de savoir si on est en présence de véritables règles de droit international, du fait que le droit international classique est un droit qui régit les rapports entre deux ou plusieurs Etats. Or ici, un seul sujet de droit international est en cause, à savoir l'O.I. Peut-être pourrait-on qualifier le droit ainsi créé par les O.I. de droit interne, en précisant qu'il s'agit du droit interne de l'organisation, de la même façon qu'il existe des droits internes nationaux, applicables à l'intérieur de chaque Etat.

En dehors des actes unilatéraux relatifs à l'organisation et au fonctionnement des O.I., il y a également des actes unilatéraux qui sont relatifs aux rapports entre les différents organes des organisations internationales. Ces rapports sont de natures diverses, mais il arrive parfois qu'on est en présence de rapports de subordination et non pas de rapports de collaboration sur la base de l'égalité.

Dans le premier cas, l'existence de rapports de subordination implique le pouvoir hiérarchique, c'est-à-dire le pouvoir de formuler des règles impératives à l'usage de l'organe subordonné. Tel est le cas, par exemple, en ce qui concerne les rapports entre l'Assemblée générale de l'Organisation des Nations Unies et le Conseil économique et social ou le Conseil de tutelle. La Charte des Nations Unies précise, en effet, que ces deux conseils sont placés sous l'autorité de l'Assemblée générale.

Dans le second cas, lorsque les rapports sont des rapports de collaboration sur la base de l'égalité, il en résulte au contraire qu'aucun des organes n'a le pouvoir de formuler des règles de caractère obligatoire pouvant s'imposer à l'autre organe.

L'exception la plus notable à la règle selon laquelle une O.I. ne peut prendre de décisions à portée externe concerne le Conseil de Sécurité de l'O.N.U. Lorsque la paix internationale est en jeu, le Conseil a été investi par la Charte du pouvoir de prendre de véritables décisions obligatoires pour les Etats (art. 25 charte O.N.U.). Nous reviendrons sur ce point à propos des conflits internationaux (*infra*, p. 455).

Sur le plan régional, certains organes des Communautés européennes ont également été investis du pouvoir de prendre des décisions générales ou inviduelles (*supra*, p. 196), mais ceci s'explique par le fait que les Etats européens sont en voie de réaliser leur intégration politique.

De façon générale, comme le fait remarquer Bettati, « l'organisation d'intégration reste un modèle peut utilisé ; la souveraineté est toujours l'élément dominant des relations internationales » (La souveraineté au XXᵉ siècle).

D'un point de vue juridique, ce bref rappel du Droit des O.I. amène à la conclusion que les O.I. ne sont certainement pas des acteurs autonomes, encore moins indépendants. Par opposition à l'époque où les O.I. n'existaient pas, on peut dire qu'elles constituent simplement un cadre permanent où les Etats peuvent confronter leurs conceptions, s'exprimer, bref un instrument destiné à faciliter la coopération entre Etats demeurés pleinement souverains.

BIBLIOGRAPHIE

Voir les ouvrages précités de Cl. A. COLLIARD (notamment les pages 607 et s.) et de M. VIROLLEY.

§ 2. — LE POINT DE VUE SOCIOLOGIQUE

L'observation de la vie des O.I. dément-elle la conclusion précédente ? Faut-il accepter l'idée qu'« une fois créée, l'organisation vit de sa propre vie », qu'« elle jouit d'une certaine autonomie par rapport aux Etats », qu'« elle exerce une certaine autorité à l'égard de ses membres ». Faut-il admettre, avec M. Virally, que l'O.I. est un acteur autonome au sein de la société internationale globale, qu'elle « se comporte elle-même comme une force pesant sur le jeu social et cherchant à l'orienter vers la réalisation de ses objectifs propres » (p. 30) ?

On pourrait être tenté d'analyser une O.I. en terme de système en la considérant comme une totalité qui reçoit des impulsions de l'extérieur et réalise à l'aide de ses mécanismes une conversion des « inputs » en « outputs » (résolutions, politique) qui à leur tour réagissent sur le milieu international (effet de rétroaction, feedback) suscitant de nouveau des réactions. Le schéma classique simplifié de l'analyse systématique serait le suivant :

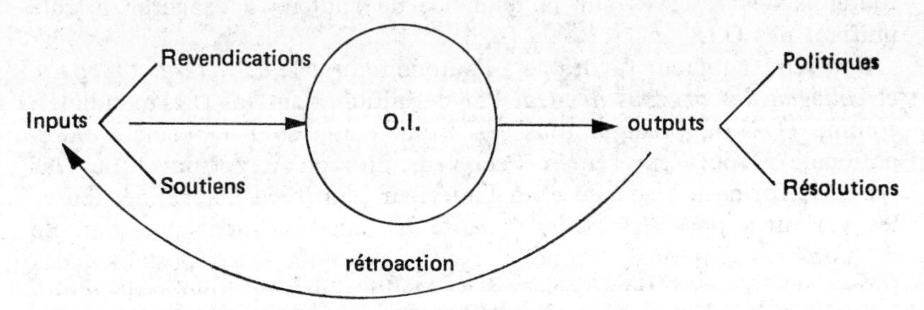

Ce type d'analyse a été appliqué en particulier par Ernst Haas à l'étude de l'O.I.T. dans son ouvrage *Beyond the nation-state* (Stanford, 1964) et, sur un plan plus général, par R. Cox et H. Jacobson (*op. cit. Infra,* p. 210).

L'inconvénient de cette méthode est qu'elle ne permet guère d'appréhender ce qui se passe à l'intérieur du système qui, par définition, est supposé en équilibre et capable de s'adapter à son environnement. On saisit les impulsions en provenance de l'extérieur. On voit le produit du système. En revanche, le processus complexe de conversion des demandes en résolutions ou en décisions est laissé dans l'ombre. En outre, avec sa prétention à la neutralité, l'analyse systémique n'offre aucune explication, ne recherche aucun principe de causalité, mais seulement des variables multiples, qui jouent tous un rôle équivalent.

L'analyse systémique pourrait à la rigueur être retenue à titre de schéma descriptif, à condition de lui faire subir un certain nombre de corrections destinées à le rendre opérationnel. En fait, il faut bien constater avec M. Virally « la pauvreté de la réflexion théorique en matière d'organisation internationale » (*op. cit.*, p. 25). Le grand nombre (250) d'O.I. et le petit nombre d'études qui leur sont consacrées expliquent qu'il soit difficile d'aboutir à des conclusions sûres. On peut cependant relever l'existence de facteurs favorables à l'autonomie des O.I., mais aussi de limitations à cette autonomie, de sorte qu'il ne peut s'agir que d'une autonomie relative, qu'il faudrait évaluer dans chaque cas particulier.

A. — Les facteurs d'autonomie

Ces facteurs ont été parfaitement analysés par M. Virally dans son ouvrage *L'organisation mondiale,* auquel nous nous référons, en faisant toutefois des réserves sur la tendance de l'auteur à exagérer le rôle unifiant des O.I.

Un premier facteur favorable à l'autonomie est le *caractère composite et collégial des organes des O.I.* Par définition, dans les O.I. mondiales, comme l'O.N.U., presque tous les Etats composant la société internationale y sont représentés. Ceci veux dire qu'on y trouve tous les types de formation sociale et, à l'intérieur d'un type déterminé, toutes les variantes possibles. Il en résulte un accroissement considérable du nombre d'intérêts à concilier et des combinaisons possibles des forces en présence. Comme le relève M. Virally, « la diplomatie multilatérale permet de grandes manœuvres en raison précisément du nombre (nous ajouterons : et de la nature P.F.G.) des acteurs et des possibilités variées de coalition et de pression qui existent ». La particularité des O.I. est que la diplomatie multilatérale est institutionnalisée, ce qui confère à l'O.I. des possibilités d'action (permanence, organisation, moyens matériels) qui n'existent pas dans le cadre de négociations du type « face à face » ou dans celui des conférences diplomatiques classiques.

Dès lors on comprend que, selon les cas, les Etats recherchent ou écartent l'intervention des O.I. Cette intervention est redoutée lorsqu'un Etat, ou un groupe d'Etats, craint d'être soumis à des pressions de l'O.I. qu'il aurait évitées autrement. On en revient à la diplomatie bilatérale (d'Etat à Etat), souvent secrète (par ex. le problème des C.L.A.S., *infra,* p.). Mais il n'est pas toujours possible de « court-circuiter » ainsi les O.I. Sans parler du problème des conflits internationaux, dont il n'est pas indifférent qu'ils soient soumis à une O.I. (*infra,* p. 442), on peut relever que les problèmes du développement n'auraient pas eu le retentissement qu'ils ont s'ils n'avaient pas été saisis par les O.I. La pression exercée par les Etats du Tiers Monde, devenus majoritaires, a conduit les O.I. à élaborer une stratégie et une tactique du développement. Nous laissons de côté la question de savoir si elles sont efficaces (cf. deuxième partie, p. 478). Il suffit de constater qu'elles existent et qu'elles ne correspondent pas nécessairement à celles des Etats ou groupes d'Etats pris individuellement. C'est ainsi qu'à la suite de la 6e session spéciale de l'assemblée générale de l'O.N.U. (avril-mai 1974), réunie à l'initiative des non-alignés, après le sommet d'Alger (1973) a été adoptée une déclaration et un programme d'action pour l'établissement d'un nouvel ordre économique international. Aussitôt le représentant permannent des E.U.A. auprès de l'O.N.U. s'est élevé contre « la tyrannie de la majorité ». Il n'empêche que cette déclaration a inspiré la charte des droits et devoirs économiques des Etats (12 décembre 1974) et a déclenché un processus visant à reformer les structures du système des Nations Unies en vue de les rendre plus aptes à servir d'instrument pour une meilleure coopération économique à l'échelle mondiale (Résolution 3 343 de décembre 1975. Cf. *Development dialogue,* 1975, nos 1 et 2).

Le poids de la diplomatie multilatérale est d'autant plus considérable que les débats sont, en principe, publics, ce qui a fait parler de « diplomatie parlementaire » (Dean Rusk). Sans doute, la diplomatie publique, par opposition à la diplomatie secrète, est comme la langue d'Esope, la meilleure et la pire des choses. Les O.I. risquent d'apparaître comme des tribunes de propagande utilisées pour l'agitation verbale ou le psychodrame. Elles ont cependant un avantage, celui de faire intervenir dans le circuit un « partenaire du dehors » : l'opinion publique, dont le poids est capable d'influencer les Etats.

En outre, la diplomatie quasi parlementaire des O.I. a fait surgir le phénomène des groupes constitués en fonction de l'appartenance des Etats à tel ou tel type : Etats capitalistes, Etats socialistes, Tiers monde (groupe afro-asiatique, groupe de l'Amérique latine). La cohésion des groupes permet de faire jouer la loi du nombre et de corriger le poids excessif des grands Etats, peu nombreux, mais puissants. Actuellement, l'équilibre politique au sein de l'O.N.U. par exemple ne correspond pas à l'équilibre qui existe en dehors de l'organisation. La majorité des deux tiers appartient au Tiers Monde. Ceci signifie que les possibilités de manœuvre des grandes puissances ont été réduites. Les E.U.A. ont perdu leur prépondérance absolue. La puissance du nombre compense la puissance fondée sur les forces réelles des Etats, ce qui confère aux O.I. des possibilités nouvelles d'action.

Un deuxième facteur d'autonomie réside dans *la possibilité de faire prévaloir les objectifs des O.I. sur la lettre des textes.* Ces objectifs sont naturellement définis par les chartes constitutives, mais ils le sont généralement de façon si vague que l'O.I., par une sorte d'impérialisme, a toujours tendance à les interpréter de façon extensive et, corrélativement, à restreindre les compétences des Etats-membres.

A propos du problème de la réparation des dommages subis par les agents des Nations Unies dans l'exercice de leurs fonctions, la C.I.J. a fait appel, en 1948, à la théorie des pouvoirs implicites et affirme qu'une O.I. peut faire tout ce qui est nécessaire à la réalisation de ses objectifs et à l'exercice de ses fonctions que ceux-ci soient « énoncés ou *impliqués* dans son acte constitutif et *développés dans la pratique* ». Elle en a tiré notamment la conclusion que l'O.I. possède une certaine personnalité internationale et peut, comme un Etat, exercer une sorte de droit de protection diplomatique en faveur de ses agents, donc réclamer à un Etat réparation des dommages qu'il a causés. A partir de ce cas particulier, toute une doctrine des pouvoirs implicites s'est développée (cf bibliographie). Le Professeur Chaumont définit ces pouvoirs de la façon suivante : « Par pouvoirs implicites on entend ces pouvoirs qui bien qu'ils n'aient pas été formellement prévus par les fondateurs de l'organisation, ont été reconnus et acceptés par les Etats membres au cours d'une certaine période de la vie de l'organisation en tant que moyens auxiliaires ou subordonnés, pour atteindre les buts permanents pour lesquels l'organisation a été créée » (*op. cit*, p. 59).

Dans la mesure où le recours à la théorie des pouvoirs implicites permet d'aller au-delà de ce qui avait été expressément prévu par les textes, l'O.I. acquiert une certaine autonomie par rapport à ses créateurs. Elle se heurte cependant aux résistances des Etats, attachés au principe de souveraineté, qui implique une interprétation restrictive des textes. C'est le cas notamment des Etats socialistes (voir les réserves formulées par Tunkin, *op. cit.*, p. 331 et s.). Les résistances sont d'autant plus fortes que les pouvoirs implicites deviennent en réalité un moyen de violer la charte constitutive de l'organisation et de façon plus générale le droit international. Dans son ouvrage « The law of treaties » (1961, p. 436), A.D. McNair recommande d'utiliser cette notion « avec une grande circonspection ; car si les pouvoirs sont reconnus comme implicites trop rapidement, ils deviennent une menace sérieuse à la sainteté d'un traité ». D'où un risque de conflit qui peut conduire à une crise de l'organisation (voir la crise financière de l'O.N.U. à la suite des opérations de maintien de la paix).

Il y a des cas cependant, où, par une sorte de consensus général, les Etats acceptent une interprétation extensive des pouvoirs de l'O.I. Le cas le plus typique est celui de l'article 2, paragraphe 7, de la Charte des Nations Unies. En principe, cet article interdit à l'O.N.U. d'intervenir dans les affaires intérieures des Etats. Mais comme le domaine réservé aux Etats n'est pas défini et qu'il est d'ailleurs difficile de séparer ce qui est international de ce qui ne l'est pas, l'article 2/7 n'a constitué un obstacle infranchissable que lorsque la majorité, pour des raisons diverses, ne souhaite pas intervenir.

Le troisième facteur d'autonomie tient aux possibilités d'initiative reconnues, en fait, à l'O.I. Théoriquement *l'initiative* de saisir l'O.I. de tel ou tel problème appartient aux Etats. Mais, en raison des intérêts divergents des Etats, il y a toujours dans les O.I. des Etats qui souhaitent faire intervenir l'organisation et qui servent de moteur tandis que d'autres y sont opposés et servent de frein. Or, le fait que les premiers soient les plus nombreux pour un certain nombre de problèmes, notamment ceux du développement et de la coopération, contraint les seconds à accepter à leur corps défendant l'intervention de l'organisation, qui accroît ainsi ses possibilités d'action (voir la VIe session extraordinaire de l'assemblée générale de l'O.N.U. réunie sur l'initiative de l'Algérie en 1974). Même s'il existe un pouvoir d'empêcher (veto), ceux qui sont hostiles à l'action sont placés dans une position inconfortable dans la mesure où ils sont obligés d'avouer publiquement leur hostilité et de la justifier.

D'un autre côté, le chef de l'Administration des O.I. joue souvent un rôle non négligeable, au niveau de l'initiative. Comme le souligne M. Virally, « on peut dire aujourd'hui qu'*au-delà des textes juridiques* s'est dessinée une image du chef de Secrétariat international qui fait de lui l'homme qui a en permanence la responsabilité de la vie et du développement de l'institution à laquelle il appartient et qu'il incarne aux yeux de l'opinion publique ». Il possède en fait des possibilités d'action qui permettent de vaincre les résistances et les réticences des Etats. « De ce fait, les chefs de Secrétariat ont acquis une stature internationale qui en font des interlocuteurs — et non seulement des exécutants — pour les organes intergouvernementaux et des partenaires, parfois redoutés, pour les gouvernements individuels » (*op. cit.*, p. 218) (*infra,* deuxième partie, titre I, chapitre III).

B. — Les limites de l'autonomie

En dehors des limites juridiques (*supra,* § 1), qui ne sont pas infranchissables, il y a surtout des limites d'ordre politique.

La première limite vient de faire que *le poids respectif des Etats peut ne pas être le même à l'intérieur ou à l'extérieur de l'O.I.* Même si certains Etats sont contraints, par le jeu de la loi du nombre, d'accepter l'intervention de l'O.I., ils peuvent, en l'absence d'un pouvoir de décision, opposer la force d'inertie aux résolutions de l'O.I. et, par conséquent, dans les cas extrêmes, pour enlever toute efficacité. Ainsi, en 1966, l'O.N.U. décida de créer un fonds d'équipement des Nations Unies contre l'opposition des principaux pays exportateurs de capitaux. Comme ce fonds devait être alimenté par des contributions volontaires des Etats, ceux qui auraient pu l'alimenter opposèrent la force d'inertie, de sorte qu'il fallut renoncer, dès 1967, à ce projet. De même, les E.U.A. se sont servis de l'arme financière pour faire pression sur les O.I. qui avaient eu le tort d'adopter des résolutions qu'ils n'approuvaient pas. Depuis décembre 1974, ils avaient cessé de verser leur contribution financière au budget de l'Unesco. En mai 1976 ils avaient à l'O.I.T. un arriéré de 25,9 millions de dollars. De façon plus générale, le contrôle des postes-clés de telle ou telle organisation par les nationaux d'un Etat ou d'un groupe d'Etats est de nature à porter atteinte à la crédibilité de l'organisation. Le tableau ci-après

Groupes d'Etats	Secrétaires généraux adjoints	D2	D1	P5	P4	P3	P2	P1	Totaux
1. E.U.A.	3	11	35	69	105	116	120	7	466
2. Royaume-Uni et France	2	11	33	52	52	52	43	12	259
3. Autres Etats occidentaux	9	14	46	96	136	130	109	18	558
4. Total	14	36	114	217	293	300	272	37	1 283
5. U.R.S.S.	1	12	10	20	66	49	20	3	181
6. Autres Etats socialistes européens	2	1	8	18	43	17	8		97
7. Total	3	13	18	38	109	66	28	3	278
8. Afrique	7	4	12	31	61	63	63	9	250
9. Asie	4	8	29	53	58	64	46	16	278
10. Asie de l'Ouest	2	1	6	9	15	10	6	2	51
11. Amérique latine	4	6	15	38	62	53	50	14	242
12. Total	17	19	62	131	196	190	165	41	821
Totaux	34	68	194	386	598	556	465	81	2 382

N.B. — Les postes sont classés dans l'ordre d'importance décroissante de D2 à P1.

montre le rôle prédominant joué à l'O.N.U. par les Etats capitalistes. Les inégalités sont encore plus grandes si on ne tient compte que des services financiers et de ceux du personnel en résidence à New York, Genève et Vienne. En 1975, les 2/3 provenaient des Etats capitalistes « occidentaux ». A eux seuls, les E.U.A. détenaient le quart des postes, c'est-à-dire autant que les Etats du Tiers Monde. On comprend la remarque d'un ancien Secrétaire général adjoint de l'O.N.U. selon lequel « les Nations Unies ne sont pas une organisation internationale, mais plutôt une dépendance des Etats-Unis » (cité par Conor Cruise O'Brien, *The United Nations as a sacred drama,* 1968).

La volonté de l'O.I. d'aller de l'avant en ignorant ou en minimisant les résistances de certains Etats peut même créer de véritables crises, préjudiciables, non plus à la crédibilité de l'O.I., comme dans le cas précédent, mais à son existence même. Ainsi la personnalisation du pouvoir, sous le couvert de l'action personnelle du chef du Secrétariat, n'est pas sans dangers. Comme le soulignait Krouchtchev à l'Assemblée générale de l'O.N.U., en 1960, une personnalité aussi éminente soit-elle ne peut qu'exprimer une politique, une idéologie unilatérale, partisane et non universelle. Il y a donc un risque de décalage entre l'action entreprise par le chef de Secrétariat et l'opinion de tel ou tel groupe d'Etats. Ainsi N. Krouchtchev reprochait à Dag Hammarskjold d'avoir défendu « les positions des colonialistes et des pays qui soutiennent les colonialistes » dans l'affaire du Congo et d'avoir utilisé les forces de l'O.N.U. pour réprimer les mouvements révolutionnaires. D'où la proposition de créer une troïka, un organisme collégial, composé de représentants des trois groupes d'Etats : capitalistes, socialistes, Tiers Monde.

Une deuxième limite vient de ce que *les Etats,* en l'absence de supranationalité, *ont conservé le pouvoir d'exécution.* S'il est difficile d'empêcher une O.I. de discuter d'un problème, voire de voter une résolution ou une décision lorsque la majorité le souhaite, en revanche, au niveau de l'exécution, il faut en revenir à ceux qui ont les moyens d'exécution, c'est-à-dire les Etats et plus précisément ceux qui disposent de la richesse et de la puissance. Or, à ce niveau, ces Etats peuvent refuser leur collaboration et même menacer de se retirer de l'organisation. C'est ainsi qu'en novembre 1975, les E.U.A. ont informé l'O.I.T. de leur intention de se retirer de l'organisation à compter de novembre 1977.

La minimisation de cet obstacle peut conduire les O.I. au verbalisme, c'est-à-dire à une activité purement symbolique, qui peut avoir un intérêt sur le plan du spectacle, mais qui n'a aucune emprise sur la réalité. Cruise O'Brien, dans son ouvrage *The united Nations as a sacred drama* (Londres, Hutchinson, 1968), a comparé le siège des Nations Unies à une sorte de temple où se déroule un drame sacré. Les adversaires s'injurient selon un rituel défini et se combattent symboliquement en usant et en abusant de la violence verbale. A la limite, ce drame sacré permettrait aux haines de s'exprimer de façon mystique, dans l'explosion des mots, sans effusion de sang. Peut-être. Mais l'utilité du psychodrame fait oublier les vrais problèmes.

Une troisième limite provient des *dangers* qui guettent les O.I. lorsqu'elles cherchent à développer à l'excès leurs activités. Un des résultats inévitables de ce phénomène est la multiplication des organes et des instances et, par conséquent, l'alourdissement des procédures administratives. Paradoxalement, dans le même temps où les « outputs » devraient être de plus en plus nombreux, l'allongement et la complication des circuits administratifs diminuent le rendement de la machine administrative. L'activité des fonctionnaires internationaux est accaparée par la rédaction de rapports de plus en plus nombreux, réclamés par les différents degrés de la hiérarchie administrative, ce qui contribue à développer l'esprit bureaucratique. L'efficacité est sacrifiée à la tendance perverse à faire fonctionner la machine administrative sans se préoccuper des résultats pratiques. En outre, la multiplication des instances contribue à développer l'anonymat, à diluer les responsabilités, à rendre plus difficile le contrôle de la machine administrative par le chef du Secrétariat, qui se trouve placé, à la limite, devant un monstre ingouvernable.

Ainsi se trouve posé aux O.I. le problème de l'organisation rationnelle de l'appareil administratif, capable de rendre les O.I. mieux adaptés à l'exécution de leur mission.

BIBLIOGRAPHIE

Pour l'aspect juridique, voir les ouvrages cités aux deux précédentes sections.

Pour l'aspect sociologique, voir :

— M. Virally, *L'organisation mondiale,* A. Colin, 1973 (bibliographie).

— R. W. Cox, *The politics of international organizations,* Praeger, 1970.

— R. W. Cox et H. Jacobson, *The anatomy of influence. Decision Making* in international organizations-Yale. University press., 1973.

— Rapport JACKSON, *O.N.U.*, Genève, 1969 (sur le fonctionnement des O.I. en matière de développement).

Consulter la revue *International organization.*

Sur le rôle du Tiers Monde, voir l'*Annuaire du Tiers Monde* (chronique sur l'O.N.U. et le Tiers Monde).

H. G. NICHOLAS, *The United Nations as a political institution,* O.U.P., 4e éd., 1971.

Sur le rôle des Etats socialistes, voir R. CHARVIN, *Les Etats socialistes aux Nations Unies,* Coll. U2, A. Colin, 1970.

Sur le rôle du secrétaire général, voir O. PIROTTE et P. M. MARTIN, La fonction de secrétaire général de l'O.N.U. à travers l'expérience de M. Kurt WALDHEIM, *Rev. gén. de Droit int. public,* 1974, ainsi que l'ouvrage de M. C. SMOUTS, *Le secrétaire général des Nations Unies,* A. Colin, 1971.

Sur les pouvoirs implicites, voir :

— Ch. CHAUMONT, La signification du principe de spécialité, *Mélanges Rolin,* Pedone, 1964.

— B. ROUYER-HAMERAY, *Les compétences implicites des organisations internationales.* Librairie gén. de Droit, 1962.

— TUNKIN, *op. cit.*, p. 331-336.

Sur la réforme de l'O.N.U., voir :

— M. BETTATI, La réforme de l'O.N.U. pour l'instauration d'un nouvel ordre économique international. *Polit. étr.*, 1976, n° 4.

M. NERFIN, Is a democratic United nations system possible ? *Development dialogue,* 1976, n° 2, p. 79-94.

— O.N.U., Documents de la commission des experts et de la commission ad hoc.

CHAPITRE III

LES INDIVIDUS ET LES GROUPEMENTS D'INDIVIDUS FORCES ET FAIBLESSES

Jusqu'ici nous n'avons vu intervenir sur la scène internationale que des collectivités de Droit public (Etats ou O.I.). Le moment est venu de s'interroger sur la place de l'individu par rapport à ces dernières (section I). Notre interrogation nous amènera à constater qu'en fait on ne peut pas isoler l'Etat (et par conséquent les O.I.) de sa composante humaine, surtout lorsque les individus sont organisés en groupements, dont certains ont une stature internationale (section II), notamment les sociétés multinationales (section III).

SECTION I

L'INDIVIDU, L'ETAT ET LES ORGANISATIONS INTERNATIONALES

Nous avons vu que certains internationalistes, comme G. Scelle, ne voient dans la société internationale que des individus (gouvernants ou gouvernés), dont la conduite serait dictée par le Droit, objectif et positif (*supra*, p. 53). De même, au début, les auteurs soviétiques, comme Korovine (*Sovremennoye mezdunarodnoye publicnoye pravo*, 1926, trad. franç., 1970), avaient privilégié les groupements d'individus au détriment de l'Etat. S'en prenant au culte de l'Etat, il soulignait qu'il y avait « dans l'arène internationale, à côté des Etats, d'autres associations humaines (collectivités), tantôt en compétition avec l'Etat, tantôt en collaboration avec lui », p. 19). En fait, la doctrine soviétique a tâtonné pendant un certain temps avant d'aboutir à une conception plus juste du problème. Il faut distinguer deux plans différents : celui du Droit et celui de la sociologie.

§ 1. — LE POINT DE VUE DU DROIT

En droit, il n'est pas douteux que les simples particuliers n'ont qu'une place modeste dans la société internationale, en tant qu'acteurs internationaux. « L'homme, personne privée, est en exil dans la société des Etats » (R. J. Dupuy).

A. — L'INDIVIDU ET LE DROIT INTERNATIONAL

D'abord, il est clair que l'individu, en tant que personne privée, ne participe pas à la création du Droit international (*infra,* p. 269). C'est le privilège des Etats et des O.I. Ceci ne veut pas dire que les règles de Droit international ne s'adressent pas aux particuliers. En fait, un des aspects les plus remarquables du développement du droit international au cours des dernières décennies a été l'adoption de textes de plus en plus nombreux, destinés soit à imposer des obligations, soit à attribuer des droits aux personnes privées. Notamment, en 1966, l'O.N.U. a adopté, à l'unanimité, deux pactes internationaux, l'un relatif aux droits économiques, sociaux et culturels, l'autre aux droits civils et politiques. De même, de nombreuses conventions internationales, adoptées par l'O.I.T. et par l'Unesco, se sont préoccupées des discriminations de toutes sortes. Bien plus, les peuples et les nations, en tant que tels, sont visés par les textes internationaux. Aujourd'hui, le droit des peuples à disposer d'eux-mêmes peut être considéré, non plus simplement comme un droit moral, mais comme un droit au sens juridique du terme. Le soutien accordé par l'O.N.U. aux mouvements de libération nationale repose sur la reconnaissance de ce droit (*supra,* p. 110).

Mais le problème important est de savoir comment les particuliers peuvent faire valoir leurs droits sur le plan international. En fait, il faut constater qu'ils sont bien démunis. Le pouvoir de saisir directement les instances internationales leur est chichement mesuré.

Le pacte relatif aux droits civils et politiques prévoit la création d'un Comité des droits de l'homme, auquel les Etats qui ont ratifié la Convention peuvent, par une déclaration spéciale, purement facultative, reconnaître compétence pour examiner les plaintes, formulées par un Etat contre un autre Etat et relatives au non-respect des obligations résultant de la Convention. En outre, le protocole (facultatif) relatif aux droits civils et politiques prévoit également la possibilité pour les particuliers d'adresser des plaintes au Comité, à condition toutefois que les recours de droit interne aient été épuisés. Le protocole est effectivement entré en vigueur le 23 mars 1976.

Mais le problème est de savoir si ce Comité a le pouvoir de prendre des sanctions et de les faire appliquer à l'Etat qui a violé ses obligations internationales. Or, que le Comité soit saisi par un Etat ou par des individus, il est dépourvu du pouvoir de prendre des décisions à caractère obligatoire. Il ne peut que demander des explications à l'Etat pris à partie et ce dernier demeure libre de donner la suite qui lui convient à la réclamation.

De même la convention relative à la discrimination raciale (1965) a prévu l'existence d'un comité pour l'élimination de la discrimination raciale. Si les Etats reconnaissent la compétence du Comité, des particuliers ou des groupes de personnes relevant de la juridiction d'un Etat et qui se plaignent de la violation de la convention peuvent saisir le Comité par voie de pétition. On retrouve ici la règle classique de l'épuisement des recours internes, les particuliers devant saisir d'abord les instances nationales avant de s'adresser au Comité. Mais, comme pour les pactes internationaux relatifs aux droits civils et politiques, le Comité pour l'élimination de la discrimination raciale est privé du pouvoir sanctionnateur. La convention de 1965 prévoit, en effet, que « le Comité adresse des *suggestions* et *recommandations* éventuellement à l'Etat partie intéressée et au pétitionnaire ».

Dans le cadre de la Convention européenne (1950), il existe deux mécanismes qui sont destinés à assurer le respect des droits de l'homme : la Commission européenne des droits de l'homme et la Cour européenne des droits de l'homme. La Commission peut être saisie par les Etats, mais également par les particuliers, à condition que, dans ce dernier cas, l'Etat incriminé ait accepté le protocole additionnel de 1952. En fait d'ailleurs les Etats ont rarement saisi la Commission tant il est vrai que les loups ne se dévorent pas entre eux. En revanche, les requêtes individuelles se chiffrent par milliers, mais la plupart ont été jugées irrecevables pour des raisons diverses, notamment de procédure. En 1973, 7 Etats sur 18 n'avaient pas encore accepté de reconnaître la compétence de la Commission et de la Cour européenne des droits de l'homme. Quant à cette dernière, elle ne peut être saisie que par les Etats ou la Commission. Elle a eu, en fait, à connaître un certain nombre d'affaires importantes. De façon générale, le droit pour les particuliers de saisir directement des instances juridictionnelles n'est consacré que dans le cadre d'O.I. de caractère supranational.

Dans le cadre de la Communauté européenne du charbon et de l'acier, la Cour de justice peut être saisie par des personnes privées, qui contestent la légalité des décisions individuelles prises par les organes de Communauté ou qui invoquent contre des décisions générales un vice de détournement de pouvoir.

B. — La participation aux organisations internationales

Nous avons vu que les particuliers ne sont admis que dans des cas exceptionnels à figurer dans les organes des O.I. comme membres à part entière (*supra*, p. 199).

Tout au plus certaines organisations privées, dénommées O.N.G. (organisations non gouvernementales), bénéficient d'un statut particulier qui leur permet d'être reconnues par les O.I. comme observateurs.

En fait, les relations établies entre les O.I. et les O.N.G. sont très inégales (voir l'annexe au paragraphe). Chaque O.I. a établi son propre système de relations bilatérales qui comporte souvent plusieurs catégories d'O.N.G. L'intensité des relations varie également selon les O.N.G. Selon une classification établie par l'annuaire des O.I., la confédération internationale des syndicats libres et la confédération mondiale du travail viennent en tête, suivies par la chambre de commerce internationale.

Du point de vue juridique, les individus et les groupements d'individus participent donc faiblement à la vie internationale. Comme le constate le dictionnaire diplomatique de l'U.R.S.S., « L'individu n'est pas sujet de droit international, bien que dans le droit international il y ait des règles qui garantissent les droits de telles ou telles catégories de personnes... Ces personnes ne deviennent pas pour autant des participants à la vie de la communauté internationale et n'acquièrent aucune des caractéristiques de sujet de droit international. De même, ni les institutions, ni les associations qui existent à l'intérieur de l'Etat ne sont sujets de droit international ».

Il en résulte que, en règle générale, l'individu n'apparaît sur la scène internationale que par le truchement de l'Etat dont il est le national. C'est ce qui explique l'existence de l'institution de la protection diplomatique, qui permet à un individu, lorsqu'il n'a pas obtenu satisfaction, après avoir épuisé tous les moyens de recours interne, de faire intervenir son Etat. Encore convient-il de noter que ce dernier a un pouvoir discrétionnaire pour décider s'il interviendra ou s'il n'interviendra pas et pour choisir les moyens d'intervention. C'est dire que l'individu est juridiquement dans la dépendance de son Etat.

ANNEXE I (au paragraphe 1).

Les relations consultatives avec les Nations-Unies et les Institutions spécialisées
(*Annuaire des Organisations internationales,* 15e édition, 1974)

En vertu de l'article 71 de sa Charte, l'Organisation des Nations Unies, par l'intermédiaire de son Conseil Economique et Social, a créé les voies qui lui permettent de bénéficier de l'expertise des organisations non gouvernementales ; ces moyens, on les appelle communément statut consultatif.

A l'exemple des Nations Unies, ses institutions spécialisées ont établi des relations similaires avec les organisations non gouvernementales qui s'intéressent. Dans le tableau qui suit, on trouvera la récapitulation par institution de ces différentes catégories de relations ainsi que le nom de toutes les organisations non gouvernementales qui y sont admises. Ces organisations sont mentionnées dans un ordre numérique et le numéro qui précède leur nom est celui qui leur est attribué dans la partie descriptive de l'Annuaire et auquel réfèrent tous les index.

Pour découvrir la position d'une O.N.G. dans ce tableau, on consultera donc d'abord l'un des sept index en fin de volume. Egalement on peut, à partir des numéros indiqués dans le tableau, trouver dans la partie centrale la notice descriptive complète de l'organisation.

Codes :

Chaque institution a établi, avec les organisations non gouvernementales, son propre système de relations bilatérales comportant souvent plusieurs catégories. Voici la signification des codes utilisés dans chaque cas. La date indiquée entre parenthèses est celle à laquelle les informations ont été communiquées pour l'institution concernée. Dans la colonne de droite figure le nombre total d'organisations non-gouvernementales admises au statut consultatif.

ECOSOC — Conseil économique et social des Nations-Unies (26 avril 1973).

- I : (Statut consultatif) : « organisations qui s'intéressent au premier chef à la plupart des activités du Conseil » 17
- II : (Statut consultatif) : « organisations à compétence particulière qui s'occupent spécialement de certains domaines d'activité du Conseil » 170

R : (Liste) : « Autres organisations capables d'apporter une aide précieuse au Conseil et inscrites sur la « Liste » (Roster) ;
R(1) par le Conseil 56
R(2) par le Secrétaire général 9
R(3) en vertu de leurs relations officielles avec une ou plusieurs institutions spécialisées » 259

OIT — Organisation internationale du travail (8 mai 1973).
□ : (Statut consultatif) : « organisations qui ont un intérêt substantiel dans un grand nombre d'activités diverses de l'OIT » 6
R : (Statut consultatif régional) 9
S : (liste spéciale) : « organisations qui s'occupent spécialement d'une question particulière rentrant dans la compétence de l'OIT » 87

FAO — Organisation des Nations-Unies pour l'alimentation et l'agriculture (25 mai 1973).
C : (Statut consultatif) 17
S : (Statut consultatif spécial) 37
L : (Statut de liaison) 71

UNESCO — Organisation des Nations-Unies pour l'éducation, la science et la culture (janv. et mai 1973).
A : (relations de consultation et d'association) : « organisations dont la composition présente un caractère largement international et qui ont fait la preuve de leur compétence dans un domaine important de l'éducation, de la science et de la culture et ont apporté de façon régulière des contributions importantes aux travaux de l'Unesco » 35
B : (relations d'information et de consultation) : « organisations qui ont fait la preuve de leur aptitude à fournir à l'Unesco sur sa demande des avis touchant des questions relevant de leur compétence et à contribuer efficacement par leurs activités à l'exécution du programme de l'Unesco » 167
C : (relations d'information mutuelle) 109
(Note : avec effet au 1er janvier 1972 et jusqu'à nouvel ordre, les relations avec 42 ONG bénéficiant d'arrangements consultatifs avec l'Unesco ont été suspendues, à la suite d'une décision prise par le Conseil exécutif de l'Unesco lors de sa 88e session.)

OMS — Organisation mondiale de la santé (30 mai 1973) 105

OACI — Organisation de l'aviation civile internationale (4 juin 1973) 31

UIT — Union internationale des télécommunications (22 février 1972) 35

OMM — Organisation météorologique mondiale (2 avril 1973) 17

OMCI — Organisation intergouvernementale de la navigation maritime (17 mars 1973) 25

ANNEXE II

Schéma comparatif des mécanismes de mise en œuvre de Convention européenne et de la Convention américaine des droits de l'homme et du Pacte relatif aux droits civils et politiques

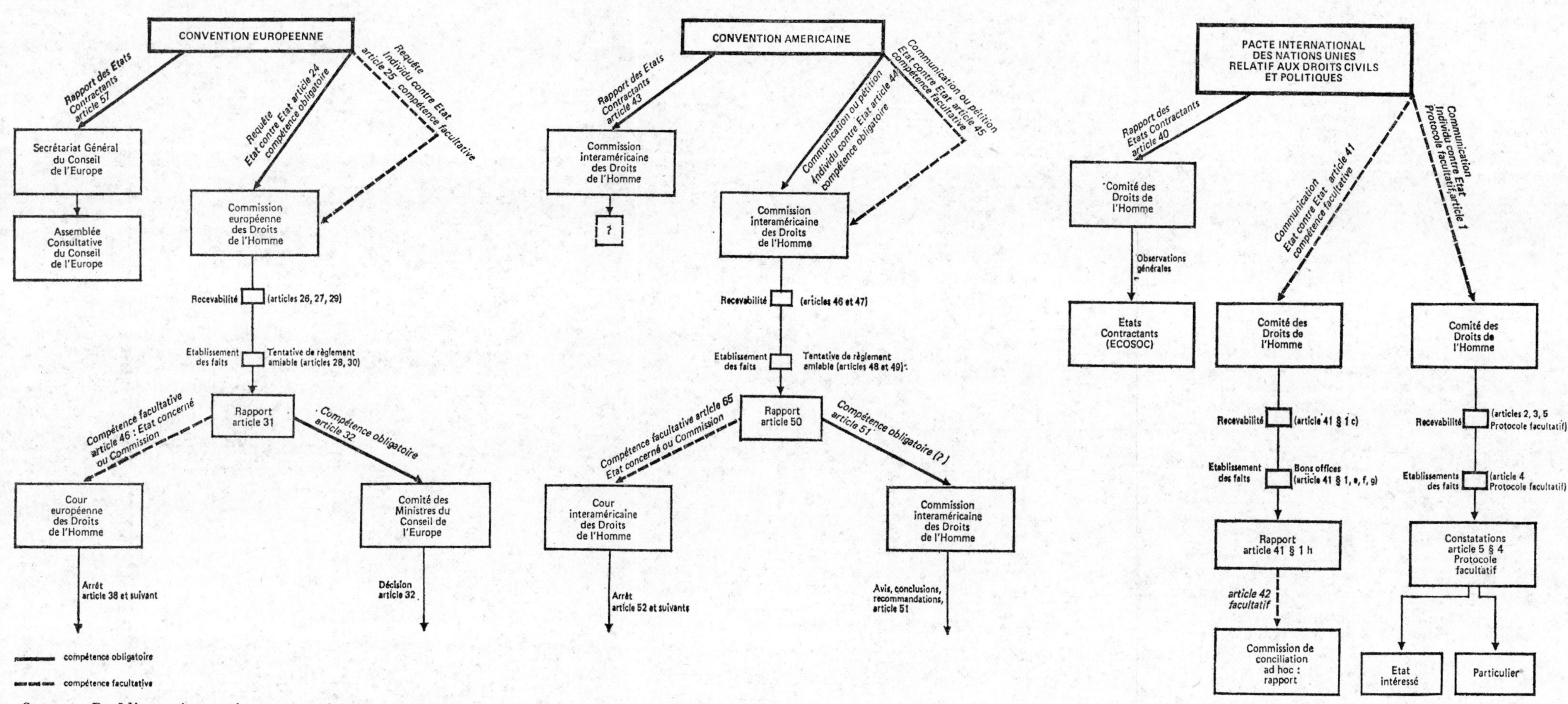

Source : *Problèmes économiques et sociaux*, n°s 203-204, 30 nov. 1973. Ces numéros contiennent également des textes avec une présentation de K. Vasak.

AIEA	— Agence internationale de l'énergie atomique (30 mars 1973)	20
FISE	— Fonds des Nations-Unies pour l'Enfance (24 mai 1973)	88
CNUCED	— Conférence des Nations-Unies pour le Commerce et le développement (15 avril 1973)	
	G : catégorie générale	25
	S : catégorie spéciale	26
	N : organisations non-gouvernementales nationales inscrites sur le Registre	2
ONUDI	— Organisation des Nations-Unies pour le développement industriel (23 mars 1973)	32
CE	— Conseil de l'Europe (17 mai 1973)	128
OEA	— Organisation des Etats américains (5 janvier 1973)	62

BIBLIOGRAPHIE

Sur la protection internationale des Droits de l'homme, voir :

— Le précis de THIERRY et autres, p. 467-490.

— L'étude de D. RUZIÉ, Souveraineté de l'Etat et protection internationale des Droits de l'homme. In *Mélanges offerts à G. Burdeau. Le Pouvoir,* Libr. gné. de Droit, 1977, p. 963 et s.

— L'ouvrage collectif publié par l'Université de Bruxelles sous le titre : *La protection internationale des droits de l'homme,* 1977.

Le point de vue soviétique est donné dans l'ouvrage de V. A. KARTERCHKINE, *La protection internationale des droits de l'homme,* Edition des « Relations internationales », Moscou, 1976.

Un point de vue critique est exposé par Mac CARTHY T.E., *The international protection of the international protection of human rights. Ritual and reality.* International and comp. law quat, avril 1976.

Sur la ratification par la France de la Convention européenne des droits de l'homme, voir l'étude de R. GOY, dans la *Netherlands international law review,* 1975, n° 1, p. 31 et s.

Sur les O.N.G., voir ci-dessous, p. 240 et 247.

R. W. MANSBACH, Y. H. FERGUSON et D. E. LAMPERT, *The web of politics : non-state actors in the global system.* Englewood Cliffs, New Jersey, Prentice Hall Mc, 1976.

M. MERLE, *Sociologie...,* p. 342-356.

Consulter l'*Annuaire des organisations internationales,* 15e éd., 1974 et *La revue des associations internationales* (Bruxelles).

§ 2. — LE POINT DE VUE SOCIOLOGIQUE

La reconnaissance de la place centrale de l'Etat dans la vie internationale ne doit pas faire oublier que l'Etat, en tant qu'organisation politique de la société, n'est que l'expression d'une formation sociale d'un type déterminé (*supra*, chap. II, p. 124). Ceci implique qu'au-delà de l'Etat on s'interroge sur les rapports que les hommes entretiennent entre eux dans le processus de production, c'est-à-dire sur le système de classes sociales. Autrement dit, on ne peut considérer la population d'un Etat comme un bloc monolithique indifférencié, ni l'individu comme un être abstrait (l'Homme, avec un grand H). L'une et l'autre se situent toujours par rapport à des classes, fractions de classes, couches ou catégories sociales, chacun ayant ses intérêts spécifiques.

Notre propos n'est pas de faire l'analyse des classes sociales — ce qui relève de la sociologie — mais de voir quel est le rapport entre les classes sociales et les relations internationales, spécialement du point de vue des rapports entre les particuliers et l'Etat dont ils sont les ressortissants. Compte tenu de la réponse que nous donnerons à ce problème, nous pourrons ensuite nous interroger sur le rôle de l'opinion publique dans le domaine des relations internationales.

A. — Classes sociales et relations internationales

Sur ce point, il y a deux positions inconciliables. Pour les uns, le primat appartient au politique. Pour les autres, la politique dépend, en dernier ressort, de la base économique, caractérisée par un rapport déterminé de classes.

La primauté du politique, c'est-à-dire de l'appareil Etat, est notamment affirmée par R. Aron, qui soutient même que « c'est le régime politique, c'est -à-dire l'organisation du pouvoir et la conception que les gouvernements se font de leur autorité, qui détermine pour une part l'existence ou l'inexistence des classes et surtout la conscience qu'elles prennent d'elles-mêmes » (*Démocratie et totalitarisme,* Gallimard, 1965, p. 30). Non seulement le pouvoir politique est placé dans une situation de prédominance, mais encore R. Aron affirme que ceux qui détiennent le pouvoir économique, c'est-à-dire, en régime capitaliste, les entreprises privées, n'exercent pas une influence générale déterminante et décisive sur les détenteurs du pouvoir politique. « Je ne nie pas, écrit-il, qu'en certaines occasions les représentants des intérêts capitalistes aient fait pression sur les hommes d'Etat. Ce que j'affirme, c'est qu'il n'est pas vrai que la minorité qui dirige les grandes concentrations industrielles constitue un groupe unique ayant une commune représentation du monde et une volonté politique *une*. Jamais et nulle part, on n'a constaté cette cristallisation en classe consciente d'elle-même des maîtres des organisations économiques. »

« Il n'est pas vrai non plus... que ces représentants des grands intérêts économiques tyrannisent les dirigeants politiques et leur imposent les décisions » (*Ibid.*, p. 149).

L'argumentation ainsi exposée est étendue aux Etats socialistes puisque, selon R. Aron, les deux types d'Etats sont finalement de même nature (sociétés industrielles). R. Aron demeure ainsi un disciple fidèle de Dürhing, selon lequel « la forme des rapports politiques est l'élément historique fondamental et les dépendances économiques ne sont qu'un effet ou un cas particulier. Elles sont donc toujours des faits de second ordre ». Il reprend ainsi une idée aussi vieille que l'historiographie sans tenir compte — ce qui n'étonnera personne — de l'Anti-Dürhing de F. Engels.

Le problème est mal posé. Il est évident qu'en régime capitaliste avancé la classe dominante, c'est-à-dire la classe capitaliste, ne constitue par un tout homogène. Elle comporte des fractions et des couches sociales, dont les intérêts ne coïncident pas de façon absolue. En outre, la classe dominante est parfois obligée de conclure une alliance avec d'autres classes pour constituer un bloc (le bloc au pouvoir), encore plus hétérogène que la classe dominante elle-même. L'unité de la classe dominante ou du bloc au pouvoir demeure, malgré tout, assurée, du fait qu'il y a toujours une fraction de classe qui possède une position hégémonique. Mais d'un autre côté les contradictions secondaires qui existent au sein de la classe dominante ou du bloc au pouvoir expliquent ce qui paraît à R. Aron inexplicable, par exemple les divisions de la bourgeoisie à propos de l'expansion coloniale ou de l'opportunité d'avoir une attitude agressive ou conciliante à l'égard de U.R.S.S. (*op. cit.*, p. 146-147).

D'autre part, le fait qu'il y a ou qu'il n'y a pas « coïncidence de la minorité économiquement privilégiée et de la minorité politique dirigeante » est seconde. Surtout avec le développement de la petite bourgeoisie et de la catégorie des intellectuels, il est fréquent qu'il y ait une séparation entre la classe dominante et la classe régnante ou dirigeante. C'est particulièrement vrai dans les Etats du Tiers Monde, où l'appareil d'Etat est entre les mains de la petite bourgeoisie bureaucratique (civile ou militaire), ce qui ne veut pas dire qu'elle est indépendante du pouvoir économique. Mais c'est également vrai en France où « les sommets de l'appareil d'Etat sont encore largement occupés par des membres d'origine de la moyenne et même de la petite bourgeoisie » (N. Poulantzas, « Le concept de classes sociales », *L'homme et la société,* n° 24, 1972). Ceci veut dire que « l'Etat ne constitue pas un simple « instrument » que la fraction hégémonique ne pourrait adapter à ses intérêts qu'en le tenant, au sens physique, « personnellement » en main ». La complexité du système de classes sociales et la distinction entre la classe dirigeante et la classe dominante font que l'appareil d'Etat dans son ensemble ou telle branche de l'appareil d'Etat possède une autonomie relative, qui joue dans les limites du système et compte tenu de la fraction de classe hégémonique.

Cette complexité est encore aggravée par le fait que la classe dominante se heurte au pouvoir des classes dominées, c'est-à-dire en régime capitaliste, la classe ouvrière et les catégories sociales alliées à la classe ouvrière. L'opposition radicale des intérêts fait apparaître le phénomène de lutte de classes, qui peut être voilé par l'idéologie et les discours de la classe dominante, mais qui n'en est pas moins réel.

Dans un Etat de type capitaliste, la nature du système de classes sociales rend particulièrement difficile le problème des rapports entre les classes et les relations internationales. Il faut tenir compte du poids respectif des forces en présence et de la relative autonomie de l'appareil d'Etat. Mais, dans l'ensemble, on peut dire que la politique étrangère de l'Etat reflète les intérêts de la classe dominante. Cette influence déterminante est rendue possible par sa position dans l'ensemble de l'économie et par son organisation aux différents niveaux de la formation sociale : économique, social, culturel, politique.

Dans les Etats socialistes, la situation est différente. Au cours de la phase de dictature du prolétariat, l'Etat exprime les intérêts de la classe ouvrière, alliée aux catégories sociales exploitées. Ceci explique que les premiers internationalistes soviétiques, comme Pasukanis, mettaient l'accent sur le fait que « la souveraineté, dans chaque cas, n'est rien d'autre que l'expression de la dictature de classe ». Encore, en 1958, le professeur Tunkin affirmait que les règles de droit international « expriment la volonté des classes dominantes » des Etats (*Annuaire soviétique de Droit international,* 1958, p. 24). Aujourd'hui, avec l'évolution de l'Etat soviétique vers l'Etat du peuple tout entier, le professeur Tunkin affirme que la volonté de l'Etat soviétique est « la volonté de tout le peuple soviétique, tandis que la volonté de l'Etat capitaliste est celle de sa classe dominante ».

Cette thèse est repoussée par les Chinois, qui estiment que la lutte de classes se poursuit dans tous les Etats socialistes. Par suite, il ne peut y avoir un Etat du peuple tout entier, mais un Etat dirigé par le prolétariat, allié aux classes patriotes, ce qui conserve au droit international son caractère de classe.

Quel que soit le type d'Etat, on arrive donc à cette conclusion que les individus, organisés en classes sociales, exercent une influence décisive sur l'Etat, ce dernier exprimant sur le plan international les intérêts des classes dominantes. Ceci explique que « la politique étrangère d'un Etat est liée étroitement à sa politique intérieure et constitue en quelque sorte son prolongement. La ligne générale de la politique étrangère d'un Etat dépend surtout des principes de son régime social, de son essence de classe » (Tunkin). Il en résulte que toute étude de politique étrangère doit prendre en considération le système de classes sociales et rechercher son influence sur le processus de décision, sans négliger pour autant les autres facteurs. Mais, inversement, la politique extérieure réagit sur la politique intérieure (loi de l'unité des phénomènes, *supra*, p. 16 et s.).

BIBLIOGRAPHIE

Sur le problème des classes sociales et la thèse du primat de politique, voir J. P. Cot, *op. cit.*, p. 97 et s.

Sur l'importance des classes sociales, dans les relations internationales, voir « L'étape actuelle de la crise générale du capitalisme et des relations internationales » (série de communications faites à l'Académie des sciences sociales du P.C.U.S.), *La Vie internationale*, août 1976, p. 3-56.

Adde la bibliographie mentionnée plus haut (p. 144).

B. — Le poids de l'opinion publique

Le problème de l'influence exercée par l'opinion publique dans le domaine des relations internationales doit être situé dans cette perspective. En fait, on ne peut traiter de ce problème sans se souvenir qu'il n'y a pas une opinion publique mais des opinions publiques, variables selon la nature des intérêts de classe qu'elles expriment, ou, de façon plus générale, selon la position des individus dans la société. C'est ce qui a été souligné notamment par J. Galtung. Tout en admettant que dans la plupart des cas, la masse de la population (périphérie) est peu ou pas informée des problèmes internationaux et que son influence est minime, on peut aussi reconnaître qu'il y a un cercle restreint d'individus informés et influents (centre). Ceci peut se traduire graphiquement par une série de cercles concentriques. Galtung relève que le centre est composé de personnes possédant des revenus

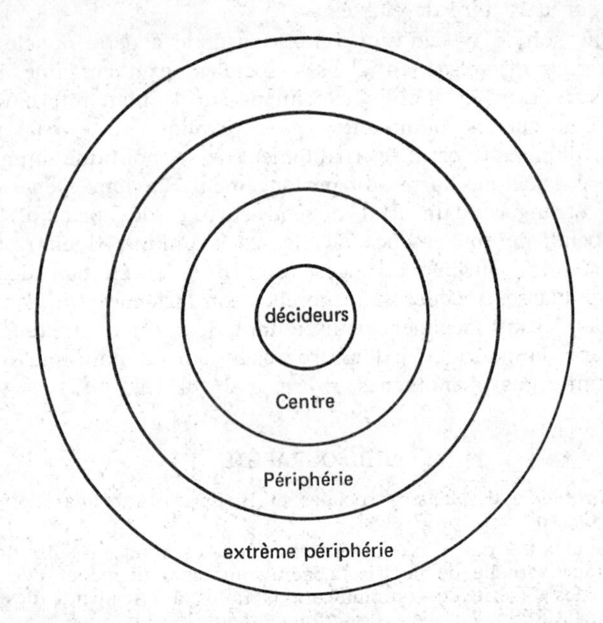

situés au-dessus de la moyenne et un niveau d'éducation élevé, exerçant des fonctions de direction et des professions libérales, vivant dans des agglomérations urbaines, âgées de 30 à 60 ans et de sexe masculin.

I. — Existe-t-il une opinion publique internationale ?

Certains auteurs se demandent s'il n'y a pas une opinion publique internationale, soit au niveau mondial, soit au niveau régional (européen ou africain, par exemple). Formées spontanément et franchissant les frontières, les opinions particulières se rassembleraient en un faisceau de dimension internationale. A la limite, on aboutit à la croyance naïve que la face du monde pourrait être changée si les individus, faisant fi des Etats, décidaient de s'unir. On voit ainsi

Denis de Rougemont adresser une « lettre ouverte aux Européens » (et aux Européennes) (1) et s'insurger contre l'obstacle de l'Etat-nation à la construction de l'Europe. De même la Charte de l'U.N.E.S.C.O. (1945) déclare : « Les guerres prenant naissance dans les esprits des hommes, c'est dans l'esprit des hommes que doivent être élevées les défenses de la paix... toute paix doit être établie sur le fondement de la solidarité intellectuelle et morale de l'humanité ». Le problème serait de créer, selon l'expression de Georges Scelle, une « éthique internationale ». Une telle conception se rattache à un courant d'idées ancien pour lequel la paix internationale peut être assurée par le progrès spirituel (cf. *La Marseillaise de la paix* de Lamartine, la préface des Burgraves de Victor Hugo, Tolstoï, Shelley, etc.).

Force est de constater que ce noble idéal est loin d'être réalisé. En l'état actuel de la société internationale, divisée en Etats souverains, souvent opposés les uns aux autres, *il n'y a que des opinions publiques nationales hétérogènes, qui s'expriment sur des problèmes internationaux et non une véritable opinion publique internationale.* Sans doute ces opinions peuvent être parfois concordantes. C'est ce que montrent les sondages d'opinion. Elles n'en demeurent pas moins distinctes et la concordance peut n'être qu'occasionnelle et temporaire. En outre, au-delà d'une similitude apparente, on peut relever des divergences nationales. Ainsi, entre les deux guerres mondiales, on a pu relever une tendance à l'isolationnisme dans les pays occidentaux (France, Royaume Uni, Etats-Unis). Cependant ses caractères étaient différents selon le pays considéré.

En outre, on a souvent observé que les manifestations de l'opinion publique en matière internationale sont faibles. Alain Girard déclare : « Quand on pose au public des questions relatives à ce domaine, dans quelque pays que ce soit, il est classique d'enregistrer un grand nombre d'abstentions : bien souvent 30 %, voire 40 % ou 50 % des personnes interrogées ne répondent pas. Leur information est souvent très pauvre ; des erreurs grossières accompagnent parfois l'ignorance. L'intérêt pour ces problèmes est peu marqué. Les études sur la lecture de la presse confirment ce diagnostic » (*L'élaboration de la politique étrangère,* p. 22).

Dans la mesure où cette opinion révèle une part de vérité, elle ne fait que constater un des résultats du goût des gouvernants pour les mystères et la diplomatie secrète et de la défaillance du système

(1) Edit. Albin Michel, 1970.

d'information et de formation de l'opinion publique, notamment de la presse, écrite et audiovisuelle. Bien souvent, celle-ci ne s'intéresse à l'événement international que dans la mesure où il est sensationnel. Ainsi on a estimé qu'un journal comme *France-Soir* a connu ses plus forts tirages à l'occasion d'événements tels que l'agonie de Staline, le cessez-le-feu en Indochine, les événements de Hongrie en 1956, l'affaire de Suez (*Ibid.*, p. 47 et s.).

En fait, l'opinion publique existe bien. Mais il est nécessaire de la caractériser.

D'abord il est vrai qu'en temps ordinaire l'opinion ne réagit pas toujours aux problèmes internationaux pour les raisons que nous venons d'indiquer. Mais que surgisse un événement grave, susceptible de mettre en danger l'existence nationale, l'intégrité de la Nation, ou l'influence de l'Etat dans le monde, alors l'opinion s'éveille. Une ou divisée, elle se saisit des problèmes internationaux et s'exprime. C'est ce que montrerait aisément l'étude de quelques cas, comme celui de la guerre du Vietnam par exemple.

En second lieu, il est certain qu'il n'y a pas d'opinion publique spontanée. Il faut tenir compte de l'influence de la presse et des groupes de pression nationaux (syndicats, associations, églises, etc.), sans oublier l'appareil d'Etat.

Comme le relève Sterling (*op cit.*, p. 242), l'« establishment » « est obligé en raison de son statut officiel et de sa responsabilité de persuader un aussi large secteur de l'opinion publique que possible en vue de l'amener à partager son point de vue. Dans cette entreprise, naturellement, le gouvernement exerce une puissante influence grâce à son monopole de l'information officielle et répertoriée. La prérogative du gouvernement de diffuser ou de retenir une telle information est fonction de la sanction politique encore plus fondamentale du secret ». Les « Pentagone papers » (Edition du *New York Times,* Bantam Books, N.Y., 1971) sont, de ce point de vue, édifiants. Même dans un régime comme celui des E.U.A. qui se flattent d'être le modèle des démocraties dites libérales, l'étude de ces documents, fait par D. Ellsberg (*Papers on the war,* Simon and Schuster, 1972) « laisse opaque la question de savoir quelles furent les motivations des principaux décideurs et leurs décisions ». Une des raisons avancées par Ellsberg est qu'une des fonctions importantes d'un « special assistant » (ce qu'il fut) « est de traiter de ce qui ne peut pas être couché par écrit et qui manque par conséquent dans les documents. »

II. — La connaissance de l'opinion publique

Les moyens de connaître l'opinion publique, en particulier les sondages d'opinion, sont devenus familiers à tous.

Il n'est peut être pas inutile de rappeler, cependant, que la technique du sondage d'opinion est apparue pour la première fois aux E.U.A. en 1935 (Institut Gallup) et qu'à l'heure actuelle l'association internationale « Gallup » compte des filiales dans 50 Etats. En fait, la plupart des Etats ont suivi le modèle américain. C'est un aspect non négligeable du problème plus général de l'information dans le monde, qui préoccupe notamment les Etats du Tiers Monde et des O.I. comme l'Unesco (voir la conférence de Nairobi, 1976). Cela dit, la question est surtout de savoir quel est l'intérêt de connaître cette opinion pour les responsables de l'orientation de la politique extérieure et de la décision.

Il n'est pas douteux que les hommes d'Etat sont sensibles à l'opinion publique. Ainsi le Président Roosevelt, impressionné par les succès des instituts de sondage, suivait de très près leurs travaux. De même en France, au moment où les discussions sur la création d'une Communauté européenne de défense étaient les plus vives, le chef du gouvernement, partisan de la C.E.D., fit publier les résultats d'une enquête d'opinion. Depuis 1951, le département d'Etat des Etats-Unis fait procéder, par l'intermédiaire de l'U.S. Information Agency, à des enquêtes à l'étranger pour connaître l'état de l'opinion à l'égard de la politique américaine. Les gouvernements sont donc de plus en plus conscients de l'intérêt que peut présenter la connaissance de l'opinion publique dans le domaine des relations internationales.

De même les organisations internationales ne négligent pas les sondages d'opinion. A plusieurs reprises, les Communautés européennes ont provoqué des études sur l'idée que les Européens se font de la construction de l'Europe. Il existe d'ailleurs, depuis 1947, une commission européenne pour les études d'opinions et des marchés. La commission des Communautés Européennes publie périodiquement un bulletin : *l'Eurobaromètre,* qui relève l'état de l'opinion publique dans la Communauté des neuf sur différents problèmes : militaires, économiques, sociaux, etc...

Il ne faut sans doute pas exagérer l'intérêt de connaître l'opinion publique. Comme le déclare A. Girard, « elle ne fait pas plus la politique étrangère qu'elle ne fait la politique intérieure, mais aucune politique, semble-t-il, ne peut se faire ni contre elle, ni sans elle ».

Pour les gouvernants, le problème est donc de savoir où se situe le seuil de résistance à telle ou telle politique. De ce point de vue la connaissance de l'opinion fournit des éléments d'information très précieux.

Il faut ajouter que, si on peut repérer plus ou moins correctement l'influence de l'opinion publique sur le cours des relations internationales, il faut reconnaître qu'il est quasi-impossible d'évaluer dans quelle mesure l'opinion a pesé sur la décision. Comme l'écrit P. M. Morgan (*Theories and approaches to international politics,* 2e Ed., p. 102-103). « L'opinion publique est seulement un des facteurs qu'il (le décideur) prend en considération... Il y a un sentiment général que l'opinion publique doit avoir un certain poids, même dans les sociétés complètement non-démocratiques, mais les problèmes de mesure sont vraiment insurmontables ».

Cela dit, les techniques actuelles de connaissance de l'opinion publique sont loin d'être parfaites. Sans parler des méthodes utilisées pour réaliser une enquête d'opinion (élaboration du questionnaire, échantillonnage), l'interprétation des résultats n'est pas toujours très facile. On peut en tirer des conclusions différentes. En outre, le sondage d'opinion donne l'état de l'opinion à un moment déterminé. Il ne permet pas d'en suivre les fluctuations. Enfin, il peut être un moyen d'influencer l'opinion des indécis dans un sens ou dans un autre. A la limite, il constitue un instrument de manipulation destiné à égarer l'opinion publique.

Sous ces réserves, les sondages d'opinion sont des instruments utiles pour l'action. Ils ne constituent pas un moyen de démocratie directe, mais un moyen parmi d'autres, de connaissance de l'opinion publique et, par conséquent, une possibilité d'influence sur les responsables de la décision.

III. — L'INFLUENCE DE L'OPINION PUBLIQUE SUR LA CONDUITE DES RELATIONS INTERNATIONALES

L'effet de l'opinion sur la conduite des relations internationales est très discuté. Les jugements sont parfois sévères. Ainsi Walter Lippmann écrit : « Malheureusement, la vérité est que l'opinion publique prédominante a été destructivement erronée dans des circonstances critiques. Le peuple a imposé son veto aux jugements de fonctionnaires informés et responsables. Il a forcé les gouvernements, qui d'habitude savaient ce qui aurait été plus sage, ou nécessaire, ou plus opportun, à agir trop tard ou trop peu, ou trop longtemps et trop vigoureusement, à être trop pacifistes en temps de paix et trop belliqueux en temps de guerre, trop neutralistes ou conciliants (appeasing) pendant les négociations ou trop intransigeants. L'opinion de masse a acquis un pouvoir croissant en ce siècle. Elle s'est révélée un maître dangereux des décisions quand l'enjeu est une question de vie et de mort » (*The public philosophy*, 1955, p. 20).

De même, le professeur E. Giraud, ancien conseiller juridique de la S.D.N., juge très sévèrement le rôle de l'opinion publique dans son ouvrage *La nullité de la politique internationale des grandes démocraties* (Sirey, 1946).

Finalement, trois sortes de griefs sont formulés à l'égard de l'opinion publique. D'abord, dans les régimes politiques où l'opinion peut librement s'exprimer, il y aurait une tendance à choisir la voie la plus facile, celle qui comporte le moins de sacrifices. On pourrait citer à cet égard l'appui apporté par l'opinion publique à l'accord de Munich (1938) ou au retrait des forces américaines du Vietnam (à condition de ne pas perdre la face, cf. *Pentagon papers*). En second lieu, les réactions de l'opinion publique seraient imprévisibles tellement elle est versatile, variant au gré des événements et des pressions exercées sur elle, notamment par la presse. En tenir compte conduirait à fonder la politique sur les sentiments et les passions et non sur la saine raison. Enfin, l'opinion du grand nombre risque de prévaloir sur le jugement de quelques-uns, hommes d'expérience et de sagesse.

De telles critiques sont en fait dirigées contre la démocratie elle-même et servent à justifier le monopole gouvernemental ou même bureaucratique en matière de relations internationales (cf. les vues exprimées par Morgenthau, Kissinger, etc...). En fait, le problème est celui de la formation de l'opinion publique par le canal des moyens d'information. Bien informée, l'opinion est capable de réagir sainement. De ce point de vue, la presse, écrite et audiovisuelle, a une très grande responsabilité. On ne saurait affirmer que son rôle soit toujours conforme à sa mission, qui est de former et non de déformer l'opinion. Dans l'affaire de Suez, par exemple, en 1956, il est remarquable qu'à la veille de l'intervention militaire franco-anglaise et israélienne, 20 % des Français seulement approuvaient cette intervention. Par la suite, la presse réussit à dresser cette même opinion contre le colonel Nasser.

Malgré les déformations qu'elle subit, l'opinion publique est capable d'influencer la politique étrangère. Ainsi, en 1935, Samuel Hoare, Premier ministre anglais, et Pierre Laval, Chef du gouvernement français, avaient mis au point un plan destiné à conclure une alliance avec Mussolini en échange du démembrement de l'Ethiopie, au moment où la S.D.N. avait décidé d'appliquer à l'agresseur des sanctions économiques. L'opinion anglaise réagit vigoureusement et, malgré la majorité confortable des conservateurs au Parlement, Samuel Hoare fut obligé de démissionner et le plan dut être abandonné. Citons également la pression exercée par l'opinion publique française à propos du projet de C.E.D., la la guerre du Vietnam, de la guerre d'Algérie, etc.

Finalement, le poids de l'opinion publique dépend de la nature du régime politique dans son ensemble, qui conditionne le processus de la décision et les possibilités pour l'opinion de l'influencer.

BIBLIOGRAPHIE

Sur *l'opinion publique,* voir :

M. Merle, *Le droit international et l'opinion publique.* Cours à l'Acad. de Droit intern. (La Haye). Recueil, 1973.

Renouvin et Duroselle, *Introduction à l'étude de l'histoire des relations internationales* (bibliographie).

Divers : *L'élaboration de la politique étrangère,* P.U.F., 1969.

J. Galtung, Foreign public opinion as a function of social position, dans Rosenau, *International politics and foreign policy.* Free Press., 1969, p. 551-572.

Sterling, *op. cit.,* p. 232 et s. (sur les rapports de l'establishment et de l'opinion).

Etudes de cas :

— Bombe atomique française et opinion publique internationale, F.N.S.P., C.E.R.I. *Recherches,* n° 6, 1962.

— A. Lebrun, *L'opinion publique des Français sur le Tiers Monde,* Ed. Ouvrières, 1971.

Consulter les revues spécialisées, notamment pour l'Europe, la revue *Eurobaromètre,* Bruxelles. Communautés européennes

Sur « le rôle de l'information dans le nouvel ordre international », voir les communications au séminaire de Mexico (24-28 mai 1976). Instituto latino-americano de estudios transnacionales, Mexico.

SECTION II

TYPOLOGIE DES GROUPEMENTS PRIVES A DIMENSION INTERNATIONALE (G.P.D.I.)

Il va de soi que l'origine des G.P.D.I. se situe au niveau des Etats. Ils sont, par conséquent, tributaires de la nature des formations sociales (*supra*, p. 124). C'est la raison pour laquelle nous distinguerons les groupements qui sont directement liés à la base économique et ceux qui relèvent de la superstructure.

§ 1. — LES GROUPEMENTS PRIVES EXPRESSION DE LA BASE ECONOMIQUE

La distinction des forces productives et des rapports de production permet de distinguer deux sortes de groupements selon qu'ils sont liés aux unes ou aux autres. Cette distinction d'ordre didactique ne doit pas faire oublier que les deux types de groupements ont des rapports très étroits. Bien plus, un groupement économique et financier peut fort bien être classé dans le deuxième type de groupements compte tenu du genre d'activités qu'il exerce. Ainsi les sociétés multinationales contrôlent fréquemment les moyens d'information.

I. — LES GROUPEMENTS ÉCONOMIQUES ET FINANCIERS

L'apparition de *G.P.D.I.*, dont les activités sont d'ordre économique et financier, est directement liée à l'évolution du capitalisme vers le capitalisme de monopoles et d'oligopoles (*supra*, p. 140). Il n'est donc pas étonnant qu'elle se manifeste avec le plus de force dans les Etats capitalistes les plus avancés et que le poids respectif des groupements économiques varie en fonction du développement du capitalisme dans chaque Etat. Il faut rappeler à cet égard la loi que Lénine, dans son article *A propos du mot d'ordre des Etats-Unis d'Europe* (1915), qualifiait de « loi absolue du capitalisme : l'inégalité de son développement économique et politique ». Elle explique des phénomènes apparemment contradictoires, les rivalités et la tendance à l'intégration internationale sous la pression des entreprises les plus puissantes, c'est-à-dire, à l'heure actuelle, celle des E.U.A.

En outre, il faut rappeler que le capitalisme contemporain n'est pas seulement un capitalisme de monopoles, mais aussi un capitalisme d'Etat, ce qui pose le problème des rapports entre l'Etat et les entreprises privées. En fait, il est difficile de dissocier le premier des secondes. Le parallélisme est étroit entre le développement des groupements économiques et financiers, possédant une envergure internationale, et l'intervention de l'Etat.

Enfin, il faut tenir compte des aspects nouveaux des contradictions entre les pays du Tiers Monde et les Etats capitalistes. L'effondrement du système colonial n'a pas eu toujours pour conséquence de rendre la souveraineté (conquise ou reconquise par les pays colonisés) effective. Les Etats coloniaux ou dominants se sont adaptés à la nouvelle situation et s'efforcent, par différents moyens, de conserver une position de force.

Cet arrière-plan doit être pris en considération pour comprendre l'évolution contemporaine et ses paradoxes apparents. D'une part, il est tout à fait exact, comme l'ont remarqué de nombreux observateurs de la vie internationale, que l'accroissement considérable des forces productives au cours des dernières décennies a eu pour conséquence inéluctable, non seulement un renforcement de la tendance à la concentration des entreprises malgré l'existence d'une réglementation nationale (lois antitrusts aux E.U.A.) ou internationale (traité de Rome créant la C.E.E.), mais encore et surtout une interdépendance croissante des économies nationales qui « tendent à être plus que les pièces de montage d'un ensemble, ou encore les parties d'un puzzle qui s'appelle l'économie mondiale impérialiste et qui a son statut déterminé par les grands instruments intégrationnistes mondiaux » (P. Jalée, *L'impérialisme en 1970*, Maspero, 1969). Autrement dit, de même que dans le couple contradictoire « concurrence/concentration », la seconde l'emporte sur la première, de même dans la contradiction nouvelle « rivalités/intégration », c'est la seconde qui tend à être la caractéristique fondamentale de l'époque contemporaine. Mais cette tendance à l'intégration doit être située par rapport à la suprématie de l'économie des E.U.A. dans le système des Etats capitalistes (y compris ceux de la plupart des Etats du Tiers Monde). Ceci explique que l'interdépendance croissante des économies nationales ne se fait pas sur la base du principe d'égalité, mais sur la base de la prépondérance acquise par les E.U.A. « Ceux-ci assument un rôle dirigeant de l'économie mondiale à la fois par l'action de leurs monopoles à vocation internationale et intégrationniste, et par celle de leur Etat monopoliste et des institutions mondiales intégrationnistes dont ils ont eu l'initiative et dont ils gardent le contrôle» (P. Jalée, *op. cit.*, p. 188). Les concepts d'« interdépendance », de « communauté mondiale » de « système global », etc..., jouent ainsi un rôle mystificateur. Lorsque Kissinger déclarait en juillet 1975 à l'Institut des relations internationales du Wiscounsin : « Notre interdépendance sur notre planète devient le facteur central de notre diplomatie », il omettait de dire que cette diplomatie va dans le sens du renforcement de la puissance des E.U.A. en raison de leur position de supériorité dans le monde. D'où la revendication d'un nouvel ordre économique mondial fondé sur la participation de tous à l'élaboration des décisions et la réduction des inégalités.

Le primat des E.U.A. explique, non seulement la pénétration des entreprises américaines dans les Etats capitalistes avancés, sous la forme de filiales (entreprises multinationales), de participation, d'absorptions, etc., mais aussi l'emprise croissante exercée sur le Tiers Monde. Ce dernier revêt pour les E.U.A. une importance capitale soulignée par W. W. Rostow, économiste et conseiller personnel du Président Johnson. Ses conclusions méritent d'être citées. Elles montrent à la fois le rôle dominant des E.U.A. et l'importance stratégique du Tiers Monde.

« Le territoire, les ressources naturelles et les populations des régions sous-développées, déclare-t-il, sont tels que si ces régions devaient effectivement se rattacher au bloc communiste, les Etats-Unis deviendraient la seconde puissance dans le monde (...). Indirectement, l'évolution des régions sous-développées est de nature à déterminer le destin de l'Europe occidentale et du Japon, et par conséquent l'efficacité de ces régions industrialisées dans l'alliance du monde libre que nous avons mandat de diriger. Si les régions sous-développées tombent sous la domination communiste, ou si elles s'orientent vers une hostilité caractérisée envers l'Ouest, la puissance économique et militaire de l'Europe occidentale et du Japon décroîtra, le Commonwealth tel qu'il est organisé se désintégrera, et le monde atlantique deviendra, au mieux, une pauvre alliance incapable d'exercer une influence effective en dehors d'une orbite limitée, avec pour résultat la puissance mondiale perdue. En bref, notre sécurité militaire et notre mode de vie aussi bien que le destin de l'Europe occidentale et du Japon sont en jeu dans l'évolution des régions sous-développées. Nous avons un intérêt majeur évident, donc, à développer une coalition du Monde libre qui embrasse dans une harmonie et une unité raisonnables les Etats industrialisés d'Europe occidentale et le Japon d'une part, les régions sous-développées d'Asie, du Moyen-Orient et d'Afrique d'autre part. »

Si le développement des groupements privés économiques à dimension internationale manifeste ainsi une tendance à l'intégration sur une base inégalitaire, c'est-à-dire en définitive, impérialiste — ce qui conserve, pour l'essentiel, aux analyses de Lénine (« La division des nations en nations oppressives et en nations opprimées... constitue l'essence de l'impérialisme. ») un caractère certain d'actualité —, il n'en reste pas moins que, dans une perspective dialectique, la concurrence et par conséquent les rivalités n'ont pas disparu. Même si elles cèdent le pas à la concentration et à l'intégration, elles demeurent présentes et expliquent l'existence de contradictions à l'intérieur du système capitaliste, aussi bien au niveau du noyau central (Etats capitalistes avancés) que dans les rapports du noyau central et de la périphérie (Tiers Monde).

Dans les rapports entre les Etats capitalistes avancés, la prépondérance de l'économie des E.U.A. suscite inévitablement des réactions de défense. Mais il est remarquable que les conflits se résolvent généralement dans le sens des intérêts des entreprises les plus puissantes. De façon générale, on peut dire que, si la pénétration des E.U.A. peut à la rigueur être efficacement combattue dans les secteurs traditionnels, il en va différemment dans les secteurs de pointe, où il faut des capitaux importants et une technique évoluée. Il en est ainsi, par exemple, dans le domaine de l'informatique. A juste titre, P. Audoin, délégué adjoint à l'informatique, pouvait déclarer en 1970 : « Si par malheur, cet objectif (la création d'une industrie de l'informatique autonome avec son centre de décision en Europe) ne pouvait être atteint, nous pensons qu'il en résulterait rapidement un état de semi-développement, puis de sous-développement avancé de l'Europe qui se cantonnerait alors dans le domaine de la sous-traitance ou de la fabrication au profit de nations économiquement beaucoup plus puissantes ». Or, en fait, il est quasi impossible de résister à la puissance d'I.B.M. qui contrôle les trois quarts du marché national. Dans le cadre du « Plan calcul » français, l'ordinateur 100-70 est construit sous licence américaine, tandis que la société française (Compagnie internationale pour l'informatique, C.I.I.) n'a pu être sauvée qu'en l'associant à Honeywell-Bull (E.U.A.), seconde société d'informatique sur le plan mondial.

De même, en Grande-Bretagne, la création d'une industrie « nationale » de l'aluminium n'a pu être réalisée qu'en faisant appel à l'A.L.C.A.N. canadienne, dans laquelle le trust américain A.L.C.O.A. a des intérêts, et à deux autres entreprises géantes des E.U.A. : Reynolds et Kaiser.

Comme le constate P. Jalée, malgré les soubresauts et les péripéties, les trusts des E.U.A. « veulent dominer de plus en plus partout, et ils y réussissent. Les rivalités qu'ils provoquent s'effacent, la volonté intégrationniste des monopoles à vocation internationale prévaut ». Et cependant si l'on en croit G. Owen, qui a consacré un ouvrage à la *Puissance de l'industrie américaine* (Seuil, 1968), « l'industrie américaine est encore à l'aube de son internationnalisation ». Cela suffit pour que certains universitaires, comme le professeur J. Houssiaux (*Le Monde diplomatique,* nov. 1968), proposent d'institutionnaliser le phénomène et appellent de leurs vœux « la charte d'une société future où les nations et les grandes compagnies se partageront la gestion des hommes et des choses » (sic).

La situation est quelque peu différente *dans les rapports entre les Etats capitalistes et le Tiers Monde.* Ici l'intégration de la majorité des Etats du Tiers Monde au système capitaliste est en train de créer une situation révolutionnaire qui, dans certains cas, manifeste la volonté des Etats du Tiers Monde de rejeter les liens de dépendance.

Le cas du pétrole est tout à fait caractéristique. Dans ce domaine, après une période où les petites entreprises et la concurrence prédominaient, on est rapidement entré dans l'ère des entreprises géantes. En 1960, le professeur M. Byé, parlant de la « Grande Unité internationale » (*Encyclopédie Française,* t. IX), constatait : « La *Standard oil of New Jersey* qui, avec une recette annuelle brute approchant 6 milliards de dollars, *est comparable financièrement à un Etat comme le Canada,* représente le cinquième des affaires pétrolières mondiales, contrôle les sources de production dans cinq pays, des moyens de transport, de raffinage et de distribution dans la plupart des autres. » En 1977, sous la dénomination d'Exxon Corporation elle est la première société mondiale (voir l'annexe à la section II, paragr. 2).

Sur un plan plus général, en 1965-1966, les 8 principales sociétés pétrolières assuraient 63 % de la production mondiale, 60 % du raffinage et plus de 62 % de la distribution (à l'exclusion des Etats socialistes). En 1968, 7 sociétés réalisaient 60 % de la production mondiale, 56,2 % du raffinage et 55,4 % de la distribution. Elles opéraient dans le monde entier, monopolisant pratiquement la production au Moyen-Orient (86 %), en Libye (58 %), au Vénézuela (90 %).

Cette situation explique les tentatives faites par certains pays consommateurs d'utiliser la force de l'Etat pour créer des entreprises publiques (Compagnie française des Pétroles par exemple). « Mais comme le remarque R. Vernon (*Les entreprises multinationales,* p. 55), ces sociétés d'Etat, si elles ont mené une guerre endémique contre les Américains, ont compris assez rapidement que leurs intérêts étaient communs pour que cela ne perturbe pas la formation internationale des prix et la structure des marchés pétroliers », l'une et l'autre dominées par les grands trusts des E.U.A.

Plus caractéristique est la réaction des Etats du Tiers Monde, producteurs du pétrole. Prenant conscience de l'exploitation dont ils étaient les victimes, certains d'entre eux ont pris la décision de nationaliser les entreprises étrangères. Bien plus, à la faveur de la guerre israélo-arabe, les pays arabes sont parvenus à définir une stratégie commune, ce qui, encore récemment, paraissait impensable à certains observateurs comme H. Madelin (*Pétrole et politique en Méditerranée occidentale,* A. Colin, 1973, p. 12). Une nouvelle donnée est ainsi introduite dans le jeu complexe des relations entre les entreprises privées étrangères, qui possédaient le contrôle quasi absolu de l'industrie pétrolière jusqu'à une date récente, les pays consommateurs (Européens notamment) et les pays producteurs.

Le cas du pétrole n'est pas unique. La volonté de contrôler les principales sources de matières premières, surtout si elles ont un intérêt stratégique, a conduit les entreprises des Etats capitalistes les plus avancés à étendre leurs activités dans le monde entier. En fait, il n'y a pas un secteur qui soit demeuré à l'abri de cette entreprise, les pays du Tiers Monde constituant les lieux privilégiés de cette expansion. Mais, là aussi, une réaction se dessine. Certains Etats du Tiers Monde osent revendiquer la libre disposition de leurs ressources naturelles. C'est le cas du Chili qui avait décidé de nationaliser ses mines de cuivre. Mais on sait que cette tentative a suscité le recours à la violence comme moyen de la faire avorter, ce qui montre que les monopoles sont prêts à contraindre les Etats du Tiers Monde pour sauvegarder leurs positions. De même, les menaces du recours à la force pour freiner les efforts des producteurs de pétrole destinés à assurer la maîtrise de la production et de la commercialisation, avaient conduit le Secrétaire d'Etat américain à la défense à adresser une mise en garde aux Etats arabes (*Le Monde,* 8 janvier 1974).

Malgré les coups de semonce, le mouvement est cependant irréversible, ce qui semble donner raison à P. Jalée, selon lequel « la contradiction principale de notre temps (est) sans conteste la contradiction impérialisme/Tiers Monde. Elle n'abolit pas les autres et interfère même avec elles, mais elle les supplante en importance ». C'est également la thèse des chinois : La contradiction impérialisme/capitalisme est antagonique, mais la contradiction impérialisme/Tiers Monde est principale, car le Tiers Monde est « la principale zone de tempêtes de la révolution mondiale qui assène des coups directs à l'impérialisme » (*Lettre des 25 points du P.C.C.* Ed. en langues étr., Pékin, 1965).

II. — Les groupements sociaux

A côté des G.P.D.I. issus des activités productrices, il y a aussi des G.P.D.I. liés aux rapports de production, c'est-à-dire à l'opposition entre les détenteurs des moyens de production et les travailleurs salariés.

Sur un plan purement national, *les organisation syndicales* jouent déjà un rôle non négligeable dans la mesure où, à titre de groupes de pression, ils parviennent à influencer la politique extérieure des Etats. Ainsi les syndicats des E.U.A. jouèrent un rôle important dans l'adoption du plan Marshall en amenant certains syndicats des Etats Européens à l'accepter contre l'opposition des syndicats de gauche. De même, du fait qu'ils sont représentés à l'O.I.T., les syndicats nationaux exercent une influence sur l'activité de cette organisation.

Mais, en outre, il existe des groupements de syndicats nationaux à l'échelle internationale, mondiale ou régionale.

Au niveau mondial, l'internationalisation du mouvement ouvrier remonte à la fin du XIXe siècle. En partant de la solidarité au niveau des métiers, on vit apparaître des fédérations professionnelles internationales (Secrétariats professionnels internationaux) : mines, métallurgie, transports, imprimerie, etc... Mais l'internationalisation du mouvement ouvrier prit également une autre forme, celle de la fédération des centrales syndicales nationales. C'est en 1902 que fut créé l'Office central international des centrales syndicales nationales, devenu en 1913 la Fédération syndicale internationale (plus de 6 millions d'adhérents). Son rôle était modeste. Il s'agissait, au cours de conférences périodiques, de comparer les progrès de la législation sociale dans les différents Etats. Dès cette époque se manifeste l'opposition entre le syndicalisme révolutionnaire (tendance française) et le syndicalisme réformiste (tendance allemande).

Une des conséquences de la Révolution d'Octobre fut d'introduire une scission au sein du syndicalisme. Pour lutter contre le réformisme, les syndicats soviétiques prirent l'initiative de créer, en 1921, l'internationale syndicale rouge, qui était le pendant, sur le plan syndical, de la IIIe internationale. A l'époque, cette nouvelle organisation syndicale ne groupait, en dehors des syndicats soviétiques, que la C.G.T.U. française, issue d'une scission au sein de la vieille C.G.T. devenue réformiste. Un lien est établi entre l'action militante au sein des partis communistes et de l'internationale communiste et l'action syndicale contre la « fédération syndicale internationale jaune » (Zinoviev) et l'internationale syndicale rouge, orientée vers l'action révolutionnaire.

A la même époque, l'anticommunisme, lié aux solidarités religieuses conduisit à créer la Confédération internationale des syndicats chrétiens (1920) dont le centre de gravité se trouvait alors en Europe centrale. On remarquera que ce syndicalisme international précédait les grandes encycliques où sont abordés les problèmes sociaux (*Rerum novarum*, 1891). C'est seulement en 1937 (Quadragesimo Anno) que le fait syndical fut reconnu. La C.I.S.C. prône la collaboration de classes, rejette la violence et la lutte des classes et par conséquent les principes du marxisme-léninisme. Elle affirme que « toutes les relations entre individus, classes ou peuples doivent être dirigées ou dominées par les notions chrétiennes de justice et de charité » (congrès d'Innsbrück, 1922) et s'inspire du courant de pensée connu sous le nom de « catholicisme social », attaché à la reconstruction des communautés professionnelles et à la défense de la cellule familiale.

A la fin de la seconde guerre mondiale, les syndicats anglais (Trade Unions Congress, T.U.C.) prirent l'initiative d'une conférence syndicale mondiale. Mais l'« American federation of labor » (A.F.L.) refusa d'y participer parce qu'elle redoutait qu'une organisation mondiale unifiée ne devienne un instrument de la politique soviétique, alors que la C.I.O. (Congress of industrial organizations) y apportait son adhésion. Dans ces conditions, une seconde conférence tenue à Paris en septembre 1945 aboutit à la création de la Fédération syndicale mondiale (F.S.M.), qui groupe les syndicats anglo-saxons, les syndicats « cégétistes » et certaines centrales des Etats du Tiers Monde influencées par les syndicats des E.U.A. (Confédération des travailleurs mexicains, par exemple). Les syndicats chrétiens, fidèles au pluralisme, refusèrent d'y adhérer. Cette nouvelle organisation se heurta aussi à l'hostilité de l'A.F.L. (plus de 10 millions d'adhérents en 1954) et du gouvernement des E.U.A., qui la soupçonnaient de favoriser la politique soviétique. Les divergences sur le plan Marshall et l'ouverture de la guerre froide conduisirent à une scission en 1949. La Grande-Bretagne, les E.U.A. et les Pays-Bas se retirèrent de la F.S.M., tandis que le gouvernement français contraignait la F.S.M. à quitter son siège social installé à Paris.

A la suite de cette scission, la Confédération internationale des syndicats libres (C.I.S.L.) fut créée à Bruxelles en décembre 1949. L'élément unifiant fut l'anticommunisme et l'adhésion au libéralisme économique, considéré comme le garant de la liberté syndicale. En 1966, la C.I.S.L. groupait 66 millions d'adhérents appartenant à 118 organisations syndicales de 94 pays, tandis que la F.S.M. en avait 138 millions, dont 75 pour la seule U.R.S.S. Le retrait, en 1969, de l'A.F.L. et de la C.I.O., réunifiées, ont réduit le nombre d'adhérents de la C.I.S.L. à 53 millions. Elles accusaient la C.I.S.L. d'entretenir des relations trop étroites avec les syndicats affiliés à la F.S.M.

En 1968, la C.I.S.C., suivant la tendance qui s'était manifestée en France, a décidé de se laïciser. Elle a pris le nom de Confédération mondiale du travail (C.M.T.). Elle revandique 13 millions d'adhérents.

Ce rappel de l'évolution syndicale met en évidence une des causes de la faiblesse du syndicalisme mondial : sa division entre trois grandes organisations, dont les conceptions relatives à la défense des intérêts des travailleurs et les idéologies diffèrent. Cette division n'est elle-même que la conséquence de l'hétérogénéité des formations sociales nationales. Il en résulte des rivalités qui se répercutent sur la politique des organisations syndicales mondiales à l'égard des syndicats des pays du Tiers Monde, chacun s'efforçant d'étendre son influence au détriment de ses rivales. Ceci explique la tendance qui se manifeste dans les différentes régions du Tiers Monde à s'affranchir de la tutelle des organisations mondiales et à créer des organisations régionales. Mais, à ce niveau également, on retrouve une propension fâcheuse au fractionnement en fonction de considérations idéologiques.

L'évolution du capitalisme contemporain, notamment le renforcement de la puissance des grandes entreprises à dimension internationale, a amené les différentes tendances syndicales à envisager, à l'échelle régionale, sinon une union organique, du moins une action concertée. Ainsi le mouvement vers l'intégration européenne, qui favorise la croissance des grandes entreprises à l'échelle de l'Europe et la pénétration des sociétés multinationales américaines, conduit à envisager la possibilité de conventions collectives de travail, non plus à l'échelle nationale, mais à l'échelle des Communautés européennes. De même, les grèves purement nationales risquent d'être inefficaces lors qu'une société possède des filiales disséminées sur tout le territoire des Communautés. Par suite, la seule tactique efficace comporte la mise en œuvre de la solidarité des travailleurs sans considération de frontières. Quelques actions en ce sens laissent augurer d'une évolution du syndicalisme européen dans le sens d'un renforcement des liens entre les centrales syndicales nationales (*infra*, p. 260).

BIBLIOGRAPHIE

A. Kriegel, *Les internationales ouvrières* (coll. Que sais-je ?).

Lefranc. — *Le syndicalisme dans le monde* (coll. Que sais-je ?, n° 356) et *Les expériences syndicales internationales des origines à nos jours*, Aubier, Paris, 1952.

B. Ponomarev (sous la direction de). *Le mouvement révolutionnaire international de la classe ouvrière*. Ed. du Progrès, Moscou, 1967.

Consulter les documents et ouvrages publiés par l'O.I.T. ainsi que les périodiques suivants :
— *Bull. de l'Institut international d'études sociales* (Genève).
— *Le mouvement syndical mondial* (*F.S.M.*).
— *Bull. d'inform. de la C.I.S.L.*
— *Labor* (*C.M.T.*).

§ 2. — LES GROUPEMENTS PRIVES, EXPRESSION DE LA SUPERSTRUCTURE

Au niveau de la superstructure, la variété des G.P.D.I. est extraordinaire. Il n'y a pas un domaine où, au-delà des Etats, les groupements nationaux n'aient éprouvé le besoin d'acquérir une dimension internationale. Dans certains cas, les O.I. et les gouvernements des Etats ont d'ailleurs incité ces derniers à se grouper au niveau international. Si ce phénomène revêt une ampleur considérable, il convient cependant de relever qu'il est inégalement répandu selon les régions du monde. C'est la conséquence directe du développement inégal des Etats. Les statistiques de l'annuaire des organisations internationales montrent que le Tiers Monde ne participe que de façon modeste au fonctionnement des O.N.G. En 1972-1973, sur 36 414 participations nationales, 18217 étaient d'origine européenne, tandis que la masse énorme de l'Asie n'en avait que 5 222. En outre, les G.P.D.I. présentaient de grandes différences en ce qui concerne leur puissance matérielle (nombre d'adhérents, ressources, etc.), encore que leur influence dans le monde ne dépend pas exclusivement de cette puissance. C'est le cas des G.P.G.I. de caractère scientifique (mouvement Pugwash, par exemple), dont l'influence dépend peut-être plus de la valeur et de la réputation des savants qui y participent que du nombre et des ressources matérielles disponibles.

Nous illustrerons ce type de G.P.D.I. en prenant trois exemples. Le premier concerne les partis politiques, le second les groupements religieux, le troisième les groupements de savants.

I. — Les partis politiques

Il s'agit des groupements de partis politiques qui ont une dimension internationale.

La première manifestation de ce phénomène remonte à 1864 avec la création de la première internationale dont Karl Marx fit partie et qui fit aussitôt l'objet de sévères mesures de répression. La France et l'Espagne s'efforcèrent de déclencher une action commune des gouvernements européens. Ainsi Karl Marx avait raison qui déclarait dans le *Manifeste :* « Un spectre hante l'Europe : le spectre du communisme ». Dissoute en 1876, à la suite d'un conflit de tendances, elle fut reconstituée en 1889, le jour de l'anniversaire de la prise de la Bastille. En dépit du développement des partis ouvriers, la Ire internationale, préoccupée des problèmes de la paix dans le monde, ne put, en raison des faiblesses de la structure, aboutir à une action commune. Le nationalisme et le chauvinisme l'emportèrent sur l'internationalisme et le pacifisme. Cependant, après la révolution d'octobre, l'influence déterminante fut exercée par l'U.R.S.S. qui suscita en 1919, la création de la troisième internationale communiste (Komintern). Soupçonné d'être un instrument de la politique extérieure soviétique, le Komintern fut dissous en 1943, mais le déclenchement de la guerre froide amena l'U.R.S.S. à reconstituer, en 1947, sous une autre forme, une internationale des partis communistes sous le nom de Kominform (bureau d'information des P.C.). Avec la politique de coexistence pacifique, le Kominform disparut à son tour en 1956, mais il subsiste des conférences périodiques des P.C.

Il y a, en effet, une solidarité entre les partis communistes à travers le monde. Sans doute des divergences ont-elles surgi entre la Chine et l'U.R.S.S. (*supra,* p. 150). Sans doute aussi, à l'échelle de l'Europe, la conférence de Berlin (juin 1976) a-t-elle fait apparaître des différences entre les P.C. des Etats socialistes et ceux des Etats capitalistes. Il ne faudrait cependant par les exagérer. Tous les P.C. acceptent les bases fondamentales du marxisme-léninisme comme conditions minimales de transformation du vieil ordre social et de la construction d'un nouvel ordre social. Comme le remarque un auteur américain : « Quelles que soient les hérésies internes qui peuvent fleurir dans l'orbite communiste ou quels que soient les schismes qui peuvent s'y développer, tous les P.C. acceptent ces transformations comme fondamentales et indispensables. Les moyens d'exécution et le modèle de reconstruction peuvent être l'objet d'une vive controverse, mais le champ du consensus idéologique demeure extraordinairement large et intense. » S'il y a une tendance vers le polycentrisme, elle ne constitue pas pour autant un affaiblissement du poids des P.C. dans le domaine international. Comme le remarque encore l'auteur précité : « La corruption idéologique de la doctrine communiste et l'érosion du caractère monolithique de sa puissance ne sont pas sans épines pour l'Occident. Dans la mesure où l'histoire est un guide, elle démontre sûrement que l'universalisme des grandes religions (Christianisme, Islam, Boudhisme) a été accéléré par la corruption et l'érosion de leur pureté doctrinale parce qu'elles leur permettaient d'absorber les marginaux, qui sont toujours plus nombreux que les vrais croyants » (1).

Le fait que la conférence des P.C. ait reconnu en 1969 que « tous les partis sont égaux en droit » (mais non en fait) et qu'il ne doit pas y avoir de centre dirigeant unique du mouvement communiste international n'empêche pas qu'il y a, en fait une grande solidarité sur le plan de l'action. Ce qu'on appelle l'euro-communisme ou le national-communisme, loin d'être la manifestation d'une désintégration du mouvement communiste mondial, n'est que la reconnaissance du fait que chaque région et chaque Etat ont leur spécificité propre, ce qui implique que le socialisme ne peut être construit selon un modèle unique et immuable, celui de l'U.R.S.S. Contrairement à ce que pense Marcel Merle, le polycentrisme ne marque pas « un recul de l'internationalisme prolétarien face à la poussée centrifuge des communismes nationaux ». A propos de la Chine, un auteur américain (A. M. Halpern) reconnaît que « le maintien d'une solidarité de bloc est une considération prépondérante de la politique chinoise ».

En dehors de l'internationale des P.C., il y a également une internationale socialiste dont les origines remontent à la fin de la première

(1) The revolution in world politics, p. 211.

guerre mondiale et qui a été réorganisée en 1951. Elle groupe 52 partis et 47 pays. Il ne semble pas que cette internationale ait pesé d'un grand poids dans la politique internationale en raison de l'orientation nationaliste des partis socialistes et de leur politique de collaboration des classes.

Il faut enfin signaler l'existence de l'Union mondiale démocrate chrétienne fondée en 1961 à partir des unions régionales existantes. Sur le plan européen en particulier, l'Union des jeunes démocrates chrétiens tient un congrès annuel depuis 1950. A ce niveau, le mouvement démocrate chrétien milite activement en faveur de l'union européenne et a soutenu les projets présentés par le gouvernement français en vue d'une intégration toujours plus poussée des Etats européens. L'influence de la démocratie chrétienne est cependant affaiblie par le déclin de certains partis nationaux (par exemple le M.R.P. en France) et les différences de situations nationales.

Au plan européen, la composition des assemblées des organisations européennes favorise l'action des partis politiques, les représentants des Etats se groupant par affinités politiques.

BIBLIOGRAPHIE

Une vue générale est donnée par A. GROSSER dans l'*Encyclopédie française,* et par A. KRIEGEL, *Les internationales ouvrières* (Coll. Que sais-je ?).

Sur la conférence des partis communistes européens (1976), voir l'article de L. MARCOU et M. RIGLET dans la *Revue fr. de sc. pol.,* déc. 1976.

Sur la crise du mouvement communiste, voir l'ouvrage de F. CLAUDIN (*Du Komintern au Kominform*), 2 vols. Maspero, 1972.

Sur le Kominform, voir l'ouvrage bien informé de Lilly MARCOU. Presses de la Fond. nat. des sc. pol., 1977.

II. — LES GROUPEMENTS RELIGIEUX

La religion agit par des canaux divers (syndicats, partis, presse), mais également de façon plus directe, par l'intermédiaire des Eglises elles-mêmes ou de façon plus diffuse, à travers l'opinion publique. La religion demeure un facteur important, compte tenu du nombre de fidèles : 945 millions de chrétiens, 530 millions de musulmans, 515 millions d'hindouistes, 206 millions de confucianistes, 248 millions de boudhistes, 15 millions de juifs, 190 millions d'animistes (chiffres de 1975, *Quid,* Laffont, 1977). Bien que certaines religions aient un caractère universel, certaines sont localisées dans l'espace, ce qui réduit leur champ d'influence. En outre, cette influence dépend en partie de l'existence d'une organisation plus ou moins hiérarchisée et des liens de fait ou de droit, avec tel ou tel Etat.

Cela dit, l'influence de la religion sur la politique internationale est ambivalente. Dans une certaine mesure, elle renforce les solidarités. C'est ainsi que l'Islam contribue à rapprocher les Etats musulmans et a facilité la création d'une organisation telle que la Ligue des Etats arabes. De même, la solidarité juive est d'un grand secours pour l'Etat d'Israël dans sa lutte contre le peuple palestinien et les Etats arabes. Inversement, la multiplicité de religions peut être un facteur de tension et de division. Il suffit de rappeler les guerres de religion en Europe ou les guerres saintes déclenchées par l'Islam.

Quel que soit le sens dans lequel les religions exercent une influence, il n'est pas douteux qu'elle est réelle. Ainsi les Eglises chrétiennes ont été le plus ferme soutien des entreprises de colonisation. L'un des motifs invoqués à l'origine était d'ailleurs la nécessité de convertir les païens à la foie chrétienne. Partout le missionnaire accompagnait le soldat ou le précédait. Mais, inversement, lorsque le mouvement de décolonisation est apparu comme irréversible, les Eglises chrétiennes ont approuvé les mouvements de libération nationale, sans toutefois approuver la violence. Aujourd'hui, en Amérique latine, certains représentants des Eglises chrétiennes n'hésitent pas à aller plus loin et à participer eux-mêmes aux luttes armées.

De façon plus générale, en matière de paix internationale, les Eglises chrétiennes ont pris position depuis longtemps. Les théologiens catholiques du XVe et du XVIe siècles faisaient déjà la distinction des guerres justes et des guerres injustes. Elles se sont efforcées de renforcer le pacifisme international. Le poids des Eglises chrétiennes est encore renforcé par la création officielle, en 1948, du conseil œcuménique des Eglises et le dialogue engagé avec les représentants des autres religions (Islam notamment). Cependant, « le sentiment de fraternité chrétienne, écrivent Renouvin et Duroselle, n'a pas prévalu sur le sentiment national ». Ainsi la condamnation de la politique d'apartheid par le conseil œcuménique a conduit au retrait des deux églises chrétiennes d'Afrique du Sud de l'organisation.

La réalité des influences religieuses — encore mal connues — est attestée par la situation privilégiée reconnue à l'Eglise catholique sur le plan international. En 1929, le traité du Latran a créé artificiellement l'Etat du Vatican, dont l'existence est reconnue par de nombreux Etats et qui exerce certaines compétences internationales (pouvoir de traiter, représentation diplomatique, participation à certaines conférences internationales). Mais le sommet de la hiérarchie est une chose et les réactions de la base ou des échelons intermédiaires en sont une autre. L'Eglise catholique n'est pas plus exempte de contradictions, de tensions et de conflits que les autres G.P.D.I.

BIBLIOGRAPHIE

Une vue générale est donnée dans l'ouvrage général *Tansnational relations and world politics,* Harvard Univ. press, 1971.

Sur le rôle de l'Eglise catholique, voir l'ouvrage de R. Bosc, *L'Eglise et la société internationale,* 2 vols, Ed. S.P.E.S., 1960-1961.

Sur le Conseil œcuménique, voir le « Que sais-je » de M. Barrot et l'*Histoire doctrinale du mouvement œcuménique* de G. Thils (Ed. Warny, Louvain, 1962).

Sur l'assemblée réunie à Nairobi en 1975, voir M. Heuriet, *Briser les barrières,* Nairobi, 1975, Paris, Idoc., France, 1976.

III. — L'internationale des savants

Les hommes de science ou, de façon plus large, ceux que Gramsci appelle les « grands intellectuels », les producteurs de savoir, soit comme des individualistes, caractérisés par leur « inaptitude à l'organisation » (Lénine), soit comme des idéologues, des chiens de garde (gatekeepers) au service de l'ordre établi, chargés d'assurer, dans le domaine de la production des idées, le rôle dévolu à la police dans le domaine de la contrainte physique ont un rôle important. Le mérite de Gramsci a été de montrer l'autonomie relative de cette couche sociale. En fait, le rôle des intellectuels, au plan des relations internationales, dépend de leur position de classe dans une société déterminée, c'est-à-dire du ralliement d'une classe déterminée et de l'attitude de classe, c'est-à-dire la défense des intérêts de cette classe sur les différents problèmes qui se posent à elle. Autrement dit, en termes de pouvoir, les intellectuels peuvent mettre leur savoir au service du pouvoir établi ou l'utiliser pour lutter contre ce pouvoir.

Ce clivage est apparu de façon très nette dans le cadre d'une association telle que l'« International peace research society » (I.P.R.S.). Lors d'une conférence réunie en 1968, le problème du Vietnam fut l'objet d'une discussion au cours de laquelle les Universitaires américains envisagèrent les moyens de mettre fin à la guerre, ce qui correspondait aux préoccupations du gouvernement des E.U.A.. Les méthodes suggérées allaient de la pacification forcée des villages à l'utilisation de la propagande destinée à présenter le F.N.L. comme une organisation composée d'« anciens criminels ou autres groupes déviants » en passant par l'intensification des bombardements dans les régions où la légitimité du gouvernement de Saïgon n'était pas reconnue. Cette façon de rétablir la paix n'est pas tellement étonnante lorsqu'on constate la présence parmi les participants à la conférence d'un membre du Massachusetts Institute of Technology, financé par le Pentagone et lié à la C.I.A.

La réaction vint immédiatement du côté des « peace researchers » scandinaves, influencés par le Professeur Johan Galtung. Selon ce courant de pensée, la recherche sur la paix ne doit pas servir à « maintenir le statu quo et la domination politique en manipulant les opprimés pour les empêcher de prendre les armes contre les privilégiés ». En fait, sous une apparence scientifique, la conférence de l'I.P.R.S. ne visait pas d'autre objectif que celui d'aider à la victoire des E.U.A. et de leurs alliés au Vietnam ; ce qui constituait une approche unilatérale du problème. Il est remarquable qu'aucun exposé ne vint indiquer comment le F.N.L. aurait pu vaincre pour rétablir la paix.

L'attitude prise par l'I.P.R.S. dans l'affaire du Vietnam et la réaction des jeunes turcs de la « peace research » montre le rôle ambivalent du chercheur en sciences sociales. Comme l'a souligné H. Schmidt (Peace research and politics, *Journal of peace research,* 1968, n° 3), le dilemme est le suivant : ou bien s'identifier à l'une ou l'autre des parties en conflit, ou bien se condamner à demeurer en marge du conflit et à renoncer à exercer une influence quelconque. Pour sa part, un chercheur comme Galtung a fait son choix. Constatant que la violence, avant d'éclater au grand jour et de faire entendre le fracas des armes, est déjà présente, inscrite dans la structure socio-économique, il déclare que le chercheur doit « inéluctablement se ranger du côté du plus faible », du côté des opprimés contre les oppresseurs. A l'échelle internationale, les chercheurs en sciences sociales peuvent ainsi contribuer à orienter la politique internationale dans un sens favorable à ceux qui sont victimes de la violence cachée, inhérente à la structure du système international.

C'est dans ce sens que s'est orienté le mouvement Pugwash. Le noyau originaire de cette organisation internationale fut la Fédération mondiale des travailleurs scientifiques, composée d'associations nationales fondées dans les Etats capitalistes et socialistes. Sous son impulsion, 24 savants, dont 3 soviétiques, justement alarmés par les dangers des armes nucléaires et biologiques, se réunirent à Pugwash (Nouvelle Ecosse - Canada), le 7 juillet 1957, pour confronter leurs points de vue sur l'utilisation de l'énergie nucléaire, le désarmement et la responsabilité sociale des scientifiques. Depuis cette date, le mouvement Pugwash n'a cessé d'ouvrer dans le sens de la paix en cherchant à influencer les gouvernements et à alerter l'opinion publique. Selon le physicien nucléaire F. Netter, les conférences successives du mouvement et les contacts établis avec les gouvernements auraient joué un rôle non négligeable dans l'adoption des traités sur le désarmement (*infra*, p. 414), et le développement de certains conflits, notamment celui du Vietnam (voir article de Marcovich dans *Le Monde diplomatique*, septembre 1976).

En posant les principes d'une coopération accrue entre systèmes socio-économiques différents, notamment dans les domaines de l'éducation, de la science et de la culture, l'acte final de la conférence sur la sécurité et la coopération en Europe (1er août 1975) est de nature à renforcer les possibilités d'influence des organisations internationales de savants à la fois sur l'opinion publique et sur les décideurs.

BIBLIOGRAPHIE

Sur le rôle des scientifiques dans les relations internationales, voir la série d'articles parus dans *Le Monde diplomatique*, septembre 1976, et J. MEYNAUD, *Les savants dans la vie internationale*, Lausanne, 1962.

Sur le mouvement Pugwash, voir l'ouvrage de J. ROBLAT, *Pugwash, A history of the conference on science and world affairs*, 1967, et l'article de F. NETTER dans *Le Monde diplomatique*, sept. 1976.

SECTION III

LES SOCIETES MULTINATIONALES (1)

Les sociétés multinationales (S.M.) font l'objet de nombreuses études. Economistes, juristes, politologues, journalistes, syndicalistes et bien d'autres encore essayent d'arracher aux S.M. leur secret. L'actualité ne doit cependant pas faire oublier que l'existence des

(1) La terminologie est des plus incertaine. On parle de sociétés, firmes, entreprises multinationales, transnationales, supranationales, voire de cosmosociétés (cosmocorporation).

S.M. n'est qu'une étape dans le processus de développement des entreprises capitalistes, auquel nous avons fait allusion plus haut (*supra*, p. 231 et s.). C'est dans le cadre de l'expansion du capitalisme à l'échelle mondiale qu'il faut situer ce phénomène en tenant compte de la loi fondamentale de l'inégal développement. Il est vrai que les théoriciens de la convergence ont parfois prétendu que l'évolution n'est pas différente dans les Etats socialistes. En fait, le problème se pose dans des termes différents, en raison de la collectivisation des moyens de production.

Avant de s'interroger sur la place et le rôle des S.M. dans la vie internationale, il convient d'abord de préciser la nature du phénomène et son importance.

§ 1. — QU'EST-CE QU'UNE SOCIETE MULTINATIONALE ?

La description d'une S.M. a été donnée par D. Kendall, Président de la PepsiCo : « PepsiCo (exerce ses activités) dans 114 pays. Son produit le plus connu est mis en bouteilles dans 512 usines situées en dehors des Etats-Unis. Dans presque chaque pays les installations et le matériel de production et de distribution sont possédés par des ressortissants de ces pays. Les directeurs de secteurs géographiques peuvent venir de la zone concernée ou d'une autre partie du monde — France, Angleterre, Amérique latine — et pas nécessairement des Etats-Unis. Aux Philippines où Pepsico, par l'importance des impôts versés, est le deuxième contribuable du pays, on ne rencontre dans tout le personnel que deux cadres venant du siège américain. La société est multinationale pour tout ce qui concerne l'emploi, l'administration, la fabrication et la commercialisation, et une bonne partie des cadres de gestion et des actionnaires hors Etats-Unis est également multinationale. »

Bien qu'idéalisée, cette description fournit quelques éléments de définition de la S.M.

I. — Le paradoxe : statut national et activités internationales

D'abord on peut relever, du point de vue juridique, une contradiction dans les termes. Une S.M. n'est pas vraiment multinationale, du fait même qu'elle possède toujours la nationalité d'un Etat déterminé. Celle-ci est déterminée selon des critères variables. Les Etats anglo-saxons tiennent compte du lieu d'« incorporation », c'est-à-dire du lieu où les statuts ont été déposés. La France prend en considération le lieu où la société a son siège social, c'est-à-dire le lieu où s'exerce la direction de la société. Il en résulte que toute S.M. est dans la dépendance juridique de l'Etat dont elle possède la nationalité. Dans la mesure où elle a des implantations à l'étranger, la S.M. apparaît donc comme une société étrangère au regard du Droit de l'Etat où elle est implantée et sa personnalité juridique n'est reconnue que dans les conditions prévues par le droit de cet Etat. Ceci veut dire qu'il n'y a pas un statut juridique uniforme des S.M., mais des statuts variables selon les Etats. Les projets de création d'un statut international, à l'échelle mondiale ou régionale, n'ont pas, jusqu'ici, abouti. Ce qui est multinational ou international n'est donc pas le statut juridique des S.M. Sur ce point, le Droit est en retard sur les faits.

Si les S.M. contemporaines ont toujours une estampille nationale, elles se différencient cependant d'une société qui se bornerait à commercer par l'étranger ou à investir des capitaux à l'étranger. Ce type d'activités est aussi ancien que les sociétés elles-mêmes. Ce qui est nouveau, c'est que les S.M. ne se contentent plus de produire sur le territoire d'un Etat déterminé et de vendre à l'étranger. Leur originalité tient à la multiplicité des lieux de production ou de fourniture de services, répartis sur toute la surface du globe aux endroits les plus favorables, c'est-à-dire les plus rentables. Le tableau de la page 263 établi par l'annuaire des O.I. montre pour chaque Etat les régions d'implantation des S.M.

Une des caractéristiques essentielles des S.M. est donc l'internationalisation des activités de production (biens et services). Encore faut-il relever que tous les secteurs de production ne sont pas également touchés. Comme le remarque R.L. Heilbroner : « Il se fait une quantité de production internationale dans le verre, et très peu dans la sidérurgie ; elle est énorme dans les ordinateurs et quasiment nulle dans les machines-outils ; on en trouve pas mal dans l'automobile, mais pas du tout, je crois, dans la construction navale. C'est ce que montre la liste des 500 sociétés industrielles les plus importantes établie par la revue américaine « Fortune » (août 1976, p. 231 et s.).

L'étude réalisée par Mira Wilkins (*The emergence of multinational enterprise,* 1970) pour les E.U.A. montre les motifs qui poussent les chefs d'entreprise à faire le saut qualitatif de la production nationale à la production multinationale. La taille de l'entreprise, l'état du marché intérieur, devenu trop étroit, la nécessité de s'assurer une position privilégiée sur les marchés extérieurs et le progrès technique expliquent le changement. Ainsi la rentabilité plus grande des secteurs de pointe, où la technique joue un rôle majeur, explique que si, en 1897, 59 % des investissements directs des E.U.A. à l'étranger concernaient les plantations, les mines et les chemins de fer, en 1969 ce pourcentage était tombé à 11 %. Inversement, les investissements dans les industries de transformation sont passés de 15 à 40 %. Ce glissement vers les secteurs à plus haute rentabilité a été accompagné d'une réorganisation géographique, des pays moins développés vers les pays plus développés.

II. — L'existence d'un centre de décision

La répartition de la production ou des prestations de services sur toute la surface du globe ne suffit cependant pas à caractériser la S.M. Ce qui paraît le plus essentiel, c'est l'existence d'un contrôle étroit sur les activités des différentes branches de la S.M. La naissance et le développement des S.M. doivent être en effet reliés à ceux du capitalisme lui-même, passé du capitalisme des petites unités nationales de production à ce que M. Byé appelait les grandes unités interterritoriale (*supra,* p. 235). Or cette évolution ne présente un réel intérêt que si, quelque part dans le monde, il existe un cerveau capable de définir, en termes de stratégie et de tactique, l'action des S.M. en utilisant au mieux les facteurs de production. Ceci explique les conflits qui peuvent surgir entre les Etats intéressés et les S.M., comme entre les syndicats nationaux et les S.M.

Sans doute, certains auteurs, comme Howard Perlmutter, ont tenté de faire une distinction entre les S.M. « ethnocentriques », dont les décisions demeureraient dominées par des considérations nationales (celles de l'Etat d'origine), les S.M. « polycentriques » qui tiendraient compte des différents intérêts nationaux (Etat d'origine et Etats d'implantation) et les S.M. « géocentriques », libérées totalement des intérêts nationaux et orientées vers le bien commun de l'humanité. Avec son côté mystificateur, une telle classification relève plus de la prospective que de la réalité présente. Perlmutter reconnaît lui-même que l'ethnocentrisme (ou le nationalisme) demeure un fait incontestable et que « le sentiment de solidarité internationale entre différents Etats-Nations ne semble pas avoir sensiblement progressé ». Comment peut-on supposer qu'une S.M. soit plus orientée vers l'internationalisme, opposé au nationalisme, que les Etats eux-mêmes ? Ce serait oublier qu'un Etat n'est pas une abstraction, mais une formation sociale bien concrète, où dominent des intérêts bien précis. Comme le souligne F. Perroux (*Indépendance de la Nation,* Aubier, 1969, p. 290) : « Chaque ensemble dit national... est un cas complexe de grands monopoles et de grands groupes économiques et financiers qui exercent des stratégies d'oligopoles. Ces unités ont partie liée avec les Etats ; dans les meilleurs des cas, elles sont plus ou moins orientées et surveillées par eux... C'est l'attitude du « Prince marchand » ou du « Prince industriel ». »

Les liens avec l'Etat d'origine ne doivent pas être marqués par le fait que les S.M. acceptent, comme le souligne le Président de la PepsiCo, de faire participer les Etats d'implantation au capital social ou d'ouvrir les postes de direction aux nationaux de ces Etats. Une enquête menée par Kenneth Simmonds montre que les étrangers ne représentent que 1,6 % des 1 851 cadres supérieurs des entreprises américaines possédant d'importants effectifs hors des frontières des E.U.A. Il y a sans doute des exceptions (un Français est Président d'I.B.M. World trade corporation), mais, elles laissent subsister la règle générale du contrôle national sur la S.M.

L'existence de holdings, comme Unilever par exemple, d'ententes ou de cartels n'infirme pas plus cette règle générale. Elle manifeste simplement l'existence d'alliances entre des groupes nationaux dont les intérêts se trouvent être concordants. Le cas-type est celui du cartel pétrolier.

III. — Encore l'inégal développement

Enfin, une troisième caractéristique des S.M. est directement liée à la loi du développement inégal. Sans doute le phénomène des multinationales s'est-il généralisé. Un dossier établi par les services de la Commission Européenne a dénombré 10 000 grandes entreprises disposant de liens dans deux ou plusieurs Etats. Sur ce chiffre, plus de la moitié trouvent leur origine dans des Etats capitalistes autres que les E.U.A., ce qui laisserait supposer que l'Europe a, dans ce domaine, une nette supériorité. La réalité est tout à fait différente si l'on tient compte du chiffre d'affaires et du bénéfice net réalisés par les S.M. La revue « Fortune » (août 1976, p. 243), montre que sur les 12 S.M. les plus importantes, 8 ont leur siège aux E.U.A., Sur 50, 23 sont américaines et elles réalisent 45 % du chiffre d'affaires total et 38 % des bénéfices. L'étude de la Commission Européenne révèle également que parmi les 200 S.M. les plus importantes (selon le critère du chiffre d'affaires), 51,5 % sont américaines et réalisent 50,7 % du chiffre d'affaires total. Dès lors quand on parle, comme le sous-secrétaire d'Etat américain G. Ball de créer des « cosmofirmes », dénationalisées, en vue de réaliser une organisation internationale de la production et de substituer un ordre mondial aux anarchies nationales, on risque fort de créer un ordre mondial à base d'intérêts américains. De même, lorsque l'avocat international, Samuel Pisar, déclare que les S.M. ont besoin de paix, cette « paix des hommes d'affaires » risque d'être la « pax americana ».

Ainsi, en régime capitaliste, la S.M. peut être définie comme une forme particulière du capitalisme monopoliste d'Etat qui, compte tenu de la loi du développement inégal, se manifeste dans l'apparition d'entreprises nationales géantes, capables d'organiser la production sur une échelle mondiale grâce à des filiales qui, au-delà d'une internationalisation apparente du capital et de la direction, sont soumises aux décisions d'un centre situé dans l'Etat d'origine, le plus puissant d'entre eux étant actuellement les E.U.A.

IV. — Et les États socialistes ?

Mais le phénomène n'est-il pas universel et comme dans « les animaux malades de la peste », tous les Etats, même socialistes, ne sont-ils pas touchés par ce phénomène ? Le problème a été abordé par M. Lavigne dans son ouvrage sur « *le Comecon* ». Elle rappelle que le programme adopté en 1971 prévoit effectivement la possibilité de créer des organisations internationales de gestion (O.I.G.) « en vue de mener des activités économiques communes dans le domaine de la recherche et des études techniques, de la production, des services et du commerce extérieur » (section 8, paragr. 3-2). Mais l'option demeure ouverte entre deux formules : l'organisation internationale classique, fondée sur un accord entre Etats, sur la base du principe de l'égalité des parties intéressées (*infra*, deuxième partie) ou l'entreprise mixte préconisée par l'économiste hongrois Egon Kemenes. En fait, cette seconde formule, qu'on pourrait rapprocher de la S.M. capitaliste, répondrait à des motivations différentes. D'abord, l'impulsion ne viendrait pas des entreprises elle-mêmes, mais de l'Etat. Ensuite, dans la mesure où une telle opération serait inspirée par la recherche du profit, cette dernière ne peut être séparée de la planification nationale et donc de l'intérêt général tel qu'il est apprécié par les planificateurs. Enfin, comme le souligne M. Lavigne, on ne voit pas les avantages supplémentaires que les Etats socialistes tireraient de la formule des entreprises multinationales par rapport aux systèmes de coopération du Comecon.

D'un autre côté, il existe en régime socialiste des obstacles à la constitution d'entreprises multinationales : le caractère national de la propriété des moyens de production, le caractère hétérogène des planifications nationales et les caractères particuliers des systèmes financiers et monétaires.

Ceci explique qu'il n'y ait qu'une entreprise mixte orientée vers la production, l'entreprise Haldex, créée en 1959, par accord entre la Hongrie et la Pologne. Le capital est réparti en parts égales entre les deux Etats. La représentation dans les organes statutaires est réalisée sur la base de la parité et les décisions sont mises à l'unanimité, sous réserve de l'intervention des Administrations nationales pour les investissements et les programmes de production.

Pour l'instant, les entreprises multinationales socialistes demeurent donc l'exception. M. Lavigne constate d'ailleurs que l'U.R.S.S. est « en principe défavorable à des entreprises mixtes de production ». Elle ajoute : « on a peu de chances de voir les entreprises soviétiques essaimer à l'étranger à l'instar des firmes américaines ».

Mais, inversement, les économies socialistes ne sont-elles pas vulnérables aux S.M. capitalistes ? Il est vrai que des accords ont été conclus, dans le cadre de la coopération internationale, entre les Etats socialistes et des S.M. capitalistes. Le nombre de ces accords est passé de 150 en 1968 à près de 1 000 en 1977. Mais, pour l'U.R.S.S., il ne s'agit en aucun cas d'une extension de l'empire de ces S.M. Dans tous les cas, il n'y a jamais de participation au capital ou à la gestion des entreprises socialistes. On est très loin de la firme « transidéologique » dont les mérites sont vantés par S. Pisar. D'autres Etats socialistes (Roumanie, Hongrie, Tchécoslovaquie) ont, en revanche, accepté une participation au capital, mais celle-ci ne peut dépasser 49 %, de sorte que l'Etat conserve la maîtrise de l'entreprise, d'autant plus que les activités de cette dernière s'insèrent dans le cadre du plan.

La S.M. demeure, par conséquent, une sécrétion du capitalisme contemporain, plus précisément de l'impérialisme économique, ce qui pose le problème de la place et du rôle des S.M. dans la société internationale par rapport à ses autres éléments composants.

BIBLIOGRAPHIE

Sur le *statut juridique des multinationales*, voir :

ANGELO, *Multinational corporate enterprises*, cours à l'Acad. de Droit int. (La Haye). Recueil, 1968, III, p. 447 et s.

BREDIN J.D. et LOUSSOUARN Y., *Droit du commerce international*, 1969.

B. OPPETIT, *Les sociétés multinationales et les Etats nationaux*, Mélanges Bastian, 1974, t. I, p. 161 et s.

Sur la création d'un Droit européen, voir les articles d'Y. LOUSSOUARN dans la *Revue critique de Droit int. privé*, 1971 et 1974.

Sur l'*aspect économique et sociologique*, voir :

Le point de vue du parti socialiste français : *Socialisme et multinationales*, Flammarion, 1976.

Le point de vue du P.C.F. : Revue *Economie et politique*, notamment les numéros de juin, juillet, août 1975, réunis sous le titre « La crise », Ed. soc., 1975.

Le point de vue soviétique est exposé dans l'ouvrage de I.D. TVANOV, *Les corporations internationales dans l'économie mondiale*, Ed. Mysl., Moscou, 1976 (en Russe).

Le point de vue des O.I. est donné par les nombreux documents publiés notamment par l'O.N.U., l'O.I.T. et l'O.C.D.E.

Sur les sociétés multinationales et les Etats socialistes, voir G.D. LAUTER et P.M. DICKIE, *Multinational corporations and east european socialist economies*, Praeger, Londres, 1975, ainsi que l'ouvrage précité de M. LAVIGNE.

Sur les S.M. dans le Tiers Monde, voir l'ouvrage de J. TURNER, *Multinational companies and the third world*, Hill et Wang, N.Y., 1975, ainsi que l'article de D. SENGHAAS dans le *Journal of peace research*, 12 (4), 1975, p. 257-274, et celui de E. OBMINSKI dans *La Vie internationale*, 1975, n° 9.

Sur les S.M. françaises, voir Ch. MICHALET et M. DELAPIERRE, *La multinationalisation des firmes françaises*, Gauthier-Villars, 1973.

L'Encyclopédie du Monde actuel (*E.D.M.A.*) a consacré en 1975, un dossier aux sociétés multinationales. On y trouvera une liste des principales S.M. et leurs caractéristiques. Voir aussi *Dossier Multinationales*, par A. SABATIER et M. DUBLY (Ed. T.E.M.A., 1974).

§ 2. — LES SOCIETES MULTINATIONALES, SOURCE DE CONFLITS OU PREFIGURATION D'UN NOUVEL ORDRE MONDIAL ?

On ne peut pas douter de la puissance des S.M., supérieure, dans bien des cas, à celle des Etats. Cette puissance deviendra, sans doute, de plus en plus énorme, pourvu que Dieu leur prête vie. Pelmutter prévoit qu'en 1985 trois cents firmes super-géantes assureront la production des biens et des services dans le monde. D'ores et déjà, selon le rapport publié en 1973 par la « Federal trade commission » des E.U.A., moins de 300 S.M. américaines disposaient en 1972 de 268 milliards de dollars, soit le double des réserves monétaires mondiales et le triple des réserves des banques centrales des Etats industrialisés. On comprend dès lors que les manipulations auxquelles se livrent les S.M. soient capables de perturber sérieusement le système monétaire international (capitaliste).

Si la puissance économique et financière (et psychologique grâce à l'utilisation des mass media) des grandes S.M. est incontestable, le problème, du point de vue des relations internationales, est de savoir comment cette puissance fascinante et mystérieuse s'articule à celle des Etats et, à l'intérieur des Etats, à celle d'autres groupements privés, notamment les syndicats. Est-ce que la S.M. a comme le prétend S. Pisar, « sa propre logique, indépendante de celle des Etats nationaux » ? Est-ce qu'elle est une force neutre « transnationale et transidéologique », « un joli monstre simple et candide qui cherche sa nationalité, qui fait son travail automatique, presque comme un ordinateur » ? Faut-il parler des S.M. « face aux Etats » ? Ou bien la S.M., loin d'être une force autonome, dénationalisée, affranchie du pouvoir d'Etat et indifférente aux pressions syndicales, n'est-elle qu'une des forces dont dépend, dans une mesure plus ou moins large, qu'il faudrait évaluer, le cours des relations internationales ?

Les relations de l'Etat (d'origine ou d'implantation) et de la S.M. ne peuvent être comprises si on fait abstraction de la nature de la formation sociale concernée et des rapports de forces, aussi bien entre les différentes formations sociales qu'à l'intérieur d'une formation sociale déterminée.

I. — Les multinationales et l'État d'origine

Du point de vue de l'Etat d'origine, il est évident que l'autorité publique a toujours la possibilité de favoriser l'implantation de filiales à l'étranger, en concluant des accords internationaux, en exerçant des pressions sur les Etats étrangers ou en faisant bénéficier ses entreprises nationales d'avantages particuliers. On ne veut pas dire qu'il y ait partout et toujours une concordance parfaite entre l'action de l'autorité publique et celle des S.M. Comme nous l'avons dit plus haut (p. 220), l'appareil d'Etat dispose d'une certaine marge de manœuvre dans une formation sociale complexe où des intérêts divergents s'affrontent. Il faut donc tenir compte du poids spécifique des différentes S.M. et des organisations syndicales de travailleurs.

Aux E.U.A., les syndicats nationaux ont parfois eu des réactions hostiles à l'égard de la politique des S.M. Ainsi, le chef syndicaliste, Georges Meany, avait accusé les S.M. de priver les travailleurs américains de 500 000 emplois alors que le chômage sévit aux E.U.A. Le gouvernement ne peut pas ignorer de telles réactions. Dans la mesure où les syndicats nationaux sont capables de peser sur sa politique, le gouvernement est contraint de réduire son aide aux S.M. ou de la rendre plus discrète. Inversement, la puissance des S.M. peut être telle qu'elle constitue une force irréversible.

Dans le cas des E.U.A., il n'est pas douteux que les S.M. ont bénéficié d'un large appui du gouvernement, qui a même fermé les yeux sur les interventions des grandes S.M., comme I.T.T., dans les affaires intérieures des Etats d'implantation. Dans un Etat dominé par les grands monopoles, on peut présumer qu'il y a presque toujours une concordance entre les intérêts privés des grandes S.M. et l'intérêt général, tel qu'il est défini par l'appareil d'Etat, au service de la classe dominante. C'est ce que reconnaît S. Pisar lorsqu'il déclare : « Aussi longtemps que ces sociétés ont favorisé le développement de la puissance américaine dans le monde, les gouvernements des Etats-Unis n'avaient *évidemment* aucun intérêt à les freiner dans leur action ». On croira volontiers l'ancien conseiller économique du Président Kennedy ; on sera plus sceptique lorsqu'il ajoute : « Ce stade est maintenant dépassé... ces sociétés échappent de plus en plus au contrôle de leur Etat d'origine ». Ceci supposerait que la nature de classe des E.U.A. ait changé. En fait, la vieille formule « ce qui est bon pour la General Motors est bon pour l'Amérique » est toujours vraie, dans la mesure où la General Motors, seconde S.M. la plus importante du monde, après Exxon, constitue le symbole de l'entreprise capitaliste, dont les intérêts sont finalement considérés comme parfaitement compatibles avec ceux de la Nation toute entière. Bien plus, il faudrait modifier la formule et dire : « Ce qui est bon pour la General Motors est bon pour le Monde », ce qui est plus conforme à l'idée d'Empire américain. Adhérant au système de valeurs propre aux régimes capitalistes, les gouvernants (parce qu'ils croient que l'intérêt national est inextricablement lié à la santé et à la puissance de l'entreprise capitaliste... cherchent tout naturellement à aider l'entreprise privée — et les patrons » (Milliband, *L'Etat dans la société capitaliste,* p. 91). Comme le reconnaît R. Aron, « Il va de soi qu'en régime fondé sur la propriété des moyens de production, les mesures prises par les législateurs et les ministres ne seront pas en opposition fondamentale avec les intérêts des propriétaires » (*Archives européennes de sociologie,* 1960, nº 2).

II. — Les S.M. et l'Etat d'implantation

L'argumentation qu'on vient de développer à partir du cas américain est valable pour les autres Etats capitalistes, à ceci près que leur capacité d'action est infiniment moindre. En France comme ailleurs, les grandes entreprises se préoccupent d'essaimer à l'étranger. Sur les 500 entreprises industrielles les plus importantes, recensées par « Fortune » en 1976, 44 étaient françaises. Constatant que « l'entreprise est semblable à un surrégénateur », ce qui veut dire que « non seulement elle crée la richesse, mais elle la multiplie », le patronat français, par la voix du Président du C.N.P.F., souligne : « Notre marché national s'est déjà élargi aux dimensions de l'Europe. Nous devons désormais affirmer notre vocation mondiale » (assises de Lille, octobre 1974). Le Président Pompidou ne disait pas autre chose lorsqu'il se fixait comme « objectif fondamental... de donner à l'économie française une dimension internationale » et par conséquent créer des « entreprises de taille mondiale qui existent encore très peu en Europe » (Discours du 10 juillet 1969). Ainsi apparaît la concordance des intérêts des grandes entreprises et ceux de l'Etat français, tels qu'ils sont vus par le chef de l'Etat. Ceci ne doit pas surprendre à l'époque du capitalisme monopoliste d'Etat. Mais la marge de manœuvre est étroite en raison de la faiblesse relative des entreprises françaises et des moyens dont dispose l'Etat. D'où le double mouvement contradictoire de l'accroissement de la puissance des S.M. étrangères en France et de l'essaimage des S.M. françaises à l'étranger, notamment dans les Etats du Tiers Monde. Ce n'est pas un hasard si le chef de l'Etat français et ses ministres portent un intérêt particulier à ces Etats. M. Giscard d'Estaing déclare, le 6 mai 1975, à son retour du Maroc : « Depuis le début de mon mandat, je me suis attaché à visiter en priorité des pays où se pose un problème de développement », en fait les pays ouverts aux investissements français. Ceci explique que Rhône-Poulenc, qui contrôle 43 sociétés en France et 39 à l'étranger, puisse fermer son unité de production de Vaulx-en-Velin et développer sa production en Thaïlande.

Les travailleurs français ne demeurent pas sans réaction devant une telle politique. Ainsi, à la société Rateau (La Courneuve), le groupe C.G.E., dont le P.D.G. déclarait : « L'avenir de la C.G.E. se joue hors de France » et qui envisageait de réduire l'activité de la société en 1974, a dû reculer devant la détermination des travailleurs (3 mois d'occupation de l'usine).

Ici aussi la marge de manœuvre est étroite. Même s'il est soutenu par des partis politiques qui luttent pour l'indépendance nationale, le syndicalisme français est divisé et les tactiques de lutte sont différentes. Cette situation permet à la direction des entreprises, par des moyens divers (journaux patronaux, journaux d'entreprises — 5 millions d'exemplaires pour 458 journaux, journaux patronaux téléphonés ou télévisés et même les bilans en bandes dessinées chez Oréal) de briser l'élan des luttes syndicales.

Du point de vue de l'Etat d'implantation, il faut également tenir compte de la nature de l'Etat. Si les Etats socialistes ont pris des dispositions pour interdire ou limiter la pénétration des S.M. de façon à préserver la souveraineté de l'Etat (*supra*), en revanche, les Etats capitalistes n'ont pas toujours les mêmes raisons de pratiquer une telle politique.

Assez souvent, par rapport aux Etats d'implantation, les S.M. se trouvent dans la situation décrite par Heilbroner, c'est-à-dire dans la position des premiers constructeurs de voies ferrées de l'ouest américain au moment où les municipalités se disputaient leurs services. En fait, les Etats européens, par exemple, se disputent effectivement pour obtenir l'implantation d'une filiale à l'intérieur de leurs frontières. Bien plus, à l'intérieur d'un même Etat, des rivalités se manifestent pour obtenir l'implantation dans telle région plutôt que dans telle autre (cf. la controverse entre J. Chaban-Delmas et J.J. Servan-Schreiber à propos de la création d'une usine Ford), de sorte que les S.M. influencent le fameux aménagement du territoire national.

A fortiori, les bourgeoisies bureaucratiques des Etats du Tiers Monde se disputent-elles les faveurs des S.M. bien que, simultanément, apparaît un nationalisme économique. Cette compétition est d'autant plus vive que les théoriciens bourgeois ne manquent pas de vanter les effets bénéfiques de l'implantation des filiales des S.M. dans les Etats du Tiers Monde : accroissement de la production, apparition de nouvelles recettes budgétaires, formation de spécialistes. On fait naturellement silence sur le fait que ces filiales rapportent aux S.M. des profits fabuleux. Selon l'étude publiée par l'O.N.U. en 1973 (*Les S.M. et le développement mondial*), les profits exportés sont de loin supérieurs aux capitaux investis. Entre 1965 et 1970, le rapport est passé de 5,1 à 11,3 fois. De même l'étude de l'O.I.T. (*Les entreprises multinationales et la politique sociale,* 1973) montre que les activités des filiales des S.M. n'empêchent pas l'exode des cerveaux, notamment vers les E.U.A. Cette exploitation n'est, en fait, possible qu'en raison d'une politique nationale qui favorise l'implantation des filiales des S.M. : privilèges fiscaux, garanties des investissements, droit du travail favorable aux intérêts des entreprises étrangères, domestication des syndicats et interdiction des grèves.

Ainsi l'extension spatiale de la puissance des entreprises capitalistes est favorisée, non seulement par l'Etat d'origine, mais *aussi* par l'Etat d'implantation, au moins dans un premier temps parce qu'il semble que les intérêts ne soient pas contradictoires. Mais, dans un second temps, les inconvénients de la domination exercée sur l'économie nationale apparaissent, surtout si les bourgeoisies locales voient leur propre développement freiné en raison de la position dominante acquise par les bourgeoisies étrangères. Dès lors, l'Etat est sollicité d'intervenir et de puiser dans son arsenal de moyens d'interdiction ou de contrôle pour libérer le pays de l'emprise étrangère ou pour l'atténuer.

Le moyen extrême et la nationalisation. Elle garantit le retour à la collectivité nationale de la propriété des moyens de production et la fin de la domination étrangère. Pour autant, elle ne met pas fin nécessairement à l'exploitation. Dans la mesure où l'appareil d'Etat est sous le contrôle de la bourgeoisie ou de la petite bourgeoisie (civile ou militaire), la nationalisation est tout au plus une manifestation de nationalisme, qui laisse subsister les liens avec le système capitalisme mondial.

En dehors de cette solution extrême, l'Etat d'implantation peut utiliser des moyens juridiques (régime des filiales) et financiers (impôts, interdiction d'exporter les bénéfices et obligation de les investir dans le pays, etc.) pour faire disparaître certains inconvénients de la domination exercée par les S.M. Mais le risque est de tuer la poule aux œufs d'or. La parade facile des S.M. consiste à brandir la menace de s'installer ailleurs. C'est ce que disait en substance Henry Ford II aux Anglais après avoir été reçu par son ami Edward Heath à Downing Street : « Tenez-vous bien, ou nous partons ailleurs ». Celui qui parle aussi brutalement le fait au nom d'une puissance que les capitalistes anglais peuvent détester, mais dont ils ont besoin. Au fond, les relations de la S.M. et de l'Etat d'implantation sont un peu comme les relations d'amants qui s'adorent et se haïssent à la fois et qui en tout cas ne peuvent se passer l'un de l'autre.

Pour modérer les conflits, R. Vernon a proposé un certain nombre de mesures, parmi lesquelles une juridiction internationale, accessible aux Etats et aux S.M. elles-mêmes. De telles mesures procèdent d'une vue idéaliste. Elles supposent que les conflits sont de nature juridique alors qu'il s'agit de conflits d'intérêts qui ne concernent pas seulement les groupements privés, mais également les Etats en tant que protecteurs des intérêts privés. Encore plus utopique est la thèse selon laquelle le salut serait dans l'internationalisation (juridique) des S.M. ou leur transformation en sociétés a-nationales (comme il y a des apatrides). C'est le rêve fait par le P.D.G. de « Dow chemical corporation » qui déclarait en 1972 : « J'ai longtemps rêvé d'acheter une île qui n'appartiendrait à aucun Etat, et d'établir le siège mondial de la Dow Company sur le territoire vraiment neutre d'une telle île possédée par aucune nation ou société ». Mais outre que la planète est divisée entre les Etats, cette thèse fait abstraction du fait qu'à travers les S.M. s'exerce la domination des Etats les plus puissants, étant étendu que tous ne sont pas placés sur le même barreau de l'échelle.

Les O.I. (O.N.U., O.I.T., O.C.D.E.), poussées par les Etats désireux de contrôler les activités des S.M. (voir la résolution adoptée par l'assemblée générale de l'O.N.U. et relative à l'instauration d'un nouvel ordre économique international) se sont attelées à l'étude des S.M. L'O.N.U. n'a pu aboutir à l'adoption d'un projet acceptable par la majorité des Etats. La commission créée par l'O.N.U. et réunie à Lima en 1976 a dû dresser un constat d'échec. Quant à l'O.C.D.E., sa trouvaille est l'élaboration d'un « Code de bonne conduite » à l'usage des S.M. et des Etats d'implantation, outre que ce code n'a aucun caractère impératif, il ne s'attaque pas au vrai problème qui est celui de l'instauration d'un ordre mondial où les forts n'aient plus licence d'opprimer et d'exploiter les plus faibles. Mais, pour l'instant, il faut régler les problèmes immédiats.

Dans le cadre du système capitaliste, la seule parade efficace ne pourrait venir que du contrepoids opposé à la puissance des S.M. par les organisations nationales, et surtout régionales ou mondiales des travailleurs. Cette l'idée développée par Ch. Levinson, syndicaliste Canadien. Ce qu'il propose, c'est de porter la lutte du niveau national au niveau international grâce à une coordination des actions déclenchées par les travailleurs des différentes filiales d'une même S.M., à la conclusion de conventions collectives internationales et à la présence des travailleurs dans les Conseils d'administration. La thèse soutenue par Levinson qui reflète les tendances propres aux fédérations de métiers, notamment la Fédération internationale de la chimie, dont il est le secrétaire général, n'a pas soulevé un enthousiasme général. On l'a accusé notamment de vouloir créer une corporation multinationale et de porter atteinte à la constitution d'une organisation mondiale, capable d'opposer au système capitalisme mondial une stratégie globale.

Même si l'action des fédérations internationales les plus dynamiques, comme celles de la métallurgie, de la chimie, de l'alimentation et de l'hôtellerie, ont pu avoir, en certaines occasions, une efficacité certaine, il n'en reste pas moins que seule une action concertée des grandes centrales syndicales mondiales peut s'opposer, avec quelque chance de succès, à celle des grandes S.M. Leurs congrès montrent qu'elles sont sensibilisées à ce problème. En mai-juin 1971, la F.S.M. avait consacré un numéro spécial de sa revue *le mouvement syndical mondial* au thème des « Syndicats face aux sociétés multinationales ». En 1973, lors de son 8e congrès, elle a adopté une charte des droits des syndicats qui propose un certain nombre de mesures : échange systématique d'informations entre syndicats sur les filiales des S.M., élaboration d'un programme commun à l'échelle d'une même S.M., création de comités de coordination, adoption de mesures législatives et réglementaires destinées à contrôler les activités des S.M., etc...

Mais il faut bien constater que la division du syndicalisme mondial (*supra*) constitue un obstacle important, sinon insurmontable, à une action commune. Ainsi, la F.S.M. a repoussé l'idée d'un code de bonne conduire en faisant remarquer que la législation anti-trust n'a jamais empêché le développement des monopoles. En revanche, la C.I.S.L. avait accueilli favorablement le rapport présenté en 1974 au Conseil économique et social de l'O.N.U. Il est vrai qu'en 1975 la C.I.S.L. a durci ses positions et a réclamé l'adoption d'une véritable convention internationale, ce qui paraît, pour l'instant, utopique.

Au plan européen, la domination croissante des S.M. a favorisé le rapprochement des syndicats appartenant à des centrales différentes. En 1973, les syndicats affiliés à la C.I.S.L. avaient créé une confédération européenne des syndicats. En 1974, elle a répondu favorablement à une demande d'adhésion formulée par les syndicats affiliés à la C.M.T. A la suite du congrès de Copenhague, l'organisation européenne de la C.M.T. a décidé sa dissolution et son adhésion à la C.E.S. En 1975, la C.G.T. italienne a été également admise à la C.E.S. En revanche, la C.G.T. française demeure à l'écart de cette organisation qui groupe 36 millions de travailleurs, dont 17 millions affiliés au T.U.C. et au D.G.B. de l'Allemagne de l'ouest.

BIBLIOGRAPHIE

Sur les *relations des S.M. et des Etats,* voir :

— Les ouvrages cités à la fin du paragraphe précédent.

— ORDONNEAU P., *Les multinationales contre les Etats,* Ed. ouvr., 1975.

— SABATIER A., *Les sociétés multinationales,* Ed. Le Centurion, 1975.

— STEPHENSON H., *Les multinationales, nouvelles grandes puissances,* Coll. Marabout-Verviers, 1975.

Des études de cas peuvent être trouvées dans l'ouvrage précité du Parti socialiste français, ainsi que dans les ouvrages suivants :

BEAUD et autres, *Une multinationale française : Péchiney-Ugine-Kuhlmann,* Gaul, 1975.

SAMPSON A., I.T.T., *L'Etat souverain,* A. Moreau, 1973.

C. TOULON, I.T.T., *Economie et politique,* n° 209.

OWONA J., *Sociétés multinationales et systèmes politiques d'Afrique noire : le cas du Cameroun,* 248 p. ronéotées.

O.N.U. (Institut africain de développement écon. et de planific., Dakar). Colloque sur les S. M. en Afrique (octobre 1974).

Parmi les ouvrages favorables aux S. M., voire ceux de R. VERNON, *Les entreprises multinationales,* Calmann-Lévy, 1973 ; *Les conséquences économiques et politiques des entreprises multinationales,* Laffont, 1974.

J. TURNER, *op. cit.*

BERTIN G.Y., *Les sociétés multinationales,* P.U.F., 1975.

Sur les multinationales dans les Etats socialistes, voir l'ouvrage de G. P. LAUTER (Praeger, 1975).

Sur l'action des O.I., voir les ouvrages cités à la fin du 1er paragraphe. Consulter les documents de l'O.N.U., de l'O.I.T. et de l'O.C.D.E.

Sur l'action syndicale, voir :

— C.H. MICHALET, *Le capitalisme mondial,* P.U.F., 1976.

— J.P. LAVIEC et autres, *Syndicats et sociétés multinationales.* Documentation française, 1975.

— Revue *Economie et politique,* n° 234 (1974) : *Les multinationales, solidarité ouvrière et lutte pour l'indépendance.*

— Revues syndicales.

— B.I.T., *Multinationals in western Europe : the industrial relations experiences,* Genève, 1976 (rapports du mouvement ouvrier et des multinationales).

NOMBRE DE FILIALES IMPLANTÉES DANS DIFFÉRENTES RÉGIONS DU MONDE PAR LES SOCIÉTÉS ORIGINAIRES DES GRANDS PAYS INDUSTRIALISÉS

Pays dont les firmes sont originaires	Régions d'implantation						
	Europe	Afrique	Asie	Amérique	Etats-Unis	Australie	Total
Autriche	86	2	6	10	4	1	105
Belgique	377	132	13	59	18	13	594
Danemark	285	20	22	23	13	4	354
France	1 104	171	76	251	84	28	2 023
République Fédér. Allemande	2 221	564	155	325	145	44	2 916
Italie	287	52	18	5	20	10	459
Luxembourg	47	3	0	158	1	0	56
Pays-Bas	741	118	80	16	46	21	1 118
Norvège	173	18	10	1	12	3	220
Portugal	4	3	0	92	0	0	8
Espagne	19	1	0	6	0	0	26
Suède	891	33	47	164	66	24	1 159
Suisse	1 150	52	61	160	67	33	1 456
Grande-Bretagne	3 006	1 427	712	1 117	482	864	7 116
Etats-Unis	*5 431*	378	707	*2 744*	—	431	9 691

Source : *Yearbook of international organizations*, 13e édition, 1970-1971.

DEUXIEME PARTIE

L'ACTION INTERNATIONALE

Compte tenu de la composition de la société internationale, nous pouvons maintenant nous demander comment ses différents éléments entrent en contact les uns avec les autres, réagissent les uns sur les autres et contribuent à produire, au niveau international, des résultats qui donnent, en définitive, à la société internationale ses traits spécifiques. L'étude de l'action internationale permet de saisir *l'aspect dynamique* des relations internationales par opposition à l'aspect statique, exprimé dans l'étude des structures de la société internationale.

Nous nous demanderons d'abord selon quelles conditions peut se déployer l'action internationale, puis nous verrons les lignes de force de l'action internationale.

TITRE I

LES CONDITIONS DE L'ACTION INTERNATIONALE

L'action internationale est d'abord conditionnée par l'existence d'un certain nombre de règles, les règles du jeu international, sur la nature desquelles il convient de s'interroger.

Ensuite, il est évident qu'aussi bien sur le plan de la société internationale que dans le cadre des sociétés nationales les idéologies jouent un rôle qui, sans être déterminant, est loin d'être négligeable.

En troisième lieu, compte tenu à la fois des règles du jeu international et des idéologies dominantes, les acteurs internationaux (1) sont amenés à faire des choix politiques, c'est-à-dire à définir des stratégies et des tactiques dans le cadre desquelles s'insère leur politique extérieure.

Enfin, il faut également tenir compte des instruments utilisés par les acteurs internationaux pour participer à l'action internationale.

(1) Nous qualifierons — par brièveté de langage — d'acteurs internationaux les éléments composants de la société internationale. Mais les véritables auteurs sont ceux qui prennent les décisions et les exécutent, c'est-à-dire, dans tous les cas, des personnes physiques.

CHAPITRE PREMIER

LES REGLES DU JEU INTERNATIONAL LES DEUX POLES DU DROIT ET DE LA VIOLENCE

Il résulte de ce que nous avons dit antérieurement que la société internationale n'est pas une société totalement anarchique. Dans une certaine mesure, le droit y tient une place qu'il ne faut pas sous-estimer, comme le font les partisans plus ou moins cyniques de la politique de puissance, de la « power politics ». Mais il ne faut pas non plus surestimer le rôle du droit dans la société internationale, comme le font certains juristes, ivres de concepts, ou certains idéalistes, qui prennent leurs rêves pour des réalités. Nous devons, en effet, constater, que si le droit international joue un certain rôle et contribue à orienter et à canaliser l'action internationale, la violence, une violence polymorphe, fait également partie, même si on le déplore, des règles du jeu international. Ces règles oscillent en définitive entre deux pôles : le droit d'une part et la violence d'autre part.

SECTION I

LE ROLE DU DROIT DANS LES RELATIONS INTERNATIONALES

Nous n'aborderons pas ici les problèmes juridiques extrêmement complexes soulevés par l'existence du droit international. Cependant, il est nécessaire, dans cet ouvrage d'initiation à l'étude des problèmes internationaux, d'appeler l'attention sur les techniques de fabrication du droit international, non pas tellement pour les étudier en elles-mêmes que pour en souligner les caractéristiques fondamentales, qui expliquent les limites du droit dans la conduite des relations internationales.

Ayant ainsi fait une briève allusion à des techniques, nous verrons ensuite quelles sont les influences qui s'exercent sur le développement du droit international contemporain et qui expliquent l'évolution, les difficultés et les crises du droit international.

§ 1. — LES TECHNIQUES DE CREATION DU DROIT INTERNATIONAL

Du fait même que les éléments majeurs de la société internationale demeurent les Etats, qui entendent bien conserver leur souveraineté et leur indépendance (*supra,* p. 116), il en résulte qu'en principe les règles de droit international ne peuvent être créées et devenir opérationnelles que sur la base du consentement des Etats. *L'existence d'un consensus* (1) *est absolument fondamentale,* comme d'ailleurs dans le cadre national.

Sans doute, nous l'avons vu, à côté des Etats sont apparues sur la scène internationale des O.I. de plus en plus nombreuses, de plus en plus diversifiées. Malgré tout, on peut dire que l'apparition des O.I. n'a pas substantiellement modifié la situation. En effet, non seulement les O.I. sont créées par la volonté des Etats, qui ont, par conséquent, le pouvoir de définir les objectifs, les structures, les compétences, les moyens d'action des O.I., mais encore, par définition, ces dernières sont composées par des Etats représentés, en règle générale, par des personnages qui sont des délégués gouvernementaux et qui expriment, au sein des O.I., la volonté de l'Etat (*supra,* p. 199 et s.).

Cela signifie que dans la mesure où les O.I. se sont vu reconnaître le pouvoir de créer des règles de droit international, on trouve nécessairement à l'origine de ces règles la volonté des représentants des Etats. Comme le souligne fort justement Ch. Chaumont (*op. cit.,* p. 3), « l'appareil d'Etat qui fonctionne en Droit interne fait aussi le droit international... Ce sont les mêmes hommes qui font le Droit interne et qui font le Droit international ».

(1) Nous employons ce terme dans un sens général. Il désigne aussi une pratique des O. I. qui consiste à adopter une résolution sans recourir à un vote formel, le Président de séance se contentant de constater l'absence d'opposition (voir sur ce point l'article de H. CASSAN dans l'*An. Fr. de D. I.,* 1974, et celui de J. MONNIER dans l'*An. Suisse de D. I.,* 1975).

Aussi bien au niveau des Etats qu'au niveau des O.I., on relève par conséquent cette caractéristique fondamentale : la nécessité d'une volonté concertée des Etats, d'un consensus pour créer des règles de droit international. Elle est perceptible dans tous les procédés techniques qui sont utilisés pour créer des règles de droit international.

I. — La coutume internationale.

Le procédé le plus ancien est celui de la coutume. Il subsiste, en effet, de larges secteurs qui continuent d'être régis par la coutume. Cependant, comme en droit interne, on a vu se manifester, surtout à partir de la deuxième guerre mondiale, un vaste mouvement de codification qui a été entrepris sous l'égide de l'O.N.U. dans le cadre de la commission de droit international. Cependant, la coutume continue de jouer un rôle non négligeable. On peut même soutenir l'idée — en apparence paradoxale — que la coutume connaît un regain d'actualité, dans la mesure où elle permet de modifier, de compléter ou d'abroger le droit international, dit classique, c'est-à-dire le droit créé par les Etats capitalistes dominants.

Si l'on examine le processus de formation de la coutume on voit comment se manifeste la nécessité d'un consensus. En effet, il faut d'abord une pratique qui est le fait, soit des Etats, soit des organisations internationales, c'est-à-dire, en dernier ressort, des représentants des Etats. Il faut un comportement uniforme en réponse à une situation déterminée. Bien entendu, ces comportements peuvent se traduire de façon très différente, y compris sous la forme d'actes internes (Etats ou O.I.).

Mais, l'essentiel est l'existence d'une pratique uniforme. Pour employer une image, on pourrait dire que, pour créer une coutume internationale, il faut se comporter de la même façon que lorsqu'on veut créer un sentier. Il faut que les piétons mettent leurs pas dans les pas de ceux qui les ont précédés, qu'ils prennent l'habitude de passer au même endroit. C'est seulement dans la mesure où ils se comportent de cette façon qu'au bout d'un certains temps on verra apparaître le sentier. Il en va de même en matière de coutume internationale. Il faut, dans tous les cas, qu'il y ait une pratique qui aille dans le même sens, qui soit constante et uniforme.

Mais, en outre, on admet généralement qu'en agissant de telle ou telle façon les auteurs des précédents, qui constituent l'élément matériel de la coutume internationale, doivent être convaincus qu'ils agissent dans le but de créer une règle de droit international. A l'élément matériel vient s'ajouter un élément subjectif, auquel le statut de la Cour internationale de Justice, lorsqu'il énumère les sources de droit international, fait allusion, lorsqu'il parle d'une « pratique générale *acceptée comme étant le Droit* ». Ceci veut dire que, en dépit du fait que chaque Etat ou chaque O.I. agit pour son propre compte, suit une pratique qui lui est propre, finalement la coutume internationale ne peut apparaître que s'il se manifeste un certain consensus, que si les précédents, formateurs de la coutume internationale, sont concordants, et dans la mesure où les Etats (ou les O.I.) agissent avec le sentiment qu'ils ne se conforment pas simplement à des principes politiques, à la morale ou à la courtoisie internationale, mais avec la volonté de créer une véritable règle de droit.

Ceci explique que le désaccord de certains Etats peut faire obstacle à l'apparition d'une coutume vraiment universelle et qu'il peut exister des coutumes régionales, voire locales. (Voir les affaires jugées par la C.I.J. : affaire du droit d'asile, 1950 et affaire du droit de passage en territoire indien, 1960.) Inversement, l'adoption, à l'unanimité, par les organes pléniers (assemblées générales) des O.I. de résolutions qui formulent des règles peut constituer la preuve de l'existence d'une coutume internationale. Le fait que tous les Etats-membres d'une O.I. aient réussi à s'entendre pour adopter, sans aucune opposition et sans abstention notable, une déclaration incontestable peut être l'indice que ces règles existent réellement, à condition, bien entendu, que, d'un autre côté, les Etats agissent dans la pratique conformément aux règles qu'ils ont énoncées dans cette déclaration.

II. — LA CONVENTION INTERNATIONALE.

La nécessité d'un consensus est encore plus évidente dans le second procédé, qui est en fait le plus souvenu utilisé dans la pratique internationale contemporaine, c'est-à-dire le procédé de la *convention internationale.* Nous employons ce terme générique pour couvrir toutes les hypothèses qui font apparaître, à travers une négociation entre les Etats ou des organisations internationales, ou bien encore entre un Etat et une organisation internationale, un accord, généralement écrit, sur un problème déterminé.

Toutes les phases de conclusion d'une convention internationale font apparaître la nécessité impérieuse d'obtenir le consentement, non seulement de ceux qui sont les auteurs de la convention internationale, mais, de façon plus générale, de tous ceux qui seront liés par la convention.

D'abord, et quel que soit le cadre de la négociation, qu'il s'agisse d'un face à face, d'une conférence diplomatique de type classique ou d'un débat au sein d'une O.I., le but de la négociation est, en définitive, toujours le même. Il s'agit de réaliser une entente entre les négociateurs.

Cela suppose qu'on ait déjà réussi à persuader les parties intéressées de venir à la table de négociation. Il est fréquent que ce premier pas soit le plus difficile à franchir, comme le montre par exemple le conflit israélo-arabe ou la conférence sur la coopération économique internationale, dite « dialogue Nord-Sud ». Dans ce cas, les pressions, qu'il s'agisse de pressions d'Etats-tiers, d'un groupe d'Etats ou (et) la pression exercée par une O.I., sont utiles pour déclencher le processus de négociation. De façon générale, l'initiative prise par les O.I., soit en provoquant la réunion d'une conférence diplomatique (ce qui est fréquent dans la pratique de l'organisation des Nations Unies ou de l'UNESCO), soit en portant à l'ordre du jour des débats de l'organisation la discussion d'une convention internationale (ce qui est la règle dans le cadre de l'O.I.T.), revêt une importance considérable à l'époque contemporaine. Il est assez remarquable que les progrès les plus substantiels réalisés dans le domaine du droit international au cours des dernières décennies l'ont été précisément grâce aux efforts des O.I.

Mais il arrive également que certains Etats soient peu empressés d'ouvrir des négociations dans le cadre d'une O.I. parce qu'ils redoutent d'être soumis à des pressions qui auraient pour effet de réduire de façon plus ou moins importante leur capacité de négociation, leur liberté de manœuvre. A cet égard on peut souligner que l'Etat d'Israël, depuis 1967, a constamment refusé de situer ses négociations avec les Etats arabes dans le cadre de l'O.N.U. On comprend ses réticences, car dans le cadre d'une organisation comme l'O.N.U., l'Etat d'Israël serait soumis à des pressions extrêmement fortes qui pourraient le contraindre à accepter des solutions jugées (par lui) inacceptables.

Quel que soit le procédé retenu, il faut nécessairement au départ une volonté de négociation. Ceci souligne l'élément de consensus, qui est à l'origine même de la convention internationale. Il faut une volonté commune de négociation, et, par conséquent, que les parties espèrent tirer un bénéfice de la négociation. En fait, la négociation est le moyen de surmonter une contradiction, même, et surtout, si les intérêts en jeu sont divergents.

L'élément consensuel, qui existe ainsi au départ, est encore plus visible au cours de la phase de la discussion. Le but de la discussion — qui peut être extrêmement longue — est, en définitive, de réaliser la conciliation entre les intérêts divergents. Dans le cas du conflit israélo-arabe, il est bien évident que les uns et les autres ont un objectif commun, qui est de rétablir la paix, une paix définitive, dans cette région du monde. Mais il est non moins évident que les parties intéressées ont des intérêts contradictoires et même opposés. L'intérêt de l'Etat d'Israël est de conserver des territoires conquis par la force et d'obtenir, de la part des Etats arabes et des organisations Palestiniennes, sa reconnaissance en tant qu'Etat. Les Etats arabes veulent au contraire obtenir la restitution des territoires occupés et la reconnaissance du droit des Palestiniens à l'existence en tant qu'Etat.

La troisième phase de la négociation internationale porte sur la rédaction d'un texte, qui n'est que l'expression de l'accord réalisé entre les négociateurs. Comme le souligne Ch. Chaumont (*op. cit.*, p. 5) « la contradiction s'est transformée en autre chose. Elle s'est transformée en norme juridique ». Mais, à cet égard, il convient de souligner que même lorsque des négociateurs se sont mis d'accord sur un texte, même lorsqu'ils ont apposé leur signature au bas de ce texte, en principe, celui-ci n'acquiert pas automatiquement et nécessairement force obligatoire. Sur ce point le droit international diverge de la pratique privée. Lorsque deux individus engagent une négociation sur un problème déterminé et arrivent à se mettre d'accord sur un texte qu'ils signent, ils sont juridiquement liés. En droit international, il en va différemment. Il faut souligner qu'un texte, même signé par des négociateurs, n'a pas d'effet obligatoire. La signature n'a pas pour conséquence de conférer à ce texte une valeur juridique, c'est-à-dire de lier juridiquement ceux qui ont participé à l'élaboration de ce texte, et qui l'ont accepté formellement en le signant. En règle générale, il faut que chaque partie, individuellement, pour son propre compte, accepte, dans une phase ultérieure, le texte de la convention internationale.

Le procédé le plus usuel et le plus solennel destiné à parvenir à ce résultat est celui de la ratification. Elle n'est pas autre chose qu'un procédé juridique qui permet à un Etat de conférer à une convention internationale qu'il a négociée et signée force obligatoire. Il appartient à la constitution de chaque Etat de désigner l'autorité qui détient ce pouvoir de ratification (*infra*, p. 364).

Il y a cependant des cas où une convention internationale peut acquérir force obligatoire par la seule signature. Il s'est développé au cours des dernières décennies, une pratique qui est celle des accords en forme simplifiée, des « executive agreements ». La caractéristique de ce type de conventions internationales, par opposition aux conventions en forme solennelle, est qu'elles acquièrent force obligatoire par la seule signature (*infra*, chap. III, p.).

La dernière phase de conclusion d'une convention internationale est celle de la mise en vigueur. Elle fait également apparaître de façon très nette la nécessité du consensus.

L'usage, en droit international, est que la convention internationale n'est mise en vigueur qu'à partir du moment où elle a fait l'objet d'un certain nombre d'acceptations, ce nombre étant précisé par la convention elle-même. En outre, il est également prévu, dans certains cas, que, parmi les parties qui ont accepté la convention internationale, doivent figurer des Etats nommément désignés. Ainsi le traité sur la non-prolifération des armes nucléaires (1968) prévoit que la mise en vigueur interviendra après sa ratification par les puissances nucléaires, parties au traité (G.B., U.R.S.S., E.U.A.) et 40 Etats signataires. Cette condition a été remplie le 5 mars 1970. De façon générale, une convention internationale ne commence à produire ses effets qu'au jour « J. », fixé par la convention elle-même ou déterminé par l'existence d'un certain nombre d'acceptations prévu par la convention. Dans ces conditions, il peut arriver qu'une convention internationale n'entre pas en vigueur parce qu'on n'a pas pu atteindre le nombre d'acceptations requis par la convention.

Toutes ces phases de la procédure de conclusion d'une convention internationale montrent à l'évidence que le fondement véritable de la valeur juridique d'une Convention internationale repose en définitive sur la volonté commune des Etats ou des O.I. de voir leurs relations régies par le droit international. Si cette volonté commune n'existe pas, on ne peut pas espérer un véritable progrès du droit international.

Au fond, cette situation n'est peut-être pas aussi radicalement différente de celle du droit interne que les auteurs veulent bien le dire. Comme la convention internationale, la loi, qui est le principal procédé de fabrication du droit interne, est également le résultat d'un débat, où s'affrontent des intérêts opposés, sauf dans les dictatures.

La différence est que, dans le cadre des Etats, la volonté de la majorité, telle qu'elle s'exprime dans les Assemblées représentatives, s'impose à la minorité, alors qu'en droit international un Etat ne peut jamais se voir imposer une règle de droit s'il ne veut pas l'accepter . Encore faudrait-il remarquer que si la majorité a la possibilité de s'imposer à la minorité, il ne faut pas non plus que cette majorité abuse de sa position de force, sinon elle risque de voir l'application de la loi se heurter à un certain nombre de difficultés qui, à la limite, rendent la loi inopérante. Même dans le cadre des Etats, il faut donc un certain consensus. Comme le disait Jérôme Savonarole : « Toute majorité a besoin d'une minorité », en ce sens que la première doit obtenir, sinon l'adhésion, du moins la renonciation de la minorité à contester la légitimité de la loi. A défaut, il faut constater, comme le personnage d'Ibsen, dans *Un ennemi du peuple,* que le principe de la majorité n'est qu'un de ces « mensonges sociaux contre lesquels doit se révolter un homme libre qui pense ».

III. — L'ACTE UNILATÉRAL.

En dehors de la coutume et de la Convention Internationale, qui sont les deux procédés essentiels de construction du droit international, il faut également mentionner le procédé de l'acte unilatéral, qui peut, sous certaines conditions et de façon exceptionnelle, être également un moyen de créer des règles de droit international.

Ce qui caractérise l'acte unilatéral, par opposition à la convention internationale et à la coutume, c'est qu'il est la manifestation de la volonté d'une seule personne (au sens international), c'est-à-dire soit d'un Etat, soit d'une organisation internationale, étant entendu que l'objectif visé par l'acte unilatéral est de produire des effets juridiques à l'égard des autres sujets du droit international et parfois à l'égard des particuliers.

Lorsqu'il s'agit d'actes unilatéraux qui émanent des Etats, il est tout à fait caractéristique qu'un Etat ne peut, par sa seule volonté, créer des règles de droit international que selon des conditions extrêmement étroites. C'est ainsi qu'un Etat peut, par sa seule volonté, s'imposer des obligations et, corrélativement, faire bénéficier les autres Etats de droits. Inversement, un Etat peut aussi, par sa seule volonté, renoncer à des droits dont il serait bénéficiaire. Il pourrait, par exemple, renoncer à sa souveraineté sur une fraction de son territoire et reconnaître que cette fraction de territoire appartient à un autre Etat. Mais, en revanche, un Etat ne peut créer à son propre profit des droits ou imposer des obligations aux autres Etats. Il est caractéristique que des situations de ce genre entraînent des réactions des autres Etats (voir les conflits suscités par l'extension de la mer territoriale ou des zones de pêche).

Si, dans le cas des Etats, il n'y a guère de possibilités de créer unilatéralement des règles de droit international qui porteraient préjudice ou imposeraient des obligations aux autres Etats, la situation est différente pour les O.I. Il faut, en fait, distinguer deux sortes de situation selon que l'organisation internationale prétend créer des règles à portée interne, c'est-à-dire des règles qui ne vont produire leurs effets que dans l'enceinte de l'O.I., voire même dans le cadre d'un seul organe, ou au contraire des règles à portée externe, c'est-à-dire des règles destinées à dicter aux Etats leur comportement à l'extérieur de l'organisation.

En ce qui concerne les règles à portée interne, nous avons vu (*supra,* p. 200 et s.) qu'il y a de nombreuses possibilités pour les différents organes des O.I. de créer des règles de ce genre.

Il en va différemment pour les règles à portée externe. Le principe général est qu'une O.I. n'a pas le pouvoir de décision, c'est-à-dire le pouvoir de créer des règles obligatoires qui s'imposeraient aux Etats ou aux autres organisations internationales. En fait, une telle situation n'existe que de façon exceptionnelle, notamment pour les O.I. supranationales ou superératiques. Dans ce cas, les Etats sont en voie de réaliser une véritable intégration politique et ils ont consenti à abandonner au moins une partie de leur souveraineté dans des domaines déterminés. C'est ce qui se trouve réalisé dans le cadre des communautés européennes (*infra,* p. 515 et s.).

Les conditions d'élaboration du droit international exigent, en définitive, qu'il existe un consensus. Cette exigence d'un consensus explique que le progrès du droit international soit très lent. En outre, le réseau des règles de Droit international n'est pas encore suffisant pour couvrir tous les comportements des acteurs internationaux. C'est ainsi que la largeur de la mer territoriale n'est pas fixée de façon uniforme (*supra,* p. 84). On pourrait également souligner que si le droit international a fait un certain progrès pour éliminer certaines formes de violence, il s'en faut de beaucoup que toutes les formes de violence soient reconnues par tous comme illégales. Ceci explique qu'à côté des règles de droit il faut faire une place à la violence internationale (*infra,* p. 294 et s.).

BIBLIOGRAPHIE

Sur les procédés de création du Droit international, voir les manuels, notamment celui de THIERRY et autres, *op. cit.*, p. 53 et s.

Voir aussi le « *Que sais-je ?*, de R. J. DUPUY.

Consulter l'ouvrage collectif : *L'élaboration du droit international public*, Pedone, 1975 (aspects récents) et l'ouvrage stimulant publié dans le Centre d'études des relations internationales de Reims sous le titre *Réalités du droit international contemporain*, dans lequel on trouvera la communication précitée de Ch. CHAUMONT, Reims, 1977.

Le point de vue soviétique est exprimé dans l'ouvrage précité de TUNKIN et dans l'ouvrage collectif publié sous sa direction : *Droit international contemporain*, Ed. du Progrès, Moscou, 1972.

§ 2. — L'EVOLUTION DU DROIT INTERNATIONAL CONTEMPORAIN

De façon générale, on peut dire qu'il y a un parallélisme extrêmement étroit entre l'évolution des faits et des idées en matière internationale, d'une part, et l'évolution du droit international lui-même. On pourrait montrer comment, à chacune des phases de l'Histoire, l'évolution des faits et des idées a effectivement fait apparaître de nouvelles couches de droit international de sorte qu'on est en présence de sédimentations successives. Nous nous limiterons ici à l'époque contemporaine.

Pour comprendre ce qui se passe actuellement, il faut se souvenir que le droit international, qu'on pourrait qualifier de classique, s'est formé à une époque où la société internationale était dominée par les Etats capitalistes, plus précisément les Etats capitalistes européens ou d'origine européenne (*supra*, p. 163). Ceci veut dire que le droit international classique était, et est encore dans une certaine mesure, un droit d'essence bourgeoise, en ce sens qu'il correspond aux intérêts des classes dominantes des Etats capitalistes.

Cette situation pose un certain nombre de problèmes à partir du moment où apparaissent sur la scène internationale des Etats de type différent, c'est-à-dire des Etats socialistes. Il y a là un premier point d'interrogation. Quelle peut être, dans la société internationale actuelle, l'influence des Etats socialistes sur l'évolution du droit international ?

D'un autre côté, le droit international classique est également un droit à l'élaboration duquel un certain nombre d'Etats n'ont pas participé. Il s'agit ici des Etats qui, jusqu'à une date récente, étaient placés sous la domination des puissances européennes (*Supra*, p. 152). Une des conséquences de la colonisation fut de transférer à l'Etat colonial le pouvoir de conclure des Conventions internationales et, de façon plus générale, le pouvoir de participer à l'élaboration des règles de droit international. Ce pouvoir était devenu le monopole des Etats coloniaux et, de façon plus large, des Etats européens qui exerçaient leur domination sur d'autres Etats.

A partir du moment où les pays du Tiers Monde accèdent à l'indépendance, le problème se pose de savoir quelle va être leur réaction devant ce droit international classique, à l'élaboration duquel ils n'ont pas participé. Est-ce qu'ils vont l'accepter en bloc ? Est-ce qu'ils vont décider de le rejeter, sinon en bloc, tout au moins dans certaines de ses parties ? Pour l'avenir, quelle va être l'attitude des Etats du Tiers Monde ? Est-ce qu'ils vont s'aligner sur la position des autres Etats composant la société internationale ? Est-ce qu'au contraire ils vont émettre un certain nombre de revendications et adopter des positions originales quant au contenu du droit international nouveau ?

Enfin, ce qui caractérise la société contemporaine, c'est l'accélération foudroyante de l'évolution qui se manifeste dans le domaine technique et, par voie de conséquence, dans le domaine économique. Ceci pose également un problème dans la mesure où l'accélération du progrès tend à rendre caduques certaines règles du droit international classique et exige que soient créées des règles nouvelles destinées à régir des situations qui ne sont plus exactement les mêmes que celles qui existaient à une époque où a été créé le droit international classique. Il s'agit de créer des règles nouvelles capables d'éviter que ne se manifestent certains effets néfastes du progrès technique, car, en définitive, le progrès technique est, comme la langue d'Esope, ce qu'il y a de meilleur et ce qu'il y a de pire. Ceci signifie qu'il peut être employé à une double fin, soit dans l'intérêt du progrès de l'humanité, soit, au contraire, dans des buts qui risquent, à la limite, de conduire à la destruction de l'humanité.

A. — L'influence des Etats socialistes

Depuis la Révolution d'Octobre, les conceptions soviétiques du droit international ont évolué en fonction des transformations qui se sont manifestées dans la société internationale. La novation la plus importante est l'apparition de l'idée qu'il y a un droit international propre aux pays socialistes, au moins à l'état embryonnaire. En outre, en ce qui concerne le droit international commun aux Etats socialistes et aux autres Etats, l'évolution a conduit à affirmer fortement l'existence de ce droit et l'influence du socialisme sur son développement.

Après la période de tâtonnements et la parenthèse de la deuxième guerre mondiale, un effort a été fait par Vichinsky, homme d'Etat et juriste, Krylov, juge à la C.I.J., et Korovin pour donner à la doctrine soviétiques des bases solides.

Les Etats socialistes et le droit international commun.

D'abord le caractère obligatoire du droit international est nettement affirmé, malgré l'absence d'un organe centralisé monopolisant l'exercice du pouvoir de contrainte. Faisant écho à G. Scelle qui parle de décentralisation, les internationalistes soviétiques soulignent que « les Etats n'en sauvegardent pas moins leurs droits, et, soit séparément, soit collectivement, forcent les autres Etats à observer les règles établies du droit international » (1).

En second lieu, l'accent est mis sur la division de la société internationale. « La grande révolution socialiste d'octobre, écrit Kojevnikov, a divisé le monde en deux parties : le monde du socialisme et le monde du capitalisme, dont les relations mutuelles sont aujourd'hui le problème de l'histoire mondiale. La lutte et la collaboration entre ces deux mondes constituent l'axe de toute vie contemporaine ; elles remplissent toutes les politiques extérieures et intérieures actuelles, tant de la société nouvelle que de l'ancienne. » Il en résulte que le droit international est nécessairement hétérogène du point de vue de son contenu social, l'influence du socialisme conduisant à modifier ou à rejeter certaines règles du droit international ou à donner un contenu nouveau à des règles anciennes. C'est dire que le droit international n'est pas vraiment universel. Cependant, en dépit de ce manque d'universalité, il y a « un droit international commun général » (Krylov) dans la mesure où l'U.R.S.S. reconnaît un certain nombre de principes, également acceptés par le monde capitaliste.

Ayant ainsi reconnu l'existence d'un véritable droit international commun, la doctrine postérieure à la deuxième guerre mondiale soulignait aussi que ce droit international n'est pas supérieur au droit interne. « On ne peut admettre, déclarait Vichinsky, que le droit

(1) KRYLOV, *Cours à l'Académie de Droit international*, 1947, t. I, p. 417. Dans le même sens, TUNKIN, *Theory of international law*, p. 225 et s. (chap. 9).

international soit en quelque manière le fondement du droit national. Au contraire, c'est l'inverse qui est vrai ». Vichinsky arrivait à cette conclusion en proclamant le primat du politique sur le juridique. « Le droit n'est rien sans la politique », car celle-ci constitue le support du droit. Par politique, il faut entendre aussi bien la politique intérieure que la politique extérieure, l'une étant indissolublement liée à l'autre. « La politique extérieure est pour un Etat le prolongement de sa politique intérieure, seulement avec d'autres moyens » (Vichinsky).

Mais affirmer le primat du politique sur le droit, n'est-ce pas nier l'existence même du droit international ? Les auteurs soviétiques d'après-guerre s'en défendaient en soulignant que l'U.R.S.S. a une mission internationale à remplir. « La lutte pour l'édification de la société communiste en U.R.S.S., c'est la lutte dans l'intérêt des travailleurs de tous les pays et de toute l'humanité progressiste et avancée. Si bien que la politique étrangère de l'U.R.S.S., garantissant des conditions pacifiques pour la construction du communisme, remplit par là même un devoir profondément international » (1).

A partir de 1955-1956, c'est-à-dire lorqu'à la guerre froide succède la politique de coexistence pacifique, de nouveaux développements interviennent. Il appartenait notamment au professeur Tunkin, de l'Université de Moscou, de préciser la doctrine à la lumière de l'idéologie de coexistence pacifique (2).

Désormais un lien très fort est établi entre la coexistence pacifique et le droit international général (ou commun). Tunkin écrit : « La coexistence pacifique est le fondement politique du droit international général et le développement de celle-ci détermine les possibilités d'expansion de celui-ci. » Mais ceci n'implique nullement un accord sur les problèmes idéologiques et sur la nature du droit international. L'important est qu'ils (les Etats) puissent s'entendre sur des principes et des normes concrets de droit international. Ainsi la doctrine soviétique s'oppose sur ce point aux théories soutenues par de nombreux auteurs des pays capitalistes qui soutiennent qu'il n'y a pas de droit international véritable sans une communauté d'idéologies, un « minimum de commune weltanschauung ». En outre, la coexistence pacifique n'implique pas la fin de la lutte contre les sys-

(1) Molotov, « Discours à l'Assemblée générale de l'O.N.U., en 1947 ».

(2) *Cours à l'Académie de Droit international,* 1958, t. 25. — *Voprosy Teorii mezdunarodnogo pravo,* Moscou, 1962 (trad. franç., 1965) ; 2e édition en russe en 1970 (trad. anglaise parue en 1974). Voir aussi le *Cours de Droit international* en 6 volumes de l'Académie des Sciences de l'U.R.S.S. (1967-1969).

tèmes opposés. Elle « sert de base à une compétition pacifique entre le socialisme et le capitalisme, à l'échelle internationale et représente une forme spécifique de la lutte de classes entre ces deux systèmes ».

Tunkin est ainsi conduit à définir le droit international comme « l'ensemble des normes qui sont créées par voie de convention entre Etats, expriment les volontés concordantes des Etats et ont un caractère généralement démocratique, règlementent leurs relations réciproques dans le processus de lutte et de coopération en vue d'assurer la paix et la coexistence pacifique et la liberté et l'indépendance des peuples, et sont garanties, si nécessaire, par la contrainte exercée par les Etats individuellement ou collectivement » (traduction française du texte anglais, 2e éd.).

Tous les termes de cette définition mériteraient d'être précisés. Relevons la conception purement volontariste du droit international, dont la force obligatoire est fondée exclusivement sur l'accord des Etats, étant entendu que pour les Etats capitalistes la volonté exprimée est en réalité celle de la classe dominante, tandis que la volonté de l'Etat soviétique « est la volonté du peuple soviétique tout entier conduit par la classe ouvrière » (Tunkin). En outre, on remarquera que le rôle de la contrainte dans la définition du droit international est, non pas négligé, mais réduit à des proportions plus raisonnables (« si nécessaire »). S'en prenant à Vichinsky et lui reprochant son dogmatisme, Tunkin fait remarquer que « la contrainte n'est pas l'unique moyen d'assurer le respect des normes juridiques, bien que la possibilité de l'Etat de l'appliquer en soit un des traits distinctifs majeurs ». Cette position est conforme à l'introduction du principe d'interdiction du recours à la force en droit international (*infra*, p. 311).

Si la valeur juridique du droit international, conçu comme le droit de la coexistence pacifique, continue d'être affirmée, la nouvelle doctrine a précisé les rapports du droit et de la politique (voir la 4e partie de l'ouvrage de Tunkin).

D'abord, on reconnaît que la politique extérieure des Etats influence le développement du droit international, ce qui est l'évidence même. Mais on souligne aussi qu'il faut distinguer les différentes politiques extérieures. L'action de l'Etat doit être appréciée en fonction des principes de droit international qu'il propose et qu'il défend. Seuls des principes conformes à la politique de coexistence pacifique sont acceptables, c'est-à-dire les principes de paix, d'égalité de droits, d'autodétermination des peuples, de respect de l'indépendance et de la souveraineté de tous les pays. Ainsi, n'importe quelle politique extérieure n'est pas admissible dans les rapports internationaux. En particulier, la politique de « position de force » est condamnée.

En second lieu, on reconnaît aussi que le droit international est capable d'influencer à son tour la politique extérieure des Etats. Tout dépend du rapport de forces entre les partisans de la coexistence pacifique et ses adversaires et, en définitive, du régime politique et social de chaque Etat puisque « La politique étrangère d'un Etat est étroitement liée à sa politique intérieure et constitue en quelque sorte son prolongement ». Ainsi l'efficacité du droit international dépend essentiellement du poids des Etats décidés à soutenir les principes de coexistence pacifique dans les relations internationales. La doctrine soviétique s'écarte ainsi à la fois des partisans de l'école réaliste, qui n'assigne au droit international qu'un rôle négligeable et de l'école normativiste (Kelsen) qui ne voit dans les règles de droit international que des règles de conduite techniques, pures, dépourvues de contenu social.

Enfin, le droit international est aussi le soutien de la politique étrangère des Etats, en ce sens que, lorsque cette politique s'appuie sur le droit international, elle en est considérablement renforcée. Mais, de nouveau, on souligne que le droit international ne peut servir d'instrument de la politique extérieure que dans la mesure où il est conforme aux principes de la coexistence pacifique.

La position actuellement défendue par les internationalistes soviétiques en ce qui concerne les rapports du droit international et de la politique extérieure est ainsi différente de celle de Vichinsky, dont Tunkin critique le « raisonnement nihiliste ». « Que les Etats puissent user du droit international pour appuyer leur politique extérieure ne signifie pas que le droit international se confonde avec elle. Un tel mélange mène fatalement à la négation du caractère normatif de cette discipline, autrement dit à la négation du droit international ; noyé dans la politique, il n'existe plus comme système juridique ». Tunkin va même jusqu'à affirmer que la règle de droit international « acquiert une existence indépendante et, bien qu'elle ne puisse jamais être séparée de la politique, néanmoins, sans perdre sa signification politique, elle devient un phénomène social spécial distinct de la politique ».

Y a-t-il un droit international socialiste ?

Bien qu'il y ait eu, antérieurement à la seconde guerre mondiale, une conception soviétique du droit international, le problème de l'existence d'un droit international particulier aux Etats socialistes ne s'est évidemment posé qu'après la deuxième guerre mondiale. Encore en 1947, à un moment où on s'interrogeait sur la nature des démocraties populaires, les internationalistes affirmaient qu'il n'existait pas un droit international socialiste propre, opposé au droit international bourgeois, mais seulement deux tendances à l'intérieur d'un droit international unique. Ainsi les auteurs du manuel de droit international, publié par l'Académie des Sciences de Moscou en 1947, écrivaient : « Il ne faut pas conclure qu'il existe à l'heure actuelle un droit international socialiste. Il ne pourrait s'en créer un que dans les relations entre les Etats socialistes. A l'heure actuelle, il n'y a pas de telles relations ».

La situation s'est modifiée depuis 1947. En 1958, le professeur Tunkin consacrait quelques développements au droit international socialiste, considéré comme un droit en voie de formation. L'ouvrage paru en 1962, et réédité en 1970, appelle l'attention sur l'existence d'un droit international propre aux Etats socialistes.

Le fondement du droit international socialiste est l'existence de rapports politiques et économiques d'un type nouveau entre les Etats socialistes. Ces rapports reposent sur une base économique identique (propriété sociale des moyens de production), un régime politique analogue(le pouvoir du peuple dirigé par la classe ouvrière), une idéologie unique (le marxisme-léninisme), des intérêts communs (défense des conquêtes révolutionnaires contre les atteintes du camp capitaliste), un objectif unique (le communisme).

Le principe fondamental qui est à la base du droit international des Etats socialistes et l'internationalisme prolétarien (*infra,* p. 337), dont Tunkin dit qu'il « est devenu le principe directeur du nouveau type de rapports internationaux ». Bien plus, il ne s'agit plus seulement d'un principe moral et politique. Il tend à devenir un principe de droit international. « L'aspect juridique s'ajoute à l'aspect moral et politique et les obligations juridiques aux obligations morales et politiques » (Tunkin). Cette évolution se fait « par le moyen de la coutume et, en partie, par le moyen du traité ».

Sur la base de l'internationalisme prolétarien, certains principes du droit international classique (souveraineté, égalité, non intervention) acquièrent une qualité nouvelle. Ainsi la souveraineté des Etats n'est plus seulement un principe formel et purement théorique, laissant place à la domination du fort sur le faible. L'unité des pays socialistes constituerait « la garantie sûre de l'indépendance et de la souverainoté nationale de chaque pays socialiste ». En outre, la souveraineté de l'Etat est en définitive la souveraineté du peuple du fait que l'Etat est l'organisation du peuple tout entier. Ainsi le respect de la souveraineté de l'Etat équivaut au respect de la souveraineté des peuples.

Cependant, la coloration nouvelle ainsi apportée aux principes démocratiques du droit international classique n'est pas la seule conséquence importante de l'internationalisme prolétarien. S'y ajoutent « l'amitié fraternelle, la coopération étroite et l'assistance mutuelle », manifestations de l'unité de la communauté socialiste. Le programme du P.C.U.S. (1961) souligne que « la tendance à vouloir construire le socialisme isolément, en marge de la communauté mondiale des pays socialistes, est inconsistante au point de vue théorique, car elle est en contradiction avec les lois objectives du développement de la communauté socialiste ». Elle est « réactionnaire et dangereuse au point de vue politique », car elle affaiblit la force du camp socialiste.

L'affirmation de principes propres aux rapports entre les Etats socialistes ne conduit pas pour autant à nier la valeur des principes du droit international général, qui continuent de s'appliquer dans les rapports entre les Etats socialistes et les autres Etats. Mais « au principe de coexistence pacifique se substitue entre eux (Etats socialistes) un principe supérieur et plus profond, d'une qualité nouvelle, celui de l'internationalisme socialiste, qui est fondamental et spécifique du nouveau type de relations internationales » (Tunkin).

En somme, ce qui caractériserait les principes du droit international socialiste, c'est que les principes classiques sont interprétés et appliqués à la lumière du principe directeur de l'internationalisme prolétarien « qui leur infuse un esprit nouveau » (Tunkin). Mais cette conception s'est heurtée à des objections. Certains internationalistes marxistes soutiennent que le droit international est unique, les Etats socialistes ne faisant que s'approprier les principes démocratiques du droit international classique. A quoi Tunkin répond que la négation d'un droit international socialiste conduit à nier la spécificité des relations entre les Etats socialistes et à affaiblir l'unité de la communauté socialiste. Le débat reste ouvert.

BIBLIOGRAPHIE

Sur l'influence des Etats socialistes, voir les ouvrages précités de TUNKIN et celui du R. P. CALVEZ, *Droit international et souveraineté en U.R.S.S.*, A. Colin, 1953. Consulter l'Annuaire soviétique de droit international (Moscou) et l'Annuaire français de l'U.R.S.S.

Sur l'influence des juges socialistes à la Cour internationale de justice, voir l'article de H. ISAIA dans la *Revue générale de Droit international public*, 1975, p. 657-718.

Un point de vue critique sur la conception soviétique du droit international socialiste est exprimé dans l'article d'Ivo LAPENNA (*Yearbook of world affairs*, 1975, p. 242-264).

Pour la Chine, voir :

— J. BEAUTÉ, « La République populaire de Chine et le Droit international », *R.G.D.I.P.*, 1964, p. 350-412.

— D. DAVID, « La République populaire de Chine et les cinq centres », *An. du Tiers Monde*, Berger-Levrault, 1976, p. 723 et s.

— L. FOCSEANU, « L'Attitude de la Chine à l'égard du droit international », *Ann. franç. de D.I.*, 1968, p. 43 et s.

Consulter l'*Annuaire du Tiers Monde* (chronique de Droit international et Etudes).

En anglais, voir J. A. COHEN, *China's practice of international law*, Harvard University press, 1972, H. CHIU, *The people's republic of China and the law of treaties*, 1972, et S. OGDEN, « China and international law », *Pacific affairs*. Printemps 1976, p. 28-48. COHEN J.A. et HUNGDAH CHIU, *People's China and international law*. Princeton University Press, 2 vol., 1974 (étude documentaire. Abondante bibliographie en langues chinoise et anglaise).

B. — L'INFLUENCE DES ETATS DU TIERS MONDE

Dans une certaine mesure, même avant le raz de marée de la décolonisation qui déferle après la deuxième guerre mondiale, le droit international commence à être influencé par l'idée qu'il est indispensable de prendre en considération les intérêts des peuples colonisés. Cette idée trouvera son expression dans le pacte de la S.D.N. et surtout dans la Charte des Nations Unies, et dans la pratique qui s'est développée à partir de la Charte sous forme de résolutions votées par les différents organes de l'Organisation des Nations Unies. C'est ainsi que la résolution de l'Assemblée générale, votée le 14 décembre 1960, proclame un principe important selon lequel il est nécessaire de mettre rapidement et inconditionnellement fin au colonialisme sous toutes ses formes et dans toutes ses manifestations. La résolution du 13 décembre 1966 va encore plus loin puisqu'elle affirme la légitimité de la lutte que les peuples sous domination coloniale mènent pour l'exercice de leur droit à l'autodétermination et à l'indépendance, puisqu'elle demande à tous les Etats sans exception d'apporter une aide matérielle et morale aux mouvements de libération nationale dans les territoires coloniaux. Cette résolution a d'ailleurs été traduite en actes dans le cadre d'une organisation telle que l'O.U.A., où il existe un comité de la libération des peuples encore colonisés, auquel incombe la tâche de définir la tactique des Etats africains à l'égard des Etats coloniaux et de fournir une aide aux mouvements de libération nationale.

Si le droit international est ainsi influencé par l'existence des pays colonisés et par leurs luttes pour l'indépendance, c'est cependant surtout à partir du moment où cette indépendance est conquise (ou reconquise) que se pose principalement le problème de l'attitude des Etats nouveaux à l'égard du droit international.

En ce qui concerne le droit international classique existant au moment où les pays dépendants accèdent à l'indépendance, le problème était de savoir si les Etats nouveaux le recevraient en bloc et de façon inconditionnelle, de la même façon qu'ils avaient généralement accepté en bloc le droit interne d'origine coloniale existant au moment de leur accession à l'indépendance, en vertu de clauses insérées dans les constitutions de l'indépendance, ou bien s'ils manifesteraient la volonté de faire un tri parmi les règles de droit international existant, ou bien encore s'ils rejetteraient en bloc ce droit international classique.

Sur ces trois solutions, cette dernière n'a en fait trouvé aucun partisan parmi les dirigeants du Tiers Monde. Généralement, les nouveaux Etats se contentent de contester la valeur obligatoire, en ce qui les concerne, de certaines règles de droit international, écrites ou coutumières, non pas d'ailleurs par une sorte de xénophobie parce qu'elles auraient été élaborées par des puissances étrangères, mais parce qu'ils estiment que les conditions économiques, sociales et politiques qui ont donné naissance à ces règles sont différentes de celles qui existent actuellement dans les pays du Tiers Monde, ou bien encore parce qu'ils estiment que ces règles sont l'expression de l'inégalité, de droit ou de fait, ou des deux à la fois, qui caractérisait les relations internationales jusqu'à l'accession de ces pays à l'indépendance.

Il est vrai que l'on a parfois contesté le droit pour les Etats nouveaux de mettre en question notamment les règles coutumières du droit international, au motif qu'elles seraient obligatoires même pour les Etats qui n'ont pas participé à leur élaboration et qui ne les ont pas formellement ou tacitement approuvées. Aux « coutumes sages » s'opposeraient les « contre-coutumes sauvages », « contestataires », « révisionnistes », « séparatrices », voire « révolutionnaires », tous qualificatifs qui marquent, sinon une désapprobation, du moins une inquiétude ou un étonnement devant le comportement de ces « pauvres » qui osent se dresser contre les « riches » sages. Cette position est tout à fait insoutenable. Bien que ceci ne soit pas admis par l'ensemble de la doctrine internationale, les règles coutumières supposent un accord, au moins tacite, des Etats, et par conséquent il est tout à fait loisible à un Etat ou à un groupe d'Etats de décider que, pour ce qui le concerne, telle ou telle règle coutumière du droit international n'a plus ou n'a pas de force obligatoire. Comme le souligne Ch Chaumont (*op. précité*) « si l'on veut fonder la coutume sur la reconnaissance, sur l'acceptation, sur le consentement des Etats, il faut aller jusqu'au bout. Il ne faut pas accorder ce privilège à un certain nombre d'Etats, mais il faut l'accorder à tous ».

En ce qui concerne le problème particulier des règles conventionnelles, qui résultent de traités ou de conventions internationales. Le problème s'est également posé de savoir si les Etats nouveaux continueraient de respecter les conventions conclues par l'Etat colonial ou si au contraire, elles deviendraient caduques. Sur ce point, les solutions sont variables.

Parfois l'Etat colonial a pris la précaution d'obtenir le consentement du nouvel Etat. C'est ainsi qu'au moment de l'accession de la Birmanie à l'indépendance en 1945, la Grande-Bretagne avait conclu avec ce pays un traité d'indépendance dans lequel on trouve la clause suivante : « Toutes les obligations et responsabilités incombant jusqu'ici au gouvernement du Royaume-Uni, et qui découlent d'un instrument international valable, incomberont désormais, dans la mesure où un tel instrument doit être considéré comme applicable à la Birmanie, au gouvernement provisoire de la Birmanie. Ce dernier jouira désormais des droits et privilèges dont jouissait jusqu'ici le gouvernement du Royaume-Uni en vertu de l'application d'un tel instrument international. » Cette clause est intéressante car la Birmanie a été le premier pays asiatique à accéder à l'indépendance, et elle a servi de précédent. On la trouve dans la plupart des autres traités conclus entre la Grande-Bretagne et ses anciennes colonies. En revanche, cette pratique est exceptionnelle en ce qui concerne la France ; on la trouve cependant dans le cas du Laos, du Vietnam et du Maroc.

En l'absence d'un tel accord entre l'Etat colonial et l'Etat nouveau, on trouve parfois des déclarations unilatérales faites par les autorités de l'Etat nouveau, déclarations qui manifestent la volonté de continuer à appliquer les conventions internationales conclues par l'Etat colonial antérieurement à l'indépendance. Parfois aussi, les Etats nouveaux continuent à appliquer en fait, sans avoir fait connaître de façon expresse leurs intentions, ces conventions. C'est la solution du statu quo.

De façon générale, par conséquent, il y a eu une certaine continuité entre la période antérieure à l'indépendance et la période postérieure. Cependant, il convient de remarquer que cette règle n'est pas absolue : certains Etats ont fait des réserves pour certains types de conventions internationales, en particulier les traités inégaux, les conventions internationales qui présentaient un caractère politique accusé, telles que les traités d'alliance ou les traités prévoyant l'établissement de bases militaires sur le territoire des Etats nouveaux.

Les Etats nouveaux ont cherché aussi à influencer la formation du droit international nouveau dans le sens de leurs intérêts et de leurs aspirations. Ils portent un grand intérêt aux travaux de codification du droit international entrepris sous l'égide de l'Organisation des Nations Unies. Ils accordent également une attention extrême au développement du droit international par le moyen des conventions dont l'ambition est théoriquement d'avoir un champ d'application universel. Sans doute y a-t-il des divergences entre les Etats du Tiers Monde ; leurs intérêts ne sont pas absolument concordants. Cependant, il y a aussi des lignes de force générales qui font apparaître une certaine communauté de vues des pays du Tiers Monde dans ce domaine.

C'est ainsi que, s'agissant du droit des traités qui a fait l'objet d'une convention de codification (1969), les Etats du Tiers Monde ont eu sur un certain nombre de points des positions communes qui ont influencé le contenu de la convention.

Rappelons aussi que dans le secteur du droit de la mer, qui est actuellement en crise (P. de Vischer, *La crise du droit de la mer,* Bull. de l'Acad. roy. de Belgique, 1974 - 12), les conventions de Genève (1958 et 1960) avaient été élaborées à un moment où la plupart des Etats nouveaux actuels étaient encore colonisés. Trois Etats africains seulement (Ghana, Liberia, Tunisie) étaient présents à Genève. Il n'est donc pas étonnant que ce Droit élaboré par une majorité d'Etats capitalistes ait été rapidement contesté et remis en cause : extension de la largeur de la mer territoriale, création de zones exclusives de pêche ou de zones économiques, revendication des fonds sous-marins comme patrimoine commun de l'humanité. Sur ce point il s'est dégagé une tendance commune aux Etats du Tiers Monde. Mais, comme le fait remarquer P. de Visscher, les « Etats anciens » ne sont pas prêts à tolérer qu'une quelconque institution internationale, où jouerait la loi de la majorité, leur soit imposée par « une poussière des micro-Etats qui ont été admis sans mesure aux Nations Unies » et qui

« n'est représentative ni des forces politiques, ni des forces économiques, ni même des réalités démographiques dont le monde est formé ». « Confier la gestion des fonds sous-marins à une telle autorité, conclut-il, reviendrait à se condamner à l'anarchie et à l'impuissance » (sic) (p. 438).

De même dans le domaine de la responsabilité internationale, les Etats du Tiers Monde ont pris parti sur la valeur des règles, pour la plupart d'origine coutumière, qui existent en la matière. Ils pensent que le droit de la responsabilité internationale a été créé, non seulement sans leur participation, puisqu'ils étaient exclus de la vie internationale au moment où ces règles se sont formées, mais aussi contre eux, c'est-à-dire dans le but de protéger les intérêts des Etats dominants. Ce point de vue n'est d'ailleurs pas propre aux Etats du Tiers Monde ; il est partagé par certains internationalistes. C'est ainsi que le juge américain Jessup écrit : « L'histoire du développement du droit international de la responsabilité des Etats pour des dommages causés aux étrangers est aussi un aspect de l'histoire de l'impérialisme et de la diplomatie du dollar. »

Les nouveaux Etats sont d'autant plus intéressés par ce problème de la responsabilité internationale qu'ils ont très souvent sur leur propre territoire des étrangers qui jouent un rôle important, parfois même dominant, dans la vie nationale. Or ces étrangers peuvent subir des dommages soit en raison de troubles ou de révolutions — malheureusement fréquents dans les pays du Tiers Monde —, soit en raison de mesures économiques, financières ou sociales qui sont décidées par les gouvernements des Etats nouveaux en vue de réaliser la libération sociale. L'opinion des Etats nouveaux est que la réparation des dommages, dont ils ne contestent pas le principe, doit être réglée sur la base des conventions internationales, quand elles existent, et sur la base du droit national de l'Etat intéressé. Ils estiment également qu'en cas de contestation le problème doit être réglé d'abord (c'est la règle classique du droit international) par le moyen de négociations diplomatiques et, si cela ne suffit pas, par le recours aux tribunaux nationaux.

Un dernier exemple de l'intérêt porté par les pays du Tiers Monde au développement du droit international concerne l'élaboration du droit international du développement. A cet égard, les Etats du Tiers Monde insistent sur le devoir impératif de coopération qui incombe aux puissances les plus favorisées, ainsi que sur l'obligation pour les grands Etats de respecter, dans le domaine de la coopération, la souveraineté et l'égalité des Etats. En fait, c'est sous la pression des

Etats nouveaux que l'Organisation des Nations Unies avait créé un comité spécial destiné à étudier les principes fondamentaux des relations amicales et de la coopération entre les Etats. Selon les nouveaux Etats, ce comité devait avoir pour rôle non seulement de reconnaître, de constater, de confirmer le droit international existant, mais aussi de le réviser pour le rendre plus conforme aux besoins de la société internationale contemporaine. Il en est résulté la charte des droits et devoirs économiques des Etats (1974), qui consacre très largement les revendications du Tiers Monde, notamment le droit à la libre disposition des ressources naturelles. L'action en vue de l'établissement d'un nouvel ordre économique international va dans le même sens.

BIBLIOGRAPHIE

Sur l'influence du Tiers Monde, voir :

— E. BELLO, « Le Tiers Monde et le droit international de la mer », *Thèse Univ. de Paris 2,* 1970.

— BOYE Abdel-Kader, « Recherches sur l'efficacité de l'acte de nationalisation ». *Thèse de Droit, Univ. de Paris 2,* 1975.

— D. DAVID, « La République populaire de Chine et le droit des mers », *Revue « France-Asie »,* 1974, n° 2.

— R. A. FALK, « The new states and the international legal order », *Rec. des Cours de l'Acad. de D.I.,* 1966, t. 118, p. 7-103.

— J. C. GREEN, article dans la *R.G.D.I.P.,* 1970, n° 1, p. 78-106.

— K. HJERTOUSSON, *The new law of the sea. Influence of latino-american states,* Leiden, 1973, et DOS SANTOS COSTA, « Le droit de la mer et le développement en Amérique latine », *Thèse de 3e cycle, Univ. de Nice,* 1974.

— C. PEYROUX, « Les Etats africains face aux questions actuelles du droit de la mer », *Rev. gén. de Droit int. public,* 1974, n° 3, p. 623-648.

— M. SAHOVIC, « Influence des Etats nouveaux sur la conception du droit international », *Ann. franç. de D.I.,* 1966, p. 30 et s.

— S. Prakash SINHA, *New nations and the law of nations,* Leyden, 1967 (bibliographie abondante).

— J. J. G. SYATAUW, *Some newly established asian states and the development of international law,* La Haye, 1961.

— *Société Fr. pour le Droit Int.,* Colloque d'Aix (1973) sur les « Pays en voie de développement et transformation du Droit international », Ed. Pedone, 1974.

Consulter l'*Annuaire du Tiers Monde* (chroniques et études).

C. — L'INFLUENCE DU PROGRÈS TECHNIQUE

Le progrès technique a toujours eu une certaine influence sur le développement du droit international. Nous avons vu, par exemple, que les progrès techniques réalisés au cours du XIXe siècle, en particulier dans le domaine des communications, avaient déterminé l'apparition des premières grandes organisations connues sous le nom d'unions administratives (*supra*, p. 171 et s.).

A l'époque contemporaine, l'influence du progrès technique est encore plus sensible en raison de ses conséquences de plus en plus importantes sur la vie des peuples. On prend conscience, de plus en plus, que le progrès est à double tranchant et peut être utilisé dans un but contraire aux intérêts des peuples. Dès lors, les Etats sont amenés à prendre des mesures conservatoires destinées à éviter les effets néfastes du progrès scientifique (pollution, épuisement des ressources naturelles, armements). Dans ce cas, on demande au Droit international de jouer un rôle de protection.

En outre, dans certains cas, des richesses naturelles qui, jusqu'à une époque récente, étaient inexploitables parce que l'homme n'avait pas découvert les moyens techniques de les exploiter, deviennent désormais des sources indispensables de puissance, dont chaque Etat cherche à s'assurer le monopole en étendant le champ d'application territorial de sa souveraineté (*supra*, p. 79). Dans ces conditions, il devient nécessaire, pour modérer les conflits entre les Etats, de formuler des règles nouvelles de droit international. Ici le droit internation est invité à définir les droits et les obligations de chaque Etat.

Enfin, dans certains domaines récemment ouverts aux activités humaines, apparaît également l'idée que tous les Etats doivent avoir des chances égales, ce qui implique par conséquent que les Etats les plus favorisés soient empêchés d'acquérir une position prédominante, voire une position de monopole, en raison de leur avance technologique et de leur puissance. Le droit international vient ainsi corriger les inégalités de fait, au besoin en établissant des mesures dérogatoires en faveur des Etats défavorisés.

Ces différentes idées expliquent que, dans un certain nombre de domaine, on ait récemment assisté à une évolution du droit international. Il en est ainsi dans trois domaines que nous pouvons prendre comme exemples : la mer, l'espace et les armements.

Nous avons vu, en parlant du territoire de l'Etat, qu'un problème nouveau s'est posé à partir du moment où les Etats ont acquis la possibilité d'exploiter, non seulement leur territoire terrestre, mais également le sol et le sous-sol marins. Dans un premier temps, chaque Etat a cherché à prendre des décisions de caractère unilatéral pour englober dans son territoire national la plus grande partie possible du plateau continental (*supra*, p. 80). Il est venu un moment où, pour échapper à l'anarchie de la société internationale, il a été nécessaire de poser des règles en la matière. C'est ce qui a été fait par l'une des conventions adoptées à Genève en 1958, la convention n° IV, relative au plateau continental. On trouve dans cette convention, non seulement une définition du plateau continental, mais également une définition du régime juridique du plateau continental (*supra*, p. 81). Aujourd'hui, c'est le problème des fonds sous-marins et celui de la zone économique qui est posé, mais non encore résolu.

En dehors du plateau continental, il y a un autre problème qui préoccupe les Etats : c'est celui de la conservation des ressources biologiques de la mer. La conférence de Genève s'est également préoccupée de ce problème et elle a adopté sur ce point une convention (n° III). Ainsi que l'indique le Préambule de cette convention, le développement de la technique moderne en matière d'exploitation des ressources biologiques, en augmentant les possibilités naturelles et les possibilités humaines de satisfaire aux besoins d'une population mondiale croissante, expose certaines de ces ressources au risque d'une exploitation excessive et même à celui de la destruction par pollution. Ainsi le Préambule de cette convention marque l'effet ambivalent du progrès technique : bénéfique dans une certaine mesure, mais également dangereux dans la mesure où le progrès technique risque de conduire à la destruction irrémédiable de ressources biologiques, peut-être, dès maintenant, nécessaires à la survie de l'humanité et surtout à la survie et au développement des pays sous-développés.

Dans le domaine de l'espace, jusqu'à une époque récente, seul l'espace atmosphérique avait intéressé les Etats.

La réglementation internationale est devenue insuffisante à partir du moment où certains Etats ont découvert le moyen de lancer dans l'espace extra-atmosphérique des engins capables, non seulement de graviter autour de la terre, mais éventuellement de faire des atterrissages sur certains corps célestes. A partir du lancement du premier Spoutnik, en 1957, le problème s'est trouvé pratiquement posé. C'est cet événement qui a conduit les Etats à adopter en 1967 un traité inspiré des principes formulés par l'Assemblée générale des Nations Unies à partir de 1963.

Ce traité détermine d'abord le champ d'application de ses dispositions, c'est-à-dire non seulement l'espace extra-atmosphérique, mais également la lune et les corps célestes. A cet égard, le principe fondamental est le principe de la liberté d'exploitation et d'utilisation de l'espace atmospérique, l'idée étant que cette utilisation et cette exploitation doivent se faire dans l'intérêt de l'humanité tout entière. Il en résulte notamment l'interdiction pour les Etats de mettre sur orbite des engins porteurs d'armes nucléaires et, de façon plus générale, des engins porteurs d'armes de destruction massive. Un autre principe intéressant posé par cette convention de 1967 est l'interdiction faite aux Etats de s'approprier ou d'établir leur souveraineté sur les corps célestes qu'ils viendraient à découvrir ou sur lesquels ils parviendraient à poser des engins spatiaux.

Dans le domaine de l'armement, le progrès technique fait courir à l'humanité des dangers, de plus en plus importants, de destruction totale. Ceci a amené des Etats à conclure un certain nombre de conventions internationales, qui visent à interdire certaines armes ou à en limiter le développement (*infra*, p. 411 et s.).

BIBLIOGRAPHIE

Sur les différents problèmes abordés ci-dessus, voir :

THIERRY et autres, *op. cit.*, p. 307 et s.

Sur la pollution des mers par hydrocarbures, voir les articles de L. LUCCHINI dans le *Journal de Droit Int.*, 1970, p. 795-843 et 1972, p. 131-150, ainsi que l'article de J. M. QUÉNEUDEC sur l'affaire du Torrey Canyon (*An. Fr. de Droit int.*, 1969, p. 701-719).

Sur la pollution par déchets radioactifs, voir l'article de J. M. QUÉNEUDEC (*An. Fr. de Droit Int.*, 1965, p. 750-782).

Sur l'affaire des boues rouges, voir l'article de A. Ch. KISS dans le *Journal de Droit International*, 1975, p. 207-248.

De façon plus générale, sur le droit international de l'environnement, voir l'article de J. SYMONIDES dans l'*Annuaire polonais de Droit international*, 1974, p. 163-177 et le recueil de textes établi par B. RÜSTER et B. SIMMA (Dobbs et Ferry, Oceana, 2 vol., 1975).

Sur les problèmes posés par le développement des armements, voir les ouvrages cités, p. 399 et 417.

SECTION II

LE ROLE DE LA VIOLENCE

La violence internationale est généralement associée à la guerre internationale, c'est-à-dire à la violence physique, à l'affrontement des forces armées des Etats. C'est seulement à une époque récente que les spécialistes des relations internationales se sont avisés qu'il y a d'autres moyens de faire la guerre que la guerre proprement dite. Autrement dit, la guerre au sens international du terme n'est qu'une des formes, la plus extrême et la plus meurtrière, de la violence internationale, mais non la seule.

A cet égard, l'évolution du mouvement connu à travers le monde sous la dénomination de « Peace Research » est tout à fait caractéristique. Alors qu'au début les mouvements de ce genre étaient essentiellement préoccupés par les problèmes de la paix et de la guerre, ils en sont venus à élargir leur champ d'étude et à analyser la violence sous toutes ses formes. Bien plus, certains auteurs, comme Johan Galtung, fondateur, en 1959, de l'Institut international de recherches sur la paix d'Oslo, découvrent subitement qu'il y a, à côté de la violence visible, une violence cachée, une violence qu'il appelle structurelle, inhérente à la structure sociale, ce qui avait été découvert depuis longtemps par les auteurs marxistes, notamment par Engels (*Le rôle de la violence dans l'histoire,* Ed. soc., 1971).

Le fait même qu'on en soit venu à élargir le concept de violence international exige que nous consacrions quelques développements à élucider ce concept. Ensuite nous verrons dans quelle mesure la violence internationale ainsi définie, continue d'être admise dans la société internationale contemporaine.

§ 1. — LE CONCEPT DE VIOLENCE INTERNATIONALE

Il faut tout d'abord rejeter l'idée exprimée par un certain nombre d'auteurs, selon laquelle la violence, quelle qu'elle soit et à quelque niveau qu'elle se manifeste, est en dehors de la politique, de sorte qu'il y aurait une contradiction dans les termes à parler de violence politique. C'est ainsi que Maurice Duverger nous dit que « le premier objet de la politique, c'est d'éviter la violence ». De telles affirmations procèdent d'une attitude moralisante ou encore de la volonté de masquer le fait indiscutable que la violence, qu'on le veuille ou non, qu'on le déplore ou qu'on s'en réjouisse, fait partie du jeu politique, même dans l'ordre interne. Dans l'ordre international, les relations entre les éléments composants de la société internationale ne sauraient être réduits de façon un peu simpliste, soit à l'état de paix, soit à l'état de guerre, au sens international du terme. Il y a des situations intermédiaires qui ne sont ni la paix, ni la guerre, qui impliquent le recours par les acteurs internationaux à la violence sous des formes diverses.

Pour définir la violence, on peut admettre que ceux qui recourent à la violence entendent exercer une contrainte sur la volonté de ceux qui en sont les victimes. A la racine de la violence, il y a toujours une volonté de contrainte, appuyée sur des moyens adéquats, dans le but d'exercer un effet de domination (ou inversement dans le but de s'opposer à cet effet de domination), même si la contrainte n'est pas apparente, même si elle n'est pas directe. Ainsi, comme le souligne Engels, la contrainte est un moyen et l'effet recherché la domination.

A. — La contrainte

L'application de l'*idée de contrainte* aux rapports entre les Etats est facile du fait même que tout Etat, au sens international du terme, possède cette propriété particulière d'être souverain (p. 116 et s.). Par suite on peut dire que chaque fois qu'une contrainte est exercée sur un Etat (gouvernants et gouvernés) dans le but de porter atteinte à l'un ou à l'autre aspect de la souveraineté, telle que nous l'avons définie, on peut dire qu'on se trouve en présence d'un phénomène de violence.

C'est ainsi que la souveraineté implique que l'Etat, et lui seul, a le droit de choisir son propre système politique, économique et social, et de façon générale, de déterminer la nature de la formation sociale qui le caractérise. C'est le b a ba du droit des peuples à disposer d'eux-mêmes, tel que l'ont consacré de nombreux textes adoptés par l'O.N.U. A partir de ce principe, la souveraineté implique l'interdiction pour les Etats étrangers, et de façon générale pour tous ceux qui ne possèdent pas la nationalité d'un Etat, d'intervenir dans les affaires intérieures de cet Etat. L'intervention, quelle que soit sa forme, peut être considérée comme étant une violation de la souveraineté de l'Etat parce qu'elle est un moyen de contrainte et vise à établir un contrôle sur l'Etat qui en est la victime. C'est bien la raison pour laquelle les Etats se sont constamment insurgés contre les phénomènes d'intervention, particulièrement lorsque ces interventions revêtent la forme d'activités subversives visant à renverser le pouvoir établi. Ceci est tellement vrai qu'on en est venu à faire du principe de non-intervention, non seulement un principe d'ordre politique comme l'affirme le Doyen Colliard et bien d'autres internationalistes (Ch. de Visscher, M. Sibert, C. Eagleton, etc...), mais un principe qui peut être considéré, à l'heure actuelle, comme un principe de droit international.

Cette idée de contrainte est absolument essentielle, car, à partir du moment où un Etat accepte, voire même sollicite, une intervention étrangère, on peut dire qu'il n'y a plus de violence internationale. Encore faut-il que l'acceptation ou la demande d'intervention émane du gouvernement effectif de l'Etat. Nous avons vu que c'est l'effectivité qui seule importe au droit international (*supra*, p. 109). Or en pratique les situations ne sont pas toujours très claires. Il arrive qu'on soit en présence de deux sortes d'autorités : les autorités légales, dont le pouvoir est contesté, menacé, peut-être même sur le point de s'effondrer, et les autorités nouvelles qui s'efforcent ou sont sur le point de conquérir le pouvoir. Dans ce cas, on peut hésiter sur le point de savoir de qui doit émaner la demande ou l'acceptation d'une intervention étrangère. En outre, il y a également une autre incertitude qui tient à la difficulté de la preuve, d'établir que cette demande ou cette acceptation d'intervention étrangère émane des autorités qualifiées. Toutes les discussions viennent de ce qu'il y a des incertitudes sur le point de savoir quelle est l'autorité effective et si cette autorité a bien formulé une demande d'intervention.

Si l'idée de contrainte trouve ainsi une application dans les rapports entre les Etats, elle n'est cependant pas limitée aux rapports interétatiques. L'idée de contrainte est l'application générale et vise tous les rapports internationaux quels qu'ils soient et quels que soient les acteurs qui y sont impliqués. Ceci est tellement vrai que certains moyens de contrainte ont été considérés comme des moyens propres aux personnes privées. C'est ainsi que s'agissant du boycottage, certains auteurs définissent le boycottage comme un « moyen mis en œuvre non par l'Etat lui-même, mais par les individus » (Cavaré). Une telle définition n'est plus aujourd'hui valable puisque le boycottage est utilisé pratiquement par tous les acteurs internationaux, y compris les organisations internationales. Mais, en tout cas, le point de vue que nous venons de rappeler montre que l'idée de contrainte est utilisable pour l'ensemble des relations internationales.

B. — L'idée de domination

A côté de l'idée de contrainte, *l'idée de domination* est également importante. Elle fait appel à la finalité de l'action de contrainte, au but recherché par ceux qui décident de recourir à la contrainte. Il est évident en effet que le recours à la violence n'est jamais un acte gratuit, à moins de supposer que l'auteur de la contrainte est un pervers. De façon générale, l'effet recherché est de porter atteinte à l'autonomie de décision d'un acteur international, quel que soit par ailleurs le domaine considéré, purement politique, juridique, économique, social ou culturel. C'est dire que contrairement à ce qu'affirment certains auteurs, comme Freund dans son ouvrage sur *L'essence du politique*, la violence n'est pas « instinctive et passionnelle ». Au contraire, il y a toujours dans la violence un aspect rationnel dans la mesure où ceux qui y recourent visent un résultat déterminé, qui est en quelque sorte de salaire de la violence, un salaire qui n'est effectivement perçu que lorsque la violence est efficace.

Par suite, dans le recours à la violence, il y a toujours une appréciation personnelle de cette relation, ce qui introduit un assez grand degré d'incertitude dans le jeu des relations internationales. De ce point de vue, la capacité et la détermination d'imposer un coût inacceptable à celui qui fait l'objet de la violence, même si l'opération est finalement ruineuse pour celui qui décide de recourir à la violence, peut sembler une politique suicidaire. Cependant, comme l'a fait remarquer H. L. Nieburg (*Black politics*, p. 354), elle est parfois « le seul moyen pour un petit pays ou pour une minorité de chercher à maintenir un peu le respect pour son indépendance, ses valeurs, ses exigences et son pouvoir de marchandage politique, tout en évitant l'escalade de la violence jusqu'à ses limites extrêmes, c'est-à-dire la guerre internationale. Les faibles peuvent perdre dans un tel pari, mais ils peuvent aussi gagner en mettant à l'épreuve les contraintes coût-risque/bénéfice des forts. De toute façon, ajoute-t-il, il se peut que les faibles n'aient pas le choix. » On pourrait appliquer cette observation au problème des rapports entre les Etats consommateurs et les Etats producteurs de pétrole.

Pour achever de préciser le concept de violence, il convient de distinguer entre l'usage réel et l'usage potentiel de la violence, ou si l'on préfère, entre l'utilisation effective et la menace d'utilisation de la violence internationale. En fait, l'une et l'autre sont couramment utilisées dans les rapports internationaux et peuvent être également efficaces, encore que la crédibilité de la menace d'utilisation de la violence suppose que de temps à autre la menace soit effectivement mise en exécution. C'est ainsi qu'en 1974, le Vice-Président des Etats-Unis d'Amérique avait menacé de couper les vivres, au sens propre de l'expression, aux Etats arabes, afin de faire pression sur ces Etats et de les amener à revenir sur leur politique pétrolière. C'est une manifestation de violence de la même façon que le recours effectif à l'embargo sur l'exportation de pétrole à destination de certains Etats est également une manifestation de violence, une contre-violence qui répond à la violence structurelle de l'impérialisme. De façon plus spectaculaire la menace d'utilisation des armes nucléaires dans l'affaire de Suez (1956) ou dans l'affaire de Cuba (1962) n'a pas été dénuée d'effets. Dans un cas, les envahisseurs ont dû faire retraite. Dans l'autre, l'U.R.S.S. en vue de préserver la paix, a retiré ses missiles de Cuba, mais elle a contraint les E.U.A. à abandonner l'idée d'envahir Cuba.

C. — Les formes de violence

Les formes diverses que la violence internationale peut revêtir peuvent être distinguées selon les moyens de contrainte utilisés.

D'abord, la violence peut être *physique*. Sa forme classique est la guerre au sens d'un affrontement armé entre les Etats. Comme le soulignait Jean-Jacques Rousseau, « la guerre est une relation d'Etat à Etat ». Nous reviendrons sur ce point (titre II, chap. I). Ce qu'il faut souligner ici, ce sont les liens extrêmement étroits qu'il y a entre la guerre et la politique des Etats. Tous les théoriciens de la guerre, tous ceux qui se sont occupés de polémologie, pour employer le terme savant utilisé par G. Bouthoul, ont insisté sur cet aspect du problème. En dehors du classique en la matière, Karl Von Clausewitz, les théoriciens marxistes ont fortement marqué les liens qui existent entre la guerre et la politique. Mao Ze Dong, par exemple, nous dit que « la guerre en tant que telle représente un acte ayant un caractère politique. Il n'y a jamais eu de guerre, depuis les temps les plus anciens, qui n'ait eu ce caractère politique. » Un peu plus loin, il ajoute : « Il n'est pas possible de séparer une seule minute la guerre de la politique. » Cette observation avait également été faite par Lénine qui, après avoir repris les paroles de Clausewitz, selon lequel « la guerre n'est que le prolongement de la politique par d'autres moyens », ajoutait : « Il en résulte que toute guerre est indissolublement liée au régime politique dont elle découle. C'est la politique menée longtemps avant la guerre par un Etat déterminé, par une classe déterminée au sein de cet Etat, que cette même classe poursuit inévitablement et immanquablement au cours de la guerre, en ne modifiant que la forme ». En somme, dans cette conception, la guerre n'est pas autre chose que l'ultima ratio (quand elle n'est pas la prima ratio) au service d'une certaine politique nationale. La guerre apparaît au moment où les obstacles qui se dressent sur le chemin de l'action politique menée par un Etat déterminé sont tels qu'il n'est plus possible de poursuivre cette action sans recourir à la lutte armée, à la violence matérielle.

Cette observation concernant les liens entre la guerre et la politique est extrêmement importante, car elle explique que l'intensité même de la violence guerrière peut varier et varie effectivement selon les objectifs politiques poursuivis par un Etat déterminé. C'est encore Clausewitz qui dit : « La guerre peut être quelque chose qui sera tantôt plus et tantôt moins que la guerre. » Autrement dit, la guerre réelle, la guerre telle qu'elle se développe effectivement dans les rapports entre les Etats, peut se rapprocher plus ou moins de la guerre absolue, de la guerre d'extermination totale. La guerre totale, caractérisée par son extension dans l'espace (elle a un caractère mondial, universel) et par son extension dans le temps (elle peut durer de nombreuses années) se rapproche en définitive de la guerre absolue telle que l'envisageait Clausewitz. Cependant, même la guerre totale demeure une guerre réelle en ce sens qu'elle demeure soumise aux impératifs de la politique qui lui a donné naissance. A l'opposé de la guerre absolue, ou de la guerre totale, qui s'en rapproche le plus, il y a aussi des guerres limitées à la fois dans le temps, dans l'espace et quant aux objectifs poursuivis. La guerre israélo-arabe, la guerre de Corée ou celle du Vietnam pourraient fournir des illustrations de ce type de guerre limitée. Le qualificatif (limitée) ne peut pas dire qu'une telle guerre ne soit pas meurtrière. On estime qu'en Corée il y eut un million de soldats et de civils coréens tués et 650 000 blessés, soit 5,5 % de la population totale de la Corée.

Si les liens entre la guerre et la politique doivent être soulignés, et si l'existence de ces liens entraîne des conséquences importantes sur l'intensité de la violence guerrière, il faut également tenir compte de la nature de la force matérielle mise en action. F. Engels avait souligné cet aspect de la question en affirmant à propos des instruments de violence que « le plus parfait l'emporte sur le moins parfait ». Il ajoutait « les armes sont si perfectionnées qu'un nouveau progrès capable d'avoir quelque influence bouleversante n'est plus possible ». Assez curieusement, cet argument (discutable) a été repris à l'époque contemporaine.

A l'âge de l'arme nucléaire, on a parfois prétendu que la guerre aurait cessé d'être un instrument de l'action politique. Les risques d'une escalade conduisant à la guerre atomique seraient tellement effrayants, tellement démesurés, qu'il serait exclu qu'une puissance quelconque puisse songer un seul instant à déclencher une guerre de ce genre pour faire triompher sa propre politique. C'est ce qu'affirmait Maurice Duverger en 1960. Dans un de ses articles du journal « *Le Monde* », il déclarait : « Les progrès des armes de destruction massive dévalorisent la guerre, c'est-à-dire en rendent le coût infiniment supérieur aux avantages qu'elle peut procurer, même en cas de victoire. » Cette affirmation avait été faite trois ans plus tôt par un Américain, alors inconnu, le docteur Kissinger. Dans un ouvrage intitulé *Les armes nucléaires et la politique étrangère*, il déclarait : « Face aux horreurs de la guerre, la force a peut-être cessé d'être un instrument de politique. »

En réalité, le fait qu'on ait atteint à l'heure actuelle un des sommets de la violence guerrière ne signifie pas du tout que la guerre internationale, même la guerre nucléaire, soit exclue (*infra*, p. 404). Cela signifie simplement que la conception classique de la guerre internationale s'est modifiée. Elle revêt des formes nouvelles ou bien encore utilise des formes anciennes en leur donnant des aspects nouveaux. En différents points du globe, la violence matérielle est couramment employée pour résoudre, par exemple, les problèmes nés de la décolonisation ou de l'existence de régimes politiques et socio-économiques jugés indésirables par telle ou telle puissance. Sans doute, dans ces cas, on s'ingénie à employer des euphémismes. On ne parle pas de guerre, mais de crises, d'événements, de situations. Ces euphémismes ne doivent pas cacher qu'il s'agit en réalité de guerres véritables, d'affrontements armés entre les Etats.

Ce qui les caractérise, c'est d'abord qu'il s'agit de conflits restreints à tel ou tel pays, à telle ou telle région nettement circonscrite, et non plus de guerre mondiale. Ils concernent généralement les Etats du Tiers Monde.

En second lieu, ces conflits sont assez souvent caractérisés par le fait que, à l'origine, les adversaires ne sont pas des acteurs internationaux, mais les citoyens d'un même Etat. Théoriquement, il s'agit de guerres civiles. En réalité, la pratique internationale montre que dans un assez grand nombre de cas, le conflit acquiert assez rapidement une dimension internationale. Purement interne à l'origine, il devient un aspect de la lutte mondiale. Comme le remarque Gaston Bouthoul, « le pays belligérant n'est en réalité que le champ de bataille où s'affrontent des forces armées alimentées de l'extérieur ».

En troisième lieu, assez souvent, l'objectif numéro un dans ce type de conflits n'est plus, comme dans les guerres classiques, l'acquisition d'une portion de territoire, la rectification d'une frontière, l'affaiblissement ou la destruction de la puissance matérielle, économique et financière de l'adversaire pour l'amener à composition, mais au contraire le régime politique de l'Etat qui fait l'objet de ce conflit. Ceci a été souligné par les auteurs qui ont traité des guerres révolutionnaires. En particulier, Claude Delmas écrit : « La guerre révolutionnaire est d'abord et en fin de compte dirigée contre un régime politique. » Il en est ainsi parce qu'à l'époque contemporaine la nature d'un régime détermine bien souvent les alliances internationales.

Les conflits armés contemporains mettent ainsi en évidence cette sorte de dialectique qui unit la politique internationale et la politique intérieure des Etats. Ceci explique l'acharnement des luttes armées, notamment celles qui se sont déroulées pendant des décennies dans les Etats indochinois.

En dehors des conflits localisés, qui manifestent ainsi la permanence de la guerre internationale, il y a eu aussi dans les années qui ont suivi la deuxième guerre mondiale, ce qu'on a appelé de façon très caractéristique « la guerre froide » (1). Sans doute la guerre froide exclut-elle par définition la lutte armée car il s'agirait alors de guerre tout court, et même de guerre chaude. Cependant, si la guerre froide exclut la lutte armée, elle n'exclut pas un état d'hostilité qui utilise des moyens extrêmement variés, y compris l'intimidation par l'étalage de la forme armée. En plusieurs circonstances, l'une ou l'autre des superpuissances a agité la menace d'utiliser l'arme nucléaire pour faire pression sur la volonté de tel ou tel Etat. En dehors de l'intimidation par la menace de recourir à la force armée, la guerre froide

(1) L'expression doit se célébrité à Walter Lippman qui s'en est servi dans ses articles et dans son ouvrage *The cold war* (1947).

implique également des épreuves de force qui se déroulent aux points névralgiques, à cette véritable frontière que constitue la périphérie du monde socialiste et du monde capitaliste. Les techniques utilisées ne sont pas sans rappeler une institution bien connue des ethnologues : le polatch (dépenses et actions de prestige destinées à impressionner l'adversaire). « La guerre froide fut le plus grand polatch de tous les temps » ou « une paix armée » ponctuée de polatchs ruineux (G. Bouthoul).

En définitive, la guerre froide, c'est ce qu'on a appelé la politique au bord du gouffre. C'est une politique qui consiste à pousser ses avantages jusqu'au point où la guerre tout court, la guerre classique, éclaterait si l'un des deux blocs accentuait son action.

Avec la guerre froide, on passe à l'emploi de moyens qui ne relèvent plus nécessairement de l'utilisation ou de la menace d'utilisation des forces armées, mais à la mise en œuvre de moyens, parfois aussi efficaces que sont les moyens économiques ou psychologiques.

Nous ne reviendrons pas sur les moyens de contrainte d'ordre économique, sur lesquels nous nous sommes déjà expliqué à propos du concept d'hégémonie (*supra*, p. 160) et des groupements privés à dimension internationale, notamment les S.M. Nous en reparlerons à propos de la coopération (*infra*, p. 478 et s.).

En revanche, il est nécessaire de parler d'une forme de violence moins étudiée : la violence qui s'exerce sur les esprits.

L'utilisation des *moyens d'information* donne naissance à la violence morale, à ce qu'on a parfois appelé de façon caractéristique la guerre psychologique. Comme l'écrit Mégret, « la clé de la possession du monde est celle qui ouvre au préalable le sanctuaire des esprits ». Effectivement, la lutte idéologique a pris, principalement à l'époque contemporaine, une importance considérable. On peut dire sans exagérer que les mots et les idées sont devenus en quelque sorte les obus de cette seconde moitié du XXe siècle. Ils permettent, grâce à la propagande, de réaliser « le viol des foules », d'aboutir sinon à la destruction physique de l'abservaire, du moins à sa destruction politique.

Les instruments de prédilection de cette guerre des cerveaux sont ce que les Anglo-Saxons appellent les mass-media, c'est-à-dire les moyens de communication, grâce auxquels le monde est devenu un grand village : la presse, l'écrit de façon générale, la radio. Demain, grâce aux satellites qui tournent autour de la terre, la télévision pourrait peut-être être utilisée pour retransmettre, non pas de l'information, mais des images de propagande. Ceci est techniquement possible. Le seul obstacle est le coût de l'opération. Pour l'instant, il est plus économique d'utiliser les moyens classiques de communication. L'existence des moyens de communications modernes est tellement importante que l'on peut dire que l'utilisation d'un poste émetteur de grande portée est un instrument de puissance peut-être plus important que la possession d'un porte-avion. Ceci explique qu'on ait largement recours à l'utilisation des émissions radiophoniques. Parfois même des Etats qui ne se privent pas d'utiliser des émetteurs clandestins. C'est le cas de Radio-Europe libre, ou de Radio-Liberté, dont on suppose que l'une et l'autre sont financées par la C.I.A. et par des organisations privées pour émettre en direction des Etats socialistes.

L'importance de la propagande explique que les Etats comme les groupements privés n'hésitent pas à consacrer des sommes importantes à la mise en œuvre des moyens de propagande. Ainsi, pour l'année fiscale 1969, l'U.S. information agency avait dépensé 177 millions de dollars, tandis que les entreprises de publicité avaient dépensé à l'étranger 280 millions de dollars en 1953. Les groupements religieux eux-mêmes utilisent les mass-media. D'après F. S. Ronalds (« The future of international broadcasting » dans *The annals of the american academy of political science,* 1970, p. 71 et s.), l'ensemble des stations religieuses américaines ont 1 000 heures de programme par semaine.

On ne peut pas condamner a priori et de façon absolue toutes les formes de lutte idéologique. Celle-ci est inhérente à la divison du monde en systèmes politiques et sociaux économiques différents. Même dans un système de coexistence pacifique, la lutte idéologique est inévitable. Ceci est un point sur lequel tous les auteurs socialistes insistent fortement. Cela dit, s'il y a des formes de lutte idéologique qui sont parfaitement admissibles, et en tout cas inévitables en l'état actuel de la société internationale, il faut également souligner qu'il y a des formes de lutte idéologique qui sont des actes de violence internationale, des formes d'agression. Il en est ainsi, par exemple, d'une propagande en faveur de l'emploi des armes de destruction massive, d'idées fascistes ou d'idées d'exclusivisme racial ou national, de haine ou de mépris à l'égard de certaines nations ou de certaines minorités.

Cette forme de propagande est d'autant plus inadmissible qu'elle utilise le canal des agences de presse multinationales contre lesquelles les Etats les plus faibles, notamment ceux du Tiers Monde, peuvent difficilement se défendre. C'est un aspect du problème sur lequel le séminaire de Mexico (24-28 mai 1976) relatif au rôle de l'information dans le nouvel ordre économique international a appelé l'attention. Le rôle de ce type de S.M., sans rapport à l'ensemble du système transnational, est comparable à celui des phrares d'une voiture : éclairer la route, informer ceux qui tiennent les leviers de commande de tout ce qui concerne leurs intérêts et aider à suivre en toute sécurité la voie tracée. Or il n'est pas sans intérêt de relever que le Tiers Monde dépend pour son information des grandes agences de presse : United press international, Associated press, Reuter, Agence France presse, qui ont pratiquement le monopole du flux des informations. Ceci veut dire que le principe de la liberté de circulation des idées signifie que ces agences de presse ont le pouvoir de décider la forme, le contenu et la valeur des messages. Ainsi on rendra responsable l'O.P.E.P. de la crise du système économique capitaliste, mais on s'abstiendra d'expliquer pour quelles raisons l'O.P.E.P. est conduite à augmenter le prix du pétrole. De même la réunion des Etats producteurs de Bauxite à Conakry, en 1974, sera présentée comme une tentative de ruiner l'économie des Etats industrialisés et de faire régresser l'économie des E.U.A. de 40 ans (dépêche de l'U.P.I. du 27 février 1974).

Le poids de ces agences de presse est démontré par leur influence en Amérique latine. Une communication faite à Mexico montre que deux agences de presse (U.P.I. et A.F.P.) fournissaient 60 % des informations reçues par 16 Etats latino-américains pendant la période étudiée. En outre elle montrait aussi comment des Etats étaient tenus dans l'ignorance des événements qui les concernaient. Ainsi, de la même façon que les flux de marchandises se font dans le sens Nord-Sud, de même le flux des informations suit le même chemin. C'est dire que le nouvel ordre mondial à construire ne concerne pas seulement les problèmes économiques mais également les problèmes culturels (au sens large) et notamment ceux de l'information.

Ainsi les phénomènes de violence internationale ne se réduisent pas à cette forme extrême qu'est la guerre internationale. En fait, la violence internationale revêt des formes extrêmement diverses. Elle est partout sous-jacente, omni-présente, sous une forme ou sous une autre, dans les rapports internationaux. On a même pu dresser une véritable échelle de la violence internationale, ce qui conduit à parler de l'escalade de la violence. Herman Kahn, dans un livre institulé *L'escalade,* a établi une échelle d'escalade. Ce même auteur a également publié un livre intitulé *Thinking about the unthinkable* dans lequel il montre que l'arme nucléaire causerait sans aucun doute des ravages incommensurables, à la fois pour la vie et pour les biens. Il y aurait des destructions terribles. Mais, malgré tout, il resterait encore probablement quelques millions d'individus pour reconstruire l'Etat qui aurait subi une telle saignée.

BIBLIOGRAPHIE

Sur la violence en général, voir l'ouvrage collectif *La violence dans le monde actuel,* Desclée de Brouwer, 1968, F. ENGELS, *Le rôle de la violence dans l'histoire,* Editions Sociales, 1971, Y. A. MICHAUD, « La violence », *Dossiers Logos,* P.U.F., 1973.

Sur Galtung, voir l'ouvrage du R. P. BOSC, *Guerre froide et affrontements* et l'article de K. GIDE, « Galtung's conception of violence », *Journal of peace research,* 1971, n° 1. Adde l'article de DERIENNIC dans la même revue, 1972, n° 4.

Sur la subversion, voir l'article de Y. PIMONT dans la *R.G.D.I.P.,* 1972, p. 769 et s.

Sur le boycottage, voir l'étude documentée de LUCCHINI dans *Aspects du droit international économique,* Pedone, 1972, p. 67-102.

Sur les guerres localisées, voir les statistiques établies périodiquement par la revue *Etudes polémologiques,* le *Que sais-je ?* de Cl. DELMAS et l'ouvrage du Général BEAUFFRE, *Les guerres révolutionnaires.*

Sur l'embargo, voir L. DUBOUIS, « L'embargo dans la pratique contemporaine », *Ann. franç de D.I.,* 1967, p. 99-152.

Sur la guerre froide, voir en anglais, l'ouvrage de FLEMING et en français celui d'A. FONTAINE.

Sur la guerre psychologique, voir le *Que sais-je ?* de MÉGRET et le numéro de *The annals of the american academy of political science* (1970) consacré à la propagande. Un point de vue soviétique est donné par G. ARBATOV, *Lutte idéologique et relations internationales,* Les Editions du Progrès, Moscou, 1974.

Sur le rôle de l'information, voir :

— « The 1976 Mexico seminar on the rôle information in the new international order », *Development dialogue,* 1976, n° 2.

— Symposium international sur les moyens de développer l'information entre les pays non-alignés (Tunis, 26-30 mars 1976). Documents publiés par l'imprimerie de la S.A.G.E.P., Tunis.

— Les communications présentées au colloque de la Société Française pour le droit international (Strasbourg, juin 1977).

Sur l'escalade, voir H. KAHN, *L'escalade,* Calmann-Lévy, 1970.

Sur l'enlèvement des personnes privées, voir l'article de CAUSSIRAT, COUSTÈRE et EISEMAN dans la *R.G.D.I.P.,* 1972, p. 346-400.

Sur le détournement des aéronefs, voir l'article de SAINT-GLASER dans la *R.G.D.I.P.,* 1972, p. 12-35.

§ 2. — LA LUTTE CONTRE LA VIOLENCE INTERNATIONALE

La lutte contre ces différentes formes de violence internationale est rendue extrêmement difficile et aléatoire, non seulement parce que les Etats conservent, en fait, sinon en droit, le monopole de la force armée et entendent parfois en user pour imposer une politique conforme à leurs propres intérêts, mais aussi parce qu'il y a eu de tout temps des apologistes de la violence, convaincus soit de la fatalité, soit même de l'utilité, du caractère « fonctionnel », comme disent les sociologues, de la violence internationale, et parce que, au-delà de l'utilisation des forces armées, il y a d'autres moyens de contrainte moins visibles, plus insaisissables, dont la disparition ne dépend pas tellement des institutions internationales que d'une modification radicale des structures économiques, sociales et mentales.

Il est curieux de constater à ce sujet que ce courant d'idées favorables à la violence internationale va de pair avec l'ultra-nationalisme. C'est ainsi que Hegel, qui fut l'un des auteurs allemands, après Fichte (*Discours à la nation allemande*), qui exalta la nation — considérée comme la totalité morale absolue —, justifiait la guerre comme un moyen indispensable pour maintenir et fortifier la nation, et par là même l'Etat souverain. C'est Hegel qui déclarait : « De même que le mouvement des vents préserve les mers de la pourriture, de même une paix permanente, et plus encore une paix éternelle, pourrirait les nations. » On retrouve, un certain nombre de décennies plus tard, la même idée dans Mein Kampf. Hitler déclarait : « L'humanité est devenue ce qu'elle est par la guerre éternelle ; elle périrait par la paix éternelle. »

Pour être juste, il faut préciser qu'il y a eu aussi depuis longtemps un courant pacifiste et internationaliste, qui n'a pas été sans exercer une influence importante, particulièrement après les grands chocs éprouvés par l'humanité, c'est-à-dire après les grandes guerres internationales. Ce second courant de la pensée a contribué incontestablement à faire accepter par les gouvernants des dispositions tendant à limiter, sinon à supprimer, le recours à la violence internationale.

Tout ceci explique que s'il y a eu un progrès dans la lutte contre la violence internationale, ce progrès a été tardif et lent. En fait, toutes les formes de violence ne sont pas illégales, mais, inversement, toutes les formes de violence, contraitement à ce qu'affirme R. Aron, ne sont pas « légitimes et légales ».

On s'est d'abord attaqué à la forme la plus extrême de la violence, c'est-à-dire à la guerre, mais il s'en faut de beaucoup que le droit ait réussi à la rendre totalement illégale. En outre, il reste les autres formes de violence, pour lesquelles les progrès sont plus incertains.

A. — Le droit de guerre

Jusqu'au début du XXᵉ siècle, il y avait un principe incontestable en droit international : la *licéité du recours à la violence, jusques et y compris la guerre internationale.* Juridiquement, la guerre n'était pas un crime et n'était pas répréhensible. On pouvait la condamner au nom de la morale, mais, juridiquement, tout Etat avait le droit de recourir à la guerre. Ce que les juristes appellent le « jus belli », le droit de guerre, faisait partie de l'arsenal des compétences internationales reconnues à tout Etat souverain.

Non seulement la guerre était licite, mais elle était même considérée par certains auteurs comme un phénomène naturel, normal. On peut, par exemple, rappeler ces paroles écrites par Montesquieu dans l'*Esprit des Lois* (1748) : « Entre les citoyens, disait-il, le droit de la défense naturelle n'emporte point avec lui la nécessité de l'attaque. Au lieu d'attaquer, ils n'ont qu'à recourir aux tribunaux. » C'est l'idée très classique que dans les rapports entre citoyens, dans les sociétés nationales, la violence est en principe exclue parce qu'il y a des moyens juridiques, et en particulier des tribunaux, pour régler les litiges. Il poursuit en disant : « Mais entre les sociétés (il veut dire les Etats), le droit de la défense naturelle entraîne quelquefois la nécessité d'attaquer lorsqu'un peuple voit qu'une plus longue paix en mettrait un autre en état de le détruire et que l'attaque est, dans ce moment, le seul moyen d'empêcher cette destruction. » C'est la justification des guerres préventives.

Sans doute Voltaire, dans son dictionnaire philosophique, paru entre 1764 et 1771, ne manqua par de rallier Montesquieu avec beaucoup d'ironie : « Une guerre évidemment injuste est celle que vous proposez : c'est d'aller tuer votre prochain de peur que votre prochain ne vous attaque ou ne soit en état de vous attaquer, c'est-à-dire qu'il faut que vous vous hasardiez de ruiner votre pays dans l'espérance de ruiner sans raison celui d'un autre. Cela n'est assurément ni honnête ni utile, car on n'est jamais sûr du succès. Si votre voisin devient trop puissant pendant la paix, qui vous empêche de devenir plus puissant ? Si, ayant moins de religieux, il a plus de manufacturiers et de soldats, imitez-le dans cette sage économie. S'il exerce mieux ses matelots, exercez les vôtres. Tout cela est très juste. »

Malgré Voltaire et ses railleries, il n'empêche que la guerre fut un moyen sinon moral, du moins normal et habituel, pour les Etats, de régler leurs problèmes. Qui plus est, cette période est caractérisée par le fait que la guerre tend à devenir, selon l'expression de Jean-Jacques Rousseau, une « relation d'Etat à Etat », en ce sens que la guerre privée qui était un phénomène bien connu au Moyen Age, a tendu au cours de la période moderne à disparaître au fur et à mesure que les Etats nationaux souverains se constituaient et renforçaient les bases matérielles et juridiques de leur puissance.

La guerre étant reconnue comme un phénomène admis par le droit international, il ne restait qu'une seule chose à faire : essayer de la réglementer, de l'humaniser. Effectivement on voit apparaître les premiers linéaments d'un droit de la guerre internationale. C'est au cours de cette période qu'on s'efforce de faire la distinction entre les civils et les combattants, d'améliorer le sort des blessés et des prisonniers et d'élaborer le statut de la neutralité internationale qui permet à un certain nombre d'Etats de se tenir en dehors des conflits internationaux.

B. — La limitation du droit de guerre

Au cours d'une seconde période, qui va *du début du XXe siècle à 1928, le principe est maintenu, mais dans certains cas, il est admis que le recours à la force armée en général est interdit.*

Le premier exemple est celui de la Convention Porter, adoptée en 1907 à la suite d'incidents qui avaient mis aux prises certaines puissances européennes et le Vénézuela. Ces puissances européennes avaient utilisé la force armée (démonstrations navales), afin de faire pression sur le Venezuela qui avait eu le tort de négliger quelque peu les intérêts financiers de leurs ressortissants. A la suite de ces incidents, le ministre des Affaires étrangères argentin, Drago, avait proposé, dans une note au Département d'Etat américain, d'interdire de façon absolue le recours à la force armée dans le but d'obtenir le recouvrement des dettes contractuelles des Etats. La question fit l'objet d'une enquête très sérieuse menée par l'Institut de droit international et fut discutée à la Conférence de La Haye en 1907. Grâce à l'appui de la délégation des Etats-Unis d'Amérique, intéressés à empêcher les Etats européens d'intervenir dans les affaires latino-américaines, sous le prétexte d'obliger les Etats débiteurs à s'acquitter de leurs dettes, la Conférence de La Haye adopta une convention, la Convention Porter (du nom du général américain qui présidait la délégation américaine).

Cette convention restreignait l'emploi de la force armée en ne l'autorisant que dans deux cas bien précis : d'abord dans le cas où l'Etat débiteur refusait ou laissait sans réponse une offre d'arbitrage international faite par l'Etat créancier ; ensuite dans le cas où l'Etat débiteur refusait d'exécuter une sentence arbitrale déjà rendue dans le litige opposant l'Etat créancier et l'Etat débiteur.

Un deuxième exemple, de portée plus générale, était lié de la création de la Société des Nations. Elle avait eu, entre autres conséquences, celle d'introduire dans le droit international une distinction, entre les guerres licites et les guerres illicites.

Etaient considérées comme illicites, d'abord les guerres qui avaient été déclenchées par un Etat avant l'expiration d'un délai de trois mois prévu par le Pacte de la Société des Nations et qui courait après que la sentence arbitrale ou le jugement international avaient été rendus ou que le rapport du Conseil de la Société des Nations avait été déposé ; ensuite les guerres déclenchées par un Etat-membre de la Société des Nations contre un autre Etat qui avait accepté de se conformer au jugement rendu dans le litige, ou qui avait accepté de se conformer à la décision prise par le Conseil de la Société des Nations. Dans ces hypothèses, le recours à la force était considéré par le Pacte de la Société des Nations comme ayant un caractère illicite et l'Etat qui avait ainsi déclenché la guerre contrairement au droit international pouvait s'exposer à se voir appliquer des sanctions, y compris des sanctions de caractère militaire, qui étaient prévues par le Pacte.

Dans tous ces cas, l'interdiction du recours à la force était liée à la mise en œuvre de procédures de règlement pacifique des différends internationaux. C'est donc dans la mesure où ces moyens étaient efficaces que l'interdiction du recours à la force pouvait elle-même avoir une valeur certaine. En fait les procédures de règlement pacifique prévues, en particulier par le Pacte, furent loin d'atteindre les objectifs fixés par les fondateurs de la Société des Nations.

C. — La guerre mise hors la loi

C'est *au cours de la troisième période, qui part de 1928,* qu'un progrès beaucoup plus important a été accompli, tout au moins sur le plan théorique. 1928 est l'année où a été adopté le Pacte Briand-Kellog. Ce pacte est important : pour la première fois dans l'histoire de l'humanité, *la guerre, au sens international du terme, est interdite* de *façon absolue,* soit comme moyen de régler les différends entre les Etats, soit comme instrument de politique nationale.

Le Pacte Briand-Kellog n'avait qu'un champ d'application limité, puisqu'il ne visait que la guerre proprement dite ; il laissait en dehors de son champ d'application toutes les autres formes de violence dont nous avons parlé. Néanmoins, il a eu un intérêt considérable puisque, s'il n'a pu empêcher le déclenchement de la deuxième guerre mondiale, il a tout de même permis de punir sévèrement ceux qui avaient pris l'initiative de déclencher cette guerre. C'est sur la base du Pacte Briand-Kellog que le tribunal international de Nuremberg et le tribunal international de Tokyo ont l'un et l'autre rendu des sentences contre ceux qui avaient été considérés comme responsables des crimes de guerre.

Un deuxième progrès a été enregistré avec la Charte des Nations Unies, qui va beaucoup plus loin que ne l'avaient fait le Pacte Briand-Kellog et le pacte de la S.D.N. Dans le préambule de la Charte, les Etats s'engagent en effet à accepter les principes et à instituer des méthodes garantissant qu'il ne sera pas fait usage de la force des armes, sauf dans l'intérêt commun. De même, en vertu de l'article 2, § 4, « les membres de l'organisation s'abstiennent dans leurs relations internationales de recourir à la menace et à l'emploi de la force, soit contre l'intégrité territoriale ou l'indépendance politique de tout Etat, soit de toute autre manière incompatible avec les buts des Nations Unies ». En outre, en vertu du même article (§ 5), les Etats-membres de l'Organisation des Nations Unies se sont engagés à donner pleine assistance à l'organisation dans toute action entreprise par elle conformément aux dispositions de la Charte, et à s'abstenir en revanche de prêter assistance à un Etat contre lequel l'Organisation des Nations unies aurait entrepris une action préventive ou coercitive.

Il en résulte que, actuellement, d'un point de vue juridique, le pouvoir de contrainte matérielle, qui était jusqu'à la deuxième guerre mondiale le monopole absolu et exclusif des Etats, a cessé de leur appartenir. Il y a eu un transfert de ce monopole de la contrainte matérielle des Etats à l'Organisation des Nations Unies. D'où vient-il, dans ces conditions, que les Etats aient continué à recourir à la force armée pour régler leurs problèmes et faire triompher leur politique nationale ?

D'abord, le *principe d'interdiction du recours à la force,* bien qu'apparemment clair, est susceptible d'interprétations différentes. Lorsque la Charte pose le principe de l'interdiction du recours à la force, s'agit-il d'interdire aux Etats toutes les formes de contrainte ou seulement la contrainte armée ?

Du fait que la préoccupation principale de la Charte est d'éviter que ne se manifestent des situations susceptibles de constituer une menace pour la paix internationale, il serait logique de définir très largement la notion de force dans les rapports internationaux. Elle n'est pas autre chose que la notion de violence internationale telle que nous l'avons définie antérieurement. Malheureusement, cette interprétation extensive n'a pas été retenue par la majorité de la doctrine ni par la pratique internationale, l'une et l'autre tendant à considérer que seul le recours à la contrainte armée est illicite d'après la Charte.

Il en résulte que les Etats conservent, encore aujourd'hui, la possibilité de recourir à toute une série de mesures de contrainte, psychologiques ou économiques, qui peuvent être aussi efficaces que le recours à la force armée (*supra*).

C'est ainsi que si les représailles armées, sous la forme de blocus ou de bombardement naval (diplomatie de la canonnière), doivent être actuellement considérées comme illicites en droit international, il demeure la possibilité de mettre en œuvre des mesures de contrainte autres que celles comportant l'utilisation de la force armée. Par exemple, l'embargo peut être considéré comme un acte inamical, mais juridiquement il est parfaitement licite.

Cependant, on peut relever que dans l'acte final de la Conférence de Vienne, il y a une déclaration qui condamne « le recours à la menace ou à l'emploi de toutes les formes de pression, qu'elles soient militaires, politiques ou économiques, par quelque Etat que ce soit, en vue de contraindre un autre Etat à accomplir un acte quelconque lié à la conclusion d'un traité, en violation des principes d'égalité souveraine des Etats et de la liberté du consentement ». Mais, outre que cette déclaration ne concerne que le problème des traités, elle n'a pas de force obligatoire, de sorte que l'interprétation qui prévaut actuellement, d'un point de vue juridique, est que la force dont parle la Charte est uniquement la force armée, ce qui laisse donc parfaitement licite le recours aux moyens de violence internationale qui sont exclusifs du recours à la force armée. Ceci limite par conséquent la portée de la Charte. Il est vrai que l'Assemblée générale de l'O.N.U. a adopté une série de résolutions (notamment celle de 1970 relative aux principes de droit international. Préambule) qui visent à compléter la Charte en condamnant toutes les formes de violence. Mais nous savons que ces résolutions n'ont pas de force obligatoire.

Il faut ajouter qu'en fait les dispositions de la Charte des Nations Unies ont été pratiquement frappées de caducité pour les raisons que nous verrons ultérieurement (p. 443).

D. — L'exception de légitime défense

Enfin, le principe est assorti d'une *exception,* celle *de légitime défense,* qui figure dans l'article 51 de la Charte :

« Aucune disposition de la présente Charte ne porte atteinte au droit naturel de légitime défense, individuelle ou collective, dans le cas où un membre des Nations Unies est l'objet d'une agression armée, jusqu'à ce que le Conseil de Sécurité ait pris les mesures nécessaires pour maintenir la paix et la sécurité internationales.

Les mesures prises par les membres dans l'exercice de ce droit de légitime défense sont immédiatement portées à la connaissance du Conseil de Sécurité et n'affectent en rien le pouvoir et le devoir qu'a le Conseil, en vertu de la présente Charte, d'agir à tout moment de la manière qu'il juge nécessaire pour maintenir ou rétablir la paix et la sécurité internationales. »

A la lecture de cet article, il semble que les auteurs de la Charte des Nations Unies n'aient eu, en définitive, qu'une confiance limitée dans l'efficacité du système de sécurité collective adopté en 1945. Ainsi que le faisait remarquer le délégué de l'Inde à la Conférence de San Francisco : « Bien qu'il soit préférable d'avoir une organisation imparfaite que de ne pas en avoir du tout, le Comité ne doit pas se bercer de l'idée que l'organisation proposée pourra empêcher les guerres entre les grandes et même les petites nations, si les grandes puissances se trouvent divisées dans leurs sympathies. » C'est précisément devant cette éventualité d'une paralysie du Conseil de Sécurité, en raison de la division des grandes puissances, que les Etats-membres de l'Organisation des Nations Unies se sont réservé le droit d'agir, à titre individuel ou collectif, pour assurer leur propre sécurité. Autrement dit, l'article 51 constitue une sorte de soupape de sécurité permettant de parer au blocage des mécanismes prévus par la Charte. Mais pour que cette soupape puisse fonctionner, il faut que certaines conditions soient réunies.

D'abord, le droit de légitime défense ne peut être exercé si le Conseil de Sécurité exerce les fonctions qui sont prévues par la Charte, c'est-à-dire si le Conseil se charge lui-même de maintenir la paix internationale dans le cas où il y aurait menace ou atteinte à la paix. Les Etats-membres de l'Organisation usant du droit de légitime défense n'ont donc qu'une compétence subsidiaire, qui ne peut s'exercer que dans les cas de carence du Conseil de Sécurité.

Ensuite, la possibilité reconnue aux Etats d'exercer le droit de légitime défense n'existe qu'à titre provisoire. L'article 51 indique que les Etats peuvent intervenir par la force armée pour se défendre « jusqu'à ce que le Conseil de Sécurité ait pris les mesures nécessaires pour maintenir la paix et la sécurité internationales ».

Enfin, le droit de légitime défense ne peut s'exercer si un Etat ou un groupe d'Etats sont victimes d'une agression armée. Ceci pose évidemment le problème de la définition de l'agression. C'est seulement en 1974 que l'O.N.U. a adopté une résolution qui formule un certain nombre de directives susceptibles d'aider le conseil de sécurité à désigner l'agresseur.

Lorsque ces conditions sont reunies, le droit de légitime défense peut être exercé, soit par un Etat individuellement, soit par un groupe d'Etats. Dans ce deuxième cas, la Charte exige que ce groupe d'Etats soit lié par un accord international. Effectivement, ainsi que nous l'avons vu (p. 179), depuis la seconde guerre mondiale, de nombreux accords de ce genre ont été conclus.

BIBLIOGRAPHIE

Sur la lutte contre la violence, voir les manuels d'Institutions internationales, notamment celui de THIERRY et autres, p. 537 et s.

Voir aussi le « Que sais-je ? » (n° 1600) de G. BOUTHOUL, *La paix* (concerne à la fois les recherches sur la paix et les mesures destinées à assurer la paix) et l'ouvrage de R. CLARKE, *La course à la mort ou la technocratie de la guerre,* Ed. du Seuil, 1972.

Sur la définition de l'agression, voir l'étude de J. ZOUREK. Enfin une définition de l'agression. *An. Fr. de Droit Int.,* 1974, p. 9-30, et celle de V. KOUZNETSOV dans la « Vie internationale », mars 1975, p. 22-31. Texte de la résolution du 14 déc. 1974 dans « Docts d'act. intern. », 25 fév. 1975, p. 156-160.

Sur la répression du terrorisme, voir Ch. VALLÉE, La convention européenne pour la répression du terrorisme. *An. Fr. de Droit Int.,* 1976, p. 756-786 (texte en annexe).

Consulter la revue *Etudes polémologiques, The journal of peace research* et les publications de l'Institut international de recherche sur la paix (SIPRI).

CHAPITRE II

LES IDEOLOGIES

Les idéologies sont « un système d'idées propres à un groupe déterminé et conditionné, en dernière analyse, par les centres d'intérêts de ce groupe » (Willems).

Cette définition générale implique qu'il n'y a pas d'idéologies vraiment nationales, qui seraient celles de la totalité de la population d'un Etat déterminé. Au départ, toutes les idéologies ne font qu'exprimer le point de vue d'un groupe restreint, c'est-à-dire d'une classe, qu'une fraction de classe ou d'une catégorie sociale déterminée.

Dans *L'idéologie allemande* (Ed. Soc., 1966, p. 74-75), Marx affirme : « Les pensées de la classe dominante sont aussi, à toutes les époques, les pensées dominantes ; autrement dit la classe qui est la puissance matérielle dominante de la société est aussi la puissance dominante spirituelle. La classe qui dispose des moyens de production matérielle dispose, du même coup, des moyens de production intellectuelle si bien que, l'un dans l'autre, les pensées de ceux à qui sont refusés les moyens de production intellectuelle sont soumis du même coup à cette classe dominante. » Effectivement l'objectif de ce groupe restreint est de faire partager par tous, si possible par l'ensemble de la population, ce qui constitue le contenu de l'idéologie proclamée. En fait, cet objectif est rarement atteint, même dans les Etats les plus monolithiques. Ceci veut dire qu'il y a toujours une pluralité d'idéologies. A côté des idéologies, qu'on pourrait appeler dominantes parce qu'elles ont pu s'imposer, de façon plus ou moins radicale, il y a des idéologies qu'on pourrait appeler des contre-idéologies, de la même façon qu'en matière de violence il y a, à côté de la violence structurelle et institutionnelle, une contre-violence, qui est la réponse à la violence exercée par le système établi. Comme l'a souligné Dom Helder Camara (Spirale de Violence) à la « violence installée » répond inévitablement la « contre-violence », celle des opprimés, décidés à combattre pour un monde plus juste et plus humain.

Ainsi définies, les idéologies sont des forces actives, même si par ailleurs les idéologies font partie de la superstructure. Ceci veut dire qu'on aurait tort de les négliger, comme on le fait parfois, dans l'étude des relations internationales.

Compte tenu de cette influence, il faut d'abord s'interroger sur le problème de la formation et du rôle possible des idéologies. Ayant précisé ce point, nous verrons quelles sont les principales idéologies qui existent dans le domaine international en essayant de dresser un tableau général de ces idéologies.

SECTION I

LA FORMATION ET LE ROLE DES IDEOLOGIES

Il faut partir de cette constatation banale, mais qui n'est pas toujours reconnue et acceptée, que la réalité comporte deux aspects fondamentaux : d'une part la matière, ce qui est, ce qui existe, indépendamment de la volonté, et d'autre part l'idée que l'homme se fait de la matière, de l'être, de ce qui est (*supra*, p. 21). Si on accepte cette distinction, tout le problème se ramène à la question de savoir quels sont les rapports entre ces deux aspects de la réalité : est-ce que la pensée existe par elle-même, a une vie propre, indépendante de la réalité ? Ou bien est-ce que les idées ne sont pas autre chose qu'un produit de la réalité ?

Selon une conception idéaliste, on donnera la primauté à l'idée sur la matière. C'est ainsi que Hegel plaçait au départ de toute chose ce qu'il appelait « l'idée souveraine », qui selon lui, engendre la Société et même la nature. Dans la conception hégélienne, l'histoire dans sa totalité ne serait, en définitive, que l'évolution de l'Idée. Il en résulte cette conséquence, extrêmement importante, que les grands hommes, producteurs de la pensée, seraient des agents privilégiés du progrès historique, des créateurs au sens plein du terme.

Cette conception idéaliste est repoussée par les marxistes. Pour eux, la pensée n'est qu'une donnée seconde, dérivée, un reflet de la réalité objective, un produit de ce qui existe, c'est-à-dire de la matière. De façon plus précise, l'existence de contradictions au sein d'une société déterminée suscite inévitablement l'apparition d'idées nouvelles, dont le but est d'essayer de résoudre ces contradictions. C'est ainsi que l'idéologie socialiste, avant d'être traduite dans les faits, est apparue comme un moyen de résoudre les contradictions de la société capitaliste. Ce n'est pas par hasard si le socialisme de Marx et Engels est apparu au milieu du XIXe siècle, c'est-à-dire au moment du capitalisme triomphant. De la même façon l'idéologie nationaliste dans le Tiers Monde, telle qu'elle s'exprime au moment des luttes de libération nationale, est un des moyens destinés à résoudre la contradiction fondamentale entre l'Etat colonial et la société colonialisée.

Si les marxistes soulignent ainsi le lien dialectique qu'il y a entre la réalité et les idéologies, pour autant ils ne vont pas jusqu'à nier le rôle des personnalités dans l'Histoire, le rôle des penseurs, des grands novateurs, doués d'une aptitude à résoudre les problèmes qui se posent plus ou moins confusément dans la conscience de leurs contemporains. Gramsci a fort bien souligné le rôle des intellectuels au sein de ce qu'il appelle le bloc historique. Mais les marxistes se séparent de la conception idéaliste, dans la mesure où ils affirment que les penseurs ne créent pas de rien des systèmes de pensée nouveaux. Ils ne font, en définitive, que servir de caisse de résonance, en exprimant les besoins de la société où ils vivent, une société dans laquelle l'ancien et le nouveau sont en lutte l'un contre l'autre, le nouveau cherchant à triompher de l'ancien.

Les idéologies ne peuvent donc jamais être isolées, sinon de façon arbitraire et artificielle, de la base qui leur a donné naissance, c'est-à-dire d'une formation sociale caractérisée, nous l'avons vu, par tel ou tel type de rapports de production (*supra*, p. 127). Ceci veut dire que dans des sociétés pluralistes, comme le sont les sociétés capitalistes, où le système des classes sociales est complexe, l'expression des idéologies est toujours diverse. Cependant, malgré tout, l'existence d'une classe (ou, à l'intérieur d'une classe déterminée, d'une fraction de classe) dominante explique également qu'il y a toujours une idéologie qui finit par s'imposer (cf. la déclaration précitée de Marx). Pour autant, il ne faut pas aller jusqu'à dire que cette idéologie est exclusive. En fait, on peut constater que l'idéologie dominante est toujours combattue, contestée, au sein même de l'Etat où elle a pris naissance. C'est ainsi que l'idéologie de la guerre froide, telle qu'elle fut exprimée dans des doctrines qui eurent leur heure de gloire (doctrine du « containment », doctrine du « roll-back »), a trouvé, aux Etats-Unis mêmes, où elle avait pris naissance, des contestataires. Notamment la jeune Ecole d'historiens, que Raymond Aron qualifie avec mépris de « para-marxiste » ou de « révisionniste », ne s'est pas fait faute de s'élever avec vigueur contre l'idéologie de la guerre froide. De même, s'il y a eu, au cours de l'Histoire, une idéologie colonialiste, il y a eu aussi, à toutes les époques, et en résistance à l'idéologie colonialiste dominante, des idéologies anticolonialistes, d'origine bourgeoise ou d'origine socialiste.

Même dans les Etats socialistes, que l'on présente généralement comme des Etats monolithiques, ce phénomène peut être observé. Dans la mesure où les classes sociales n'ont pas encore totalement disparu, parce que la socialisation des moyens de production n'est pas totale, dans la mesure où, la base économique des classes sociales ayant disparu, il subsiste des survivances de l'esprit de classe, il peut y avoir, à côté de l'idéologie dominante, des contre-idéologies, qui se manifestent dans les écrits des écrivains contestataires (voir la déclaration 77 en Tchécoslovaquie ou les contestataires soviétiques) (1) ou dans le cadre d'une phénomène comme la Révolution culturelle chinoise.

Le mode de formation des idéologies est important, car il influe sur l'idée qu'on se fait du rôle des idéologies.

Dans la conception idéaliste, le rôle des idéologies est énorme puisque, selon cette conception, les idéologies sont vraiment créatrices. Au contraire, dans la conception marxiste, il semblerait, à première vue, que le rôle des idéologies devrait être négligeable, ou, en tout cas, secondaire, puisque les idéologies dérivent de la réalité. C'est ce qu'affirme Maurice Duverger lorsqu'il écrit dans son manuel de sociologie politique : « Les marxistes estiment que les croyances n'ont qu'un rôle secondaire dans la vie politique. »

En réalité, si les marxistes soutiennent que les idéologies sont une donnée *seconde,* ils n'affirment pas pour autant qu'elles soient *secondaires,* c'est-à-dire qu'elles n'aient pas une certaine importance. Au contraire, ils affirment qu'elles sont des forces actives et même d'immenses forces actives. Il ne faut pas oublier, en effet, que dans la conception marxiste les divers aspects du réel sont en connexion, agissent les uns sur les autres. Ceci veut dire que, si la vie matérielle agit sur la vie spirituelle, à son tour la vie spirituelle réagit sur la vie matérielle. Affirmer le contraire, c'est ignorer les lois de la dialectique.

(1) Les phénomènes ont fait l'objet d'un recueil d'études publié complaisamment par la documentation française (Probl. polit. et soc., 27 mai 1977). Dossier constitué par G. MINK.

Engels, en particulier, le notait lorsque, dans sa lettre à Conrad Schmidt, il écrivait : « Ce qui manque à tous ces Messieurs, c'est la dialectique. Ils ne voient ici toujours que la cause, là que l'effet. Que tout le grand cours des choses se produit sous la forme d'action et de réaction des forces, cela ils ne le voient pas. »

Cette observation est reprise par le professeur Tunkin, dans un article sur le problème de la coexistence pacifique. Après avoir rappelé qu'en fin de compte la politique des Etats est déterminée par les structures économiques et sociales de l'Etat, il ajoute : « Bien qu'elles soient les déterminants essentiels, elles ne sont pas le déterminant unique. Engels se moquait de ceux qui prétendaient que l'économique est l'unique facteur déterminant. »

Les idéologies sont donc, même pour les théoriciens marxistes, des forces actives. Mais, cela dit, elles jouent des rôles différents selon qu'elles sont ou non en accord avec les besoins de la société. On pourrait se demander comment le décalage entre les idéologies et la réalité est possible puisque les premières dérivent des secondes. L'explication est extrêmement simple. Comme il arrive toujours, les hommes n'ont pas immédiatement conscience des changements qui se sont produits dans la vie matérielle d'une société déterminée. Même lorsqu'ils en prennent conscience, ils se raccrochent parfois pour des motifs intéressés ou par paresse d'esprit, aux idées anciennes, qui font obstacle à la naissance d'idées nouvelles. Il y a un conflit entre les forces de réaction et de conservation et les forces de progrès. Ceci explique que les idéologies peuvent jouer, et jouent effectivement, à double sens, soit comme des forces de résistance, soit comme des forces de progrès. De même, dans une vue prospective, les idéologies anticipent parfois sur l'avenir dans la mesure où, n'étant pas en prise directe avec la réalité, elles proposent des solutions qui n'ont aucun rapport avec la réalité concrète. Elles sont alors œuvre pure d'imagination. Il s'agit d'utopie. Nous avons vu qu'il y a, dans les représentations de la société internationale, des utopies mondialistes (*supra*, p. 69 et s.).

Cela dit, il est évident que les idéologies ne peuvent produire leur plein effet que si, après avoir été fabriquées par un individu ou un petit groupe d'individus, qui expriment les intérêts d'un groupe social déterminé, elles pénètrent dans les masses. Les idéologies seront d'autant mieux reçues qu'elles correspondent aux besoins profonds de la société. Ceci explique les chances minimes d'idéologies qui revêtent la forme des utopies.

Ce qui fait obstacle à la pénétration des idéologies nouvelles dans les masses, c'est que les tenants de l'idéologie dominante ont un intérêt à maintenir l'ordre social existant. Dans ces conditions, il y aura une période de lutte à l'issue de laquelle l'idéologie nouvelle finira par s'imposer. Ayant pénétré dans les masses, elle va prendre tout son poids et devenir une véritable force matérielle capable de changer le cours de l'Histoire.

La pénétration de l'idéologie dans les masses peut d'ailleurs être facilitée par l'utilisation d'une forme particulière de l'idéologie qui est le mythe, c'est-à-dire une idéologie réduite à quelques thèmes sommaires et à des images motrices destinées à frapper les imaginations. C'est le mythe « Sorélien » qu'il ne faut pas confondre avec le mythe traditionnel. Le mythe traditionnel est l'ensemble des croyances des sociétés dites archaïques, destinées à donner une explication cohérente, même si elle ne correspondant pas à la réalité, des rapports de l'homme et de la nature. Le mythe « Sorélien » au contraire est un mythe d'action et non pas d'explication, un mythe d'action destiné à mobiliser les énergies et à mettre les masses en mouvement. Il faut ajouter que la distinction de ces deux sortes de mythes n'est pas absolue. On peut même dire que la puissance du mythe, au sens Sorélien du terme, sera d'autant plus grande qu'elle peut utiliser la force des mythes traditionnels (cf. l'arabisme par exemple).

Ces observations générales permettent de comprendre que les idéologies ont des significations différentes et, par là même, des portées différentes selon le contexte dans lequel elles se situent. Certaines erreurs d'appréciation viennent de ce que le facteur « temps » est négligé. C'est ainsi que la conception marxiste du nationalisme devient totalement incompréhensible si on ne tient pas compte de ce facteur. Il est facile de citer tel ou tel passage du *Manifeste communiste* (notamment ce passage : « Le jour où tombe l'antagonisme des classes au sein d'une même Nation, tombe également l'hostilité d'une même Nation ») pour souligner la fragilité des prédictions marxistes et pour établir que, contrairement aux prévisions, le nationalisme n'a pas disparu, même dans les Etats socialistes. Mais, en citant ainsi, en dehors de son contexte, une phrase du *Manifeste communiste,* on néglige de relever que, par ailleurs, Marx et Engels avaient constamment refusé de s'enfermer dans des formules rigides du genre de celle que nous venons de citer. On refuse également de prendre en considération le fait que Lénine avait prévu la survivance du nationalisme et du fait national lui-même pendant une longue période de temps, même dans l'hypothèse invraisemblable du triomphe du socialisme sur toute la surface de la terre.

BIBLIOGRAPHIE

Consulter :

— L'ouvrage de J. P. COT, *Pour une sociologie politique,* t. 1, p. 120 et s. ; t. 2, p. 57 et s., 80 et s., 108 et s.

— MARX-ENGELS, *L'idéologie allemande,* Ed. Soc., 1972.

— *Principes du marxisme-léninisme,* éd. en langues étrangères, Moscou (s.d.).

— J. M. PIOTTE, *La pensée politique de Gramsci,* Anthropos, 1970.

— A. BADIOU et F. BALMER, *De l'idéologie, Maspero,* 1976 (critique d'Althusser).

SECTION II

TABLEAU GENERAL DES IDEOLOGIES

Il faut souligner que toutes les idéologies, quelles qu'elles soient, ont une importance sur le plan des relations internationales, même les idéologies qui ne semblent avoir qu'une portée interne. C'est la conséquence des liens qui existent entre la politique intérieure et la politique extérieure des Etats, entre la nature d'une formation sociale et les relations internationales. Sans méconnaître leur importance, nous laisserons de côté les idéologies à portée interne pour nous consacrer à l'étude des idéologies à portée internationale.

Il faut tenir compte, non seulement des idéologies qui prennent naissance dans le cadre des Etats, à travers l'action des individus, des groupements d'individus et de l'appareil d'Etat lui-même, mais aussi des idéologies produites au sein des O.I. Nous avons vu que les O.I., en tant qu'éléments composants de la société internationale, sont dotées d'une autonomie relative, non seulement d'action, mais également de pensée. Par exemple il existe dans le cadre d'une organisation comme l'O.N.U. une idéologie du développement à laquelle Michel Virally, dans son ouvrage sur l'*Organisation mondiale,* consacre quelques pages. De même, dans le cadre d'une O.I. comme l'Unesco, il y a également une idéologie de l'éducation exprimée notamment dans les discours et écrits du Directeur général.

Dans une certaine mesure, les idéologies des O.I. sont liées aux idéologies des Etats puisque ce sont les Etats qui composent les O.I. et qui expriment leur volonté au sein de l'O.I. Mais, dans une certaine mesure également, ce qui est produit par l'O.I. sur le plan idéologique, est quelque chose de différent des idéologies nationales.

De même, il faudrait également tenir compte des idéologies des groupements privés à dimension internationale, quelles que soient par ailleurs la nature ou les caractéristiques de ces groupements (*supra*). Il y a là également des idéologies qui, dans une certaine mesure, ont des liens avec les idéologies purement nationales, mais qui peuvent également être différentes.

Compte tenu de ces observations, on peut dire que les idéologies à portée internationale vont généralement deux par deux, en s'opposant l'une à l'autre. C'est ainsi, par exemple, que l'idéologie nationaliste s'oppose à l'idéologie internationaliste. De même, l'idéologie colonialiste s'oppose à son contraire : l'idéologie anticolonialiste, etc. On pourrait, par conséquent, utiliser l'opposition ainsi établie entre les idéologies comme méthode de classement. Nous préférons distinguer les idéologies à portée internationale selon la contribution qu'elles sont susceptibles d'apporter à un développement harmonieux des relations internationales. De ce point de vue, on peut distinguer deux sortes d'idéologies, selon qu'elles sont fonctionnelles, parce qu'elles vont dans le sens de la paix et de la coopération internationale, ou selon, au contraire, qu'elles sont dysfonctionnelles parce qu'elles entretiennent la méfiance, favorisent les entreprises de domination et incitent au recours permanent à la violence.

§ 1. — LES IDEOLOGIES DYSFONCTIONNELLES

Ce genre d'idéologies est rarement revendiqué par ceux qui en assument la paternité, encore que, en certaines circonstances, ils se sentent assez forts pour les propager ouvertement et même pour s'en glorifier.

A. — COLONIALISME ET NÉO-COLONIALISME

Dans les rapports entre les Etats coloniaux et les pays colonisés, il y a eu une époque où le *colonialisme* (en tant qu'idéologie, et non pas en tant que fait) était une idéologie ouvertement exposée dans les écrits et dans les discours, non seulement de ceux qui observaient la situation des pays colonisés, mais également des hommes politiques. A cette époque, il ne manquait pas de raisons pour justifier l'asservissement des peuples colonisés. A toute les époques il y a eu des avocats du système colonial.

Pour ne prendre qu'un seul exemple, citons un économiste français, Leroy-Beaulieu. Il écrivit en 1874 un ouvrage intitulé *De la colonisation chez les peuples modernes,* qui eut un très grand succès de librairie puisqu'il ne connut pas moins de six éditions successives jusqu'au début du siècle. Il est frappant de constater qu'il y a un parallélisme entre les idéologies des différents Etats coloniaux puisqu'à la même époque on trouve un historien anglais, Seeley, qui écrit un livre institulé « *The expansion of England* (1884), dans lequel on trouve à peu près les mêmes arguments que ceux de Leroy-Beaulieu. Il y a là toute une idéologie de la colonisation qui vise à justifier, non seulement les entreprises de colonisation, mais également le système de gouvernement appliqué aux pays colonisés, c'est-à-dire la dictature coloniale. Un homme politique comme Jules Ferry, et, en Grande-Bretagne, Joseph Chamberlain iront puiser leur argumentation chez ces écrivains. J. Ferry n'hésitera même pas à faire appel à l'idéologie nationaliste (« La politique de recueillement et d'abstention, c'est tout simplement le chemin de la décadence ») et au racisme (« Les races supérieures ont un droit vis-à-vis des races inférieures, le droit de les conquérir et de les asservir ») pour renforcer le colonialisme.

Aujourd'hui, l'idéologie colonialiste a fait long feu et elle n'est plus défendue, tout au moins ouvertement, d'autant plus que, sauf des cas limités, les pays colonisés ont accédé à l'indépendance. « Le colonialisme n'ose plus s'avouer tel et agir à visage découvert : il organise sa survie partielle en affirmant un dessein de coopération et d'émancipation progressive » (M. Perroux, *L'Europe sans rivages,* p. 410). Il est tout à fait caractéristique qu'à peine disparue l'idéologie colonialiste a vu lui succéder une nouvelle idéologie, l'idéologie néo-colonialiste. Le terme « néo-colonialisme », qui, semble-t-il, a été utilisé pour la première fois par Jean-Paul Sartre, apparaît au moment précis où les pays colonisés commencent à accéder à l'indépendance, c'est-à-dire dans les années cinquante.

S'il faut rapprocher le néo-colonialisme du colonialisme, c'est qu'ils sont de même nature. Il est une idéologie à base de domination et, à ce titre, par conséquent il n'est qu'un aspect d'une idéologie plus générale : l'idéologie de l'impérialisme.

Ce qu'il faut relever, c'est que l'idéologie néo-colonialiste, fille naturelle de la colonisation et de l'indépendance accouplées, présente un caractère global. Contrairement à ce qui est affirmé par Philippe Ardant, dans une étude parue dans la *Revue française de Science politique* en 1965, le néo-colonialisme n'est pas exclusivement ou essentiellement limité à l'économie. L'idéologie néo-colonialiste est protéiforme. Elle s'insinue dans tous les pores des sociétés naguère colonisées. En dehors de l'économie, le domaine culturel est extrêmement vulnérable, car le nouvel Etat, comme conséquence des efforts insuffisants faits par le colonisateur pendant la période coloniale, manque d'écoles et de maîtres, et continue par nécessité ou par habitude, à utiliser la langue de l'ancien colonisateur. Dans ces conditions, la tentation est grande, pour l'ex-Etat colonial d'essayer, à travers la culture, de maintenir sa prépondérance dans les pays du Tiers Monde. De même le domaine militaire est également un domaine privilégié en raison des moyens réduits dont disposent, au lendemain de l'indépendance, les ex-colonies. La formation des cadres dans les écoles militaires des ex-Etats coloniaux et la présence d'experts venus de ces Etats dans les écoles et l'armée des Etats du Tiers Monde permettent de véhiculer une idéologie de type colonialiste. En particulier les E.U.A. ont mis au point une stratégie de la contre-révolution permanente qui reçut la bénédiction de John Fitzgerald Kennedy (1).

Cette dépendance multiforme confirme la justesse de la thèse défendue par Lénine : « Il faut constamment expliquer et exposer aux immenses masses des travailleurs de tous pays, en particulier des pays arriérés, la tromperie que pratiquent systématiquement les impérialistes en créant sous les apparences d'Etats politiquement indépendant des Etats qui dépendent d'eux totalement sur le plan économique, financier et militaire » (Lénine, *Thèses sur la question nationale et coloniale*).

B. — L'ANTI-MARXISME

Dans les rapports entre les Etats socialistes et les Etats capitalistes, il faut mentionner l'existence de *l'idéologie antimarxiste* ou anti-communiste qui a joué un rôle considérable durant la période de « guerre froide ». Encore à l'heure actuelle, cette idéologie sous des formes un peu plus subtiles et raffinées continue de jouer un certain rôle.

(1) Voir sa préface à l'ouvrage publié en 1962, *The guerilla and how to fight it*.

Cette idéologie englobe l'ensemble des idées, des croyances, des opinions, des théories dont le but est d'établir la fausseté et le caractère nocif du marxisme-léninisme et de lui opposer les vertus de l'idéologie contraire, qui est l'idéologie capitaliste.

Déjà en 1848, dans le *Manifeste communiste,* on parlait du « spectre du communisme faisant le tour de l'Europe ». Mais ce spectre n'est devenu une réalité qu'à partir du moment où est apparu le premier Etat socialiste, après la Révolution d'Octobre. Entre les deux guerres, la manifestation la plus éclatante de l'anticommunisme a été le fascisme, qui persiste encore aujourd'hui dans un certain nombre d'Etats européens et dans de nombreux pays du Tiers Monde.

La multiplication des Etats socialistes après la deuxième guerre mondiale a encore accentué la vague d'anticommunisme. Au même moment le progrès technique (le transistor date de 1948) a multiplié dans des proportions fantastiques les possibilités de la propagation de l'idéologie anticommuniste. En fait, la période qui a suivi immédiatement la seconde guerre mondiale a été dominée par l'anticommunisme le plus virulent. Le R. P. Bosc n'hésite pas à parler de « l'hystérie anticommuniste ». C'est l'époque où les formes les plus grossières et les plus primitives furent employées pour propager l'idéologie anticommuniste. A cette époque, le monde était présenté en noir et blanc : d'un côté les Etats capitalistes, protecteurs de la démocratie, de la paix, des valeurs de civilisation, et de l'autre côté les Etats socialistes, caractérisés par l'oppression, immoralité, la barbarie et l'esprit d'agression.

Sur ces bases apparaissent des doctrines qui ont leur heure de gloire et qui ont influencé assez fortement le cours des relations internationales : doctrine du Containment » (1), de l'endiguement, doctrine du « Roll Back », du refoulement, la doctrine Eisenhower d'intervention militaire au Moyen-Orient.

Toutes ces doctrines ont une caractéristique commune qu'on pourrait résumer par le slogan : « Better dead than red », « Il vaut mieux être mort que de devenir communiste ». Ceci signifie qu'on ne devait pas hésiter à utiliser la force dans les relations internationales pour éviter qu'un pays n'adopte le système socialiste.

Avec la coexistence pacifique, l'anticommunisme est devenu moins virulent. Pour autant, il n'a pas disparu. Il a simplement pris des formes plus raffinées, plus subtiles. On pourrait en trouver une illustration dans la *théorie de la convergence,* soutenue par certains

(1) Le mot fut forgé par le diplomate américain G. KENNAN.

auteurs américains comme Brzezinski, conseiller du Président J. Carter, et reprise par d'autres auteurs, comme Raymond Aron ou Maurice Duverger (*supra*, p. 148). C'est la théorie selon laquelle le facteur décisif dans les relations internationales, à l'époque actuelle, serait le facteur technique. Ce dernier aurait la particularité de conduire tous les Etats, y compris les Etats socialistes, vers la même destination, de sorte que les régimes socio-économiques, comme les régimes politiques, deviendront de plus en plus semblables. Et même, en ce qui concerne la culture, on aboutirait à une sorte de culture mondiale, commune à tous les Etats.

Une autre théorie, qui va dans le même sens, est *la théorie de l'érosion.* Selon cette théorie, le socialisme serait infidèle à ses principes originaires. Il serait en train de s'abâtardir, de se déformer, de sorte que les Etats socialistes se rapprocheraient des Etats capitalistes.

Enfin, on pourrait citer également la *théorie des ponts* selon laquelle l'établissement de ponts entre les Etats capitalistes et les Etats socialistes devrait ouvrir la voie à la pénétration idéologique des Etats capitalistes dans le monde socialiste. On pourrait, par ce moyen, parvenir à un rapprochement des systèmes en présence. Cette théorie a inspiré en particulier les propositions qui furent faites par les Etats capitalistes à la Conférence sur la sécurité et la coopération en Europe. Un des objectifs poursuivis était d'obtenir que les Etats socialistes acceptent la possibilité, non seulement d'établir les contacts plus faciles entre les personnes, mais également de faciliter l'échange des idées et des informations.

C. — Le nationalisme

Dans les rapports entre les Etats, indépendamment de leur système socio-économique et politique, il faut mentionner l'idéologie du *nationalisme.* Cette idéologie est ambivalente.

Elle peut d'abord jouer un rôle progressiste, aller dans le sens de l'histoire dans la mesure où elle est utilisée pour rendre la souveraineté d'un Etat effective, ce que certains Etats du Tiers Monde cherchent actuellement à faire.

Ce phénomène n'est d'ailleurs pas nouveau. On peut rappeler à cet égard l'œuvre d'un économiste allemand, Frédéric List, auteur d'un ouvrage qui, à l'époque (1841), fit un certain bruit : *Das National System der Politischen Oekonomie* (Le système national de l'économie politique). Il y décrivait la situation de l'Allemagne, présentée comme un pays sous-développé par rapport à un Etat comme l'Angleterre. Il s'élevait contre la prétention de l'Angleterre d'établir sa domination économique sous le couvert d'une idéologie économique comme le libre-échangisme, conforme à ses intérêts, mais non pas à ceux des pays moins développés. Frédéric List écrivait : « Ce que nous haïssons au plus profond de notre être, c'est cette tyrannie commerciale à la John Bull qui veut tout engloutir, ce qui ne permet à aucune nation de s'élever à un niveau supérieur ou de se faire valoir, et qui de surcroît prétend encore nous faire avaler les pilules, produits de son égoïsme, comme une réalisation purement scientifique et s'inspirant uniquement de conceptions philantropiques. » Ces paroles de Frédéric List pourraient être appliquées à des situations contemporaines.

Mais si le nationalisme peut ainsi avoir un caractère progressiste, il y a aussi une perversion du nationalisme qui lui confère un caractère dysfonctionnel. Cette distinction entre dans les deux aspects de l'idéologie nationaliste, est d'ailleurs parfois faite dans le vocabulaire. C'est ainsi qu'en Italie, on utilise plutôt le terme « nationalitarisme », pour désigner les revendications fondées sur le principe d'autodétermination des peuples. Le terme nationalisme désigne, au contraire, un système de pensée et d'action fondé sur l'affirmation de la primauté absolue des intérêts nationaux.

C'est le nationalisme d'un autre auteur allemand Fichte, dans son fameux *Discours à la nation allemande*. Bien qu'il soit parfois considéré comme un des pères de l'idéologie socialiste, il aboutissait, en définitive, à prôner une sorte de despotisme, éclairé peut-être, mais intransigeant. Du despotisme au nationalisme, il n'y avait qu'un pas qui était franchi lorsque Fichte proposait son système d'Etat commercial fermé (antarcie). Le souci majeur de Fichte fut d'éveiller tous les Allemands au sentiment de leur unité nationale fondée sur la race, la terre, et la langue. Au début du XIXe siècle, Fichte écrivait : « Quelle est donc la patrie d'une Europe chrétienne vraiment civilisée ? D'une façon générale, c'est l'Europe ; en particulier, à chaque époque, c'est l'Etat qui se trouve à la tête de la civilisation ». Deux ans plus tard, Fichte exaltait le nationalisme allemand en déclarant : « Nous sommes seuls le peuple primitif, le vrai peuple de Dieu. » Et il revendiquait pour le peuple allemand son indépendance et un isolement destiné à le tenir à l'écart de toute contamination avec les peuples que Fichte considérait comme des peuples corrompus. Il y a là un aspect de l'enseignement de Fichte qui ne sera pas oublié. Le sol, le sang, la race, la culture seront invoqués pour justifier l'hitlérisme.

Cet aspect dysfonctionnel du nationalisme est d'autant plus grave qu'il est associé à d'autres idéologies de domination, telles que le racisme, ou l'affirmation de la supériorité de telle ou telle culture nationale. Dans ce sens, le nationalisme contribue à maintenir des mentalités agressives, à renforcer les tendances naturelles à l'incompréhension entre les peuples et les nations. Il s'oppose à l'internationalisme.

Mais il convient de souligner qu'il n'y a pas d'opposition radicale et absolue entre ces deux idéologies. Tout dépend évidemment de la signification que l'on attribue au nationalisme (*infra,* p. 337).

De façon générale, il faut donc souligner l'ambiguïté de l'idéologie du nationalisme. Elle explique que le nationalisme des Etats européens a été progressiste dans la mesure où il était fondé sur les principes de liberté, d'égalité et de fraternité. Mais il a acquis un caractère agressif à partir du moment où les gouvernants se sont lancés dans les guerres de la Révolution et de l'Empire. De la même façon, à l'époque contemporaine, les nationalismes du Tiers Monde recèlent potentiellement des traits négatifs qui risquent de prendre le dessus, de plus en plus, au fur et à mesure que les nationalismes originaires, ceux des guerres ou des mouvements de libération nationale, s'orientent vers des nationalismes teintés de racisme, un racisme de réaction ou de défense, un racisme antiraciste, mais un racisme qui est, tout de même, préjudiciable à la coopération internationale.

§ 2. — LES IDEOLOGIES FONCTIONNELLES

Nous pouvons retenir trois sortes d'idéologies pour illustrer cette catégorie d'idéologies : le non-alignement, qui s'applique dans les rapports entre les Etats du Tiers Monde et les autres Etats, la coexistence pacifique, conçue principalement pour s'appliquer dans les rapports entre les Etats à systèmes socio-économiques et politiques différents, l'internationalisme enfin qui est d'une application plus générale, mais qui est conçu de façon particulière dans les rapports entre les Etats socialistes.

A. — L'IDÉOLOGIE DU NON-ALIGNEMENT

Cette idéologie du non-alignement est commune à un grand nombre d'Etats du Tiers Monde. Elle a été affirmée dans les conférences des pays non alignés, notamment celle d'Alger en 1973. Elle est également exprimée dans des textes de caractère international. Ainsi la Charte de l'Organisation de l'unité africaine énumère parmi les principes auxquels adhèrent les Etats africains « l'affirmation d'une politique de non-alignement vis-à-vis des blocs ».

Le non-alignement a évidemment des significations diverses selon les Etats. Cependant, on peut, semble-t-il, discerner des traits communs quels que soient les Etats concernés. On peut dire que l'idéologie du non-alignement est à la fois, d'une part, négativement, un refus et une révolte et, d'autre part, positivement, une revendication ou une série de revendications.

I. — *Le front du refus.*

Que le non-alignement soit d'abord un refus, une révolte, c'est ce qui fut très nettement marqué par le Président Nkrumah à la deuxième conférence des pays non alignés, qui se tint au Caire en 1964. A cette occasion, le Président Nkrumah déclarait : « Nous sommes nés par protestation et par révolte contre l'état de choses prévalant dans le domaine des relations internationales, dû à la division du monde en deux blocs antagonistes. » Effectivement, au moment où les pays colonisés accèdent à l'indépendance, à partir des années 50, ils se trouvent dans un monde hostile, divisé en deux blocs antagonistes, en présence d'un système que les spécialistes des relations internationales qualifient de bipolaire. On peut dire que l'idéologie du non-alignement a été une réaction contre ce système, un refus de principe d'entrer inconditionnellement et automatiquement dans le jeu de l'un ou l'autre bloc. Lors de la conférence du Caire, l'un des chefs d'Etat présents déclarait fermement : « Nous devons nous refuser inlassablement à nous aligner sur l'un des blocs les plus forts. » Bien que, aujourd'hui, l'accent soit mis plus volontiers sur le deuxième aspect de non-alignement, l'idée de refus est toujours présente. Lorsque la conférence d'Alger s'oppose à l'existence de bases militaires étrangères, il s'agit bien d'un refus. C'est ce que déclare le colonel Khadafi lorsqu'après avoir interdit l'accès de ses ports aux navires de guerre soviétiques et avoir liquidé les bases militaires implantées sur le territoire libyen, il déclarait : « Je fais là un acte de non alignement ».

Pourquoi ce refus de s'aligner ? En ce qui concerne les Etats capitalistes, ce refus est tout à fait compréhensible puisque la colonisation, c'est-à-dire la domination (*supra*, p. 152) a été le fait de ces Etats.

Refuser l'inféodation, c'est affirmer son indépendance, parfois conquise de haute lutte. Les Etats du Tiers Monde sont d'autant plus méfiants à l'égard des Etats capitalistes qu'ils sont faibles et qu'ils redoutent le néo-colonialisme. Ceci avait été souligné par le Président Nehru au cours de ses entretiens avec Tibor Mende en 1953. Parlant de la Conférence de Bandoung, il déclarait : « Entre les pays représentés à Bandoung, très différents les uns des autres, le facteur commun était l'opposition à la domination occidentale. »

Mais ce qui est plus remarquable, c'est que ce refus des Etats du Tiers Monde concerne également le monde socialiste. Malgré l'influence exercée par la théorie marxiste sur un certain nombre de dirigeants du Tiers Monde, malgré le prestige international que peuvent avoir certains pays comme l'U.R.S.S., la Chine ou Cuba en raison de leurs réalisations dans le domaine économique, social et culturel, il n'en reste pas moins que la grande majorité des Etats du Tiers Monde affirme son souci de ne pas s'aligner même sur les Etats socialistes. Une des raisons de ce refus d'une alliance avec le bloc socialiste est l'affirmation, que l'on trouve couramment dans les discours et déclarations des dirigeants des Etats du Tiers Monde, que le marxisme-léninisme serait incompatible avec les traditions, en particulier les traditions religieuses, et les préoccupations particulières des Etats du Tiers Monde. Une autre raison est la volonté des Etats du Tiers Monde d'affirmer leur originalité, leur authenticité, comme dit le Président Mobutu, leur spécificité qui se manifeste, en particulier, dans des idéologies telles que l'arabisme, l'africanisme, les voies asiatiques, arabes ou africaines du socialisme. On peut discuter de la validité de ces raisons et se demander si elles n'ont pas un côté mystificateur. Le fait est que l'idéologie du non-alignement s'accompagne fréquemment d'un refus d'entrer dans le système des Etats socialistes (marxistes-léninistes).

II. — *Le front de la revendication.*

A côté de cet aspect négatif de l'idéologie du non-alignement, il y a aussi un aspect positif dans la mesure où le non-alignement est également une revendication ou une série de revendications qui sont émises par les Etats du Tiers Monde.

Pour eux, il ne s'agit pas uniquement, comme on le souligne parfois pour tourner en dérision cette idéologie du non-alignement, de s'enfermer dans une sorte de ghetto hors des rivalités des géants de ce monde. Il ne s'agit pas non plus, par une sorte de lâcheté et de volonté d'isolationnisme, d'une renonciation ou d'une fuite devant les problèmes les plus brûlants de l'heure. Le non-alignement n'est pas une « attitude contre », une « somme d'émotions-anti ». Elle est aussi l'affirmation que les Etats du Tiers Monde entendent avoir un rôle positif à jouer dans le monde. Il y a là, par conséquent, une revendication de ne pas être tenu à l'écart des solutions qui sont ou doivent être apportées aux problèmes internationaux.

De façon générale, il y a une revendication à jouer un rôle positif dans quatre domaines principaux.

Il y a d'abord une revendication à jouer un rôle, comme nous l'avons vu, dans le domaine de la création du droit international (*supra*, p. 285 et s.).

En second lieu, les Etats du Tiers Monde entendent également jouer un rôle en ce qui concerne les solutions à apporter au problème de la paix internationale.

En troisième lieu, ils entendent lutter contre le colonialisme et contribuer à la disparition des systèmes coloniaux qui peuvent encore exister.

Enfin, ils entendent également jouer un rôle en ce qui concerne la solution des problèmes du développement.

Le fait que les Etats du Tiers Monde entendent intervenir activement dans chacun de ces domaine implique que le non-alignement, loin d'être une attitude purement négative, un front constitué par ce qu'on a appelé improprement les « nations prolétariennes », peut, au contraire, être quelque chose d'extrêmement positif.

Depuis la conférence d'Alger (1973), l'accent a été porté plus spécialement sur ces aspects du non-alignement. En particulier, si les non-alignés ont toujours été sensibilisés à l'injustice fondamentale des relations internationales, c'est surtout depuis 1973 que l'idée d'un nouvel ordre international a été lancée. Elle s'est traduite non seulement dans l'instauration du fameux dialogue Nord-Sud, mais aussi dans la remise en cause des structures de l'O.N.U. dans le sens d'une participation accrue des Etats du Tiers Monde à leur fonctionnement. Autrement dit, l'idéologie du non-alignement exprime la volonté des oubliés de l'histoire d'être non plus des « parties prises », mais des « parties prenantes » (M. Bedjaoui), c'est-à-dire jouer un rôle actif et positif en pesant sur le cours des relations internationales.

B. — L'IDÉOLOGIE DE LA COEXISTENCE PACIFIQUE

Cette idéologie n'est pas absolument nouvelle. Elle avait déjà été affirmée, dans sa substance, par les fondateurs de la doctrine marxiste, en particulier par Lénine. Il affirmait que l'existence d'un Etat socialiste ne devait pas signifier un état de guerre permanent entre cet Etat et les Etats capitalistes, mais au contraire que des relations pacifiques devaient s'instaurer entre ces deux types d'Etats. C'était la conséquence inéluctable d'un phénomène historique : la construction du socialisme dans un seul Etat. Mais la multiplication des Etats socialistes et l'accroissement de la puissance de ces Etats n'a pas fait perdre à l'idéologie de la coexistence pacifique sa raison d'être. Au contraire, le développement de la puissance militaire (*infra,* p. 388) et celui de la politique de force (power politics) ont encore rendu plus impérative la formulation claire de l'idéologie.

Historiquement, c'est la Chine qui, la première, a donné à l'idée de coexistence pacifique sa célébrité, en y faisant référence dans un traité conclu avec l'Inde en 1954. Commentant les dispositions convenues par les deux gouvernements, le Président Nehru déclarait : « Ces principes (il s'agissait des principes de coexistence pacifique) sont valables non seulement pour nos deux pays, mais aussi pour d'autres pays auxquels ils pourraient servir d'exemple. » De son côté, Chou-En-Laï, dans une conférence de presse tenue le 27 juin 1954 déclarait qu'il approuvait entièrement les propos tenus par la Président Nehru. Sur ce point, la position des Chinois n'a pas varié, même s'ils soulignent que la coexistence pacifique ne doit pas faire oublier que les relations entre Etats socialistes ou entre le Tiers Monde et les Etats impérialistes doivent être régies par d'autres principes (*infra,* p. 332).

Depuis 1954, un grand nombre de documents diplomatiques, dont il serait difficile de donner une liste exacte tellement ils sont nombreux, ont consacré l'idéologie de coexistence pacifique. Même les Etats capitalistes, après avoir vu, au début de cette idéologie une sorte de machine de guerre destinée à servir d'instrument de propagande aux Etats socialistes, ont finalement reconnu sa valeur. Aujourd'hui, on peut dire qu'elle a acquis droit de cité, non seulement dans les Etats du Tiers Monde et dans les Etats socialistes, mais également dans les Etats capitalistes. Quelle est la portée de cette idéologie ?

D'abord, il est clair que, dans l'esprit de ses promoteurs, la coexistence pacifique est destinée à régir les rapports entre les Etats relevant de formations socio-économiques différentes. C'est dire que la coexistence pacifique doit avoir une portée universelle. C'est ce qu'affirmait le communiqué sino-vietnamien du 7 juillet 1955 : « L'établissement de la confiance mutuelle entre les Nations, l'élimination de la tension internationale et le développement d'une coopération amicale entre les différents pays dépendent de *l'acceptation universelle* et complète de ses principes *par tous les pays du Monde* en tant que principes directeurs de leurs relations mutuelles. »

Si l'idéologie de coexistence pacifique doit ainsi avoir une valeur universelle, pour autant, on ne peut pas aller jusqu'à dire qu'elle est destinée à régir l'intégralité des rapports internationaux. Notamment, l'idée de coexistence pacifique n'implique pas que les relations entre les Etats socialistes doivent être gouvernés par le principe de coexistence pacifique. En fait, les Etats socialistes, en particulier la Chine, font une distinction entre trois sortes de relations internationales. Il y a d'abord les relations internationales entre les Etats socialistes qui doivent être régies par l'idéologie de l'internationalisme prolétarien (*infra*). Puis il y a les relations entre les Etats socialistes et les Nations opprimées qui, selon les dirigeants chinois, doivent être fondées, soit sur l'internationalisme prolétarien, lorsque ces peuples et ces Nations ont opté pour le système socialiste, soit sur l'idée du front uni international groupant les Etats socialistes et les peuples et Nations opprimées, en lutte contre les Etats capitalistes impérialistes. Enfin, il y a les relations entre les Etats à systèmes sociaux différents, qui relèvent de l'application du principe de coexistence pacifique.

Il faut aussi préciser que si l'idéologie de la coexistence pacifique implique une certaine volonté de coopération entre les Etats, elle n'implique pas, pour autant, un accord sur les problèmes idéologiques. Ce point avait notamment été souligné par le XXe Congrès du Parti Communiste de l'Union Soviétique. « Les conceptions du monde capitaliste et du monde socialiste », disait une résolution de ce Congrès, « ne peuvent être conciliées, mais la coexistence pacifique ne l'implique pas non plus. » Ceci montre que l'idée de coexistence pacifique ne fait pas disparaître la lutte, le combat, entre les systèmes socialistes et les systèmes capitalistes. Cette lutte continue en même temps que, parallèlement, se développe la coopération pacifique entre les Etats.

Ceci devrait ramener à une plus juste appréciation des accords d'Helsinki (1er août 1975). Tout en consacrant une nouvelle fois l'idée de coexistence pacifique et en soulignant sa portée universelle, l'acte final de la conférence sur la sécurité et la coopération en Europe souligne aussi à plusieurs reprises le devoir des Etats de respecter les systèmes politiques, économiques et sociaux différents. C'est la condamnation de la théorie de la convergence (*supra*, p. 324).

Comme le souligne un auteur soviétique (*La Vie internationale*, avril 1977, p. 89) : « Les marxistes rejettent la théorie de la « convergence » qui interprète la coexistence pacifique et la détente comme la conciliation, comme la synthèse graduelle du capitalisme et du socialisme sur la base de la société « industrielle » ou « post-industrielle ». Les Etats socialistes poursuivent dans le cadre de la coexistence pacifique la lutte pour les objectifs que définit l'internationalisme prolétarien, mais par des moyens et des formes qui excluent la guerre, la confrontation militaire avec les Etats capitalistes ».

Si l'idéologie de la coexistence pacifique a ainsi une portée universelle, elle va dans le sens de la Charte des Nations Unies, qui est d'ailleurs antérieure à la proclamation officielle de la coexistence pacifique dans le traité sino-indien de 1954. Ceci avait été souligné par le Président Tito en 1955 dans un discours prononcé à l'Université de Rangoon. A cette occasion le Président Tito déclarait : « Les principes sur lesquels est fondée la politique de coexistence pacifique sont simples. Ces principes ont inspiré votre politique extérieure comme la nôtre bien avant que cette expression soit devenue à la mode. Ils sont aussi inscrits, ajoutait-il, dans la Charte des Nations Unies. » Donc, ce qui est nouveau, ce n'est peut-être pas tellement le contenu de cette idéologie, c'est la volonté proclamée de mettre fin à une politique diamétralement opposée qui caractérisait les relations internationales à partir de 1947, c'est-à-dire une politique et une idéologie de guerre froide. Ce qui est nouveau c'est la volonté de proclamer que l'on entend revenir à l'esprit profond de la Charte des Nations Unies en redonnant vigueur, en réanimant, en quelque sorte, les principes fondamentaux qui sont à la base de la Charte des Nations Unies et qu'on avait eu tendance à oublier, à reléguer au second plan dans la période qui avait suivi la seconde guerre mondiale. Les accord d'Helsinki ne font, en fait, sur beaucoup de points, que confirmer les principes de la charte de l'O.N.U.

Si l'on veut maintenant définir le contenu de l'idéologie, on peut dire qu'elle a deux aspects, comme l'idéologie du non-alignement : un aspect négatif et un aspect positif.

Négativement, on peut dire que l'idéologie de la coexistence pacifique implique que les Etats appartenant à des systèmes socio-économiques et politiques différents renoncent à se conquérir mutuellement en recourant, au besoin, à la lutte armée qui pourrait, si on n'y prend pas garde, devenir une lutte à échelle mondiale. Sur ce point les accords d'Helsinki condamnent la politique de force ou, de façon plus générale, la politique de violence sous toutes ses formes (*supra,* p. 306 et s.).

Cependant, il convient d'indiquer que les Chinois insistent sur le fait que la coexistence pacifique ne doit pas être destinée le moins du monde à maintenir en vie des systèmes politiques et socio-économiques condamnés par l'évolution de l'Histoire. A cet égard, ils font une distinction entre les Etats, plus précisément l'appareil d'Etat d'une part et les peuples d'autre part. Pour eux la politique et l'idéologie de coexistence pacifique s'appliquent dans les rapports entre les Etats considérés sous l'aspect « Appareil d'Etat », mais, d'un autre côté, la lutte de classes qui se développe au niveau des peuples eux-mêmes, soit à l'intérieur des Etats, soit à l'échelle internationale, ne doit pas être sacrifiée à la politique de coexistence pacifique. Au contraire, les Chinois iraient jusqu'à affirmer que c'est la politique de coexistence pacifique qui, à la limite, devrait être sacrifiée à la lutte pour la libération nationale. Sur ce point, il y a, sinon une divergence, du moins des nuances entre les positions de la Chine et celles de l'U.R.S.S., dans la mesure où celle-ci insiste beaucoup moins que ne le font les Chinois sur le recours à la lutte armée, estimant que favoriser systématiquement le recours à la lutte armée, même pour des motifs de libération nationale, peut compromettre les relations pacifiques entre les Etats eux-mêmes. Cette divergence résulte d'une analyse différente de la situation mondiale. Pour les soviétiques, la contradiction principale est celle qui oppose le socialisme et le capitalisme. Pour les Chinois c'est celle qui oppose « les pays révolutionnaires d'Asie, d'Afrique et d'Amérique et les impérialistes, qui ont les Etats-Unis à leur tête » (Lin Piao, *Vive la victorieuse guerre du peuple,* Ed. en langues étr., Pékin, 1968).

D'un point de vue positif, l'idéologie de coexistence pacifique implique quelque chose de plus. Il ne s'agit pas simplement d'une renonciation à se conquérir mutuellement par la force. Elle implique aussi que l'on recherche activement, et dans tous les domaines, une coopération étroite entre tous les Etats, même si ces Etats appartiennent à des systèmes politiques et socio-économiques différents. C'est ce que soulignait Krouchtchev dans une interview donnée à un journaliste du *New York Times* en 1961. A cette occasion il déclarait : « La coexistence pacifique suppose, en même temps qu'une normalisation des relations économiques, le développement de liens culturels, les échanges scientifiques, le développement du tourisme et d'autres rapports qui se nouent entre les hommes indépendamment de la structure sociale et politique des Etats. » Les accords d'Helsinki ne font que répéter cette idée en mettant l'accent sur la coopération dans tous les domaines (voir le texte de l'acte final).

En définitive, par conséquent, la coexistence pacifique n'est pas seulement, ou exclusivement, la volonté de ne pas recourir à la guerre, la volonté de maintenir la paix internationale, de régler pacifiquement les différends internationaux. C'est aussi, et peut-être surtout, dans la phase actuelle, la volonté de développer chaque jour davantage des relations de coopération sans lesquelles les fondements de la paix internationale ne pourraient être véritablement assurés. Selon la force avec laquelle cette volonté de coopération est affirmée, selon que cette volonté de coopération inspire plus ou moins les responsables des relations internationales, la coopération peut être plus ou moins active, toucher des domaines plus ou moins nombreux, plus ou moins variés des relations internationales, conduire à des résultats plus ou moins importants (*infra,* p. 458 et s.).

C. — L'INTERNATIONALISME

Comme l'idéologie du nationalisme, cette idéologie est équivoque et ambiguë. Il faut relever d'ailleurs que ces deux idéologies sont contemporaines du point de vue du vocabulaire. Le terme « internationalisme » apparaît en 1879 dans le Littré, tandis que celui de « nationalisme » figure en 1874 dans le grand dictionnaire universel de Pierre Larousse. Il y a donc une simultanéité dans l'apparition de ces deux idéologies.

Dans une certaine mesure, l'idéologie de l'internationalisme ne peut pas être séparée des différentes idéologies qu'on pourrait réunir sous le terme général de « pacifisme ». En fait, il y a un lien extrêmement étroit entre ces deux sortes d'idéologies. Le fait que l'internationalisme ait pu ainsi être rapproché du pacifisme montre bien que l'internationalisme peut aller dans le sens d'un développement harmonieux des relations internationales et être une idéologie fonctionnelle.

Depuis longtemps, il y a eu tout un courant, plus ou moins utopique, qu'on peut désigner sous le nom de « la paix par le droit » qui préconise une pacification de la société internationale par le développement du droit international et de l'organisation internationale (*supra, Les utopies mondialistes,* p. 69 et s.).

Mais il y a également un internationalisme économique, qui préconise une pacification de la société internationale par le moyen du développement économique. Cette forme d'internationalisme a été également associée au pacifisme de sorte qu'au courant de « la paix par le droit » correspond un courant parallèle de « la paix par le progrès économique ». En fait, ce courant de pensée fait apparaître deux tendances assez différentes.

Chez les économistes libéraux, on feint de croire que grâce à « l'harmonie économique » (c'est le titre d'un ouvrage d'un économiste français, Frédéric Bastiat, paru en 1850), la paix internationale pourra être facilement assurée. Aujourd'hui, cette idéologie trouve son expression dans l'affirmation que l'action des sociétés multinationales va dans le sens de la paix, parce que leur développement serait conditionné par le maintien de relations pacifiques entre les Etats (voir S. Pisar, « Nationalisme et sociétés multinationales ». *Diogène,* 1973, n° 3).

Pour les économistes marxistes, au contraire, la paix internationale ne peut pas résulter automatiquement et mécaniquement de l'internationalisation des relations économiques. Ils pensent que la cause fondamentale des guerres internationales réside dans les caractères inhérents au système capitaliste, qu'il y a un lien très étroit entre l'exploitation économique qui se manifeste à l'intérieur des Etats capitalistes et l'exploitation qui apparaît dans le rapports entre les Etats capitalistes et le reste du monde. Ceci veut dire que la disparition de l'exploitation à l'intérieur des Etats, dans les rapports entre les classes, devrait conduire à la paix internationale. C'est ce qui était exprimé dans le *Manifeste Communiste* où l'on trouve cette déclaration : « Au fur et à mesure que l'exploitation de l'individu par l'individu est abolie, l'exploitation d'une Nation par une autre est également abolie. Le jour où tombe l'antagonisme des classes au sein de la même Nation tombe également l'hostilité entre les Nations. » Mais, pour parvenir à ce résultat, les théoriciens marxistes pensent qu'on ne peut pas compter sur une sorte d'harmonie naturelle des intérêts.

Il faut entrer dans un processus révolutionnaire aboutissant à la destruction du capitalisme, non seulement à l'intérieur d'un pays déterminé, mais de façon beaucoup plus générale dans l'ensemble des Etats composant la société internationale. On aboutit alors à une autre signification de l'internationalisme, qui est celle de l'internationalisme prolétarien.

L'internationalisme prolétarien se manifeste sous deux aspects : d'une part, sous l'aspect de la solidarité entre les classes exploitées au-delà des frontières des Etats (*supra*, p. 237), et, d'autre part, sous l'aspect des relations entre les Etats socialistes. De ce second point de vue, qui est le seul qui nous intéresse ici, l'idéologie de l'internationalisme prolétarien ou de l'internationalisme socialiste, comme partie intégrante de l'internationalisme prolétarien, est affirmée comme une idéologie fondamentale. En 1961, Krouchtchev déclarait : « C'est beaucoup plus important, plus profond et plus complet que le principe de coexistence pacifique. » Un internationaliste soviétique, Korovine (*L'internationalisme prolétarien et le droit international*) abonde dans le même sens : « Le renforcement de l'internationalisme prolétarien représente aujourd'hui, dans chaque Etat socialiste, l'une des tâches les plus importantes dans le domaine de la politique extérieure, ce qui explique sa signification primordiale dans les relations internationales en général et le droit international en particulier. » Les Chinois acceptent naturellement l'internationalisme prolétarien, mais ce qu'ils repoussent énergiquement c'est que, sous le couvert de ce principe, s'établisse un chauvinisme de grande puissance. Internationalisme prolétarien ne saurait sigsifier négation de l'indépendance et de la souveraineté de l'Etat dans tous les domaines (*infra*).

Si cette idéologie est ainsi présentée comme fondamentale, quelle est sa signification ? On peut définir l'internationalisme prolétarien de façon négative, en essayant de préciser ce qu'il n'est pas (ou ne devrait pas être).

A première vue, il y a une opposition absolue entre le nationalisme et l'internationalisme. Cependant, les auteurs marxistes ne manquent pas de souligner qu'en fait ces deux idéologies, apparemment contradictoires et à première vue opposées, ne sont pas nécessairement incompatibles. Tout dépend, en définitive, de la signification que l'on donne à l'idéologie du nationalisme. Si le nationalisme veut dire égoïsme national, chauvinisme, exacerbation des sentiments d'attachement à un pays déterminé, alors le nationalisme est certainement incompatible avec l'internationalisme prolétarien. Celui-ci suppose en effet nécessairement un sentiment d'entraide, de solidarité, de fraternité entre les Etats socialistes. C'est ce qu'ont souligné constamment les conférences successives des P.C. Notamment, celle de 1957 proclamait que « l'entraide fraternelle... est l'expression effective du principe de l'internationalisme socialiste ». En revanche, si le nationalisme veut dire patriotisme, amour de la patrie, de la Nation à laquelle on appartient par les hasards de la naissance, alors il n'y a pas d'incompatibilité entre l'internationalisme et le nationalisme. Les Chinois eux-mêmes affirment que le nationalisme envisagé sous l'aspect sentimental du patriotisme doit même être encouragé et favorisé. Jaurès allait dans ce sens lorsqu'en 1911 il déclarait : « Un peu d'internationalisme éloigne de la patrie, beaucoup d'internationalisme y ramène. Un peu de patriotisme éloigne de l'Internationale, beaucoup de patriotisme y ramène. »

En définitive, il y a un équilibre, très délicat et très difficile à maintenir, entre ces deux idéologies différentes. Mais on ne peut pas dire qu'il y ait a priori et nécessairement une incompatibilité fondamentale entre elles.

Il y a, en revanche, une opposition fondamentale entre l'internationalisme et la volonté d'hégémonie d'une puissance quelconque. Nous l'avons vu, en parlant de l'hégémonie, qu'il y a un danger qui guette même les Etats socialistes, en particulier les Etats les plus avancés sur la voie du développement. Il est à craindre que tel ou tel Etat ne soit tenté de profiter de son avance sur le plan économique, technique ou militaire pour établir un contrôle sur d'autres Etats. Ceci est évidemment contraire à l'internationalisme prolétarien qui suppose le respect de la souveraineté et de l'égalité des pays considérés comme étant des pays frères et qui, pour cette raison, ne doivent pas être traités comme de simples appendices, voire même comme des colonies. Le danger à éviter est ce que les Chinois appellent le « chauvinisme de grande puissance ». Le Président Mao Ze Dong déclarait au 18e Congrès du Parti Communiste chinois : « Gardons-nous de ne jamais nourrir le moindre orgueil inspiré par le chauvinisme de grande puissance et de ne jamais devenir présomptueux par suite de notre triomphe ou de certains succès obtenu dans l'édification du socialisme. » C'est un aspect du problème auquel les conférences des P.C. deviennent également de plus en plus sensibles. Notamment en 1969, L. Brejnev s'éleva vigoureusement contre l'idée de souveraineté limitée, présentée par une certaine propagande comme une conséquence de l'internationalisme socialiste, identifié aux intérêts de l'U.R.S.S.

Si l'internationalisme est à l'opposé d'un certain nationalisme et de l'hégémonisme, il implique également, d'un point de vue positif, que les relations entre les Etats socialistes soient établies sur la base des avantages mutuels. En ce sens, on peut dire que l'internationalisme prolétarien implique nécessairement que ce qui est à l'avantage d'un Etat socialiste doit être également un avantage pour l'ensemble des

Etats socialistes et, inversement, ce qui est à l'avantage de l'ensemble des Etats socialistes doit être aussi à l'avantage de chacun de ces Etats composant le système socialiste.

BIBLIOGRAPHIE

Sur les idéologies à portée internationale, voir le recueil de textes : *Ideology and foreign affairs,* Harvard, 1960, et les deux recueils établis par M. MERLE : *L'anticolonialisme européen* (A. Colin, 1969) et *Pacifisme et internationalisme* (A. Colin).

Voir les réflexions d'A. GUILLOT-COLI dans son article : « Notes de voyage sur les idéologies en doctrine et en droit international », *Mélanges Burdeau,* Librairie gén. de Droit, 1977, p. 1091 et s.

Sur le colonialisme et le néo-colonialisme, voir notre *Droit d'Outre-Mer,* Editions Montchrestien, 1958-1960, 2 vol., et notre ouvrage sur *Les systèmes politiques africains,* 2 vol., Librairie générale de Droit, 1971-1974. Adde : MARX et ENGELS, *Textes sur le colonialisme,* Edition en langues étrangères, Moscou (s.d.). V. VAKHROUCHEV, ouvrage cité plus haut p. 156.

Sur l'anticommunisme, voir V. SOJAK, *Relations internationales de notre époque,* p. 209 et s. Les ouvrages de R. STRAUSZ-HUPE et la revue *Orbis* reflètent l'idéologie anticommuniste. En France, voir les ouvrages de R. ARON, très représentatifs de cette tendance (notamment son dernier ouvrage, très pesant (512 p.) : *Plaidoyer pour une Europe décadente.* Ed. Laffont, Paris, 1977.

Sur le nationalisme, voir :

— RENOUVIN et DUROSELLE, *Introduction à l'Histoire...,* p. 170-209 (bibliographie.

— HASSNER, « Nationalisme et relations internationales », *Revue française de Science politique,* 1965, p. 499-528.

— CARRÈRE D'ENCAUSSE, articles dans la *Revue française de Science politique,* en 1965 et 1969.

— MICHELET et THOMAS, *Dimensions du nationalisme,* A. Colin, 1966.

— Institut de sociologie Solvay, *Le nationalisme, facteur belligène,* Bruxelles, 1972.

Sur les nationalismes du Tiers Monde, voir notre cours de *Politique comparée du Tiers Monde* et notre ouvrage sur *Les systèmes politiques africains* (bibliographie).

Le point de vue marxiste est donné dans l'ouvrage de Lénine, *Questions de la politique nationale et de l'internationalisme prolétarien,* Editions du Progrès, Moscou, 1968.

Sur le non-alignement, voir l'ouvrage d'Ed. JOUVE, « Relations internationales du Tiers Monde » et notre ouvrage sur *Les systèmes politiques africains,* t. II (bibliographie).

Les résolutions de la conférence d'Alger ont été publiées par la SNEP (Alger). Voir l'article de CHATILLON dans l'*Annuaire du Tiers Monde,* 1975.

En langue anglaise, voir l'ouvrage publié par l'Institut yougoslave d'économie et de politique internationales : *Non-alignment in the World to-day,* Belgrade, 1969.

Sur la coexistence pacifique, voir :

— Ph. BRETTON et J. P. CHAUDET, *La coexistence pacifique,* Coll. U, 1971 (traite surtout de la politique).

— M. BETTATI, *Le conflit sino-soviétique,* Dossiers U2.

— LEVESQUE, « Le conflit sino-soviétique », *Que sais-je ?*

— TSIEN TCHE-HAO, *La République populaire de Chine,* Librairie générale de Droit, 1970, p. 96 et s. (bibliographie) et « La Chine », Coll. « Comment ils sont gouvernés », *L.G.D.J.,* 1976.

— TUNKIN, *op. cit.*

— E. MC WHINNEY, *Le concept soviétique de coexistence pacifique,* Cours à l'Académie de D.I. de La Haye, 1963.

Sur l'internationalisme en général, voir *L'histoire de l'internationalisme,* 2 vol., P.U.F., 1954 et 1963, ainsi que la revue *La Vie internationale,* avril 1977, p. 64 à 112.

Sur l'internationalisme prolétarien, voir *Principes du marxisme-léninisme* et, pour le point de vue chinois, TSIEN, *op. cit.,* p. 88 et s., ainsi que Cath. QUIMINAL, *La politique extérieure de la Chine,* Maspero, 1975.

CHAPITRE III

LES CHOIX POLITIQUES

Notre propos n'est pas de faire une étude exhaustive du problème, mais de présenter quelques éléments de réflexion sur deux questions, à propos desquelles règne une certaine confusion. Toute action suppose des choix. A deux niveaux : celui des objectifs à atteindre (stratégie) et celui des moyens à mettre en œuvre pour y parvenir (tactique).

Stratégie et tactique sont deux aspects fondamentaux de la politique en général et de la politique internationale en particulier. La complexité des relations internationales vient précisément du fait que les acteurs internationaux ont rarement des stratégies et des tactiques compatibles les unes avec les autres, c'est-à-dire concordantes, ou du moins complémentaires. En fait elles sont le plus souvent contradictoires, ce qui peut donner naissance à des conflits (*infra,* p. 420 et s.).

Ceci implique qu'au même titre que les règles du jeu international et les idéologies les stratégies et les tactiques conditionnent étroitement l'action internationale.

Après avoir précisé les concepts, nous verrons selon quel processus les acteurs internationaux font un choix entre les différentes stratégies et tactiques qui s'offrent à eux pour guider leur action sur le plan international, ce qui soulève le problème de la décision.

SECTION I

STRATEGIES ET TACTIQUES

Dans le domaine militaire, la signification de ces deux termes — stratégie et tactique — a été précisée par Karl von Clausevitz. Dans son ouvrage consacré à la guerre, Clausevitz, envisageant le problème d'un point de vue pédagogique, écrit : « La tactique est l'*enseignement* de l'emploi des forces armées dans le combat. La stratégie, l'*enseignement* de l'emploi des combats en fonction du but de la guerre. » Du domaine militaire, ces termes — et surtout le terme de « stratégie » qui semble exercer une sorte de fascination — sont passés dans le domaine des sciences sociales, où les auteurs et les hommes politiques les emploient à tout propos et hors de propos, avec des significations différentes.

A. — Les conceptions de R. Aron : diplomatie et stratégie

Raymond Aron emploie le terme de « stratégie » en l'opposant au terme « diplomatie ». La stratégie désigne « la conduite d'ensemble des opérations militaires » et la diplomatie « la conduite du commerce avec les autres unités politiques, l'art de convaincre sans employer la force ». Dans son article sur « l'évolution de la pensée stratégique », il précise : « Par stratégie j'entendrai l'action dans les cas où les règles effectivement observées n'excluent pas le recours à la *force armée.* »

Aron fait ainsi une confusion entre la stratégie (au sens d'objectifs) d'une part et les moyens qui sont utilisés par les acteurs internationaux pour réaliser leur politique, les uns pouvant inclure le recours à la force armée, les autres étant exclusifs du recours à la contrainte physique (diplomatie). Si Raymond Aron assimile ainsi le terme de stratégie à l'utilisation des moyens de contrainte matérielle, c'est qu'il entend distinguer la stratégie, comme d'ailleurs la diplomatie, d'un phénomène beaucoup plus général qui est la politique, stratégie et diplomatie (au sens où il les entend) étant, selon lui, subordonnées à la politique, c'est-à-dire à « la conception que la collectivité ou que ceux qui en sont responsables, se font, de l'intérêt national ».

La conception de Raymond Aron est directement liée à l'idée qu'il se fait de la société internationale, dominée par la possibilité, pour les Etats, de recourir à tout instant à la force armée (*supra*, p. 38). Ceci conduit Raymond Aron à souligner que stratégie et diplomatie peuvent être employées indifféremment en temps de paix comme en temps de guerre. « En temps de paix, écrit-il, la politique se sert des moyens diplomatiques sans exclure le recours aux armes, au moins à titre de menace, et inversement en temps de guerre, la politique ne donne pas congé à la diplomatie, c'est-à-dire à l'utili-
les Etats, de recourir à tout instant à la force armée (*supra*, p. 38).

Ainsi, R. Aron, tout en élargissant le domaine d'application de la stratégie, lui conserve une signification proche de ses origines, puisqu'elle implique l'utilisation éventuelle de moyens militaires.

Nous ne retiendrons pas cette conception pour deux raisons.

D'abord, comme nous l'avons vu, les Etats ne sont pas les seuls éléments composants de la société internationale. Il y a d'autres acteurs internationaux, notamment les O.I. Par suite, si l'on veut utiliser le concept de stratégie, on voit mal comment de concept — tel qu'il est entendu par R. Aron — pourrait être opérationnel dans le cas des O.I. En effet les O.I. sont, en général, dépourvues de forces armées propres. Dans la mesure où on estime qu'il est possible de définir une stratégie des O.I., on ne peut donc pas donner au terme de « stratégie » la signification que lui attribue Raymond Aron.

Ce qui est vrai pour les organisations internationales est aussi vrai pour les autres acteurs internationaux. Nous avons vu qu'il y a des groupements privés à dimension internationale, tels que les grandes centrales syndicales mondiales ou régionales ou les sociétés multinationales. Or, ils ont leur propre stratégie, bien que, en règle générale, ils ne disposent pas de la force armée.

Une deuxième raison, pour laquelle nous rejetons la définition de Raymond Aron, est qu'il est artificiel d'établir une distinction entre la stratégie et le politique. En fait il y a des liens extrêmement étroits entre elles. La stratégie n'est qu'une des faces de la politique et non un moyen mis au service de la politique. **Par stratégie, nous entendons les objectifs choisis et poursuivis par les acteurs internationaux.** La définition d'objectifs constitue l'élément premier de l'action politique. On ne peut pas concevoir qu'il y ait une action politique quelconque si, au préalable, ceux qui s'engagent dans cette action n'ont pas défini les objectifs vers lesquels ils tendent, les résultats auxquels ils veulent parvenir. De ce point de vue, la stratégie n'est que la finalité d'une certaine politique.

Ceci veut dire que, contrairement à ce qu'affirme le Général Beauffre, qui a consacré de nombreux ouvrages et articles à la stratégie et qui dirige la revue *Stratégie*, la stratégie ne peut pas être neutre. Elle est fonction de la politique qui la sous-tend, une politique qui est soit une politique progressiste, soit une politique réactionnaire ou conservatrice. Ceci veut dire que la stratégie peut aller dans le sens de l'Histoire, dans le sens de l'évolution des sociétés humaines, et dans ce cas elle est progressiste. Mais elle peut également tourner le dos à l'Histoire, et dans ce cas la stratégie a un caractère réactionnaire ou conservateur. Autrement dit la stratégie est toujours engagée, politiquement, dans un sens déterminé.

La définition que nous donnons du terme « stratégie » peut paraître simple puisqu'elle se réfère essentiellement aux objectifs, aux buts de l'action internationale. Cependant, au-delà de sa simplicité apparente, elle est, en fait, extrêmement complexe. Si on veut essayer d'approfondir un peu la notion de stratégie, il est en effet nécessaire de faire appel à des facteurs supplémentaires.

B. — Le facteur « temps ».

D'abord, on ne peut pas faire abstraction du *facteur « temps »* parce que tout acteur international, lorsqu'il définit sa stratégie, prend en considération la période de temps au cours de laquelle il entend réaliser ses objectifs. Cette considération conduit l'observateur des relations internationales à distinguer trois catégories d'objectifs selon qu'il envisage le long terme, le moyen terme ou le court terme, ou, de façon plus simple, les objectifs plus ou moins lointains et les objectifs immédiats.

C'est ainsi qu'il n'est pas douteux que l'objectif de tous les Etats socialistes est l'instauration du socialisme, puis du communisme, dans le monde. Cet objectif est d'autant plus volontiers affirmé qu'il va dans le sens de l'histoire, qu'il est conforme à la ligne générale d'évolution des sociétés humaines et au principe de l'internationalisme prolétarien. Mais, ceci dit, dans la conception soviétique, l'analyse des situations concrètes établirait que cet objectif n'est pas partout et immédiatement réalisable, car les conditions (objectives et subjectives) de passage du capitalisme au socialisme n'existent pas partout. Reprenant une idée développée par Lénine, L. Brejnev soulignait lors du

XXVᵉ Congrès du P.C.U.S., en 1976, que « toute révolution est *avant tout* le résultat logique du développement interne d'une société donnée », l'aboutissement d'une contradiction surmontée. Par la force des choses, l'instauration du socialisme dans le monde devient un objectif lointain, un objectif à long terme, sans qu'on puisse préciser à quel moment la conversion des Etats capitalistes au socialisme pourra être réalisée. Pour la période actuelle, il y a un objectif plus immédiat : la lutte pour la paix. Les Soviétiques pensent que, si la guerre mondiale peut être évitée, la victoire du camp socialiste est assurée. Il y a ainsi un lien entre l'objectif lointain et l'objectif immédiat. La réalisation de l'un, c'est-à-dire la paix internationale, est, dans la conception soviétique, la condition de la réalisation de l'autre, c'est-à-dire l'instauration du socialisme dans le monde.

Dans l'exemple choisi, il n'y a pas d'incompatibilité entre l'objectif immédiat et l'objectif à long terme. Mais il peut se faire également qu'il y ait une incompatibilité entre les objectifs envisagés dans le temps, ce qui nécessite un choix. Va-t-on s'attacher aux objectifs immédiats ou aux objectifs lointains ? C'est ainsi que sur le plan économique on peut considérer que la croissance illimitée est un objectif, après tout, souhaitable, et même parfaitement rationnel, qu'on envisage cet objectif à l'échelle des Etats ou à l'échelle des grandes unités économiques. Or, aujourd'hui, on s'aperçoit soudainement que la réalisation de cet objectif à long terme peut présenter des inconvénients très graves : pollution, atteintes à l'environnement, etc. La croissance illimitée entre en conflit avec des objectifs plus immédiats, relatifs au bonheur des hommes. Cette incompatibilité conduit certains à lancer le cri de « Halte à la croissance » (1). Cet exemple montre, par conséquent, qu'il peut y avoir une incompatibilité entre les objectifs à long terme et les objectifs plus immédiats, ce qui impose un choix.

Le facteur « temps » intervient également à un autre titre, dans la mesure où la définition d'une stratégie est fonction des situations concrètes telles qu'elles existent à un moment déterminé ou telles qu'on peut prévoir qu'elles existeront, dans un avenir plus ou moins lointain, ce qui relève de la prospective. Or, les conditions concrètes se modifiant avec le temps, la stratégie elle-même doit changer.

(1) Titre de la traduction française d'un ouvrage collectif *The limits of growth.* Voir la critique de C. KAYSEN dans la revue *Informations et documents,* mars 1973. Voir aussi la revue *Diogène,* 1973, nº 3.

Ainsi, dans les pays du Tiers Monde, pendant une certaine période, l'objectif principal était d'accéder soit immédiatement à l'indépendance, soit, selon un processus progressif, d'abord à l'autonomie politique, plus ou moins large, puis à l'indépendance. Mais une fois que la souveraineté internationale a été reconquise, l'objectif change nécessairement. Le pays colonisé, devenu un Etat souverain, doit déterminer quel est son objectif principal. En fonction de la politique suivie par l'Etat, ou bien l'objectif principal est la croissance économique, qu'il ne faut pas confondre avec le développement, ou bien l'objectif principal est de réaliser l'indépendance réelle, ce qui est tout autre chose. Dans ce dernier cas, il faudra peut-être sacrifier la croissance économique immédiate et rapide à la réalisation de l'objectif considéré comme principal, c'est-à-dire l'indépendance réelle.

La prise en considération du facteur « temps » implique aussi qu'il faut faire une distinction entre les objectifs temporaires et les objectifs permanents. On peut, en effet, se demander si, au-delà des objectifs temporaires, qui varient selon la période considérée, il n'y a pas des objectifs qui ne changent pas, des objectifs éternels.

C'est ainsi que pour une société multinationale, l'objectif permanent pourrait être l'expansion, considérée sous son double aspect, c'est-à-dire sous l'aspect de l'accroissement constant de la dimension de l'entreprise et sous l'aspect de l'accroissement des produits ou du volume des affaires. Ceci expliquerait le phénomène de concentration des entreprises, non seulement sur le plan national, mais également sur le plan international, l'apparition d'entreprises géantes, qui tendent sans cesse, comme des pieuvres fantastiques, à étendre leurs tentacules sur toute la surface du globe terrestre (*supra,* p. 247 et s.).

De même pour un Etat, un objectif permanent pourrait être d'assurer sa survie et de préserver sa propre identité en la défendant contre les atteintes venues soit de l'intérieur, soit de l'extérieur. Des objectifs de ce genre sont des objectifs vitaux (1), car si leur réalisation n'était pas assurée l'Etat disparaîtrait de la scène internationale.

Le facteur « temps » introduit déjà une certaine complexité, puisqu'il conduit à distinguer les objectifs des acteurs internationaux en fonction de la période au cours de laquelle ils entendent les réaliser (objectif à long, moyen et court terme), en fonction de la conjoncture et en fonction de leur permanence.

(1) Voir le chapitre III de *Paix et guerre entre les nations,* p. 82 et s.

C. — Espace et stratégie.

En dehors du facteur « temps », il faut tenir compte du facteur territorial, c'est-à-dire des relations entre l'espace et la stratégie. De ce point de vue, les objectifs des acteurs internationaux varient en importance et en qualité selon qu'il s'agit d'objectifs mondiaux, c'est-à-dire des objectifs qui s'appliquent à l'ensemble des relations internationales, quels que soient les acteurs impliqués dans ces relations, d'objectifs régionaux, qui ne s'appliquent qu'à une portion plus ou moins grande de la planète, ou d'objectifs de portée plus réduite, qui ne concernent qu'un Etat, voire une portion de cet Etat.

Une stratégie cohérente supposerait qu'à ces différents niveaux, dans une perspective verticale, il y ait une certaine harmonie des objectifs. En fait, il est beaucoup plus fréquent, qu'il y ait des contradictions entre ces différents objectifs. Ceci implique, par conséquent, que les acteurs internationaux fassent un choix, au moins sur une période de temps considérée, du fait même qu'en raison de l'incompatibilité des différents objectifs il n'est pas possible de les réaliser simultanément.

C'est ainsi qu'au niveau de la petite Europe, l'Europe communautaire, l'objectif à long terme est d'aboutir à une intégration politique des Etats européens, quelle que soit la forme sous laquelle cette intégration politique se réalisera : fusion, Confédération d'Etats, comme le souhaitait le Président Pompidou ou union d'Etats (*infra,* p. 515 et s.).

Mais si nous quittons le niveau européen et si nous nous plaçons à un niveau plus élevé, celui du système atlantique, l'objectif est différent, car il n'est pas pensable que, dans l'état actuel des choses, on puisse songer à une intégration politique des Etats capitalistes, même sous la forme d'une Confédération d'Etats. L'objectif est plus modeste. Il s'agit de maintenir la cohésion, l'unité des Etats capitalistes dans le cadre du mode de production capitaliste et d'un certain nombre de valeurs communes de civilisation. Ceci explique le projet de nouvelle « Charte Atlantique », lancé par H. Kissinger en 1973. La poursuite simultanée de ces deux sortes d'objectifs risque de faire apparaître des contradictions dans la mesure où l'émergence, souhaitée, d'une superpuissance européenne risquerait de menacer l'hégémonie des Etats-Unis d'Amérique. C'est ce que constatait H. Kissinger : « Les Etats-Unis ont des intérêts et des responsabilités à l'échelle du monde. Leurs alliés européens sont sensibles à des intérêts régionaux. Les uns et les autres ne sont pas nécessairement en conflit, mais dans cette nouvelle ère ils ne sont pas non plus automatiquement identiques. »

Etudiant ce problème, Johan Galtung fait des prédictions sinistres. Il pose la question de savoir ce qui se passerait au cas où effectivement les Etats européens étant devenus une superpuissance, l'hégémonie des Etats-Unis serait mise en cause : « Comment les Etats-Unis réagiraient-ils si, et quand, les entreprises européennes surpassaient les entreprises américaines dans les deux forteresses de l'hégémonie commerciale des Etats-Unis ? » (il s'agit de la forteresse Europe et de la forteresse du sud-est asiatique). « Les Etats-Unis enverront-ils les « Marines » ? Non, à moins que l'expropriation brutale, prenant des formes plus subtiles, des entreprises américaines, aient lieu après une victoire électorale en Italie ou en France, auquel cas, un plan prométhéen, semblable à celui appliqué en Grèce en 1967, serait une possibilité. »

Ceci relève de la futurologie, mais l'intérêt de l'ouvrage de Galtung est de montrer qu'il peut y avoir une certaine contradiction entre l'objectif poursuivi par les Etats européens (l'intégration politique) et cet objectif plus vaste qui est la préservation de l'unité du monde occidental.

De même l'Organisation des Nations Unies s'est efforcée de définir une « stratégie du développement » (à moyen terme, puisquelle se développe sur une dizaine d'années. D'où le nom de « décennie du développement »). Elle a défini les objectifs généraux de l'O.N.U. à l'égard des Etats du Tiers Monde. Cette stratégie a été acceptée par tous les Etats-membres de l'O.N.U. puisque les objectifs de la deuxième décennie ont été adoptés sans aucune opposition. Il y a donc un consensus général sur cette stratégie du développement. Mais, d'un autre côté, si l'on prend un Etat comme la France, il est évident qu'il a aussi, dans le cadre de cette stratégie définie par l'O.N.U., sa propre stratégie, qu'il applique dans ses rapports avec tel ou tel Etat du Tiers Monde. On peut trouver l'expression de cette stratégie, par exemple, dans le rapport Jeanneney, dans le rapport Gorse qui, à la différence du précédent, n'a pas fait l'objet d'une publication, et dans le rapport Abelin.

Enfin, un dernier élément de complexité vient de la coexistence d'une multiplicité d'acteurs internationaux qui peuvent avoir (et ont effectivement) des stratégies différentes. Le problème est très apparent dans le cas des sociétés multinationales qui entretiennent des rapports avec l'Etat d'origine et l'Etat d'implantation. A priori, il n'est pas du tout évident que ces deux sortes d'acteurs internationaux aient la même stratégie. Il peut y avoir une divergence dans les stratégies poursuivies par l'un ou l'autre de ces Etats et par une société multinationale (*supra*, p. 254 et s.).

D. — Les difficultés d'étude des stratégies.

Ces quelques observations relatives à la stratégie montrent la complexité du problème. Elle tient, non seulement au nombre considérable d'acteurs internationaux, qui ont tous leur propre stratégie, mais également au fait que pour un même acteur international, la stratégie adoptée comporte une multiplicité d'objectifs qui peuvent varier selon le domaine considéré, selon l'époque et selon leur champ d'application géographique. Dans ces conditions, il peut y avoir (et il y a effectivement) des conflits entre les objectifs ainsi définis, soit par l'ensemble des acteurs internationaux, soit par un même acteur international.

Le problème de la stratégie est encore rendu difficile par le fait que l'observateur extérieur ne peut pas toujours discerner quels sont les objectifs réels des acteurs internationaux, parce que ces objectifs ne sont pas toujours exprimés clairement, et, quand ils le sont, le discours ne correspond pas toujours à la réalité. Il faut donc essayer de discerner le vrai du faux, de distinguer les objectifs apparents qui relèvent du discours et les objectifs réellement poursuivis. En fait, bien souvent les objectifs ne peuvent être découverts qu'après coup. Il s'agit d'un travail d'historien.

Cependant, il est absolument essentiel de procéder dans le présent à la recherche des stratégies des acteurs internationaux pour deux raisons. D'abord « si on ne s'interroge pas sur le choix d'objectifs des acteurs, on risque d'opérer dans une ambiance d'une telle abstraction que rien n'est révélé si ce n'est le squelette le plus nu du monde réel de la politique internationale » (Wolfers, *The goals of foreign policy*). Cette recherche est d'autant plus difficile qu'on a affaire à des G.P.D.I. qui, par définition, en raison du secret des affaires, ont tendance à pratiquer une diplomatie secrète. Mais la stratégie des Etats elle-même est rarement déployée sur la place publique, et, en tout cas, elle n'est pas toujours transparente.

Cela présente un inconvénient, qui n'est plus d'ordre théorique pour le chercheur, mais d'ordre pratique. Si les acteurs internationaux ne savent pas quelles sont leurs stratégies mutuelles, ils risquent de commettre des erreurs, qui conduisent à des méprises très graves et qui peuvent même éventuellement contribuer à entretenir la tension internationale. C'est ainsi, par exemple, que si les Etats capitalistes pensent que la stratégie des Etats socialistes est une stratégie de guerre et que, en particulier dans le domaine nucléaire, le but de l'U.R.S.S. est de disposer d'une supériorité telle qu'elle pourrait détruire les Etats capitalistes, il est évident que la croyance, réelle ou feinte, dans l'existence d'une telle stratégie peut conduire les Etats capitalistes à adopter eux-mêmes des stratégies agressives.

E. — Liens et différences entre la stratégie et la tactique.

Par opposition à la stratégie, **la tactique concerne les moyens et les méthodes utilisés par les acteurs internationaux pour réaliser leurs objectifs.** Entre la stratégie et la tactique, il y a donc toute la différence qu'il y a entre la fin et les moyens.

Cela dit, il n'y a cependant pas une séparation tranchée entre la stratégie et la tactique.

En effet, d'abord on peut faire observer que ce qui relève de la stratégie, à un moment donné de l'évolution, peut dans une phase ultérieure devenir un moyen au service d'une autre stratégie. C'est ainsi qu'un pays colonisé a pour objectif, et par conséquent comme stratégie, d'obtenir la reconnaissance de sa souveraineté internationale, de devenir un Etat au sens international du terme. Pour mettre en œuvre cette stratégie, il va adopter une tactique, utiliser un certain nombre de moyens (pacifiques ou violents). Mais lorsque l'objectif poursuivi aura été réalisé, il va se transformer en moyen, dans la mesure où le pays colonisé qiu a accédé à l'indépendance va utiliser sa souveraineté internationale pour réaliser d'autres objectifs, qui varient selon la politique du nouvel Etat.

De même, l'intégration européenne, en tant qu'objectif, relève d'une stratégie qui suppose la mise en œuvre d'un certain nombre de moyens, à la fois juridiques et politiques. Mais si l'on suppose que cet objectif soit un jour réalisé, alors cet objectif réalisé, c'est-à-dire l'union politique, va à son tour devenir un moyen au service d'une stratégie nouvelle.

En second lieu, le choix d'une tactique dépend, dans une certaine mesure, de la stratégie. Par exemple, si la stratégie du développement à l'égard des Etats du Tiers Monde est réellement de les aider à résoudre leurs problèmes et de faire disparaître les conséquences de siècles ou de décennies de domination, une telle stratégie exclut l'adoption d'une tactique, qui conduirait, en fait, à maintenir ou même à aggraver les conséquences qui résultent de ces siècles ou de ces décennies de domination (subversion, interventions directes ou indirectes, corruption, etc...).

De même, si l'objectif immédiat des Etats socialistes est de maintenir la paix internationale, il est inconcevable qu'ils recourent à une tactique qui aurait pour conséquence d'entretenir la tension internationale et, peut-être, de conduire le monde sur le chemin de la guerre. De façon générale, par conséquent, on peut dire qu'il y a un rapport dialectique entre les objectifs réels des acteurs internationaux et la tactique qu'ils mettent en œuvre.

Ceci dit, s'il y a un lien entre la stratégie et la tactique, il est cependant nécessaire de les distinguer. En effet, une même stratégie peut être réalisée par des moyens différents, ce qui suppose qu'on fasse un choix entre ces moyens.

Par exemple, Soviétiques et Chinois sont au moins d'accord sur un point, à savoir l'objectif à long terme, qui est d'assurer la victoire du socialisme dans le monde. Cependant, dans le cadre de cette stratégie commune, les tactiques sont différentes, du fait que Chinois et Soviétiques n'analysent pas de la même façon la situation internationale.

La conviction des Soviétiques est que les progrès réalisés dans tous les domaines par les Etats socialistes contraignent les Etats capitalistes à renoncer désormais à l'emploi de la force et à mettre en œuvre des politiques telles que celles qui avaient eu cours pendant la période de guerre froide. Pour les Soviétiques, il y aurait une relation dialectique entre la force acquise par les Etats socialistes et l'idéologie de coexistence pacifique, en ce sens que la force des Etats socialistes rend possible aujourd'hui la coexistence pacifique, tandis qu'à son tour la mise en œuvre d'une politique de coexistence pacifique doit contribuer à renforcer encore davantage les Etats socialistes. Dans la mesure où cette politique conduirait, sinon à un désarmement total, du moins à une limitation des armements, il est évident que les Etats socialistes pourraient alors se consacrer au développement économique, ce qui aurait pour conséquence d'accroître encore davantage leur puissance économique.

Pour les Chinois, au contraire, la contradiction la plus fondamentale à l'époque actuelle est la contradiction entre l'impérialisme des Etats capitalistes, et même le social-impérialisme, c'est-à-dire l'impérialisme de l'U.R.S.S., d'une part et d'autre part les peuples opprimés, c'est-à-dire essentiellement les peuples du Tiers Monde (*supra*, p. 152). Selon les Chinois, « c'est dans les vastes régions d'Asie, d'Afrique et d'Amérique latine, que convergent les différentes contradictions du monde contemporain, que la domination impérialiste est la plus faible, et elles constituent aujourd'hui la principale zone des tempêtes de la révolution mondiale qui assène des coups directs à l'impérialisme ». C'est pourquoi l'avenir de la gauche révolutionnaire du prolétariat international dépend en définitive de la lutte révolutionnaire menée par les peuples de ces régions qui constituent l'écrasante majorité de la population mondiale.

Si telle est la contradiction fondamentale, on comprend que ce qui est privilégié, ce n'est pas la mise en œuvre de moyens pacifiques, mais, au contraire, le recours à la lutte armée. Selon la déclaration faite par Mao Ze Dong le 20 mai 1970, le recours à la lutte armée doit en définitive jouer, « sinon un rôle exclusif, du moins un rôle extrêmement important, voire prépondérant ». Un pays faible, disait-il, est à même de vaincre un pays fort, et un petit pays de vaincre un grand pays. Le peuple d'un petit pays triomphera à coup sûr de l'agression d'un grand pays s'il ose se dresser pour la lutte, recourir aux armes et prendre en main le destin de son pays. C'est là une loi de l'histoire. »

Il y a donc un contraste entre l'attitude soviétique et l'attitude chinoise. Pour les Soviétiques, étant donné les dangers que fait courir à l'humanité la possession par un certain nombre d'Etats de l'arme nucléaire, il est périlleux de s'engager sur le chemin de la lutte armée, car même si cette lutte armée est circonscrite à un point déterminé du globe, rien ne garantit qu'on ne pratiquera pas l'escalade, ce qui pourrait transformer un conflit armé local en véritable conflit mondial, au cours duquel il n'est pas exclu que l'un des antagonistes décide de recourir à l'arme suprême, c'est-à-dire à l'arme nucléaire.

Les Chinois pensent, au contraire, que les pays du Tiers Monde ne doivent pas s'alarmer devant la possession par les grandes puissances de l'arme nucléaire. Il s'agit là, en définitive, d'un tigre de papier, même s'il a des « dents nucléaires », et il peut être facilement vaincu si les peuples du Tiers Monde décident de s'engager dans la voie d'une guerre révolutionnaire. Mais les peuples opprimés doivent compter d'abord sur leurs propres forces, donc s'appuyer sur les masses, mobiliser les masses. « Sans armée populaire, le peuple n'a rien » (Mao Ze-Dong). Autrement dit, « la révolution ne s'importe pas. Mais cela n'exclut pas le soutien entre les peuples révolutionnaires » (Lin Piao, *Vive la victorieuse guerre du peuple*).

BIBLIOGRAPHIE

Sur la stratégie, les ouvrages demeurent marqués par le point de vue militaire. Voir :

— R. Aron, « *Remarques sur l'évolution de la pensée stratégique* », Etudes politiques, p. 530 et s.

— Général Beauffre, *Stratégie de l'action,* A. Colin, 1966.

— La revue *Stratégie.*

Voir aussi Charney, *Stratégies et méta-stratégie.* Champ libre, 1973, et ses articles dans la revue *Stratégie.*

Sur la stratégie de l'entreprise multinationale, voir l'ouvrage de M. S. Brooke et L. Remmers, *Fondements de l'économie mondiale,* Sirey, 1973.

SECTION II

LE PROBLEME DE LA DECISION

La complexité de la notion de stratégie et la multiplicité des moyens utilisables pour mettre en œuvre une stratégie déterminée place les acteurs internationaux devant la nécessité inévitable de faire des choix, soit entre les objectifs possibles et souhaitables, soit entre les moyens qui permettent de réaliser ces objectifs, à moins qu'ils ne se résignent à se laisser porter par des événements, ou qu'on suppose que l'action internationale est, dans une large mesure, irrationnelle. Sans doute, on ne peut pas exclure totalement du processus de la décision un certain degré d'irrationalité. Mais, fort heureusement, les acteurs internationaux sont généralement mûs par une certaine logique.

Ce problème est un des plus complexes qui soit. Bien qu'on ait essayé d'imaginer des théories, qui font parfois appel à la logique mathématique, on ne peut pas dire que le problème de la décision ait été parfaitement élucidé.

A. — Les aspects du problème.

En fait, il faut tenir compte de deux sortes d'aspects.

Il y a, d'abord, des aspects juridiques, qui sont les plus faciles et sur lesquels nous reviendrons en étudiant les instruments des relations internationales (*infra,* p. 362). Ces aspects juridiques concernent essentiellement la question de savoir qui est le personnage (ou le groupement d'individus) investi juridiquement du pouvoir de décision. C'est un problème relativement facile à résoudre. Il suffit d'interroger les textes pour savoir qui, depuis le stade de l'initiative jusqu'au moment du résultat, a qualité pour agir. Encore faut-il tenir compte de la pratique politique.

Mais, à côté de ces aspects juridiques, il y a également des aspects sociologiques qui sont beaucoup plus difficiles à analyser. En fait, on en est réduit à des hypothèses, même si on prétend employer un appareil scientifique (ou pseudo-scientifique) pour essayer d'aborder ces aspects sociologiques. Il faut s'interroger sur le point de savoir où se trouve le siège réel, et non plus juridique, de la décision. Telle personne investie par le Droit du pouvoir de rendre une décision déterminée est-elle réellement celle qui, par sa seule volonté, en toute liberté et en toute indépendance, a pris cette décision ? Par exemple, pour les Etats du Tiers Monde, compte tenu de leur souveraineté, les autorités nationales ont le pouvoir de décider. C'est le point de vue juridique. Dans la réalité, qui prend réellement la décision ? Le chef de l'Etat ou l'expert de l'assistance technique placé à ses côtés ? Le chef de l'Etat ou un autre personnage situé dans un autre Etat et qui lui dicte ses décisions, même si formellement le chef d'Etat signe la décision ?

A supposer que l'autorité juridiquement investie de la décision soit réellement celle qui a pris la décision, quelles sont les influences qui se sont exercées sur « le décideur » ?

Et puis, compte tenu de ces influences, parfois difficiles à repérer, à mettre en évidence et à évaluer, quels sont les motifs qui ont poussé le décideur à prendre telle ou telle décision plutôt que telle autre ? Quels sont, par exemple, les motifs qui avaient poussé le Président Bourguiba, qui, il n'y a pas si longtemps, considérait la fusion de la Libye et de la Tunisie comme une chimère, à prendre la décision d'accepter cette fusion, puis, ensuite, de la refuser.

Enfin, on pourrait également se demander, en présence de telle ou telle décision, quel est le degré de rationalité ou, au contraire, d'irrationalité qui caractérise cette décision.

Pour répondre à des questions de ce genre, dont l'énumération n'est pas limitative, on peut procéder de différentes façons, selon différentes méthodes.

B. — LES MÉTHODES EMPIRIQUES.

On peut se placer sur un *plan purement descriptif*. Il s'agira alors de procéder à des observations en utilisant les méthodes habituelles des sciences sociales. Dans cette perspective descriptive, il y a deux voies possibles.

On peut d'abord étudier des cas concrets, ce qui est évidemment plus facile que de théoriser. Il y a effectivement un certain nombre d'études de ce genre. On a, par exemple, étudié la crise cubaine de 1962. On a essayé de rechercher pourquoi l'U.R.S.S. avait pris la décision d'installer des fusées à tête nucléaire sur le territoire cubain ou pouquoi le Président Kennedy avait pris la décision d'intervenir. Il est évident que le nombre d'études de ce genre est incalculable. Elles sont utiles, car elles permettent de vérifier des hypothèses théoriques. Elles sont l'équivalent des expériences de laboratoire.

On peut également essayer de s'élever du particulier au général, en utilisant un cadre dans lequel on fait entrer les phénomènes observés. C'est ce qu'a fait Snyder qui a consacré un ouvrage au processus de décision en matière de politique étrangère. Il a essayé de réunir tous les facteurs qui entrent en ligne de compte dans le processus de la décision, de façon à ce que l'observateur soit sûr de ne pas laisser un élément important de côté.

Cette première approche descriptive a un avantage. Elle permet de réunir toutes les données concrètes et, lorsqu'on adopte un schéma comme celui de Snyder, de présenter une vue ordonnée du problème. Elle a cependant un inconvénient. Elle ne fournit pas, et n'ambitionne pas d'ailleurs de fournir, un système d'explication.

C. — LES MÉTHODES EXPLICATIVES.

Certains auteurs ont voulu aller un peu plus loin. En particulier, Karl Deutsch a proposé, dans son ouvrage intitulé *The analysis of international relations,* un modèle explicatif. Ce modèle fait appel à la fois à l'analyse systémique (*supra*) et à la cybernétique, ce qui semble lui conférer un caractère scientifique. L'appel à la cybernétique part de l'idée que le cerveau humain et un ordinateur auraient des points communs. L'un et l'autre reçoivent et envoient des messages, emmagasinent et reproduisent des données, ont une mémoire, se souviennent de faits et de formules. A partir de là, et en situant le problème de la décision dans le cadre de l'Etat, on compare l'Etat à un navire qui est, bien entendu, conduit par un capitaine, mais un capitaine qui ne se tient plus à la barre du navire, comme au bon vieux temps de la navigation à la voile, mais qui utilise des procédés de guidage perfectionnés. L'électronique permet de déterminer la position du navire à tout instant, d'ajuster sa course en fonction de la dérive et même d'éviter les obstacles qui apparaissent sur l'écran du radar. Bref, l'électronique permet, au niveau de la décision, de résoudre tous les problèmes posés au capitaine du navire. C'est la raison pour laquelle la partie vitale du navire est celle qui contient le système de communication, car c'est ce système, mû par l'électronique, qui permet de résoudre tous les problèmes posés par la conduite du navire.

L'intérêt de l'analyse de Karl Deutsch est d'appeler l'attention sur le fait que le processus de décision est effectivement, comme dans la conduite d'un navire, un processus extrêmement complexe, dans lequel interviennent des forces sociales diverses, aussi bien intérieures qu'extérieures. Mais, en outre, il implique la mise en œuvre d'un système d'information efficace, dans la mesure où les « décideurs » doivent concentrer sur eux tout un flux d'informations, d'origines diverses, qu'ils doivent analyser et utiliser avant de prendre leur décision.

Un autre intérêt de l'analyse de Karl Deutsch est de ramener à de plus justes proportions le rôle des hommes d'Etat, qui a souvent été exagéré, en particulier dans l'ouvrage de Renouvin et Duroselle : *Introduction à l'histoire des relations internationales.*

Mais, si l'analyse de Karl Deutsch présente ainsi des avantages, elle a aussi des inconvénients. Notamment, ce modèle surestime le caractère rationnel du processus de décision et le présente sous l'aspect d'un mécanisme qui obéirait à des règles plus proches de la physique que des sciences sociales. Ceci apparaît dans une comparaison utilisée par Karl Deutsch. Il compare le processus de décision au trajet d'une bille sur un billard électrique. Le joueur donne à cette boule une impulsion initiale. Elle se déplace en rencontrant sur son chemin des obstacles qui influent sur son mouvement. Le point de chute depend à la fois du coup d'envoi, des manœuvres successives du joueur et de l'influence exercée par des obstacles sur le trajet de la boule. Pour Karl Deutsch, il en irait de même dans le domaine des relations internationales. Le joueur est remplacé par le décideur et les obstacles du « flipper » par les éléments divers qui interviennent dans le processus de décision.

Cette comparaison est amusante. Mais, en fait, le processus de décision est infiniment plus complexe que le fonctionnement d'un billard électrique. Les forces qui interviennent dans le processus de décision ont leurs propres intérêts et ces intérêts sont parfois en conflit. C'est d'ailleurs la raison pour laquelle la stratégie politique diffère de la stratégie militaire. Pour cette dernière, toutes les forces sont soumises au chef militaire qui peut les manœuvrer comme des pions sur un échiquier, en fonction des objectifs qu'il a choisis. Dans le domaine politique, les forces en présence ont leur autonomie et diffèrent quant à leur capacité d'influencer le décideur, au point que le décideur ne fera parfois que subir les pressions qui s'exercent sur lui, tandis qu'en d'autres circonstances il sera en mesure d'écarter ces pressions et de décider selon sa propre volonté.

D. — De l'explication a la prédiction : la théorie des jeux.

Une autre théorie qu'il faut mentionner est la « *théorie des jeux* » qui a été, à l'origine, sinon inventée, du moins perfectionnée par un mathématicien, John Von Neumann, d'origine hongroise, émigré aux Etats-Unis. La théorie a été ensuite appliquée au domaine de l'économie, avec Morgenstern, puis au domaine des sciences sociales, en particulier celui des relations internationales.

Cette théorie se fonde sur l'analogie qu'il y aurait entre le comportement des joueurs, au premier chef des joueurs d'échecs, et celui des acteurs internationaux. Les uns et les autres auraient des stratégies et des tactiques et s'efforceraient, le plus souvent, d'avoir un comportement rationnel. Il s'agit, par conséquent, d'une variante de la théorie des comportements, étant admis qu'on part du postulat que le comportement des acteurs internationaux est rationnel.

Grosso modo, cette théorie, telle qu'elle a été appliquée dans le domaine international, en particulier par Rapoport (*Conflicts, Games and Debates*) distingue entre deux sortes de jeux : d'une part, les jeux à somme nulle ou fixe et, d'autre part, les jeux à somme variable ou à motivations complexes.

Dans les jeux à somme fixe, le comportement rationnel des joueurs doit les conduire à choisir la stratégie et la tactique qui leur permettront de s'assurer un minimum de gain. Il s'agit, par conséquent, d'un comportement dominé par la prudence, d'une conduite qui cherche à limiter les risques face à un partenaire que l'on redoute. Par exemple, on pourrait considérer que la politique de « l'endiguement », par opposition à la politique du « refoulement », illustre ce type de comportement, les Etats-Unis, en l'espèce, s'assurant un minimum de gain, dans la mesure où, grâce à cette politique, ils pouvaient espérer que le système socialiste ne ferait pas tache d'huile, à défaut de pouvoir le détruire.

Dans les jeux à somme variable, le problème est un peu différent dans la mesure où les joueurs peuvent soit obtenir des avantages mutuels, soit subir, les uns et les autres, des pertes.

Pour illustrer cette situation, Rapoport cite le jeu de la poule mouillée qui serait pratiqué par certains jeunes gens de Californie, mais qui est également pratiqué assez couramment sur les routes africaines, dont la seule partie centrale est bitumée. Chaque automobiliste cherche à utiliser cette partie. Lorsque deux automobilistes, roulant en sens contraire, se trouvent sur la même route, trois types de solution sont possibles. Ou bien chaque automobiliste persiste à rouler sur la partie bitumée et dans ce cas, il y a un risque probable de collision et chaque automobiliste risque à ce jeu d'y perdre la vie. Ou bien l'un des automobilistes, plus raisonnable, quittera la partie bitumée et roulera sur le bas-côté de la route, moyennant quoi il aura perdu la face, ou l'honneur, mais il aura gagné la vie. Enfin, il y a une troisième solution, qui suppose une coopération entre les joueurs. C'est que chacun des automobilistes décide de maintenir seulement une paire de roues sur la partie bitumée, l'autre paire roulant sur le bas-côté, moyennent quoi l'un et l'autre auront gagné quelque chose.

On pourrait, par analogie, analyser de cette façon les problèmes internationaux. In abstracto, Rapoport utilise la technique des « simulations ». Il a imaginé des situations qu'on pourrait trouver dans la pratique internationale et il a essayé de voir comment réagiraient ses étudiants dans des situations données. Ces situations sont, en fait, beaucoup plus compliquées que celles que nous venons de citer. On peut en effet imaginer qu'il y ait une multiplicité d'acteurs, ce qui introduit alors une très grande complexité dans le problème. La conclusion à laquelle est arrivé Rapoport est que, généralement, les acteurs se comportent de façon rationnelle et non pas comme des fous qui vont vers des solutions « suicide ». Ceci suppose que chaque acteur a un minimum de confiance à l'égard de son partenaire et qu'il joue le jeu de la coopération. Cependant, Rapoport a aussi constaté que parfois l'un des acteurs adopte la solution de la défection ou de la fuite, l'autre acteur profitant de cette situation. Mais, généralement, ce dernier reviendra rapidement à des solutions de coopération.

Cette théorie se heurte aux mêmes objections que la théorie de

Deutsch. Elle constitue un schéma simplifié de la réalité qui ne permet pas de l'appréhender de façon satisfaisante. Comparer le problème de la décision à un jeu, que ce soit le jeu d'échecs ou le jeu de poker, peut constituer un exercice intellectuel passionnant et amusant, mais on se fonde, en définitive, sur des analogies, tout à fait superficielles. C'est ainsi que, dans le jeu d'échecs, on connaît, non seulement le nombre limité de pièces qu'il y a sur l'échiquier, mais aussi la valeur de chacune de ces pièces. Sur le plan des relations internationales, il en va différemment. Non seulement le nombre d'acteurs est infiniment plus grand que ne l'est le nombre de pièces sur un échiquier (il est même parfois difficile à déterminer), mais, en outre, les situations internationales exigent parfois des décisions rapides, instantanées, qui ne laissent pas aux acteurs internationaux le temps de la réflexion, alors que les joueurs d'échecs disposent d'un temps indéfini pour décider.

E. — Un problème complexe, mal résolu.

En définitive, il est difficile d'étudier le processus de décision à partir de schémas abstraits qui privilégient tel ou tel facteur ou série de facteurs. En fait, le processus de la décision, en matière de relations internationales, est particulièrement complexe, parce qu'il fait intervenir toutes les caractéristiques fondamentales d'une formation sociale déterminée comme les influences qui peuvent être exercées par une autre formation sociale (ou plusieurs formations sociales) sur celle qui donne naissance à la décision. C'est ce qu'on exprime lorsqu'on dit qu'il y a des interactions entre la politique intérieure et la politique extérieure.

En outre, ceux qui proposent des modèles, soit pour la description, soit pour l'explication, se limitent généralement aux seuls Etats, sans se préoccuper des autres acteurs internationaux. C'est ainsi que Snyder considère que l'unité de décision est l'Etat. De même, Deutsch raisonne à partir de l'Etat et, qui plus est, à partir d'un Etat qui ressemble étrangement au modèle des Etats-Unis d'Amérique, ce qui restreint encore la portée du modèle. Or, on ne peut pas se limiter au problème de la décision au niveau de l'Etat. Si les Etats demeurent les acteurs les plus importants, il y a, à côté des Etats, d'autres acteurs, en particulier les O.I. qui ont, comme les Etats eux-mêmes, leur propre stratégie et leurs propres tactiques. Cependant, il faut constater que, pour les O.I., le problème de la décision a été presque uniquement étudié d'un point de vue juridique. C'est ainsi que Michel Virally, dans son ouvrage *L'Organisation mondiale,* a essayé de faire une étude synthétique des organisations qui relèvent de la famille des Nations Unies et au sein desquelles se pose le problème de la décision. Mais il se limite à une étude purement juridique, en suivant le processus de décision, depuis le moment de l'initiative jusqu'au moment de l'exécution. Or, on ne peut pas se limiter à cet aspect du problème. Il faudrait aussi s'interroger sur les aspects sociologiques. De ce point de vue, on est bien obligé de constater qu'on en est encore aux premiers balbutiements.

Ce que nous venons de dire des O.I. est également vrai des G.P.D.I., en particulier des sociétés multinationales dont il est fait grand cas aujourd'hui. Pour des motifs faciles à comprendre, il est encore beaucoup plus difficile de savoir comment les S.M. parviennent à la décision. Les études de sociologie économique apportent cependant quelques éléments de réponse à ce problème (cf. Wolf).

En conclusion, les insuffisances des théories proposées, comme les difficultés très grandes du problème, font qu'il n'y a pas, actuellement, une explication vraiment satisfaisante de la décision. Malgré tout, cette constatation ne doit pas décourager le chercheur. Même si les théories ne sont pas entièrement satisfaisantes, il n'en reste pas moins qu'elles ont un certain intérêt. Elles ont le mérite d'appeler l'attention sur un certain nombre de phénomènes, tels que les flux d'informations, et de souligner l'importance du problème de la communication. De même l'utilisation des statistiques et leur traitement par l'informatique peut rendre de très grands services, à condition qu'on n'oublie pas que, dans le domaine des sciences sociales, il y a des facteurs qui ne sont pas mesurables, et que, parfois, les décisions ne sont pas toujours parfaitement rationnelles. Il ne faut pas exclure l'hypothèse que, dans certains cas, les décisions manifestent des tendances qui, à la limite, relèvent de la paranoïa.

BIBLIOGRAPHIE

Sur le problème de la décision, en général, voir :

— R. W. Cox et autres, *The anatomy of influence. Decision-making in international organization,* Yale University Press, 1973.

— K. Deutsch, *The analysis of international relations,* Prentice-Hall, 1968.

— Divers, *La politique étrangère et ses fondements,* A. Colin, 1954.

— Divers, *L'élaboration de la politique extérieure,* P.U.F., 1969.

— M. Plon et E. Reteceille, « La théorie des jeux et le jeu de l'idéologie », *La pensée,* Décembre 1972, n° 166.

— Renouvin et Duroselle, *Introduction à l'histoire des relations internationales,* chap. 13.

— Chr. Sasse, *Le processus de la décision dans la C.E.E.,* P.U.F., 1977.

— D. Sidjanski, *Political decision making processes,* Elsever, Amsterdam, 1973.

— R. C. Snyder, *Decision-making as an aproach to the study of international politics,* Primeton, 1954 et R. C. Snyder, Bruck et Sopin (sous la direction de), *Foreign policy decision-making, Free Press,* 1967.

— Wolf, *Sociologie économique,* Editions Cujas, 1973. Le deuxième volume traite de la décision en matière économique.

Sur la théorie des jeux, voir :

— *Encyclopoedia universalis.*

— M. D. Davis, *La théorie des jeux,* A. Colin, 1973.

— Mad. Grawitz, *Méthodes des sciences sociales,* n° 401 et n° 869.

— A. Rapoport, *Combats, débats et jeux,* Dunod, 1967.

— N. Thanassecos, « Des jeux qui méritent réflexion », *Le Monde,* 29 déc. 1976.

Sur l'étude d'un cas concernant un Etat du Tiers Monde, voir :

— La thèse d'Abel Eyinga, *Le pouvoir de décision au Cameroun,* Faculté de Droit de Paris, 1969.

— A. Joxe, *Socialisme et crise nucléaire,* Editions de l'Herne, 1973 (traite de Cuba).

— J. Levesque, *L'U.R.S.S. et la révolution cubaine,* Univ. de Montréal, 1976.

— M. Semidel, *Les Etats-Unis et la révolution cubaine,* A. Colin, 1968.

CHAPITRE IV

LES INSTRUMENTS DES RELATIONS INTERNATIONALES

Les instruments des relations internationales sont les différents moyens, juridiques et matériels, qui permettent de décider et d'agir dans l'ordre international.

De façon très schématique, on peut grouper ces moyens en deux catégories, en ayant présent à l'esprit que le classement des instruments des relations internationales en deux catégories n'implique pas, pour autant, que les acteurs internationaux soient obligés de recourir aux uns ou aux autres. Il n'est pas exclu qu'ils puissent recourir simultanément à ces deux catégories de moyens selon des dosages variables. Sous le bénéfice de ces observations, on peut distinguer les moyens diplomatiques et les moyens militaires.

SECTION I

LES MOYENS DIPLOMATIQUES

Par moyens diplomatiques, il faut entendre, au sens juridique large, les personnes ou les groupes de personnes qui ont le pouvoir d'agir dans le domaine des relations internationales. C'est par commodité de langage que l'on dit qu'un Etat, ou une O.I., est un acteur international. En réalité, il s'agit d'une personne morale, qui est incapable d'agir par elle-même dans l'ordre international. Elle est obligée de le faire par le truchement de personnes physiques et ce sont donc ces personnes qui sont, en fait, les véritables acteurs internationaux.

Si l'on voulait faire une étude complète de ce problème, il faudrait se placer aux trois niveaux que nous avons indiqués dans la première partie de cet ouvrage, c'est-à-dire au niveau de l'Etat, des O.I. et des

G.P.D.I. En fait, il faut bien constater qu'il y a ici une lacune dans nos connaissances dans la mesure où on est mal renseigné sur les moyens diplomatiques utilisés par les G.P.D.I. Par nécessité, nous les laisserons de côté.

§ 1. — AU NIVEAU DE L'ETAT

Au niveau de l'Etat, les relations internationales sont conduites par des autorités dont le rôle, aussi bien juridique que de fait, est extrêmement variable selon les régimes politiques. Il faut toujours avoir présente à l'esprit cette variable, qui implique qu'il n'y a pas une solution unique, mais des solutions diverses. En outre, ici comme dans d'autres domaines, il faut tenir compte de la nature des formations sociales. Ainsi, il n'est pas indifférent de relever que le Secrétaire d'Etat américain, Cyrus Vance, est administrateur, entre autres, d'I.B.M. et de Pan Am, que le conseiller du Président, Zbignew Brzezinski fut président de la commission trilatérale, créée en 1973 par David Rockfeller et composée de 200 hommes d'affaires américains, européens et japonais, que le Président Carter et 12 membres de son cabinet firent également partie de cette commission. De même « l'ensemble de l'appareil diplomatique américain se trilatéralise » (*Valeurs actuelles*, 9-15 mai 1977).

Cela dit, on peut distinguer entre les autorités centrales et les antennes extérieures de l'Etat, c'est-à-dire les agents diplomatiques et consulaires.

A. — Les autorités centrales

Deux sortes d'autorités centrales interviennent en matière de relations internationales avec des rôles variables : d'une part, les autorités exécutives et, d'autre part, les assemblées politiques.

I. — *Le chef d'Etat.*

D'un point de vue historique, dans les monarchies absolues ou les empires, le problème était résolu de façon très simple : le monarque ou le chef d'empire avait le monopole de la représentation de l'Etat, en matière de relations internationales, c'est-à-dire qu'il décidait et agissait seul, personnellement ou par l'intermédiaire de personnes auxquelles il avait donné mandat d'agir en son nom et qui étaient tenues par des instructions impératives. Ceci explique qu'en matière de conclusion des conventions internationales, on avait introduit, de façon coutumière, la règle qu'une convention internationale ne devenait obligatoire pour l'Etat, qu'à partir du moment où elle avait été ratifiée par le chef de l'Etat (*supra*, p. 273). La ratification permet au chef de l'Etat de vérifier si les plénipotentiaires ont suivi à la lettre les instructions qu'il leur a données.

Compte tenu de ce point de départ, la position du chef de l'Etat a subi une érosion, au fur et à mesure que les régimes politiques se sont démocratisés. Il y a eu un transfert, plus ou moins important selon la nature des régimes politiques, du chef de l'Etat à d'autres autorités politiques. Mais il convient de noter que, même à l'heure actuelle, le rôle du chef de l'Etat n'est pas révolu. Le passé continue de peser sur les solutions contemporaines, même lorsque le chef de l'Etat n'est plus qu'un personnage honorifique, un souverain constitutionnel, comme c'est le cas, par exemple, en Grande-Bretagne ou en Belgique.

Si l'on se place sur un plan purement juridique, le chef de l'Etat continue d'être considéré comme le symbole, le principal représentant de l'Etat dans les relations internationales. Par suite, tous les actes publics du chef de l'Etat engagent automatiquement l'Etat. Cette règle générale explique que la Convention de Vienne de 1969, relative au Droit des traités, pose le principe suivant : « En vertu de leur fonction et sans avoir à produire de pleins pouvoirs, sont considérés comme représentants de l'Etat : *a*) les chefs de l'Etat. »

Il faut, malgré tout, tenir compte des droits constitutionnels nationaux. C'est la raison pour laquelle la Convention de Vienne indique que, pour apprécier la validité du consentement, il faut envisager l'hypothèse où le droit constitutionnel de l'Etat aurait été violé. En fait, dans la très grande majorité des Etats, les constitutions confirment le principe général qui est posé par la Convention de Vienne, selon laquelle le chef de l'Etat détient les compétences juridiques en matière de relations internationales.

Si nous nous plaçons maintenant sur le plan politique, il est non moins clair qu'avec le phénomène de personnalisation ou de personnification du pouvoir, particulièrement sensible dans les Etats du Tiers Monde, mais également dans d'autres Etats, ce qui conduit à parler de monarchies républicaines (M. Duverger), le rôle du chef de l'Etat, à l'époque contemporaine, revêt parfois une importance particulière. Dans des cas de plus en plus nombreux, lorsque des questions d'une importance capitale sont en jeu, les négociations se nouent et les décisions se prennent au niveau le plus élevé, au sommet (voir, par exemple, le sommet de Londres, mai 1977). L'actualité internationale établit de façon surabondante cette tendance. C'est ainsi que le Président Pompidou continuant une pratique, inaugurée par le Général de Gaulle, avait pris lui-même l'initiative de relancer les négociations entre les Etats de la Communauté Economique Européenne et la Grande-Bretagne. C'est cette initiative qui a finalement débouché sur l'adhésion de la Grande-Bretagne au Marché commun. Son successeur a continué à suivre la voie ainsi tracée. Il est notamment à l'origine du dialogue Nord-Sud et a signé l'acte final de la conférence sur la sécurité et la coopération en Europe.

Si le chef de l'Etat a ainsi conservé, pour l'essentiel, les compétences traditionnelles qu'il avait sur le plan juridique et si même il a parfois amélioré, d'un point de vue politique, sa position, il faut cependant tenir compte de la nature des régimes politiques.

II. — *Le chef du Gouvernement.*

Dans un régime présidentiel ou présidentialiste, il est évident que le chef de l'Etat, qui est en même temps chef du gouvernement, possède une prééminence qui ne saurait être discutée, même lorsqu'il est accusé de forfaiture (cf. Nixon).

Il en va différemment dans les Etats qui pratiquent un régime de type parlementaire classique. Dans ces régimes, le problème est différent dans la mesure où le chef de l'Etat doit s'effacer derrière un autre personnage, le chef du Gouvernement, même si, par ailleurs, d'un point de vue strictement juridique, la Constitution continue à affirmer que le chef de l'Etat est le détenteur des compétences juridiques en matière internationale. C'est ainsi qu'en Grande-Bretagne, il est admis, de façon indiscutable, que la Reine de Grande-Bretagne a le « treaty making Power ». Ceci se traduit, d'un point de vue formel, par le fait que la Reine de Grande-Bretagne appose sa signature au bas de l'instrument de ratification. En pratique, il est admis, en vertu d'une Convention constitutionnelle (Constitutional conventions), que la Reine de Grande-Bretagne ne peut agir que « on the advice of the Prime minister », conformément à la décision (advice est un euphémisme) prise par le Premier ministre. Il serait tout à fait inconvenant que la Reine de Grande-Bretagne veuille prendre une décision personnelle, qui serait en contradiction avec ce qui est souhaité et voulu par le Premier ministre en tant que chef du parti majoritaire.

Dans un régime de ce type, le personnage central n'est plus le chef de l'Etat, mais le Premier ministre. On pourrait faire la même observation pour le régime politique belge où le Roi a été relégué au second plan et ne joue plus qu'un rôle honorifique.

En ce qui concerne le régime politique français, le problème est un peu plus compliqué en raison du mélange de parlementarisme et de présidentialisme, du caractère ambigu du régime. On peut observer une sorte de partage, qui peut varier dans le temps, entre le chef de l'Etat et le chef du Gouvernement. En principe les relations internationales font partie du domaine réservé du chef de l'Etat (*supra*), Mais il n'est pas exclu que le chef de l'Etat consente à céder une partie de son domaine réservé au Premier ministre, sous réserve d'exercer un droit de haute surveillance.

Si nous nous tournons vers les régimes des Etats socialistes, en particulier celui de l'U.R.S.S., la situation est encore différente dans la mesure où ces régimes sont fondés sur le principe de l'unité du pouvoir. En vertu de la Constitution soviétique, c'est le Praedidium, en tant qu'organe collectif, qui détient soit en vertu d'un pouvoir propre qui lui est conféré par la Constitution elle-même, soit en vertu d'une délégation qui lui est consentie par le Soviet Suprême, toutes les compétences en matière internationale. Cependant, le Conseil des ministres a également certains pouvoirs (voir l'article 119 de la constitution de 1977 relatif aux pouvoirs du Presidium et l'article 130 qui définit ceux du Conseil des ministres). Dans la pratique, le Secrétaire général du parti est le personnage central, au point que le protocole le traite, à l'étranger, comme un chef d'Etat. Ceci tient à la primauté du parti dans l'Etat (art. 6 de la constitution de 1977).

III. — *Les ministres.*

En dehors du chef de l'Etat et du chef du Gouvernement, il faut enfin mentionner le ministre des Affaires étrangères. Ce dernier a, en raison de sa spécialisation, un rôle qui varie selon la nature des régimes politiques et la personnalité de celui qui occupe ce poste. Ces deux variables se combinent pour situer le ministre des Affaires étrangères sur la scène internationale.

D'un point de vue purement juridique, le rôle du ministre des Affaires étrangères est loin d'être négligeable puisqu'il est admis, dans la pratique internationale, confirmée par la Convention de Vienne sur le droit des Traités, que le ministre des Affaires étrangères peut, comme le chef de l'Etat, en vertu de pouvoirs propres, entreprendre des négociations internationales et même engager définitivement l'Etat si la Convention internationale est du type « accords en forme simplifiée » (*infra,* p. 369). Bien plus, il a été jugé, dans l'affaire du Groënland oriental (1933), qu'un accord purement verbal, conclu par un ministre des Affaires étrangères, était valable.

Le ministre des Affaires étrangères a également un rôle extrêmement important sur le plan administratif puisqu'il est le chef de l'Administration centrale spécialisée dans l'étude des problèmes internationaux. Par suite, il est le chef hiérarchique du personnel de cette administration centrale.

En outre, il est à la source et au point de destination de tout le flux d'informations sans lesquelles il n'est pas possible de prendre de décision en matière internationale.

Enfin, il est fréquent que le ministre des Affaires étrangères soit ès-qualités membre des organes de certaines organisations internationales. Il en est ainsi, par exemple, pour le Conseil des ministres de l'O.U.A. De même, sur un plan plus informel, les ministres des Affaires étrangères composent, avec les chefs de gouvernement, le conseil de la Communauté, dit Conseil européen (voir l'*An. Fr. de Droit Intern.,* 1975).

Du point de vue politique, le fait que le ministre des Affaires étrangères est membre du Gouvernement et qu'à ce titre il participe aux réunions gouvernementales signifie qu'il participe activement à la décision, d'autant plus que s'agissant des problèmes internationaux il a la charge de la préparer, de la faire étudier par son personnel. Parfois même il sera à l'origine des décisions, pour peu qu'en raison de sa personnalité il pèse d'un poids particulièrement lourd dans les réunions gouvernementales. Ceci pourrait être illustré par le rôle qui a été joué par un personnage tel que Henri Kissinger, au point que le Président était relégué au second plan, même s'il tirait profit et gloire de ce qui avait été réalisé par son secrétaire d'Etat.

Si le rôle du ministre des Affaires étrangères est important, on a cependant remarqué qu'il n'est plus toujours ce qu'il a été, il y a quelques décennies.

Il faut en effet tenir compte du phénomène de personnalisation du pouvoir, dont la conséquence est de transférer au niveau le plus élevé, c'est-à-dire au niveau du chef de l'Etat ou du chef du Gouvernement, l'initiative et la décision, ce qui fait que le ministre des

Affaires étrangères n'est plus qu'un simple exécutant, un commis comme on disait au temps des monarchies absolues.

En outre il faut également tenir compte du fait qu'à l'époque contemporaine les relations internationales deviennent de plus en plus complexes et techniques. Elles ne concernent plus seulement des problèmes de politique pure, mais de plus en plus des problèmes d'ordre technique. Ceci explique, de la même façon qu'il y a une aspiration vers le haut, il y a une aspiration en quelque sorte latérale, qui bénéficie aux collègues du ministre des Affaires étrangères. En fait, il n'y a pas, à l'heure actuelle, un seul ministère, aussi technique soit-il, qui n'intervienne dans le domaine des relations internationales. D'où l'existence, au sein de chaque ministère, de services ou de bureaux, dont le rôle est de s'occuper, non pas de problèmes intérieurs, mais de problèmes internationaux. Il y a donc une sorte de dispersion des attributions traditionnellement reconnues au ministre des Affaires étrangères. Ceci pose un problème extrêmement délicat, celui de la coordination des activités diplomatiques entre les différentes administrations centrales qui, à un titre ou à un autre, interviennent dans le domaine international. Il faut bien constater que ce problème est mal résolu dans la pratique.

IV. — *Les assemblées politiques.*

Le rôle des assemblées politiques a varié dans le temps et varie, à l'heure actuelle, selon la nature des régimes politiques, c'est-à-dire en fonction du droit constitutionnel, de la pratique politique et du système des partis politiques.

Du point de vue juridique, le problème de l'intervention des assemblées politiques se pose essentiellement à propos des conventions internationales. Nous avons vu, qu'en règle générale, une convention internationale n'acquiert force obligatoire que lorsqu'elle a fait l'objet d'une acceptation formelle par chaque Etat (*supra,* p. 273). Dans les Etats où il existe des assemblées politiques, qui ne sont pas simplement consultatives, le droit constitutionnel prévoit l'intervention du Parlement préalablement à la décision d'acceptation de la convention internationale.

C'est ainsi que la Constitution fédérale des Etats-Unis de 1787 (art. 2, section II) prévoit que : « le Président aura le pouvoir, sur l'avis et du consentement du Sénat, de conclure des traités, pourvu que ces traités réunissent la majorité des deux tiers des sénateurs présents. » Il résulte de cette disposition que, si le Président des Etats-Unis est bien le détenteur juridique du pouvoir de ratification, il ne peut user de ce pouvoir que si, au préalable, il a pu obtenir des sénateurs, statuant à la majorité des deux tiers des présents, leur consentement. Ceci explique que, dans la pratique, un certain nombre de ratifications n'ont pas pu intervenir parce que les sénateurs n'étaient pas d'accord. L'exemple classique est celui du Traité de Versailles. Bien que les Etats-Unis eussent contribué à « infuser » leur idéologie dans le Pacte de la Société des Nations, ils ne devinrent pas membre de la Société des Nations, faute d'avoir ratifié le Traité de Versailles. Cette situation explique que la pratique des « executive agreements » (accords en forme simplifiée), parfaits par la seule signature des négociateurs, se soit développée de façon considérable. Elle a en effet l'avantage énorme de dispenser le Président des Etats-Unis de saisir le Sénat puisqu'il n'y a pas lieu à ratification. Les statistiques montrent que les parts respectives des « treaties », qui sont soumis à la ratification, et des « executive agreements », qui ne le sont pas, ne cessent d'évoluer dans un sens favorable aux seconds. D'après un Représentant américain (août 1975), il y aurait 4 à 600 « executive agreements » par an. Cette évolution a suscité des réactions de la part des sénateurs américains, d'autant plus que malgré une loi de 1972, ces accords ne sont pas toujours communiqués au Congrès. En 1953, le sénateur Bricker avait proposé un amendement à la Constitution dans le but d'étendre le contrôle du congrès sur la conclusion des conventions internationales, de façon à pouvoir restreindre les pouvoirs du Président des Etats-Unis. Mais jusqu'ici cet amendement n'a pas pu être adopté.

Dans les régimes de type parlementaire, la situation est différente. En France, la règle est que seules certaines conventions internationales, portant sur les problèmes énumérés par la Constitution, doivent être soumises au Parlement avant ratification ou approbation, ce qui exclut les accords en forme simplifiée (45 % environ des conventions internationales). C'est la solution qui figure dans la Constitution actuelle, dont l'article 53 énumère les cas dans lesquels la ratification ou l'approbation ne peuvent intervenir qu'après le vote par le Parlement d'une loi autorisant le Président de la République ou le chef du Gouvernement, à ratifier ou à approuver telle ou telle convention internationale. Entre 1959 et 1973, le Parlement est intervenu 300 fois, ce qui représente un peu moins de 50 % des conventions en forme solennelle conclues par la France.

D'un point de vue strictement juridique, les assemblées politiques ont donc un rôle non négligeable à jouer puisqu'il dépend d'elles d'autoriser ou de ne pas autoriser l'autorité exécutive à accepter une convention internationale. Elles peuvent d'ailleurs, sans aller jusqu'à refuser leur autorisation, rejeter telle ou telle disposition de la convention internationale. Le droit international autorise en effet chaque Etat à faire des réserves, c'est-à-dire soit à rejeter telle ou telle disposition d'une convention, soit à donner une interprétation particulière de telle ou telle disposition. On notera cependant une tendance du gouvernement français à refuser au Parlement le droit de discuter du problème des réserves, ce qui n'est qu'une manifestation supplémentaire de la tendance à diminuer les prérogatives constitutionnelles du Parlement (voir l'étude citée en bibliographie de J. Dhommeaux).

Si nous nous plaçons maintenant *sur le plan politique,* les assemblées peuvent également jouer un rôle non négligeable soit parce qu'elles sont consultées par le gouvernement avant que ce dernier n'engage des négociations internationales, soit parce qu'elles sont amenées à contrôler, après coup, les décisions prises ou la politique suivie par l'autorité exécutive. Le Parlement a donc une fonction d'orientation de l'action internationale et une fonction de contrôle. Mais ces deux fonctions s'exercent de façons différentes selon les régimes politiques.

La fonction d'orientation est parfois difficilement admise et supportée par les gouvernements qui considèrent, à tort ou à raison, que la conduite des relations internationales est un monopole du pouvoir exécutif. Ce point de vue fut notamment exposé par Robert Schumann à propos du problème de la Communauté européenne de Défense. A cette occasion, lors d'un débat à l'Assemblée Nationale, en 1951, il s'exprimait de la façon suivante : « Le gouvernement comprend le désir de l'Assemblée Nationale d'être fixée sur les grands problèmes de notre politique étrangère, et il n'aurait pas songé à se dérober à une large confrontation des idées si la proximité des conversations et des négociations internationales auxquelles il prendra part ne lui avait imposé une réserve dictée par l'intérêt du pays et conforme à la *tradition parlementaire.* Il nous est impossible, concluait-il, d'accepter un débat contradictoire, un débat qui serait sanctionné par un ordre du jour ou par une motion liant les négociateurs. Le Parlement ratifiera ou refusera son approbation, mais il ne lui appartient pas de donner des instructions aux négociateurs, de suivre heure par heure l'évolution des pourparlers. » En l'espèce, le Gouvernement accepta un échange de vues, mais non pas le vote d'une résolution qui aurait limité la liberté d'action des négociateurs.

Cette doctrine fut réaffirmée à l'occasion de la création de la Communauté européenne du Charbon et de l'Acier. De nouveau Robert Schumann invoqua la thèse de l'exclusivité des droits du Pouvoir exécutif en matière de négociations internationales : « Je conteste, disait-il, que jamais dans le régime républicain il y ait eu des débats, des interpellations, à la veille des conférences. J'ai le devoir, en la matière, de défendre la *tradition républicaine* et les droits de l'exécutif. »

En certaines occasions exceptionnelles, devant les résistances de l'opinion publique, à l'égard de certains projets gouvernementaux, le Gouvernement français a cependant admis que le Parlement puisse orienter les négociations internationales. C'est ainsi qu'à propos du projet de création d'une armée européenne, revenant sur ses précédentes déclarations, Robert Schumann déclarait : « D'ordinaire, le Parlement est appelé à se prononcer sur des textes précis, à ratifier un traité déjà signé. Aujourd'hui, non seulement nous vous informons de l'état exact des négociations en cours, mais vous êtes à même de donner votre avis sur ce qui est envisagé par les négociateurs. D'une façon générale, je l'ai dit plusieurs fois à cette tribune, c'est là une des responsabilités de l'Exécutif. Je ne voudrais pas que nous créions aujourd'hui un précédent qui pût être invoqué en d'autres circonstances. Pourquoi avons-nous dérogé à ce principe ? C'est la gravité autant que la nouveauté du problème qui se pose devant nous aujourd'hui qui font qu'il est souhaitable que, dès ce stade des pourparlers, le Parlement puisse donner au Gouvernement un *avis*, une *orientation* dont les négociateurs devront s'inspirer par la suite. »

Ce qui est vrai des négociations ne l'est pas en revanche de l'orientation générale de la politique extérieure dans son ensemble. Il y a toute une série de mécanismes parlementaires (questions orales ou écrites, interpellations, déclaration gouvernementale suivie de débats) qui permet aux parlementaires d'indiquer au Gouvernement quelles devraient être les grandes orientations, non pas de telle ou telle négociation, mais de la politique extérieure de l'Etat. L'efficacité de l'intervention du Parlement dans ce domaine dépend essentiellement du système de partis politiques.

Dans un système de partis multiples, dont aucun ne possède la majorité, le risque, vérifié dans la pratique, est que la politique internationale subisse des fluctuations au gré des alliances entre les partis politiques et le Gouvernement.

Dans un système de deux partis, la situation varie selon le régime constitutionnel et les caractéristiques des partis politiques. Aux Etats-Unis, les divergences (minimes) qui existent entre les deux grands partis politiques et le fait que la majorité, qui a élu le Président, n'est pas nécessairement la même que la majorité au Congrès, oblige le Président à négocier continuellement avec le Congrès afin de trouver un soutien à sa politique étrangère en ralliant les membres de l'un et l'autre parti. Par suite, dans une certaine mesure, la politique étrangère des Etats-Unis est une politique bipartisane en ce sens qu'il n'y a pas de politique étrangère possible, si elle n'entraîne pas l'adhésion, sinon de la totalité des membres des deux partis, tout au moins une adhésion de la majorité des membres des deux partis. Ceci explique les épreuves auxquelles sont soumis les secrétaires d'Etat. John Foster Dulles signalait, en 1955, que depuis qu'il était devenu secrétaire d'Etat il avait eu des conversations plus de cent fois avec les représentants des deux partis au Congrès. De même, Dean Acheson se plaignait de ce que, en 1951, il avait passé la moitié de son temps dans des réunions de commissions parlementaires ou de groupes mixtes composés de députés et de sénateurs. C'est la rançon d'un système qui implique que le pouvoir exécutif ne peut rien faire s'il n'est pas assuré de l'appui de la majorité des membres du Congrès, quelle que soit leur appartenance politique. Comme le souligne St. Hoffmann (*op. cit.*, p. 357 et s.), le Président des E.U.A. est obligé de pratiquer une « politique du consensus », ce qui exige la mise en œuvre de moyens variés qui n'excluent pas des procédés peu recommandables (affaire du Watergate).

En Grande-Bretagne, la situation est un peu différente du fait que le Premier ministre est le chef de la majorité au Parlement. Cependant, la tendance est d'essayer d'adopter une ligne politique acceptable pour les deux partis avec cette conséquence que lorsque l'accord n'est pas possible, la tentation est grande de temporiser ou de passer outre. Comme l'écrit Waltz (*op. cit.*), « La réticence à imposer une politique susceptible de soulever des controverses caractérise le gouvernement britannique, à la fois dans le domaine de la politique intérieure et dans le domaine de la politique internationale. » Sans doute, dans certaines circonstances exceptionnelles, comme l'affaire de Suez par exemple, le gouvernement (à ses risques et périls) est amené à engager des actions qui sont désapprouvées par le parti de l'opposition, en l'espèce le parti travailliste, mais dans l'ensemble, la politique internationale de la Grande-Bretagne demeure fondée sur l'accord des deux partis.

En régime socialiste, à parti unique, on écrit un peu rapidement que l'influence des assemblées politiques sur l'orientation de la politique extérieure est négligeable, sinon inexistante. En fait, le problème doit être déplacé. Ce qu'il faut prendre en considération, c'est l'action du parti qui joue un rôle majeur dans la détermination de la composition des assemblées politiques, de sorte qu'il ne peut pas y avoir de divergences de vues entre la doctrine du parti et l'opinion des parlementaires. C'est donc au niveau du parti qu'il convient de se placer pour évaluer le rôle d'orientation en matière de politique internationale. Il est un peu simpliste de dire, comme le fait Marcel Merle, que « le parti unique n'est qu'un instrument entre les mains du détenteur du pouvoir ». En fait, le parti, par le moyen des discussions et des débats qui ont lieu à tous les niveaux, joue un rôle fondamental dans la détermination de la ligne politique en matière internationale.

En dehors de la fonction d'orientation, les assemblées politiques exercent également une *fonction de contrôle.* Cette fonction s'exerce lorsque les autorités exécutives responsables de la politique internationale ont pris des décisions soit de caractère politique, soit de caractère juridique sous forme de conventions internationales par exemple.

L'intervention des assemblées politiques, nous l'avons vu, a parfois pour but de donner au Gouvernement l'autorisation de ratification ou d'approbation nécessaire. A cette occasion, le Parlement peut chercher à infléchir la politique extérieure en assortissant l'autorisation de conditions, de réserves, de précisions relatives à l'exécution de la convention internationale. Mais l'intervention des assemblées politiques peut avoir aussi pour but d'accorder ou de refuser les crédits nécessaires à la mise en œuvre de la politique internationale.

En régime parlementaire, la sanction du contrôle peut éventuellement être la mise en œuvre de la responsabilité politique du Gouvernement ; mais même en régime présidentiel, où le Gouvernement n'est pas responsable devant le Parlement, ce dernier n'est pas dépourvu de moyens d'action tels que refus d'autorisation, amendements au texte de la convention internationale, refus ou diminution des crédits, etc. (cf. les refus d'accorder des crédits au Président Nixon pour la guerre au Vietnam).

BIBLIOGRAPHIE

Les aspects juridiques sont étudiés dans les manuels d'Institutions internationales (Voir, par exemple, le manuel de P. REUTER, 7e édition, p. 133 et s.).

D'un point de vue général, voir J. SALMON et P. F. SMETS, La pratique législative et le contrôle des chambres législatives en matière de relations internationales, *Revue belge de D.I.* 1966 et 1968.

Sur la pratique française, voir les chroniques de l'*An. Fr. de Droit Int.* et l'étude de J. DHOMMEAUX, *La conclusion des engagements internationaux en droit français : dix-sept ans de pratique,* 1975, p. 825 et s.

Sur la pratique américaine, voir le *British yearbook of international law,* 1974, vol. 68, n° 4.

Les aspects sociologiques sont abordés dans deux ouvrages collectifs : *La politique étrangère et ses fondements,* A. Colin, 1954, et *Les affaires étrangères,* P.U.F., 1959. Voir aussi, de J. BAILLOU et P. PELLETIER, *Les affaires étrangères,* P.U.F., 1962.

Sur les E.U.A., voir l'ouvrage de St. HOFFMANN, *Gulliver empêtré,* p. 321 et s., et le témoignage de Dean ACHESON, *A citizen looks at congress,* Harper, New York, 1957, l'ouvrage précité de C. JULIEN et l'étude de A. TUNC, Le couple Président-Congrès dans la vie politique des E.U.A., in *Mélanges Burdeau,* Librairie gén. de Droit, 1977, p. 39-82.

Sur la pratique anglo-saxonne, voir WALTZ, *Foreign policy and democratic politics, Boston,* 1967, et J. FRANKEL, *British policy, O.U.P.,* 1975.

Sur la pratique française, voir l'article de J. de CORAIL, dans la *Revue française du Droit public,* de 1956, p. 770-853, la thèse de L. LOR, Université de Paris II, 1973, et l'ouvrage de Ph. PONDAVEN, *Le Parlement et la politique extérieure sous la IVe République,* P.U.F., 1973.

Pour les aspects politiques, voir les deux ouvrages de A. GROSSER, *La IVe République et sa politique extérieure,* A. Colin, 1961, et *La politique extérieure de la Ve République,* Le Seuil, 1965.

Consulter les ouvrages d'un ancien ministre des Affaires étrangères (COUVE DE MURVILLE, *Une politique extérieure,* Plon, 1972) et d'un diplomate (J. CHAUVEL, *Commentaire,* 3 vol., Fayard, 1971-1973).

Sur l'U.R.S.S., consulter la revue soviétique *La Vie internationale,* et les ouvrages cités en bibliographie. L'ouvrage collectif (*La politique extérieure de l'Union soviétique. Problèmes actuels*), publié (en Russe) par les éditions « Mejelounarodnié otnochenia » (Moscou), analyse la politique extérieure de l'U.R.S.S. pendant la période qui s'est écoulée entre le XXIVe et le XXVe congrès du parti.

Sur le Tiers Monde, voir l'*Annuaire du Tiers Monde.*

Sur la Chine, voir l'ouvrage de H. C. HINTON, *China's turbulent quest,* Macmillan, Londres, 1972, et les études publiées par la Documentation Française dans *Problèmes politiques et sociaux* et *Notes et études documentaires.*

B. — Les agents diplomatiques et consulaires

Les agents diplomatiques, en tant qu'agents permanents des Etats chargés de manifester la présence de l'Etat à l'extérieur, sont une création relativement récente. Pendant longtemps, on a vu dans l'institution des agents diplomatiques un centre d'intrigues, de corruption et d'espionnage. En fait, c'est seulement à la fin du XVIIIe siècle que l'institution fut définitivement admise. En revanche, les agents consulaires, limités à l'exercice de fonctions commerciales ou juridiques, ont été plus facilement reconnus. Aujourd'hui, ces deux catégories d'agents sont utilisées par tous les Etats. Leur statut a fait l'objet de deux conventions destinées à codifier le Droit international : celle de 1961 pour les agents diplomatiques et celle de 1963 pour les agents consulaires. En outre, le problème particulier de la représentation des Etats dans les organisations internationales a fait l'objet d'une convention adpotée à Vienne et ouverte à la signature du 14 mars 1975 (*supra,* p. 200).

Nous n'insisterons pas sur ce statut, sinon pour souligner que son application repose, comme le souligne la convention de 1961, sur « l'accord mutuel des Etats ». Ceci se traduit dans le fait que l'entrée en fonctions d'un agent diplomatique ou consulaire, désigné par un Etat déterminé, dépend de l'accord de l'autre Etat, manifesté sous la forme de l'agrément (agent diplomatique) ou de l'exequatur (agent consulaire). En outre, un Etat a le pouvoir discrétionnaire de mettre fin aux fonctions d'un agent diplomatique ou consulaire (retrait d'agrément, rappel, rupture des relations). C'est le signe clinique d'un mauvais état des relations, d'une tension, voire d'un conflit entre deux Etats. Notons, à cet égard, que selon le gouvernement français (*J. O., débats Assemb, nation.,* 8 mai 1975, p. 2455), il serait d'un « usage constant » que l'ambassadeur soit rappelé « lorsque le régime politique change fondamentalement », ce qui fut le cas dans les trois Etats de l'ex-Indochine. Inversement, l'établissement ou la reprise de relations diplomatiques manifestent la détente. Ainsi l'annonce en 1975 (*Le Monde,* 15 juillet), du rétablissement des relations diplomatiques entre la Guinée et la France, interrompues en 1965, fut, selon les termes du communiqué commun, le signe de l'apparition d'un « climat nouveau ».

D'autre part, dans le but de permettre aux agents diplomatiques et consulaires d'exercer leurs fonctions en toute sécurité, il existe des privilèges et immunités, moins étendus pour les consuls que pour les diplomates (liberté de communications, inviolabilité, immunité juridictionnelle).

De façon générale, le rôle des agents diplomatiques et consulaires est d'établir, de façon permanente, des liens entre deux Etats déterminés. Mais il y a une différence essentielle entre les uns et les autres. Les diplomates représentent juridiquement l'Etat. Les consuls, au contraire, n'ont que des fonctions limitées de caractère technique, qui peuvent d'ailleurs s'exercer seulement sur une fraction du territoire de l'Etat d'accueil.

Théoriquement, les agents diplomatiques ont un rôle extrêmement important. En tant que représentants de leur Etat, ils servent d'agents de liaison entre deux Etats et établissent des contacts personnels avec le chef d'Etat, le chef de Gouvernement et le ministre des Affaires étrangères, ainsi qu'avec les représentants des autres Etats. En outre, ils représentent parfois leur Etat dans les O.I. En second lieu, ils sont des agents de renseignements (en quelque sorte les yeux et les oreilles de leur gouvernement à l'étranger), chargés de l'informer de ce qui se passe dans l'Etat de résidence. Bien qu'ils aient l'obligation de ne pas s'immiscer dans les affaires intérieures de ce dernier, la violation de cette interdiction explique les incidents fréquents et les mesures de précaution prises par certains Etats, notamment les Etats socialistes. En troisième lieu, les agents diplomatiques peuvent être des négociateurs dans la mesure où ils ont reçu les pouvoirs nécessaires pour aplanir les différends ou conclure une convention internationale. Enfin, ils sont les protecteurs des intérêts de leur Etat et de ses nationaux (exercice du droit de protection diplomatique).

Dans la pratique, on a pu relever un déclin des fonctions diplomatiques, qui tient au développement de la diplomatie au sommet, rendue possible grâce à l'amélioration des moyens de déplacement et au perfectionnement des moyens de communication. Mais, inversement, la complexité de plus en plus grande des relations internationales a conduit à étoffer les services des ambassades en spécialisant les attachés, voire en créant des services tels que les missions françaises d'aide à la coopération, l'inconvénient étant la dispersion des activités et l'intervention de nombreux ministères dans le fonctionnement des ambassades (*supra*). Cette évolution confirme la tendance au déclin des fonctions politiques au bénéfice de fonctions plus techniques. Cette tendance est encore plus manifeste lorsque la nature du régime politique implique une centralisation du pouvoir diplomatique entre les mains du chef de l'Exécutif.

Le rôle des agents consulaires est plus modeste, mais non dépourvu d'importance pratique. En dehors des fonctions juridiques, qui leur confèrent un rôle d'officier d'état civil et de notaire, ils possèdent surtout des fonctions économiques, et servent en quelque sorte de représentants commerciaux, et des fonctions d'assistance à l'égard des ressortissants de l'Etat qui les a nommés.

Si les agents diplomatiques et consulaires jouent un rôle irremplaçable dans les relations internationales, il convient cependant de souligner que les Etats sont inégalement pourvus, à la fois quantitativement et qualitativement. En dehors des mini-Etats, qui n'ont pas les moyens d'entretenir un réseau diplomatique et consulaire étendu, de nombreux Etats du Tiers Monde ne disposent pas d'un personnel suffisant et surtout d'un personnel possédant, au plus haut niveau, les compétences, les qualités et l'expérience nécessaires. Ainsi, pour 42 Etats africains recensés en 1970, le nombre de représentations diplomatiques, dans leurs rapports réciproques, aurait dû être de 1722. En fait, il y en avait seulement 386, soit 23 % environ du chiffre théorique. Dans leurs rapports avec le reste du monde, les Etats africains n'avaient que 631 missions à l'étranger pour un nombre idéal de 3 192.

En fait, un certain nombre d'Etats du Tiers Monde dépendent des Etats plus puissants, notamment des anciens Etats coloniaux, pour leur représentation dans le monde.

Ainsi, en vertu des accords de coopération, la France a la possibilité de représenter les Etats africains dans les pays où ils ne disposent pas de représentation diplomatique. L'accord de 1961 conclu par les Etats de l'Union africaine et malgache, qui prévoit une représentation commune des Etats africains par l'un d'entre eux, a reçu peu d'applications. La Côte-d'Ivoire représente la Haute-Volta, le Dahomey et le Niger au Liberia et, jusqu'à la rupture des relations diplomatiques, en Israël. Par ailleurs, elle n'avait elle-même que 14 ambassades en dehors de l'Afrique, ce qui l'oblige à avoir recours aux services des diplomates français.

BIBLIOGRAPHIE

Sur les diplomates, voir :

— J. Baillou, *Les Affaires étrangères,* P.U.F., 1962.

— Ch. Cahier, *Le droit diplomatique contemporain,* Droz, Genève, 1962.

— Ph. Ardant, « La pratique diplomatique chinoise », *Rev. gén. de Droit intern. public,* 1968, n° 4.

Consulter les chroniques de Ch. ROUSSEAU dans la *Revue gén. de Droit int. public*, sur les incidents diplomatiques (arrestations, expulsions, ruptures, etc.).

Sur les conventions de Vienne, voir l'*Annuaire français de Droit international*, 1961 et 1963, ainsi que l'ouvrage de MOH. ALI AHMAD, *L'institution consulaire et le droit international*, Pedone, 1973.

Sur les consuls, voir A. VERDIER, *Manuel pratique des consulats*, 2 vol., 4e éd., 1973.

Sur les moyens diplomatiques des Etats du Tiers Monde, voir, pour l'Afrique, la thèse de Kontchou KOUOMEGUI, *Le système diplomatique africain* (1966-1970), *Thèse de Science Politique*, Univ. de Paris I, 1974, et A. BOURGI, La coopération franco-africaine, *Thèse de Droit*, Univ. de Paris I, 1976.

§ 2. — AU NIVEAU INTERNATIONAL

Au niveau international, il convient de relever l'existence de deux sortes de moyens : d'une part, les conférences internationales, d'autre part les organes des organisations internationales.

A. — LES CONFÉRENCES INTERNATIONALES

Les conférences internationales sont des réunions composées de représentants ou de délégués des Etats ou (et) des O.I., voire de gouvernements révolutionnaires ou de mouvements de libération nationale (cf. O.L.P.), dans le but d'adopter une convention internationale, de régler par voie de discussions tel ou tel problème international ou d'adopter une ligne politique commune (stratégie et tactique).

Du *point de vue sociologique*, on peut remarquer une évolution dans les relations internationales.

D'une part, si le phénomène des conférences internationales n'est pas un phénomène récent dans la vie internationale, elles se sont cependant multipliées de façon considérables à l'époque contemporaine, soit parce que les Etats ont plus volontiers recours à ce procédé comme moyen de régler leurs problèmes communs, ce qui manifeste l'internationalisation croissante des problèmes, soit parce que les organisations internationales ont elles-mêmes provoqué la réunion d'un certain nombre de grandes conférences internationales.

D'autre part, on peut observer également une modification dans l'esprit qui préside à la tenue des conférences internationales. Au cours du XIXe siècle, un certain nombre de conférences internationales, dénommées congrès (Congrès de Vienne, Congrès de Paris, Congrès de Berlin), avaient eu pour but de permettre aux grandes puissances de dicter leur volonté aux moyennes et petites puissances. Cette situation correspondait à l'état de la société internationale de l'époque, caractérisée par une très grande inégalité de fait des Etats. C'est ainsi qu'au Congrès de Berlin de 1878, Bismarck s'adressant aux Turcs déclarait : « On ne vient pas au Congrès pour discuter ».

A l'heure actuelle, les conférences internationales se sont démocratisées, notamment sous l'influence croissante des Etats du Tiers Monde. Elles sont de plus en plus un instrument de négociation, ce qui implique un débat, une discussion sur la base de deux éléments apparemment contradictoires : d'une part une opposition entre les points de vue soutenus par les Etats et leurs intérêts, d'autre part une volonté de coopération plus ou moins grande qui permet justement d'aboutir au résultat recherché, c'est-à-dire soit une convention internationale, soit une solution aux problèmes discutés au cours de la conférence internationale (cf. Dialogue Nord-Sud).

Du *point de vue technique*, l'existence de conférences internationales pose un certain nombre de problèmes, résolus par la pratique internationale. Aucun projet de codification de ces pratiques n'a pu aboutir.

Le premier problème est celui de l'initiative de convoquer une conférence internationale. Jusqu'à une époque récente, cette initiative appartenait généralement soit à un chef d'Etat, soit à un gouvernement. C'est ainsi que la première conférence de la paix de La Haye, de 1899, fut réunie à l'initiative du Tsar de Russie. De même, la Conférence de Dumbarton Oaks, où furent posées les bases de l'Organisation des Nations Unies, fut réunie sur l'initiative du gouvernement des Etats-Unis. Cette forme d'initiative continue d'être utilisée. Ainsi à l'origine de la première conférence islamique au sommet (1969), on trouve le Roi Hassan II et le Roi Fayçal. De même l'initiative de réunir une conférence Nord-Sud fut prise par le chef d'Etat français en octobre 1974.

Surtout à l'époque contemporaine, il est de plus en plus fréquent que les organisations internationales prennent l'initiative de réunir des conférences internationales, même lorsque leur charte constitutive ne prévoit pas expressément cette possibilité. C'est ainsi que si l'article 62 de la Charte des Nations Unies prévoit la possibilité pour le Conseil économique et social de réunir des conférences internationales, elle ne prévoit pas formellement cette faculté pour l'Assemblée générale ; cependant plusieurs conférences internationales ont été réunies à l'initiative de l'Assemblée générale en vue de la codification du droit international (conférence de Vienne relative au droit des traités, conférences sur le droit de la mer..., C.N.U.C.E.D., conférence sur la représentation des Etats dans leurs relations avec les O.I., etc...). Il n'est pas exclu non plus qu'une conférence internationale puisse se réunir à l'initiative de plusieurs organisations internationales : il en fut ainsi pour la Conférence tripartite de 1958 qui aboutit à l'élaboration de la Charte sociale européenne.

Le second problème est celui des puissances invitées. Dans une conférence à but politique, il est évident que les considérations politiques priment, ce qui peut conduire à limiter le nombre des Etats invités (cf. Conférence des Etats consommateurs de pétrole, 1974) ; en revanche, pour les conférences, dont le but est principalement technique, les Etats invités doivent être les plus nombreux possible du moment que ces Etats ont un intérêt au règlement du problème soumis à la conférence. A côté des puissances invitées, il peut y avoir également des Etats admis en qualité d'observateurs et même des représentants des organisations internationales, des organisations non gouvernementales et des groupements privés. Ainsi, à la Conférence islamique de 1969, la ligue des Etats arabes et l'O.L.P. étaient présentes comme observateurs. De même les organisations internationales intéressées, notamment l'O.N.U., participent au dialogue Nord-Sud.

Le troisième problème est celui de l'ordre du jour. Généralement, cet ordre du jour est indiqué dans l'acte d'invitation ; ainsi, l'invitation adressée par les gouvernements français et britanniques en 1947 à 22 Etats européens de participer à une conférence pour la reconstruction économique européenne comportait un exposé sommaire des principes de base et un projet d'organisation. Parfois aussi, la conférence ne se réunit qu'après un échange de vues préliminaire entre les gouvernements. Ainsi la conférence sur la coopération économique internationale (C.C.E.I. - dialogue Nord-Sud) fut précédée par des conversations préliminaires entre les pays producteurs et les pays consommateurs de pétrole (avril et octobre 1975). Le programme de travail fut fixé par la conférence ministérielle du 29 décembre 1975 (cf. Docts d'act. Int., 28-1-1976).

Enfin, l'existence des conférences internationales pose un problème d'organisation. En ce qui concerne la présidence, elle a d'abord été accordée, pour des raisons de courtoisie internationale, à un représentant du pays où se tient la conférence internationale (Clémenceau pour la Conférence de la Paix de 1919 (1)) ; mais si la puissance invitante n'est pas celle qui reçoit la conférence internationale, la courtoisie internationale veut également que la présidence lui soit attribuée (la Russie pour les conférences de La Haye de 1899 et 1907). Les présidences par roulement ou la co-présidence permettent de ne pas heurter les susceptibilités nationales. Ainsi la C.C.E.I., réunie pour la première fois en décembre 1975, avait deux co-présidents, un Canadien et un Vénézuélien. A l'époque contemporaine, des conditions de compétence et d'impartialité apparaissent avec les conférences tenues sous les auspices des organisations internationales (le professeur autrichien Verdross, aux conférences de Vienne de 1961 et 1963).

En dehors du Président, les conférences internationales ont également un bureau, composé d'un certain nombre de vice-présidents et de secrétaires, élus par la conférence elle-même, et, éventuellement, d'un Secrétariat à compétence exclusivement administrative et technique. Outre la désignation du bureau, la conférence doit adopter, à titre de travail préliminaire, un règlement intérieur qui détermine le nombre et la composition des commissions, les règles de publicité des délibérations, l'attribution du droit de parole, les fonctions du bureau, les langues officielles de travail, les règles de votation, etc. En particulier, la constitution des commissions réalise une division du travail au sein de la conférence, les commissions étant spécialisées selon la nature des problèmes abordés. Ainsi la Conférence Nord-Sud comprend quatre commissions (énergie, matières premières, développement, affaires financières) comportant chacune deux co-présidents. Mais il ne s'agit là que d'organes de discussion et de préparation du travail de l'assemblée plénière de la conférence, à laquelle il appartient de prendre les décisions définitives. En fait il n'est pas rare, surtout lorsqu'il s'agit de problèmes techniques et complexes, que l'assemblée générale de la conférence ne soit pas autre chose qu'une chambre d'enregistrement.

Un autre problème important réglé par le règlement intérieur est

(1) Clemenceau rappelait qu'il s'agissait d' « une tradition internationale de vieille courtoisie envers le pays qui a l'honneur d'accueillir la conférence ».

celui du vote. Le principe conforme à la souveraineté et à l'égalité des Etats est que chaque Etat dispose d'une voix, quelle que soit sa puissance et quel que soit le nombre de ses délégués. La règle classique selon laquelle le vote est acquis à l'unanimité des Etats tend de plus en plus à disparaître dans les conférences internationales au bénéfice de la règle de la majorité. Cependant, une procédure moins formelle est également utilisée : celle du consensus. Ainsi le communiqué de la conférence ministérielle Nord-Sud prévoit que les règles de procédure « reposant sur le principe du consensus », c'est-à-dire que « les décisions et les recommandations sont adoptées lorsque la Présidence a constaté qu'aucune délégation membre n'y fait objection ». Une telle disposition figure également dans le règlement intérieur de la conférence des Etats parties à la convention de 1968 relative à la non-prolifération des armes nucléaires, chargée d'examiner l'application du traité et ouverte à Genève en mai 1975.

Du procédé classique de la conférence diplomatique, on peut glisser insensiblement vers celui de l'institutionnalisation sous la forme d'un organe subsidiaire d'une O.I. C'est ce qui s'est passé pour la conférence des Nations Unies sur le commerce et le développement (C.N.U.C.E.D.), créée sur l'initiative de l'O.N.U.

BIBLIOGRAPHIE

L'ouvrage de Y. DAUDET sur *Les conférences des Nations Unies pour la codification du Droit international* (Librairie générale de Droit, 1968) contient de nombreuses références à la pratique internationale et une bonne bibliographie. Compléter par les études et chroniques parues dans l'*An. Fr. de Droit Int.*

E. JOUVE, *La démocratisation des grandes conférences internationales* (Communication au colloque d'Alger, 11-14 oct. 1976, sur le thème « Droit international et développement »), 28 p. ronéotées.

VIRALLY, « La conférence au sommet », *Ann. franç. de Droit international,* 1959, p. 736.

M. SIBERT, *Cours de l'Académie de Droit international de La Haye,* 1934, t. 48, et son *Traité de D.I.P.*

M. FLORY, « Les conférences islamiques », *Ann. franç. de Droit intern.,* 1971, p. 233 et s.

La sociologie des conférences internationales est abordée dans l'ouvrage de E. C. IKLE, *How nations negociate,* Harper, 1964.

Voir une étude de cas dans l'ouvrage de ZARTMAN, *The politics of trade negociations between Africa and the european economic community,* Princeton, 1970, et l'ouvrage plus récent « *The Lomé convention* », publié en 1977 par les éditions Sijthoff.

Pour la C.C.E.I. (dialogue Nord-Sud), voir « Problèmes politiques et sociaux », 29 oct. 1976 et les Documents d'actualité internationale (*Doc. Fr.*, Paris).

Sur la C.N.U.C.E.D., voir Cl. A. COLLIARD, *op. cit.*, p. 699-710, les documents publiés périodiquement par l'O.N.U., les chroniques de l'*Annuaire du Tiers Monde* (depuis 1976) et celles de l'A.F.D.I.

Sur la conférence sur la sécurité et la coopération en Europe, l'étude de Aleth MANIN (*Notes et études doc.*, 15 mars 1976) décrit le processus qui a conduit à l'adoption de l'acte final dit « accords d'Helsinki ». Voir aussi les deux études parues dans l'*Ann. franç. de Droit international* de 1975, et celle de CHARVIN dans les *Mélanges Burdeau,* 1977.

B. — LES ORGANES DES ORGANISATIONS INTERNATIONALES

Dans une certaine mesure, certains des organes des organisations internationales se présentent comme des sortes de conférences internationales. Comme le fait remarquer Mme Bastid, « Les assemblées ou les organes délibérants des organisations internationales rappellent les conférences diplomatiques » (et inversement). L'analogie est d'autant plus frappante qu'on emploie parfois, pour certaines organisations internationales, comme l'Organisation internationale du Travail ou l'Unesco, le terme de conférence générale pour désigner l'organe délibérant.

En fait, ces organes délibérants des organisations internationales jouent effectivement un rôle identique à celui des conférences diplomatiques classiques, c'est-à-dire la discussion de problèmes internationaux et l'élaboration de conventions internationales. C'est ainsi que l'Assemblée générale des Nations Unies avait élaboré elle-même le projet de convention relative au génocide et l'avait ensuite soumis à l'acceptation des Etats. Bien plus, le rôle essentiel de la Conférence générale de l'O.I.T. est d'élaborer des conventions internationales du travail (*supra*, p. 178).

Nous n'insisterons pas sur cet aspect de l'activité des organisations internationales. En revanche, il est nécessaire de dire quelques mots du rôle joué dans les organisations internationales par les *secrétariats* des organisations, et particulièrement les hauts fonctionnaires, tels que le secrétaire général de l'Organisation des Nations Unies.

En règle générale, les secrétariats des organisations internationales n'ont pas à prendre des initiatives ou à assumer des responsabilités sur le plan politique. Ils sont subordonnés aux représentants des Etats qui composent les organes délibérants des organisations internationales (*supra*, p. 199-200).

Cependant, même dans les organisations où le secrétariat est ainsi cantonné dans un rôle technique et subordonné, il n'est pas rare qu'il exerce en fait une influence parfois décisive sur les travaux des différents organes des O.I., et même des conférences internationales convoquées par les O.I. Juridiquement sans doute, les décisions ou les reconmmandations sont votées par les organes délibérants des O.I., mais, en fait, il arrive souvent que ces derniers ne fassent qu'entériner ce qui a été inspiré, proposé, voire imposé par les secrétariats. Cette situation est d'autant plus dangereuse que les postes-clés du Secrétariat sont entre les mains d'une majorité de fonctionnaires issus des Etats capitalistes. Ainsi la composition du Secrétariat de l'O.N.U. montre que 54 % des fonctionnaires de l'organisation proviennent des Etats occidentaux, les E.U.A. détenant à eux seuls 20 % des postes, tandis que le Tiers Monde ne dispose que d'un tiers des postes, soit l'équivalent de la France seule. Pour les postes de directeurs, le pourcentage est encore plus élevé pour les Etats capitalistes occidentaux : 57 % contre 31 % pour le Tiers Monde. Ce pourcentage monte à 76 % pour les services des finances et du personnel. Cette situation a conduit les Etats du Tiers Monde (résolution de l'A.G. du 17 déc. 1973) à demander une restructuration des services de l'O.N.U.

Le rôle joué par les secrétariats s'explique par le caractère de plus en plus complexe des problèmes internationaux, surtout lorsqu'ils ont un caractère technique, par le développement d'un certain esprit technocratique qui conduit les secrétariats à imposer leur point de vue aux hommes politiques, par la personnalité exceptionnelle de certains secrétaires généraux ou directeurs généraux qui sont d'ailleurs parfois eux-mêmes des hommes politiques (par exemple, Paul-Henri Spaak, ministre belge des Affaires étrangères, devenu secrétaire général de l'OTAN), enfin par les conditions de fonctionnement des O.I. qui laissent aux hauts fonctionnaires la possibilité d'exercer au moins une magistrature d'influence, voire de résoudre eux-mêmes, avec une grande marge de manœuvre et une grande liberté d'appréciation, des problèmes que les Etats eux-mêmes se déclarent incapables ou peu désireux de régler.

Dans le cas de l'Organisation des Nations Unies, la Charte elle-même reconnaît au secrétaire général un rôle important. Non seulement le secrétaire général exerce des fonctions juridiques non négligeables (telles que l'enregistrement et la publication des conventions internationales, la possibilité d'appeler l'attention du Conseil de Sécurité sur les affaires susceptibles de constituer une menace pour la paix internationale, la présentation d'un rapport annuel à l'assemblée générale, l'accès à toutes les réunions des organes de l'Organisation des Nations Unies pour y faire des déclarations, orales ou écrites), mais encore, dans la pratique, le rôle politique du secrétaire général des Nations Unies a été considérablement développé à partir de ces différentes dispositions.

C'est ainsi qu'en présentant son rapport annuel, le secrétaire général des Nations Unies a l'occasion de critiquer, non seulement l'action des différents organes de l'Organisation des Nations Unies, mais également l'action des Etats eux-mêmes, soit qu'elle se manifeste dans le cadre de l'O.N.U., soit même qu'elle se développe en dehors de l'organisation. A plusieurs reprises, U Thant ne s'était pas privé de juger très sévèrement l'action entreprise par les Etats-Unis au Vietnam. Cette critique est également l'occasion pour le secrétaire général des Nations Unies, sinon de donner des conseils aux représentants des Etats, du moins de présenter des suggestions afin d'améliorer l'action de l'organisation internationale.

En dehors de cette fonction de censeur, le secrétaire général des Nations Unies exerce également dans la pratique une action politique sur la base des dispositions de la Charte qui lui permettent d'appeler l'attention du Conseil de Sécurité sur les situations susceptibles de menacer la paix internationale. Bien que cette même possibilité ne soit pas prévue pour l'Assemblée générale, il n'empêche que le secrétaire général s'est reconnu également le droit de saisir l'Assemblée des problèmes de cette nature. A cette occasion, le secrétaire général des Nations Unies peut intervenir dans les débats et, dans cette mesure, il a la possibilité de les orienter vers l'adoption de telle ou telle solution, sans aller évidemment jusqu'à dicter aux représentants des Etats leur conduite.

Enfin, le secrétaire général des Nations Unies exerce également une action diplomatique. Dans son manuel d'Institutions internationales, le professeur Reuter va jusqu'à dire que « le rôle du secrétaire général est avant tout diplomatique ». Par rapport à l'Organisation des Nations Unies, le secrétaire général est effectivement un peu dans la situation des autorités d'un Etat qui ont la responsabilité des relations internationales, c'est-à-dire à la fois dans la situation d'un chef d'Etat, d'un ministre et d'un ambassadeur. L'analogie est d'autant plus frappante que le secrétaire général de l'O.N.U. reçoit les lettres de créance des représentants des Etats accrédités auprès de l'organisation, qu'il négocie et signe les conventions internationales, sous réserve des instructions reçues des organes délibérants et de leur approbation, et qu'il est également chargé d'appliquer ces conventions internationales.

Surtout sur le plan politique, si les résolutions adoptées par l'Assemblée générale et le Conseil de Sécurité formulent des principes pour la solution de tel ou tel problème, elles impliquent généralement une marge de manœuvre très grande dans l'application. En fait, dans un certain nombre d'hypothèses, il apparaît que le secrétaire général est l'organe moteur de l'organisation, ce qui n'a pas été parfois sans soulever un certain nombre de difficultés, comme celles qui se manifestèrent à propos de l'affaire du Congo quant à l'attitude et au comportement du secrétaire général, Dag Hammarskjoeld, et ce qui, indirectement, détermina l'U.R.S.S. à proposer le fameux projet de troïka destiné à réformer le secrétariat.

Enfin, sur le plan de l'action diplomatique, le secrétaire général peut également intervenir pour essayer de régler les conflits internationaux, soit personnellement, soit par l'intermédiaire d'un représentant dûment autorisé, comme c'est le cas dans le conflit israélo-arabe. Voici comment U Thant voyait cette mission, qualifiée de « diplomatie personnelle » ou de « diplomatie tranquille » ou « discrète ».

« Il est un aspect de la tâche du secrétaire général qui, peut-être, appelle quelques commentaires particuliers en cette période troublée où les efforts faits tant par les gouvernements que par l'Organisation des Nations Unies pour trouver une solution à des problèmes délicats échouent si souvent. Je veux parler des activités très diverses de caractère officieux et confidentiel que l'on désigne parfois sous les termes généraux de « bons offices ». Ces activités s'exercent dans des domaines très variés et représentent une part considérable de la tâche du secrétaire général, mais j'ai l'impression que leur nature et les possibilités qu'elles offrent sont parfois mal comprises. En effet, il arrive très souvent que telle ou telle activité de cette nature ne soit aucunement divulguée.

« Il est naturel que, lorsqu'ils se trouvent devant des problèmes délicats qui appellent d'urgence une solution, les gouvernements aient recours à l'aide que le secrétaire général peut *personnellement apporter par des démarches discrètes* faites auprès de l'autre côté ou des autres parties. Il arrive aussi que, de par la nature même de sa charge et de ses responsabilités, le secrétaire général soit amené à prendre des initiatives pouvant contribuer à résoudre de façon satisfaisante un problème difficile ou une situation grave qui, s'il demeurait sans solution, risquerait de s'envenimer au point de mettre en danger la paix et la sécurité ou qui, sans aller jusqu'à mettre en jeu des questions de paix et de sécurité, risque de compromettre le maintien de bonnes relations entre Etats.

« La nature des bons offices du secrétaire général, leurs limitations et les conditions dans lesquelles le secrétaire général peut espérer obtenir des résultats sont peut-être moins bien comprises. Invariablement, il s'agit de résoudre un problème délicat et difficile, qui généralement met en cause le prestige et la position des gouvernements intéressés au regard de l'opinion publique. Aucun résultat ne peut alors être obtenu si ce n'est par la confiance mutuelle, par le respect mutuel et par une discrétion absolue. Donner le moins du monde à entendre qu'une action entreprise par le secrétaire général pourrait aider politiquement l'une des parties ou même que l'on pourrait attribuer publiquement au secrétaire général le mérite de tel ou tel résultat reviendrait presque immanquablement et instantanément à réduire ses efforts à néant. Toute pression à laquelle le secrétaire général pourrait être publiquement soumis ne manquerait pas d'avoir le même résultat et toute publicité donnée à ses efforts en compromettrait vraisemblablement le résultat. C'est pourquoi il est fréquent que, lorsque le secrétaire général s'emploie, *à titre privé*, auprès des parties, en vue du règlement d'une question délicate, il soit publiquement accusé d'inaction, voire d'indifférence.

« Si je mentionne cet aspect particulier de la question, c'est uniquement parce que je pense que s'ils étaient généralement mieux compris, ces bons offices pourraient devenir plus efficaces » (1).

L'offre de bons offices a été faite à maintes reprises par M. Kurt Waldheim, secrétaire général de l'O.N.U., même lorsque l'O.N.U. n'était pas saisie d'un différend. Il a ainsi aidé la Guinée et la France à normaliser leurs relations en 1975.

BIBLIOGRAPHIE

Marc NERFIN, Is a democratic United Nations possible ? *Development dialogue*, 1976, n° 2, p. 79 et s.

O.N.U. *Nouvelle structure des N. U. pour la coopération économique internationale* (E/AC 62/9 du 20 mai 1975).

---

(1) Introduction au rapport annuel du Secrétaire général sur l'activité de l'Organisation (septembre 1969).

O. Pirotte et P. M. Martin, La fonction de secrétaire général de l'O.N.U. à travers l'expérience de M. Kurt Waldheim, *Revue gén. de Droit intern.*, 1974.

J. L. Rovine : *The secretary general in world politics,* Leyde, 1970.

D. Ruzié, *Les fonctionnaires internationaux,* A. Colin, 1970, 95 p.

J. Siotis, *Essai sur le secrétariat international,* Droz, Genève, 1963.

M. C. Smouts, *Le secrétaire général des Nations Unies,* A. Colin, 1971.

Les Nations Unies remises en question, *Etudes,* mars 1972.

M. Virally, « Le rôle politique du secrétaire général des Nations Unies », *Ann. franç. de Droit intern.*, 1958, et « Le testament politique de Dag Hammarskjoeld », *ibid.*, 1961, ainsi que son ouvrage *L'organisation mondiale.*

SECTION II

LES MOYENS MILITAIRES

L'étude des moyens militaires exigerait de longs développements. Nous nous contenterons de quelques indications sommaires en examinant d'abord les différents éléments de la panoplie militaire, puis en dégageant les tendances qui se manifestent à l'époque contemporaine. dans ce domaine, quelles sont les doctrines militaires dominantes, enfin, en recherchant sous quelles formes se manifeste la contre-attaque de ceux qui cherchent à freiner la course à la mort et quels sont les résultats obtenus à ce jour.

§ 1. — LA PANOPLIE MILITAIRE

Dans un ouvrage de Pearl Buck, *Dragon Seed,* un des personnages, Jade, s'écrie : « Pourquoi n'avons-nous pas tout ce que les autres dans le monde possèdent, pourquoi n'avons-nous pas des canons et des vaisseaux volants et des fortifications ? » Un autre personnage, Lao Er, lui répond : « Ils ne sont que des jouets pour nous, mais si le monde entier joue avec les jouets dangereux, nous devons apprendre aussi à jouer avec eux. Et cependant c'est une folie. » Les gouvernants d'aujourd'hui raisonnent comme les personnages de Pearl Buck. Chacun aspire à avoir la même panoplie militaire que le voisin, et s'il ne le peut pas, il est prêt à se mettre sous la protection des plus puissants ou à s'associer avec le voisin, en application du vieux proverbe selon lequel « l'union fait la force », même si le voisin est le diable en personne.

Il y a, par conséquent, deux sortes de moyens militaires : d'une part les forces armées, principalement celles des Etats, mais aussi les alliances et organisations militaires auxquelles les Etats ont recours pour renforcer leur potentiel militaire.

A. — Les forces armées

En ce qui concerne les forces armées, il faut distinguer d'une part les armes et d'autre part les armées.

I. — *Les armes.*

A l'époque contemporaine, le fait majeur est l'application de la science au domaine militaire, à tel point que la science et la défense nationale sont pratiquement en état de concubinage et ne peuvent se passer l'une de l'autre. C'est ce que le Président Eisenhower appelait dans son dernier discours présidentiel sur l'état de l'Union le « complexe militaro-industriel ».

Ceci veut dire que, directement ou indirectement, la défense nationale draine les meilleurs cerveaux et que les militaires deviennent de plus en plus des ingénieurs et des techniciens. Selon l'annulaire 1973 de l'Institut de Stockholm sur la recherche en matière de paix (*Stockholm International Peace Research Institute - SIPRI*), le nombre de savants et d'ingénieurs employés à la recherche et au développement aux Etats-Unis serait de 500 000, dont 30 % environ travailleraient pour la défense nationale.

Le « complexe militaro-industriel » signifie aussi que se manifeste une tendance à la colonisation de la science civile par les militaires en ce sens que la défense nationale investit les établissements de recherche et d'enseignement universitaire dans l'espoir que la recherche fondamentale pourra, en définitive, servir des objectifs militaires. Pour les Etats-Unis, Colin Clarke, dans un livre traduit en français sous le titre *La course à la mort,* a calculé qu'en 1968 la moitié des crédits affectés à la recherche dans les Universités provenaient d'organismes de la Défense Nationale. Pour la France, dans le cadre du Ve Plan, près de 60 % des crédits de recherche concernent la Défense Nationale.

Enfin, le complexe « militaro-industriel » signifie qu'il y a une symbiose entre l'armée et l'industrie. Comme l'avait reconnu M. Messmer, alors Premier Ministre, « le budget militaire est amené à financer des travaux scientifiques ou des réalisations industrielles qu'aucune entreprise privée n'accepterait de conduire ». Effectivement, il faut constater que, directement ou indirectement, une grande partie du secteur industriel travaille pour la défense nationale.

Ces liens très intimes qui existent entre le savant et le militaire, l'industriel et le militaire, expliquent que les armements se soient perfectionnés au cours des dernières décennies de façon incroyable. Ce perfectionnement s'est traduit par l'apparition de l'arme nucléaire, mais aussi par des améliorations constantes des armements classiques.

En ce qui concerne les armements classiques, quelques indications sommaires suffiront. Leur évolution a été maintes fois décrite, dans de nombreux ouvrages. Ce qu'il faut souligner, c'est l'accélération extraordinaire des changements dûs aux progrès de la science, ce qui pose le problème de l'écoulement des armements démodés. Le Tiers Monde, de ce point de vue, est un exutoire très commode.

Pendant des millénaires, l'homme a utilisé des armes qui faisaient appel à son énergie musculaire (hache, massue, lance, etc.). A partir du Moyen Age européen est survenue l'énergie chimique (la poudre) qui s'ajoute, sans la remplacer, à l'énergie musculaire. C'est l'époque des armes à feu, pour lesquelles on peut dire qu'il y a eu cinq siècles d'évolution très lente et un siècle d'évolution extrêmement rapide qui coïncide avec l'apparition de la grande industrie. On voit apparaître l'artillerie lourde, les blindés, les mitrailleuses à tir rapide, les fusées allemandes (V1 et V2) et surtout l'aviation de bombardement. Avec l'avion, le kilogramme d'explosif devient de plus en plus efficace, c'est-à-dire de plus en plus meurtrier et destructeur. C'est ainsi que les bombes de 10 tonnes lancées sur Hambourg, Dresde ou Tokio réussissaient à niveler 30 à 40 000 mètres carrés. Aujourd'hui, les « gadgets » se multiplient. Les bombes deviennent intelligentes (smart bombs) et peuvent être guidées, automatiquement, vers leur objectif avec une précision de quelques mètres, voire de quelques centimètres.

Avec l'arme atomique, l'art de détruire fait un bond énorme, ce qui manifeste dans l'histoire de l'armement une discontinuité. La bombe d'Hiroschima détruit tout sur une surface de 18 km² (comparer ceci avec les 30 à 40 000 mètres carrés des bombes utilisées pendant la seconde guerre mondiale) et, sur une surface encore plus grande, produit des radiations mortelles pour la moitié des habitants.

Depuis la bombe d'Hiroshima, l'escalade n'a pas cessé. Après la bombe A (qui utilise la technique de la fission), les Etats-Unis ont inventé et expérimenté en 1952 la bombe H (qui fait appel à la technique de la fusion). Désormais on ne compte plus en kilogrammes ou en kilotonnes. On compte en mégatonnes, c'est-à-dire en millions de tonnes. La bombe H contient 3 à 5 millions de tonnes de trinitrotoluène (T.N.T.) et elle est capable de tout détruire sur une surface de 5 à 600 km² (comparez avec la force de destruction de la bombe d'Hiroshima). Deux ans plus tard, une nouvelle bombe H est mise au point. Cette fois, elle a des effets de destruction qui sont de trois fois supérieurs à la précédente puisqu'elle peut tout détruire sur une surface de 1 500 km². Elle libère une énergie comparable à celle utilisée par tous les engins de destruction au cours de la seconde guerre mondiale. En fait, actuellement, on ne voit pas quelle pourrait être la limite technique, sinon psychologique ou financière, de la capacité de tuer et de détruire.

Non seulement il y a eu des progrès fantastiques en ce qui concerne la puissance de l'arme nucléaire, mais il y a eu également des progrès extraordinaires en ce qui concerne les « Vecteurs » ou les « Véhicules », c'est-à-dire ce qui permet de transporter l'arme nucléaire.

D'abord, on a utilisé les bombardiers, qui ont été perfectionnés. Aujourd'hui ils vont beaucoup plus vite puisqu'ils atteignent la vitesse du son, qu'ils sont capables de voler à de très hautes altitudes et de franchir, sans ravitaillement, des milliers de kilomètres. C'est ainsi que les B52 et les B58 (utilisés au Vietnam) peuvent atteindre n'importe quel objectif en U.R.S.S. en partant des Etats-Unis et en volant à plus de 15 000 mètres d'altitude. Le bombardier américain B-1, ravitaillable en vol, pourra franchir 16 000 km et atteindre 2 500 km à l'heure. Il transportera des têtes nucléaires de 100 à 200 kilotonnes (cinq à six fois la puissance de la bombe d'Hiroshima). Le Backfire soviétique, ravitaillable en vol aura un rayon de 6 000 km.

En second lieu, les fusées, dont l'invention est très ancienne, ont vu accroître leur efficacité en tant que « vecteurs ». Actuellement, les missiles sont capables d'atteindre la vitesse de Mach 20, soit 20 000 kilomètres à l'heure. En outre, on a diversifié les possibilités d'utilisation des missiles. On distingue trois catégories de missiles : les missiles balistiques intercontinentaux (1) qui sont des missiles à très longue portée (15 000 milles et plus, type Titan ou minute-man), les

(1) En anglais, I.C.B.M. (intercontinental balistic missiles). Pourquoi pas M.B.I. en français ?

missiles à portée intermédiaire (1 500 milles) (2), et les missiles à portée moyenne (600 milles) (3).

Les charges de missiles ont elles-mêmes été perfectionnées. Actuellement, ils peuvent être équipés de plusieurs têtes nucléaires. Ce sont les M.R.V. (multiple reentry vehicles). En outre, les têtes nucléaires ont été rendues indépendantes les unes des autres. Ce sont les M.I.R.V. (multiple independently targetable reentry vehicle) (4). Enfin, apparaissent les M.A.R.V. (manoeuvrable reentry vehicle) dont la trajectoire peut être modifiée avant d'atteindre l'objectif.

Enfin, le sous-marin, muni de missiles à têtes nucléaires multiples à guidage indépendant, devient également un « vecteur » incomparable, avec l'utilisation de la propulsion nucléaire, qui lui permet de rester immergé pendant une très longue durée, de franchir des distances considérables et de s'approcher de très près des côtes de l'Etat qui est visé. Le premier sous-marin de ce type a été fabriqué aux Etats-Unis en 1959. Aujourd'hui la flotte américaine dispose d'une cinquantaine de sous-marins à propulsion nucléaire, dotés de missiles « mer-sol » à têtes nucléaires multiples à guidage indépendant.

En dehors des armements classiques et de l'arme nucléaire, il faut également mentionner le développement des armes bactériologiques et chimiques (armes B et C) qui constituent des armes redoutables. L'Organisation mondiale de la Santé a étudié les effets destructeurs des armes B et C. Elle a évalué que 4 tonnes de gaz neurotiques XV lancés sur une ville de 5 millions d'habitants sur une distance de 2 kilomètres exposeraient 150 000 personnes à un danger mortel. Le résultat serait identique si on répandait par aérosols des agents bactériologiques de la peste. Rappelons qu'au cours de la guerre du Vietnam les Etats-Unis ont utilisé des défoliants pour priver les combattants vietnamiens du camouflage naturel des feuillages des arbres. Il a été reconnu que ces défoliants ne s'attaquaient pas seulement aux feuilles, mais aussi à l'organisme humain.

Le deuxième fait important est que ces armements modernes sont inégalement répartis entre les Etats. Pendant plusieurs années, les

(2) En anglais I.R.B.M. (intermediate range balistic missiles) ou, en français, M.B.P.I.

(3) M.R.B.M. (medium range balistic missiles) ou M.B.P.M. en français.

(4) L'anglomanie a conduit certains auteurs à fabriquer le verbe « mirver » (?) ou le substantif « mirvage » (?). On pourrait utiliser le sigle V.T.N.M.G.I. (vecteurs à têtes nucléaires multiples à guidage indépendant).

Etats-Unis d'Amérique ont eu le monopole absolu de l'arme la plus terrifiante, c'est-à-dire de l'arme atomique. La chronologie établit que l'U.R.S.S. n'est entrée dans la voie de l'armement atomique qu'après coup pour éviter d'être placée en position d'infériorité par rapport aux Etats-Unis. La première explosion expérimentale d'une bombe atomique soviétique n'eut lieu qu'en 1949, c'est-à-dire 4 ans après que les Etats-Unis eussent eux-mêmes utilisé cette arme contre le Japon. A partir de ce moment, l'objectif de l'U.R.S.S. est d'essayer d'établir un équilibre entre elle-même et les Etats-Unis. Cet équilibre est, en fait, aujourd'hui réalisé. Bien que le Président Nixon ait qualifié, en 1968, la parité dans le domaine de l'armement nucléaire de « doctrine bizarre et sans précédent », il n'en reste pas moins que le traité américano-soviétique conclu en 1972 à la suite des conversations sur la limitation des armements stratégiques (1) a effectivement reconnu l'existence d'une parité, sinon d'ordre qualitatif, du moins d'ordre quantitatif, entre les Etats-Unis et l'U.R.S.S.

L'avance qui a été ainsi prise par les Etats-Unis, puis par l'U.R.S.S. dans le domaine des armements nucléaires, a eu pour conséquence de créer un déséquilibre dans le monde, du fait que, jusqu'à une date récente, les autres Etats étaient dépourvus de l'arme nucléaire. Mais, dans ce domaine, les observations des personnages de Pearl Buck ont trouvé une application.

Malgré les objections des E.U.A., formulées en particulier par le Docteur Kissinger dans son ouvrage *Les malentendus transatlantiques* (trad. franç., 1965), malgré les réactions très vives de certains secteurs de l'opinion publique, la France, à son tour, s'est engagée dans la voie de la constitution d'une force de frappe nationale ou « force nucléaire stratégique ». Actuellement, 36 mirages IV dont dotés d'une bombe de 70 kilotonnes, c'est-à-dire presque 4 fois la puissance de la bombe d'Hiroshima. Des missiles, qui sont capables de porter à 2 800 km des bombes de 150 kilotonnes, sont stockées en Haute Provence. De même 4 sous-marins à propulsion nucléaire, dotés de fusées ont été construits. Un cinquième, le *Tonnant,* entrera en service en 1979. En 1984, ces sous-marins seront dotés de missiles à ogives multiples à trajectoire non indépendante de 150 kilotonnes chacune.

A son tour, la Chine a procédé à sa première explosion nucléaire

(1) On parle de SALT (Strategic armaments limitation talks). Pourquoi pas C.L.A.S. (conversations sur la limitation des armements stratégiques) ou, avec une connotation péjorative, E.L.A.S. (entretiens...) ?

en 1964. Elle possède également à l'heure actuelle des missiles à têtes nucléaires ainsi que des bombardiers munis de missiles.

En mai 1974, l'Inde a également réussi une première explosion nucléaire, après avoir dépensé autant d'argent depuis l'indépendance pour parvenir à ce résultat, inquiétant pour l'avenir, que pour construire des logements (voir G. Fischer, L'Inde et la bombe, *Polit. étr.*, 1974, n° 3).

A côté des géants qui disposent de la supériorité dans le domaine nucléaire et des puissances de moindre importance qui s'efforcent d'acquérir une certaine autonomie en développant leur propre force nucléaire, les autres Etats apparaissent bien nus. Mais, ce qu'il faut noter, c'est qu'aucun de ces Etats n'a renoncé à renforcer chaque jour davantage sa propre force militaire. Il est frappant de constater que tous les nouveaux Etats ont tenu à créer leur propre armée nationale, alors qu'ils auraient pu s'en dispenser, car, dans beaucoup de cas, ils ne sont menacés d'aucune agression extérieure. Ceci est une bénédiction pour les Etats développés, car c'est, pour eux, l'occasion d'un conmmerce extrêmement fructueux des armes. On a calculé (annuaire du S.I.P.R.I.) qu'en 1972, à prix constants et en millions de dollars, la valeur des exportations (Vietnam exclu) avait atteint 20 020.

Au commerce des armes participent à la fois fois des entreprises privées et les gouvernements eux-mêmes, car, dans certains Etats, ce sont les gouvernements qui ont le contrôle de la production des armements. En ce qui concerne les E.U.A., un seul individu, Sam Cunning, contrôle une société qui monopolise 90 % du total des ventes d'armes. On a calculé que les bénéfices atteignent parfois jusqu'à 2 000 %. Mais le gouvernement des E.U.A. participe également au commerce des armes. Ceci a été reconnu par un sénateur américain E. Mac Carthy, en novembre 1968, lorsqu'il déclarait : « Les Etats-Unis sont aujourd'hui la principale source d'armes classiques à travers le monde. Le gouvernement des Etats-Unis est le principal fournisseur d'armes. Il a lui-même assuré le rôle rempli entre les deux guerres par les marchands de canons si largement méprisés. »

D'après le SIPRI (Arms trade registers), le commerce des armes lourdes (Vietnam exclu) se repartissait de la façon suivante en prix constants sur la période 1950-1974 :

Etats-Unis, France, Royaume-Uni	55,6 %
U.R.S.S.	33,4 %
Autres	11 %

Les régions du Tiers Monde bénéficiaient de la façon suivante de la vente des armes :

Moyen-Orient	35,6 %
Extrême-Orient	29,7 %
(dont 10 % pour le Vietnam)	
Asie du Sud	14,4 %
Amérique latine	11,5 %
Afrique	8,8 %
(dont 2,7 % pour l'Afrique du Sud)	

Le commerce des armes n'est pas seulement une source de profit, il est aussi un moyen d'action politique (dans des sens très divers) à l'égard des Etats du Tiers Monde. En outre, il contribue à aggraver davantage les tensions. Il est frappant de constater que, depuis la seconde guerre mondiale, les conflits armés n'ont pas touché les grandes puissances. Ils ont été l'apanage des Etats du Tiers Monde. Une des raisons de ce phénomène est le fait que les Etats développés ont contribué à renforcer, chaque année davantage, la puissance militaire des Etats du Tiers Monde. Cette situation a conduit à des protestations de l'opinion publique. Il faut rappeler la déclaration retentissante sur le commerce des armes de l'Episcopat français et de la Fédération protestante de France publiée en 1973. Elle soulevé la colère de certains chefs militaires français.

Cette course aux armements, qui se manifeste partout dans le monde, y compris dans les Etats du Tiers Monde, se reflète dans les budgets nationaux. L'annuaire du S.I.P.R.I. donne des courbes et des statistiques, qui mettent en évidence l'augmentation constante des dépenses militaires. En 1971, sur un plan global, 190 millions de dollars des E.U.A. (à prix constants) avaient été dépensés pour la guerre, ce qui équivaut à 6 % des ressources mondiales.

Les statistiques montrent également l'accroissement des dépenses dans les Etats du Tiers Monde, particulièrement sur les points chauds du globe (Extrême-Orient et Moyen-Orient) et la progression des ventes d'armes selon les régions et selon la conjoncture internationale. Il est navrant de constater que les Etats du Tiers Monde dépensent plus pour leur défense nationale et leur sécurité intérieure que pour la protection de la santé, bien que, par ailleurs, les constitutions de ces Etats affirment avec une belle unanimité le droit à la santé. En 1971, par exemple, l'Ethiopie, ce pays de la faim et de la misère, avait consacré 28 millions de dollars éthiopiens à la santé publique, mais plus de 93 millions de dollars à la défense nationale et 85 millions de dollard au maintien de l'ordre et à la justice, c'est-à-dire à l'appareil répressif. Que dire de la situation actuelle ?

II. — *Les armées.*

Les armées, comme les armes, ont également évolué sous l'effet du progrès technique et de la multiplication des guerres révolutionnaires. Parallèlement à cette évolution, la position des armées par rapport au pouvoir civil s'est modifiée de façon importante, ce qui a eu des conséquences sur le plan national (coups d'Etat militaires, dictatures), et dans le domaine international (tensions, crises, affrontements armés).

D'abord le progrès technique a accéléré l'évolution de l'armée vers l'armée de métier (cf. *L'armée de métier du Général de Gaulle*), c'est-à-dire une armée composée de techniciens de niveau élevé et dotés de moyens ultramodernes, y compris l'arme nucléaire. Selon le rapport présenté au XXIVe Congrès du P.C.U.S., il y avait, déjà en 1972, 73 % d'ingénieurs et de techniciens parmi les officiers des forces armées nucléaires soviétiques. Au total, pour l'ensemble des forces armées, il y avait 45 % d'officiers ingénieurs ou techniciens d'études supérieures.

En France, le général Gallois (v. *Adieu aux armées,* A. Michel, 1976), propose « l'armée du minimum vital », c'est-à-dire 2 fois 750 « civils » chargés de mettre en œuvre l'armée nucléaire.

Ainsi apparaît dans les armées contemporaines un clivage entre le chef militaire héroïque, couvert de gloire, attaché à la tradition militaire, et ce qu'on pourrait appeler les gestionnaires, préoccupés par la conduite scientifique et rationnelle de la guerre. Ce clivage est susceptible de créer des tensions au sein de l'armée, ce qui peut nuire à son unité. Mais, en outre, comme l'ont montré les conversations sur la limitation des armements stratégiques (CLAS), les spécialistes de l'arme nucléaire risquent de peser sur les décisions politiques prises par les Etats, soit qu'ils interviennent directement dans les conversations, soit qu'ils agissent par personne interposée, c'est-à-dire par l'intermédiaire des hommes politiques. C'est ainsi qu'aux E.U.A. certains hommes politiques conservateurs très proches des milieux militaires, comme le sénateur Jackson par exemple, considéraient que les accords de 1972 constituaient pour les Etats-Unis une véritable démission, une reculade inadmissible. Il y eut une résistance des militaires qui explique que l'administration américaine ait pu immédiatement obtenir un accroissement des crédits militaires pour perfectionner l'arme nucléaire.

De même, en U.R.S.S., la lecture de la presse militaire montre qu'il y eut une certaine hostilité d'une partie de l' « Establishment » militaire à l'engagement de négociations sur la limitation des armements stratégiques. Sans doute les vues de ces militaires n'ont pas prévalu et ils n'ont pas réussi à bloquer la décision. Mais le fait que la délégation soviétique comprenait un tiers de militaires montre leur influence sur le plan des relations internationales.

Indépendamment du rôle croissant des techniciens dans l'armée qui augmente l'influence de ce groupe social sur le plan des relations internationales, se trouve posé le problème de la participation du peuple à la constitution des armées nationales. Jusqu'à une époque récente, on admettait que l'armée devait être la nation ou le peuple en armes (*Das Volk im Waffen*). Cette conception était liée à l'apparition des grandes guerres européennes. A partir du moment où le technicien compte plus que le combattant, le problème est de savoir s'il faut maintenir l'institution du service militaire obligatoire. Cette question avait été posée par le livre blanc français sur la défense nationale en 1972. Le gouvernement français déclarait : « La permanence prend le pas sur la mobilisation et la qualité sur la quantité. » De façon assez inconséquente, après avoir fait cette déclaration, le gouvernement français a maintenu le principe du service militaire obligatoire. Ceci conduit alors à s'interroger sur le rôle du contingent. La tentation est grande de l'utiliser à des tâches de sécurité intérieure ou de police, à moins qu'on ne l'emploie à des tâches parfaitement inutiles, ce qui est également une façon de tuer, sinon les autres, du moins le temps.

Si le progrès technique a eu pour conséquence de modifier les composantes des armées contemporaines, il faut également mentionner un autre phénomène : la multiplication des guerres révolutionnaires, des guerres de libération nationale. De façon curieuse, ces guerres ont contribué, par un mouvement de compensation, à redonner à l'armée son caractère populaire. Sur ce point, le modèle inégalé est celui de l'armée chinoise. Il manifeste la tendance à revenir à l'idée de « levée en masse », utilisée par les hommes de la Révolution française, avec cette différence qu'il ne s'agit plus de demander aux soldats-citoyens de défendre le territoire national et le système établi, mais, au contraire, de révolutionner, au sens plein du terme, la société en saisissant le pouvoir politique par la lutte armée. Selon la formule célèbre utilisée par Mao Ze-Dong : « le pouvoir sort du canon du fusil ». Avec cette différence également que l'armée n'est pas conçue comme force autonome au sein de la Nation, une force plus ou moins indépendante du pouvoir civil, mais au contraire une force intégrée au parti politique, ce qui se traduit dans la formule de Mao Ze Dong : « le parti commande aux fusils et non pas les fusils au parti ».

Les mouvements de libération nationale font également surgir des groupements armés de partisans qui sont les noyaux futurs des armées de libération nationale. Leur existence pose des problèmes extrêmement délicats, juridiques (statut juridique des partisans) et politiques (stratégie et tactique unitisées par les groupements de partisans).

Il est intéressant de relever comment, sur ce point, la pratique politique a contribué à faire apparaître un droit international nouveau : légalité des guerres de libération nationale, application du droit de la guerre aux combattants, reconnaissance des mouvements de libération, etc.

Par contrecoup, face au surgissement des armées de libération nationale et à l'apparition des partisans, les Etats qui cherchent à se défendre contre de tels mouvements en sont venus à reconsidérer le rôle de l'armée et même à l'interroger sur la validité de l'arme nucléaire.

On a cherché une parade. C'est la constitution de groupes formés à la lutte anti-guerilleros, experts dans l'utilisation de l'arme psychologique destinée à séparer les populations des partisans ou des armées populaires de libération nationale.

Le développement de la puissance militaire des Etats contraste étrangement avec l'échec des projets destinés à doter l'O.N.U. d'une force armée capable de préserver la paix internationale. La Charte des Nations Unies prévoit la constitution de forces armées internationales sur la base d'accords conclus entre les Etats et le Conseil de Sécurité. En outre, la Charte prévoit également la constitution d'un comité d'Etat-major, composé de chefs d'Etats-majors des cinq membres permanents du Conseil de Sécurité, ce qui confirme le rôle majeur des cinq grandes puissances au sein du Conseil de Sécurité, rôle renforcé par l'existence d'un droit de veto pour chacune d'entre elles.

En fait, ce mécanisme, qui supposait l'entente entre les cinq grandes puissances, n'a pas pu être mis en place. Les accords prévus par la Charte des Nations-Unies n'ont pas été conclus, puisque, dès 1947, on entre dans la période de guerre froide, qui annihile tout espoir d'entente entre les cinq grandes puissances.

L'échec du système prévu par la Charte des Nations-Unies a conduit l'O.N.U. à imaginer d'autres moyens. C'est ainsi que sont apparues les forces d'urgence des Nations Unies (F.U.N.U.), (« Casques bleus » ou « bérets bleus »), les « GONU » (les Groupements d'observation des Nations Unies). Mais il faut noter que la mise en œuvre de ces moyens suppose dans tous les cas l'accord des Etats intéressés, y compris les Etats belligérants. Ceci veut dire qu'une intervention autoritaire de l'O.N.U. est absolument exclue. En outre, il faut également relever que les « FUNU » n'ont pas pour rôle d'exercer une contrainte physique, une coercition, à l'égard des belligérants. Il leur est même recommandé de ne pas utiliser les armes, sauf pour assurer leur propre sécurité, en cas de légitime défense. Enfin, il faut noter également que la mission de ces formes armées des Nations Unies est simplement de faciliter la cessation des hostilités, l'observation par les belligérants du cessez-le-feu (cf. p. 453 et s.).

BIBLIOGRAPHIE

Sur les armes et les armées, la meilleure source d'information est l'*Annuaire du S.I.P.R.I.* et les diverses publications de cet institut. Adde « Les forces armées mondiales », *Notes et études documentaires,* 9 sept. 1975.

Sur les conséquences économiques et sociales de la course aux armements, voir l'étude faite par l'O.N.U. (1972).

Sur le commerce des armes, outre l'*Annuaire du S.I.P.R.I.*, voir J. STANLEY *The international trade in arms,* Londres, 1972 ; G. KEMP, « *Arms traffic and third world conflicts* », *Revue « international conciliation* », n° 577 ; C. THAYER, *Les marchands de guerre,* Julliard, 1970 ; J. F. DUBOS, *Vente d'armes : une politique,* Gallimard, 1974 ; son article dans la *Revue d'études politiques méditerranéennes,* 1975, n° 2, et son article dans les « Probl. sociaux », 1975, n° 1 ; E. GERDAN, *Dossier A, comme armes,* A. Moreau, Paris, 1976.

Sur les forces armées soviétiques, voir « Problèmes politiques et sociaux », 4 mars 1977.

Sur les armes B et C, voir H. MEYROWITZ, *Les armes biologiques et le droit international,* Pedone, 1968.

Sur l'armement nucléaire, voir :

— M. H. HALPERIN, *La Chine et la bombe,* Calmann-Lévy, 1966, et *Communist China and arms control,* Harvard Univ. press, 1967.

— *S.I.P.R.I.,* Annuaire et publications, notamment « Nuclear proliferation problems », 1974.

— H. Thierry, *Les armes atomiques et la politique internationale,* Dunod, 1970.

Sur les F.U.N.U., voir l'étude d'E. Zoller, Le principe de répartition géographique dans la composition des forces des Nations Unies, *An. Fr. de D.I.*, 1975, p. 503 et s.

Sur la conception chinoise de l'armée, voir le recueil de textes établi par St. Schram, *Mao Tsé-Toung,* Coll. U, A. Colin, et, sur la conception vietnamienne, les écrits de Giap, *Guerre du peuple, Armée du peuple.*

Sur les guerres révolutionnaires, voir les ouvrages de Delmas et du Général Beauffre ; *La guerre en Asie,* de N. Chomsky, Hachette, 1971, les ouvrages de Régis Debray, notamment *La critique des armes,* 2 vol., 1974 et *l'Annuaire du Tiers Monde.*

Sur les partisans (statut juridique), voir le mémoire de W. Rabus (Fac. de Droit de Paris) (bibliographie) et Ch. Chaumont, article sur la guérilla dans les *Mélanges Ch. Rousseau,* Pedone, 1974.

B. — Alliances et organisations militaires

Les forces respectives des différents Etats ne donnent qu'une image très imparfaite de la situation militaire globale. Il faut tenir compte à la fois du système des alliances et de l'existence d'O.I. de type militaire.

L'utilisation des alliances, pour compenser la faiblesse d'un Etat ou renforcer sa puissance, est aussi vieille que le monde. A l'époque contemporaine, la persistance des alliances est la conséquence de l'échec du système de sécurité collective de l'O.N.U. et la traduction sur le plan militaire de l'hétérogénéité de la société internationale.

Du point de vue juridique, « les alliances, au sens strict du terme, sont des traités d'union entre deux ou plusieurs Etats, dans le but de se défendre mutuellement contre une attaque en temps de guerre, ou d'attaquer conjointement des Etats-tiers, ou dans ces deux buts à la fois » (*Oppenheim. International law,* 8e édition, t. I, p. 959). Dans un sens plus large, les alliances peuvent aussi être de caractère diplomatique (cf. la Sainte-Alliance). Nous retiendrons ici le sens restreint.

La définition précédente implique que les alliances peuvent être défensives ou offensives ou les deux à la fois. Mais, compte tenu du principe d'interdiction du recours à la force (*supra*), les alliances offensives doivent être considérées comme illégales en raison de la supériorité de la Charte sur les traités particuliers. En revanche, l'existence du droit de légitime défense (art. 52 de la Charte) autorise la conclusion de traités de caractère défensif (*supra*). De même, les traités de garantie, dont l'objet est en fait très varié et qui peuvent en particulier faire peser sur un Etat ou un groupe d'Etats l'obligation d'intervenir militairement pour prêter assistance à un autre Etat lorsque son intégrité territoriale ou son indépendance politique est menacée, sont licites.

Du point de vue formel, les alliances peuvent comporter l'existence d'une organisation ou, au contraire, se contenter des mécanismes diplomatiques habituels. A l'époque contemporaine, les O.I. de type militaire se sont multipliées. Dès 1948, les Etats du Bénélux, la France et la Grande-Bretagne adoptaient un pacte de l'Union occidentale qui comportait une garantie réciproque contre toute agression armée en Europe. Dirigé en particulier contre l'Allemagne, le pacte fut modifié en 1954 (accords de Paris) pour tenir compte de la conjoncture internationale. L'Italie et l'Allemagne adhèrent au Traité de Bruxelles et la cohésion de l'Union (qui devint l'Union de l'Europe occidentale) fut renforcée. On est en présence d'une alliance à base d'organisation (conseil, assemblée consultative, secrétaire général, agence pour le contrôle des armements).

En fait, cette organisation a été reléguée au second plan avec la création, en 1949, de l'OTAN qui fait intervenir dans le circuit les E.U.A. L'OTAN devient, en fait, le système militaire des Etats capitalistes, dominé par la puissance des E.U.A. Ce qui prévaut, dans la composition de cette organisation régionale, ce n'est pas la signification géographique (Atlantique Nord) du terme « région », mais la notion de défense du monde capitaliste. Ceci explique la présence au sein de l'OTAN d'Etats comme la Grèce, la Turquie, l'Italie et l'Allemagne occidentale qui ne sont pas riverains de l'Atlantique. On comprend que la demande d'adhésion formulée par Staline — qui ne manquait pas d'humour — n'ait eu aucune suite. L'OTAN est donc bien une organisation de défense du système capitaliste. Elle n'est d'ailleurs qu'un des maillons de la chaîne d'alliance militaires conclues par les Etats-Unis dans le monde, soit sur la base de conventions multilatérales, soit sur la base de conventions bilatérales. De façon plus générale, l'OTAN n'est qu'un des moyens utilisés par les E.U.A. pour établir son hégémonie sur l'Europe. D'où des contradictions au sein de l'alliance et des réactions de défense contre cette tendance à l'hégémonie. « Nationalisme, atlantisme, européisme sont les trois termes qui définissent ces contradictions. Mais l'atlantisme demeure et parvient à maintenir les Etats dans le cadre de l'alliance (voir la déclaration d'Ottawa du 19 juin 1974). En outre, le bon fonctionnement de l'alliance a été conditionné à la fois par l'évolution des armements (*supra*) et celle des doctrines militaires (*infra*).

La prépondérance des Etats-Unis au sein de l'alliance atlantique a finalement entraîné le gouvernement français à décider non pas de se retirer, de mettre fin au traité en ce qui le concerne, mais de ne plus accepter l'organisation, les structures qui sont venues se greffer sur le traité depuis 1949, c'est-à-dire le système d'états-majors unifiés, les plans stratégiques préparés par ces états-majors, l'infrastructure militaire, etc. Le gouvernement français avait d'ailleurs fait connaître nettement, par la voie du ministre des Affaires étrangères, qu'il n'entendait pas se prévaloir en 1969 des dispositions de l'article 13 du Traité qui lui auraient permis de dénoncer ce traité. Il a également déclaré qu'il considère que l'alliance doit se poursuivre « aussi longtemps qu'elle apparaîtra nécessaire » ? Cette déclaration a été confirmée en 1968 à l'occasion de l'affaire tchécoslovaque.

Le moins qu'on puisse dire est que la création de l'OTAN n'a pas contribué à faciliter les relations entre les Etats capitalistes et les Etats socialistes. Comme le relève le Doyen Colliard (*Précis*, p. 450), « Le pacte (de l'OTAN) repose sur un postulat stratégique et militaire qui est celui de la défense contre une attaque venant de l'Est, ce qui présuppose une telle attaque. Ce postulat est contestable. Il n'est pas un élément d'apaisement dans les relations internationales. »

Ce qui le montre, c'est la riposte des Etats socialistes, intervenue six ans plus tard. Le Pacte de Varsovie (1955) a créé une organisation de type militaire qui est la réplique exacte de l'Organisation du Traité de l'Atlantique Nord. Juridiquement, elle est fondée sur l'article 51 de la Charte des Nations Unies qui, nous l'avons vu, autorise l'exercice du droit de légitime défense collective (*supra*, p. 312). Le but de cette organisation est effectivement de permettre aux Etats socialistes de résister avec succès aux agressions extérieures. On remarquera cependant que le pacte de Varsovie (art. 9) permet l'admission de tous les Etats « indépendamment de leur régime social et politique », du moment qu'ils sont prêts à assurer la paix et la sécurité des peuples. L'idée était de laisser la porte ouverte à l'adoption d'un système européen de sécurité collective.

En outre, le Pacte de Varsovie offre la possibilité, tout au moins dans l'interprétation qui en a été donnée dans la pratique, d'utiliser les forces armées des Etats socialistes pour lutter contre les forces contre-révolutionnaires à l'intérieur d'un Etat déterminé, à condition que cette intervention se fasse sur la demande ou tout au moins avec l'accord de l'Etat ou des autorités qualifiées de l'Etat concerné. En fait, l'organisation du Pacte de Varsovie a effectivement été utilisée en ce sens à deux reprises : en 1956 en Hongrie, en 1968 en Tchécoslovaquie (*supra*, p. 120). Mais l'U.R.S.S. n'a pas le privilège de ce genre d'interventions. Dans le cadre de l'atlantisme, Henri Kissinger avait fait connaître qu'il n'était pas prêt à tolérer que les Etats européens soient dirigés par des gouvernements où figurerait le parti communiste. Ainsi apparaît l'idée d' « intégrité politique de l'alliance », transformée en Sainte-Alliance d'un type nouveau (cf. *International Herald tribune*, 12 avril 1976). C'est un nouvel avatar de la doctrine Nixon (*infra*, p. 408).

Aussi les alliances militaires, non seulement ne contribuent pas à la paix internationale et sont aux antipodes de la sécurité collective, mais encore elles incitent à violer le principe de non-intervention. Comme le remarque Burton (*International relations*, p. 79) : « Une fois qu'une alliance a été conclue avec un pays, il y a un fort intérêt à la continuité du gouvernement de ce pays, et certainement à la prévention de tout changement politique interne qui menacerait l'alliance. Ainsi les Etats-Unis ont été conduits à soutenir les gouvernements répressifs et impopulaires plutôt que de risquer ce changement interne. Inévitablement aussi, l'aide économique et technique s'est développée sur une base discriminatoire, déterminée par les considérations de stratégie à court terme plutôt que par des objectifs à long terme de bien-être ».

L'étude des alliances et des O.I. de type militaire montrerait la justesse de ces observations. En fait, malgré l'idéologie du non-alignement, un certain nombre d'Etat du Tiers Monde se sont laissés entraîner dans des alliances ou ont adhéré à des O.I., ce qui n'a eu d'autre résultat que de les impliquer dans des conflits armée (guerre indo-pakistanaise) ou de les rendre vulnérables à des interventions extérieures (Tchad, par exemple).

BIBLIOGRAPHIE

Sur les alliances, voir :

Pour l'*O.T.A.N.*, consulter le périodique : *Nouvelles de l'O.T.A.N.*

— Le *Que sais-je ?* de Ch. DELMAS, 4e éd., 1975.

— A. JOXE, Atlantisme et crise de l'Etat européen : la crise militaire, in *La crise de l'Etat*, P.U.F., 1976, p. 295-338.

— J. Finkelstein, Vers une nouvelle doctrine de l'O.T.A.N. aux Etats-Unis, *Cahiers de la fondation pour les études de défense nationale*, avril 1976, n° 3, et son article dans *Le Monde diplomatique*, avril 1976.

— J. Mensonides et J. A. Kuhlman, *America and European security*, Sijthoff, 1976 (série d'études).

Pour le *traité de Varsovie*, voir :

— M. Bettati, Souveraineté limitée ou internationalisme prolétarien ? *Revue Belge de Droit International*, 1972, n° 2.

— M. Bettati et R. J. Dupuy, *Le pacte de Varsovie*, A. Colin, 1969.

— L. Caldwell, The Warsaw pact. (*Problems of communism, sept-oct.* 1975, p. 1-20).

— M. Lachs, Le traité de Varsorie, *An. Fr. de Droit Intern.*, 1955.

Sur les *alliances en général*, voir :

P. Hassner : Les alliances sont-elles dépassées ? *F.N.S.P.*, Série recherches, 10, 1966.

— L'avenir des alliances en Europe, *Rev. Fr. de Sc. Po.*, déc. 1976, p. 1029-1053.

J. Friedman et autres, *Alliances, in International politics*, Allyn et Bacon, 1970 ; G. Liska, *Nations, in Alliance, J. Hopkins press.*, 1967.

§ 2. — LES DOCTRINES MILITAIRES

On emploie souvent le terme de stratégie pour désigner les doctrines qui se sont développées en matière militaire. On donne alors à ce terme un sens différent de celui que lui attribuait Clausewitz (*supra*, p. 342). Il ne s'agit plus de l'art d'employer des forces armées pour atteindre des buts politiques, mais, selon une conception plus extensive, « l'art d'employer la force ou la contrainte pour atteindre des buts fixés par la politique » (Général Beauffre), étant entendu qu'il peut s'agir simplement d'une menace et non d'un emploi effectif. En réalité, le terme de « stratégie » est impropre, car, en ce sens, il relève de l'ordre des moyens, donc de la tactique, et non de l'ordre des objectifs, à quoi correspond le terme de stratégie (*supra*, p. 345). On ne peut parler de doctrines stratégiques que dans la mesure où il s'agit de désigner les doctrines politiques appliquées au domaine militaire, c'est-à-dire des doctrines qui visent à définir la politique d'un Etat en matière militaire. Or, de ce point de vue, il est bien évident que tout Etat doit définir ses objectifs dans le cadre d'une politique générale.

Le facteur principal dans l'évolution des doctrines a été l'invention de la bombe atomique et le perfectionnement incessant des techniques. Mais il faut tenir compte également de la multiplication des guerres révolutionnaires, qui a conduit à réviser les conceptions classiques.

A. — Les super-puissances

Dans les rapports entre les E.U.A. et l'U.R.S.S., les doctrines militaires contemporaines ont évolué en fonction du rapport de forces. Dans une première période, les E.U.A. disposaient seuls de l'arme atomique et apparaissaient comme la seule puissance capable d'imposer au monde la « pax americana ». La conscience de cette supériorité explique la doctrine en honneur à cette époque : celle des représailles massives contre un agresseur éventuel, que cette agression ait lieu contre les E.U.A. ou l'un des Etats du système capitaliste. Compte tenu des vecteurs dont disposaient à l'époque les E.U.A., une telle stratégie, fondée sur le postulat de l'agressivité de l'U.R.S.S., exigeait l'existence de points d'appui répartis sur toute la surface du globe et destinés à établir un cordon sanitaire autour des Etats socialistes, ce qui explique la politique de bases militaires et d'alliances (*supra*, p. 401). La supériorité militaire des E.U.A., grâce au monopole de l'arme atomique, explique aussi qu'ils aient pu se payer le luxe de réduire de façon massive le nombre des militaires en activité, ce qui était présenté comme une politique de paix face au refus de l'U.R.S.S. de démobiliser ses troupes.

La deuxième période s'ouvre avec la première explosion atomique en U.R.S.S., en 1952, et la fabrication des premières bombes H en 1953. Au cours de cette période, le territoire des E.U.A. est encore invulnérable, mais celui de ses alliés européens ne l'est plus.

Cette situation explique que les Etats européens soient obligés de se placer sous la protection des Etats-Unis pour se garantir contre une attaque supposée des Etats socialistes. C'est la doctrine du bouclier et de l'épée, le bouclier étant constitué par les forces de l'OTAN et l'épée par l'arme nucléaire. En outre, à l'idée que l'U.R.S.S. pourrait arriver à égalité avec la puissance militaire des E.U.A., des voix s'élèvent pour préconiser la guerre préventive afin de profiter de la supériorité américaine. Un des membres du Conseil de sécurité nationale expliquait que lorsqu'on veut se débarrasser des mouches rien ne sert de fermer les fenêtres et les portes. Il faut tuer les mouches là où elles prennent naissance, c'est-à-dire à l'étable. Appliquée au domaine militaire, cette théorie conduit à la guerre préventive (cf. G. E. Lowe, *The age of deterrence,* Boston, 1964). Devant l'alternative (en tant qu'hypothèse) : tuer ou être tué, W. C. Bullit mettait en garde les E.U.A. contre un Pearl Harbour nucléaire et conseillait l'offensive.

Une telle politique rencontrait cependant des résistances dans l'opinion publique, de sorte que la doctrine qui a prévalu est celle de la dissuasion. Elle vise à décourager l'adversaire, grâce à la menace de représailles massives, celle d'utiliser l'arme nucléaire et, de façon plus générale, celle de susciter ou d'intervenir dans des conflits localisés. La supériorité militaire est utilisée pour paralyser l'adversaire et maintenir le statu quo. Comme le relève Burton (*op. cit.,* p. 99), « un des effets de la dissuation est de maintenir des situations qui, dans l'intérêt de la stabilité et de la paix devraient subir un changement ; sur une certaine période il y a une tendance à accumuler un certain nombre de situations conflictuelles potentielles qui, en d'autres circonstances, auraient reçu une solution ».

Au cours d'une troisième période, la force de frappe soviétique s'accroît. Le lancement du premier Spoutnik en 1957 révèle que l'U.R.S.S. a fait des progrès, confirmés par la construction de missiles balistiques à moyenne et grande portée. A partir de ce moment le territoire des E.U.A. n'est plus invulnérable, ce qui rend peu crédible la doctrine des représailles massives, voire celle de la dissuasion. Ceci conduit à une révision déchirante dont H. Kissinsger se fait le théoricien (*op. cit.*). C'est l'époque où le Général Maxwell Taylor écrit un ouvrage intitulé *The uncertain trumpet* (1960) où il recommande l'abandon de la doctrine des représailles massives en faveur d'une autre doctrine, celle de la « flexible response » (riposte souple, graduée). Devenu conseiller militaire du Président Kennedy, Président du Comité des chefs d'états-majors, puis ambassadeur au Vietnam, le Général Taylor s'est employé à faire triompher sa théorie. La souplesse de la nouvelle doctrine se traduit dans l'idée de l'arme nucléaire, dite stratégique, ne doit pas nécessairement être employée et qu'il faut, en quelque sorte, moduler l'emploi de la contrainte en fonction des situations concrètes.

On trouve un reflet de cette idée dans les ouvrages du Général Beauffre, qui distingue l'action sur le mode direct, qui implique un choix des moyens militaires les plus adéquats, et l'action sur le mode indirect, qui comporte l'utilisation de moyens non militaires selon la formule (1) $S = kF\psi t$. Une des conséquences de cette politique pour l'Europe a été l'abandon de la doctrine du bouclier et de l'épée. Désormais on pense qu'il faut renforcer les forces de l'OTAN qui deviennent l'épée et qui opèrent sous la protection du bouclier nucléaire. Cette conception a trouvé également une application dans l'affaire de Cuba. Sous la protection du bouclier nucléaire, les stratèges américains pensaient que l'utilisation des moyens militaires classiques suffiraient à éliminer Fidel Castro de la scène politique. Or ces desseins furent déjoués par la décision de l'U.R.S.S. d'installer à Cuba des engins nucléaires à portée moyenne. L'épreuve de force a conduit au résultat recherché par l'U.R.S.S. puisque les Etats-Unis d'Amérique se sont engagés à ne pas entreprendre d'agression contre le régime cubain. L'U.R.S.S., en contre-partie, s'engageait à retirer ses fusées.

En outre, selon les déclarations de Mac Namara (discours du 17 février 1962 reproduit dans *Problems of national strategy,* publié sous la direction de H. Kissinger), si les E.U.A. renoncent à porter le premier coup, ils doivent être prêts à porter le second en visant les objectifs militaires. Or, la constatation du « missile Gap » a conduit les E.U.A. à rechercher la supériorité, considérée comme la condition impérative de la nouvelle politique. Ceci explique que, parallèlement à l'abandon d'une politique agressive, les E.U.A. ont développé la recherche dans le domaine nucléaire et ont accru les dépenses militaires dans le but de conserver une supériorité — au moins qualitative — qui risquait de leur échapper. La période qui a débuté avec les années 60 a donc été caractérisée par une compétition très vive entre les E.U.A. et l'U.R.S.S., les premiers luttant pour conserver la supériorité, les seconds s'efforçant d'établir la parité des forces.

La quatrième période s'ouvre avec la constatation que la course aux armements conduit à une impasse et est préjudiciable au développement. Le calcul fait par les E.U.A., selon lequel la compétition nucléaire augmenterait les difficultés économiques de l'U.R.S.S., s'est révélé faux. Le taux de croissance n'a cessé d'augmenter et le niveau de vie de s'améliorer. En outre, les Soviétiques ont prouvé que leur maîtrise de la science et de la technique leur permet effectivement d'égaler la puissance nucléaire des E.U.A. Ceci conduit le Président Johnson à proposer en 1967 des conversations qui déboucheront sur les accords de 1972 (SALT ou CLAS).

(1) S = l'action stratégique ; F = forces matérielles ; Ψ = forces morales ; t = temps ; k = coefficient propre au cas particulier (cf. *Introduction à la stratégie, 2e édition,* A. Colin, 1964).

Cependant, ces accords n'ont pas arrêté la course aux armements. Les E.U.A. conservent « la nostalgie de la supériorité ». Comme l'a affirmé H. Kissinger devant le Sénat (discours du 15 juin 1972, in *Strategic arms limitation agreements,* 1972) : « Nous sommes certains d'avoir un avantage majeur en technologie des armes nucléaires et en précision des ogives. » De son côté, le Président Nixon déclarait : « Aucune puissance au monde n'est plus forte que les E.U. Aucune ne le sera dans l'avenir. » Ceci explique que les accords de 1972 n'ont pas eu pour conséquence une diminution des dépenses militaires mais un accroissement. Dans le budget 1974-1975, on se proposait de consacrer 1 105 millions de francs à la mise au point d'un nouveau modèle de tête nucléaire destiné au missile Perseus du sous-marin Trident (1), équipé d'engins manœuvrables M.A.R.V., qui peuvent changer de trajectoire en fin de parcours et éviter ainsi les défenses adverses. De leur côté les soviétiques perfectionnent leurs missiles. Le S.S.X.18 est capable d'emporter six têtes nucléaires à trajectoire indépendante d'une puissance d'une mégatonne chacune (Les minuteman 3 américains emportent trois ogives de 200 kilotonnes chacun). La course à la recherche de la qualité rend encore plus difficile les secondes conversations CLAS, ainsi que le montre l'échec des conversations reprises en 1977 après l'élection de Carter. Seule la renonciation à la supériorité militaire peut conduire à des résultats positifs.

La politique des deux grandes puissances a naturellement influencé les politiques des autres Etats.

B. — L'Europe

Sur le plan européen, le monopole américain de l'arme nucléaire a paru, à la longue, intolérable. Selon la conception américaine, les dangers d'une guerre nucléaire exigeraient impérativement que le centre de décision soit maintenu aux E.U.A. On craint que l'initiative imprudente d'un allié ne déclenche une riposte, dont les E.U.A. pourraient être la victime. Ceci explique l'hostilité à l'égard des forces de frappe nationales. Comme le déclarait Mac Namara : « Une petite force nucléaire indépendante serait à la fois inefficace, inutile et dangereuse » (cf. également *Les malentendus transatlantiques* de H. A.

(1) Ce sous-marin coûterait 1 millard de dollars. La flotte prévue de 25 « Trident » équivaut à la moitié du budget français et à 3 fois son budget militaire.

Kissinger). Ceci explique aussi le refus de partager avec les alliés le contrôle de l'emploi de l'arme nucléaire.

Cette hostilité et ces réticences expliquent la décision prise par le Général de Gaulle de se retirer de l'OTAN et de créer une force de frappe nationale, dont l'existence n'a pas cessé de susciter des controverses extrêmement vives en France et à l'étranger.

Sur un plan plus général, l'idée apparaît que l'Europe, tout en comptant sur ses alliés, ne peut s'en remettre, pour sa sécurité, à d'autres puissances. Elle ne peut courir le risque d'une intervention tardive ou d'une décision de non-intervention dont elle ferait les frais. Ce risque est d'autant plus grand que H. Kissinger proclame que si les intérêts des E.U.A. et de l'Europe » ne sont pas nécessairement en conflit », ils « ne sont pas non plus automatiquement identiques. » Ceci signifie sur le plan militaire que la garantie américaine ne serait pas non plus automatique. Dans ces conditions, l'idée que « l'Europe sera menacée dans son unité aussi longtemps qu'elle n'assurera pas elle-même sa propre sécurité » (*Le Monde diplomatique,* juin 1973, p. 17) fait son chemin. « Nus, les Européens devront s'armer, s'équiper » (général Buis). C'est la conception « Galtungnienne » de l'Europe superpuissance. Dans son ouvrage sur la Communauté européenne, il consacre un chapitre à « l'aspect militaire » et prévoit qu'il y aura une espèce d'OTAN européen de sorte qu'on passerait d'un modèle hégémonique à un modèle d'association (partnership).

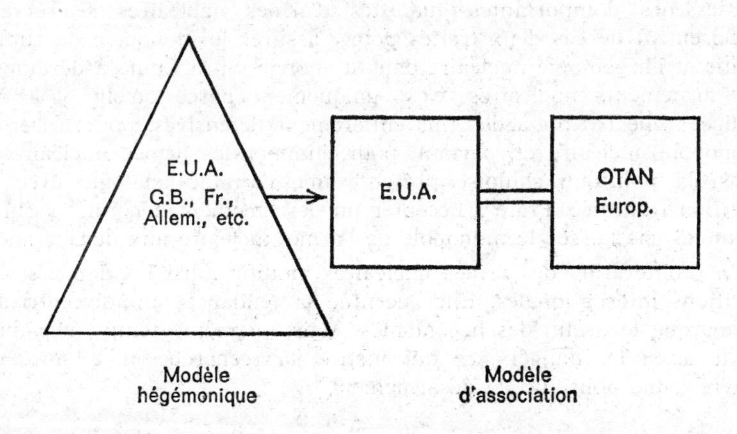

C. — La Chine

Du côté des Etats socialistes, la dépendance nucléaire de la Chine à l'égard de l'U.R.S.S. a conduit aux mêmes conclusions. En un temps relativement court, la Chine a acquis sa propre force nucléaire et a résolu le problème des vecteurs. « L'armée chinoise a cessé d'être une fourmilière de pousse-cailloux dotés d'escopettes surannées et du petit livre rouge » (Général Buis). La Chine a opté, comme la France, pour la doctrine de dissuasion. En signant, le 21 août 1973, le protocole additionnel au traité relatif à l'interdiction des armes nucléaires en Amérique latine, le gouvernement chinois a rappelé que « à aucun moment et en aucune circonstance, la Chine ne serait la première à faire usage des armes nucléaires ». En outre, en ce qui concerne l'Amérique latine, le ministre des Affaires étrangères avait, le 14 novembre, pris un engagement spécifique qui a été renouvelé le 21 août 1973. Mais par ailleurs le gouvernement chinois a saisi cette occasion pour rappeler : « Il convient de signaler que la signature par le gouvernement chinois du protocole additionnel II au Traité visant l'interdiction des armes nucléaires en Amérique latine ne signifie pas un changement quelconque de la position de principe adoptée par la Chine sur les problèmes du désarmement et des armes nucléaires, et surtout n'affecte pas la position constante du gouvernement chinois qui consiste à s'opposer au « Traité sur la non-prolifération des armes nucléaires » et au « Traité sur l'arrêt partiel des essais nucléaires ». Certains pays possesseurs d'importantes quantités d'armes nucléaires se servent précisément de ces deux traités pour s'assurer le monopole, la suprématie et l'hégémonie nucléaire dans le monde. Si la Chine a développé ses armements nucléaires, c'est uniquement parce qu'elle y a été obligée ; elle l'a fait à des fins entièrement défensives, pour briser le monopole nucléaire et, partant, pour éliminer les armes nucléaires. » Ainsi la politique chinoise présente une certaine analogie avec la position française. Prête à accepter un désarmement général, la Chine n'entend pas laisser le monopole de l'arme nucléaire aux deux grands.

La prolifération des armes nucléaires modifie ainsi les données des relations internationales. Elle accentue la tendance au polycentrisme et marque le déclin des hégémonies. Mais, en même temps, elle multiplie aussi les dangers, ce qui justifie la recherche et la mise en œuvre d'une politique de désarmement.

BIBLIOGRAPHIE

Consulter les revues *Stratégie* et *Etudes polémologiques* ainsi que les ouvrages du Général BEAUFFRE, GALLOIS, P. STEHLIN, R. ARON et celui de J. GUITTON (*La pensée et la guerre,* 1969).

Sur la politique américaine, voir R. W. STERLING, *Macropolitics,* Knopf, 1974, chap. 3 à 5.

Sur les CLAS, voir la *Revue française de Science politique,* 1973, les *Etudes internationales* (Canada), n° 1-2 de 1973, le *Yearbook of world affairs* de 1973 et les « Problèmes politiques et sociaux (26 juin 1976) sur « la politique militaire soviétique et les S.A.L.T. ».

Consulter, sur l'aspect juridique du problème, G. BERLIA, « La technique des traités et la politique nucléaire russo-américaine », *Mélanges Ch. Rousseau,* Pedone, 1974.

Sur le problème militaire en Europe, voir l'ouvrage de GALTUNG, *The European community,* 1973, et le *Que sais-je?* de ZORGBIBE : « L'insécurité européenne (1973).

Sur la Chine, voir :

— M. BETTATI, La Chine aux Nations Unies et le désarmement. *Revue belge de Droit international,* 1974, 2 (bibliographie abondante).

— M. H. HALPERIN, *La Chine et la bombe,* Calmann-Lévry, 1966.

— Problèmes politiques et sociaux, Série « Extrême-Orient », n° 63, 12 mars 1977.

§ 3. — VERS LE DESARMEMENT

Le terme de désarmement est aussi ambigu que beaucoup d'autres termes utilisés par les spécialistes des R.I. Au sens large, il englobe des phénomènes aussi divers que la suppression des forces armées et des armes, leur réduction ou leur limitation, la démilitarisation totale ou partielle de certains Etats, voire leur neutralisation.

Du point de vue politique, on peut poser la question de savoir si le désarmement est souhaitable et possible.

A. — L'OPPORTUNITÉ DU DÉSARMEMENT

Quant à l'opportunité du désarmement, les idéologies jouent un certain rôle. Il y a tout un courant pacifiste, dans le sens du désarmement. En fait, le pacifisme revêt des formes diverses. Il y a un pacifisme religieux (« qui a frappé par l'épée périra par l'épée »), un pacifisme bêlant, un pacifisme satirique (*Candide* de Voltaire, le *Canard enchaîné* et le *Crapouillot,* la poésie de J. Prévert) et même un pacifisme apparemment belliqueux (*La guerre pour mettre fin à la guerre,* Mao Ze Dong). La force du pacifisme ne peut être appréciée qu'en fonction de la stratégie politique. Lorsque Mao, après J. Cabet (*Voyage en Icarie,* 1848) déclare qu'il faut « faire la guerre pour mettre fin à la guerre », faire « la guerre pour la paix éternelle en Chine et dans le monde entier », il oppose la guerre révolutionnaire nationale à la guerre contre-révolutionnaire de classe, la guerre juste à la guerre injuste. On peut donc être pacifiste tout en préconisant l'utilisation de la force armée. Celle-ci devient un moyen pour réaliser un objectif politique : l'établissement de sociétés démocratiques, où les nouvelles structures socio-économiques permettront la paix éternelle. « Dès que l'humanité aura détruit le capitalisme, écrit Mao Ze Dong, elle entrera dans l'ère de la paix perpétuelle. Alors on n'aura plus besoin d'armées, ni de vaisseaux de guerre, ni d'avions militaires, ni de gaz asphyxiants. » C'est la théorie de la violence fonctionnelle (*infra,* p. 431 et s.).

En dehors des idéologies, les conséquences financières, économiques et sociales désastreuses de la course à la mort jouent également dans le sens du désarmement. Dans le domaine de l'arme nucléaire, il n'est pas douteux que les E.U.A. et l'U.R.S.S. ont ressenti le besoin de limiter leurs armements pour consacrer des ressources plus importantes au développement. De même, les études, auxquelles a procédé l'O.N.U., ont contribué à faire prendre conscience des effets néfastes d'une politique d'armement à outrance et, inversement, des conséquences heureuses qui résulteraient du désarmement.

Enfin, la politique de coexistence pacifique ou de défense contribue également à créer une atmosphère favorable au désarmement. Ainsi la déclaration des Etats-membres du pacte de Varsovie du 26 novembre 1976 rappelle que « la tâche la plus urgente et la plus impérative de l'époque actuelle demeure l'arrêt de la course aux armements, la réalisation du désarmement et en premier lieu du désarmement nucléaire ». Une proposition a été faite aux Etats qui ont participé à la C.S.C.E. de renoncer à utiliser l'arme nucléaire (cf. projet de traité). Inversement, la guerre froide crée des tensions préjudiciables au désarmement.

B. — Le désarmement est-il possible ?

Quant à la possibilité du désarmement, elle dépend de nombreux facteurs, aussi bien techniques que politiques. Politiquement, aucun plan de désarmement ne peut aboutir si les forces bellicistes dominent. Ce fait a été relevé par le Président Eisenhower dans son dernier discours présidentiel :

« La conjonction d'un immense établissement militaire et d'une vaste industrie d'armement est nouvelle dans l'expérience américaine. Son influence, économique, politique et même spirituelle, est ressentie dans chaque ville, au siège du gouvernement de chaque Etat, dans chaque bureau du gouvernement fédéral. Nous comprenons l'impérieuse nécessité d'un tel développement, mais nous ne devons pas ignorer ses graves implications. Notre travail, nos ressources et notre existence sont en jeu, comme l'est la structure même de notre société.

« Dans les conseils du gouvernement, nous devons nous tenir en garde contre l'influence injustifiée prise par le complexe militaro-industriel, qu'elle soit recherchée ou non. La possibilité d'un désastreux transfert du pouvoir existe et demeurera. Nous ne devons jamais laisser le poids de cette combinaison mettre en danger nos libertés et nos institutions démocratiques. Nous ne devons rien tenir pour assuré. Seuls les citoyens vigilants et informés peuvent imposer l'adaptation désirable de l'énorme machinerie industrielle et militaire de la défense nationale à nos méthodes et à nos objectifs pacifiques, de telle sorte que la sécurité et la liberté puissent prospérer ensemble. »

Inversement, le poids croissant des forces progressistes peut faire pencher la balance en faveur du désarmement. En fait, l'opinion publique peut peser sur les décisions politiques. H. A. Kissinger (*Nuclear weapons and foreign policy*, 1957, p. 374) a lui-même reconnu que l'appel de Stockholm contre l'utilisation de l'arme nucléaire avait dissuadé les E.U.A. d'utiliser cette arme. Sur un plan restreint, les savants ont également un rôle important à jouer, non seulement en informant l'opinion, mais aussi en luttant pour le désarmement (cf. le mouvement dit de Pugwash, créé sur l'initiative d'A. Einstein et de B. Russel (*supra*, p. 245 et s.).

En second lieu, aucune politique de désarmement n'est possible tant que subsistera une disparité de situations. Il est caractéristique que les accords de CLAS n'ont été possibles qu'à partir du moment où un certain équilibre a été établi entre l'U.R.S.S. et les E.U.A. Mais l'infériorité des autres puissances nucléaires explique aussi qu'elles ne soient pas prêtes à accepter des limitations, qui cristalliseraient les situations actuelles et pérenniseraient la supériorité des deux superpuissances (*supra,* p. 408). Le raisonnement selon lequel les grandes puissances militaires devraient déjà commencer à réduire leurs armements avant d'inviter les autres à le faire ne manque pas de pertinence. Il fait apparaître le souci de chaque Etat d'assurer sa propre sécurité, en l'absence d'un système international satisfaisant, et de ne pas subir l'hégémonie des grandes puissances. Cet état d'esprit apparaît fort bien dans les discours, articles et ouvrages de M. Debré (cf. *Une certaine idée de la France*) dont le nationalisme ombrageux n'admet pas une renonciation de la France : « La France est seule devant son destin. C'était vrai hier, c'est vrai aujourd'hui, ce sera vrai toujours et toujours... » A une telle affirmation on pourrait opposer la trilogie d'Ed. Herriot : « arbitrage, sécurité, désarmement », ce qui marque que ce dernier ne peut être envisagé isolément, mais en relation avec le problème plus général de la sécurité collective et du développement du droit international.

La possibilité du désarmement dépend enfin d'un règlement satisfaisant du problème du contrôle. Or sur ce point on se heurte à la crainte des Etats de voir le contrôle se transformer en intrusion dans leurs affaires intérieures. En outre, d'un point de vue technique, il peut être difficile de mettre en place un système efficace de contrôle.

C. — La longue marche vers le désarmement

Toutes ces difficultés expliquent que les tentatives faites avant la deuxième guerre mondiale pour limiter les armements aient échoué. Le désarmement imposé à l'Allemagne par le Traité de Versailles ne fut plus qu'un souvenir après l'avènement du nazisme. Tous les efforts de la S.D.N. furent vains devant le déferlement des nationalismes agressifs renforcés par la dictature. On en vint à parler de « désarmement moral ».

Malgré les échecs, des efforts ont de nouveau été tentés après la seconde guerre mondiale pour parvenir, sinon à un désarmement total et général, du moins à un désarmement limité, ce qu'on appelle improprement le contrôle des armements, de l'anglais « arms control ». En 1969, l'Assemblée générale de l'O.N.U. avait lancé l'idée d'une décennie du désarmement qui débuta en 1970. Cette initiative va dans le sens de la Charte des Nations Unies (art. 26 et art. 11) qui charge l'Assemblée générale d'étudier le problème de la « réglementation des armements » et de définir « les principes du désarmement », tandis que le Conseil de Sécurité a reçu mission d'adopter des plans destinés à établir « un système de réglementation des armements ». En fait, l'O.N.U. a dû abandonner les plans ambitieux de désarmement général et s'oriente vers des accords partiels. En outre, bien que l'O.N.U. n'ait pas cessé de s'occuper des problèmes du désarmement, la position privilégiée des E.U.A. et de l'U.R.S.S. en matière d'armements nucléaires les a conduits à constituer en marge de l'O.N.U., mais en liaison avec elle, un comité du désarmement. La France et la Chine ont refusé d'y participer en invoquant leur retard en matière d'armement nucléaire.

En outre, des négociations plus restreintes (à trois ou à deux) ont eu lieu pour l'interdiction partielle d'essais d'armes atomiques et dans le cadre des C.L.A.S. (ou S.A.L.T.).

Jusqu'ici les seuls accords négociés et acceptés par les Etats concernent, de façon directe ou indirecte, les armements nucléaires.

Certains accords visent à limiter le développement de l'arme nucléaire et, par conséquent, à consolider les positions acquises plutôt qu'à réaliser un véritable désarmement. C'est le cas du Traité de non-prolifération des armes nucléaires de 1968, entré en vigueur le 5 mars 1970. Les puissances nucléaires parties au traité s'engagent à ne pas transférer à qui que ce soit des armes nucléaires et à ne pas aider, encourager ou inciter des puissances non nucléaires à fabriquer, acquérir ou maîtriser de telles armes. De leur côté, les puissances non nucléaires se sont engagées à ne pas acquérir ou fabriquer des armes nucléaires. Au 31 mai 1975, 95 Etats avaient ratifié ce traité. La France et la Chine en particulier ne l'ont pas fait. La raison invoquée est qu'il ne s'agit pas d'un désarmement réel du fait que les puissances nucléaires conservent leurs stocks d'armes et la possibilité de les accroître. Un pas de plus est franchi avec l'accord soviéto-américain de 1974, par lequel les parties s'engagent à ne pas procéder à des explosions nucléaires souterraines d'une puissance excédant 150 kilotonnes et de poursuivre les négociations afin d'aboutir à une cessation totale de ces essais.

Les accords CLAS (ou SALT) appartiennent à la même catégorie d'accords avec cette différence qu'ils concernent uniquement l'U.R.S.S. et les E.U.A. (*supra*).

Une deuxième catégorie d'accords vise à tenir certaines régions en dehors de la course aux armements nucléaires. Un projet de ce genre avait été proposé pour l'Europe en 1957 par le ministre polonais des Affaires étrangères, Rapacki. Mais il fut repoussé par les Etats capitalistes. En revanche, l'Amérique latine a adopté un projet de ce genre en 1967. Ce traité, conçu sous le nom de Traité de Tlatelolco, exclut toute utilisation de l'énergie nucléaire à des fins militaires, mais non à des fins pacifiques, ce qui laisse place à la vente de centrales nucléaires. Or une centrale de 1 000 Kw produit 1 kg de plutonium par an et il suffit de 5 kg de plutonium pour fabriquer une bombe. D'où le danger constitué par la vente de centrales et les réactions hostiles des E.U.A., qui coïncident d'ailleurs avec leurs propres intérêts économiques. La mise au point par la France de centrales militairement inoffensives permettrait de résoudre ce problème. Le traité de Tlatelolco a été accepté par 18 Etats. Ajoutons que le protocole n° II qui prévoit le respect de la dénucléarisation de cette région par les puissances nucléaires a été signé par la Chine.

Le Traité sur l'Antarctique (1959) va plus loin, puisqu'il prévoit une démilitarisation totale de cette région et une coopération entre les Etats. Il faut rapprocher de ce traité celui de 1967, relatif à l'espace extra-atmosphérique, qui démilitarise les corps célestes et interdit de mettre sur orbite les armements nucléaires.

Citons également le Traité adopté par l'O.N.U. en 1970. Il interdit de placer sur les fonds sous-marins ou dans le sous-sol des armes ou des installations nucléaires.

Une troisième catégorie d'accords vise surtout à éviter la pollution. C'est le cas du Traité de Moscou de 1963. Il interdit des expériences nucléaires même à des fins pacifiques dans l'atmosphère, l'espace extra-atmosphérique, sous l'eau et dans tout autre milieu si elles donnent naissance à des radiations radio-actives en dehors des limites de l'espace national. La France et la Chine n'ont pas ratifié ce traité.

Enfin, une dernière catégorie d'accords concerne l'utilisation d'armes particulièrement barbares, en particulier les armes biologiques et chimiques. Déjà le protocole de Genève de 1925 avait interdit l'usage des gaz asphyxiants, toxiques ou similaires et des moyens bactériologiques. Il lie 96 Etats. Un accord sur les armes biologiques a été adopté en 1972 et est entré en vigueur le 26 mars 1975. Il prévoit l'interdiction de la fabrication de ces armes et la destruction de stocks existants.

Sur un plan plus restreint, celui de l'Europe, le règlement du problème allemand a permis d'engager des négociations entre les Etats de l'OTAN et ceux du pacte de Varsovie en vue d'étudier une réduction équilibrée des forces en Europe. Mais l'acte final d'Helsinki (1975) ne va pas au-delà d'un vœu pieux et demande aux Etats de prendre des « mesures effectives qui, par leur portée et leur nature constituent des étapes permettant de parvenir finalement à un désarmement général et complet sous un contrôle international strict et effectif.

Au total, les résultats obtenus sont assez maigres, mais non négligeables. Les prévisions pessimistes de R. Aron, selon lequel « ce qui s'est révélé jusqu'à présent impossible en détail ne paraît pas probable en gros » (*Paix et guerre entre les nations,* p. 649), ont été déjouées. Un pas a été fait dans la voie de la limitation des armements. La détente et la pression de l'opinion doivent permettre de poursuivre dans la voie ouverte jusqu'au désarmement général.

BIBLIOGRAPHIE

Les aspects juridiques sont abordés par M. F. FURET, *Le désarmement nucléaire,* Pedone, 1973. Voir aussi les chroniques de G. FISCHER dans l'*Annuaire français de Droit international,* et son ouvrage : *La non-prolifération des armes nucléaires,* L.G.D.J., Paris, 1969.

Consulter D. COLARD, *Le désarmement,* Coll. U2, A. Colin, R. MAYER, *Vers le désarmement,* Editions Sociales, 1973 (point de vue marxiste).

Voir les documents publiés par l'O.N.U. sur la politique de désarmement, notamment *Les Nations Unies et le désarmement,* 1970, 503 p., et les ouvrages publiés par le S.I.P.R.I.

P. HASSNER a publié dans la *Revue de science politique* (1963, 1969, 1973), des études sur ce qu'il appelle l'arms control (la maîtrise des armements).

Sur la politique chinoise, voir l'article précité de M. BETTATI (*Revue Belge de Droit International,* 1974, n° 2), ainsi que les *Problèmes politiques et sociaux,* série « Extrême-Orient », 12 mars 1971.

Sur la politique française, cf. J. KLEIN, Désarmement ou « arms control ». La position française sous la Ve République. *Etudes internationales,* sept. 1972, p. 356-389.

Sur la politique soviétique, voir *La vie internationale,* 1977, n° 1, p. 82-93 et 1977, n° 2, p. 50 et s., n° 3, p. 94-104, n° 7, 1977, p. 48-60.

Sur l'Europe, voir l'étude de J. HUNTZIGER, L'entreprise de réduction des forces en Europe, *Rev. gén. de Droit intern. public,* 1975, p. 589-656 (négociations jusqu'en 1973).

[illegible] de la [illegible] révolution [illegible]

[illegible]

BIBLIOGRAPHIE

[illegible]

[illegible]

[illegible] O.N.U. [illegible]

[illegible]

[illegible]

[illegible] République [illegible]

[illegible]

[illegible]

TITRE II

LES LIGNES DE FORCE DE L'ACTION INTERNATIONALE

L'action internationale suit trois voies, non pas parallèles, mais qui interfèrent et se recoupent fréquemment :

— d'abord la voie du conflit, qui retient l'attention de ceux qui considèrent la société internationale essentiellement comme une société anarchique ;

— ensuite, la voie de la coopération, antithèse de la précédente et conséquence de la coexistence pacifique et de la détente ;

— enfin, la voie de l'intégration, qui représente un changement qualitatif par rapport aux deux précédentes dans la mesure où elle permet de mettre fin aux antagonismes et de dépasser la simple coopération entre unités politiques indépendantes.

Il n'est pas question d'explorer ces trois voies à fond, mais simplement de poser des jalons qui permettront de s'orienter dans un domaine très étendu et encore mal appréhendé par les spécialistes des R.I.

CHAPITRE PREMIER

LES CONFLITS

Le problème est immense et n'a cessé, depuis des siècles, de susciter l'intérêt de tous ceux que préoccupe le destin de l'humanité. Cependant, c'est seulement à une époque relativement récente qu'on a commencé à étudier scientifiquement les conflits internationaux. Encore convient-il de noter que c'est leur forme extrême, c'est-à-dire la guerre internationale et plus récemment la menace d'une guerre nucléaire qui a retenu l'attention. Un des pionniers a été le professeur Quincy Wright qui a organisé des recherches sur la guerre en tant que phénomène social. Le résultat de ses recherches a été un énorme ouvrage, *The study of war,* qui, dans l'édition de 1965, comporte 1 637 pages, 52 appendices et 77 tableaux. Un peu partout des instituts de recherches sur la paix ont été créés. En France, G. Bouthoul a inventé le terme de « Polémologie » (du grec polemos, guerre et logos, discours) pour désigner la science de la guerre en tant que phénomène social.

De façon assez curieuse, les recherches sur la paix sont donc liées aux recherches sur la guerre, les secondes étant considérées comme un moyen de favoriser les premières. Le danger est que les recherches sur la paix, à travers l'étude du phénomène « guerre », soient détournées de leur but et ne soient utilisées par les guerriers en chambre, les stratèges, pour préparer la guerre. Ceci explique que les militaires ont parfois financé la recherche sur la paix et que les « peace reasearchers » ont parfois fourni aux militaires des arguments pour leur politique de force (*supra,* p. 404 et s.).

Cette observation peut être étendue au domaine plus général de la science du conflit, « enfant bâtard d'une union paradoxale et malheureuse : le mariage de la recherche sur la paix et de la stratégie nucléaire » (C. Clarke). A l'époque contemporaine, en effet, la menace d'un conflit nucléaire a contribué à lier les études relatives aux conflits internationaux aux problèmes de l'armement nucléaire. D'où la réaction de certains chercheurs, comme Johann Galtung, qui se sont efforcés d'élargir le champ des recherches et de réagir contre la tendance conservatrice de la majorité des « peace researchers », en appelant l'attention sur les structures de domination et l'impérialisme. Cette orientation résulte d'une prise de conscience des situations révolutionnaires dans le monde actuel et de la violence faite aux pays du Tiers Monde. Elle débouche naturellement sur une formule de recherches sur la paix qui se définit comme « peace research for subversion and revolution », « revolution research » par opposition à la « peace research » conservatrice ou pacificatrice.

Ainsi la théorie des conflits internationaux prend ses distances par rapport au problème de la guerre et s'enrichit en prenant en considération le problème plus vaste des structures de domination de la société internationale qui créent des situations conflictuelles. En même temps, les conflits internes ne sont pas séparés des conflits internationaux ainsi qu'en témoignent les études parues dans le *Journal of peace research* ou le *Journal of conflict resolution.*

Cependant on ne saurait dire que les conclusions des spécialistes soient entièrement satisfaisantes. A propos du *Journal of conflict resolution,* C. Clarke écrit : « La plupart du temps, ces articles sont aussi longs qu'obscurs et, si les germes d'une conception radicalement neuve du problème se cachent d'aventure dans ce maquis de littérature, c'est que je n'ai pas su les y trouver. »

De même, F. S. Northedge et M. D. Donelan, parlant des théories du comportement (behaviouralism), écrivent : « Il est douteux que, pour l'instant, des « behaviouralistes » dans leurs différentes écoles aient fait beaucoup plus que de nous présenter une série de spéculations sur le conflit international, et beaucoup d'entre elles se révèlent à l'examen être des idées beaucoup plus anciennes, habillées de façon à paraître comme de la science moderne » (*op. cit.*, p. 29).

L'accord est donc loin d'être fait et les théories prétendûment nouvelles ne font parfois qu'ajouter à la confusion.

Compte tenu de ces observations, nous présenterons, sinon une théorie, du moins les éléments d'une théorie des conflits internationaux, puis nous verrons dans quelle mesure la pratique internationale fait apparaître une thérapeutique efficace des conflits.

SECTION I

ELEMENTS D'UNE THEORIE DES CONFLITS INTERNATIONAUX

Une théorie satisfaisante devrait répondre aux questions suivantes :
— Qu'est-ce qu'un conflit international ? (1).
— Comment et pourquoi prennent naissance les C.I. ?
— A quoi servent les C.I. ?
— Comment se développent les C.I. ?

§ 1. — QU'EST-CE QU'UN CONFLIT INTERNATIONAL ?

Il est bien évident qu'on ne peut isoler les C.I. du problème plus large des conflits en général, qu'ils se manifestent à l'intérieur des Etats ou dans les rapports entre les éléments composants de la société internationale. C'est dire que la théorie particulière des C.I. doit s'insérer dans le cadre d'une théorie générale des conflits.

Cela dit, il faut constater que la terminologie est des plus incertaines. On parle de conflit, mais aussi de litige, de différend, de crise, de tension, de situation, etc., sans toujours préciser de quoi on parle. Nous emploierons le terme de conflit dans un sens général pour englober des phénomènes très divers, mais qui présentent cependant des caractéristiques communes, qu'il faut préciser.

A. — Conflits juridiques et conflits politiques

Les juristes ont naturellement cherché à définir le conflit international en fonction de leurs propres préoccupations, c'est-à-dire en fonction du problème du règlement pacifique des C.I. Ils ont ainsi isolé une catégorie particulière des C.I. susceptibles, selon eux, d'être réglés sur la base du droit : les conflits juridiques. Ce sont les conflits

(1) Nous utiliserons ici le sigle C.I. pour désigner le conflit international.

relatifs à l'interprétation ou à l'application du droit international. Par opposition, tous les autres conflits sont des conflits politiques.

Cette façon de procéder n'est pas satisfaisante. D'abord si le conflit juridique est repéré par son objet et en fonction d'un critère purement juridique, sa définition ne renseigne pas sur la nature profonde du conflit qui ne relève pas du droit. Ensuite, le conflit politique est défini de façon purement négative, par opposition au conflit juridique, ce qui est encore moins satisfaisant. Enfin, la distinction est assez artificielle, dans la mesure où le politique et le juridique ne forment pas en réalité un couple antithétique, mais vivent en symbiose et se pénètrent mutuellement.

Les politologues ont été plus attentifs aux conflits politiques et ont cherché à les définir. A la suite de Morgenthau (*op. cit.*, p. 403 et s.), Ch. de Visscher (*Théories et réalités...*, p. 94 et s.) distingue les tensions et les différends (disputes) : « Le différend politique implique un antagonisme circonscrit dans son objet, caractérisé par des prétentions contradictoires comme par la disposition des adversaires à s'en réserver le règlement personnel », tandis que « la tension politique est un antagonisme encore limité dans les moyens d'action, mais qui déjà n'a plus d'objet circonscrit ou clairement défini. »

La distinction entre ces deux sortes de situations n'est finalement pas très claire. Si on prend en considération l'objet de l'antagonisme, la différence est de degré plus que de nature. Il est nettement précisé dans le différend et plus vague dans la tension. De même, la tension impliquerait une autolimitation des moyens mis en œuvre alors que le différend n'en comporte pas et va jusqu'aux moyens extrêmes, y compris la guerre. En fait, la frontière entre les tensions et les différends n'est pas aussi précise. Ceci a conduit Morgenthau à reconnaître, à côté des différends purs, les « différends comportant la substance d'une tension » (la tension est comparée à un iceberg dont la plus grande partir est immergée, tandis que la partie visible est le différend) et les « différends qui constituent une tension ». La jonction ainsi établie entre différends et tensions montre la fragilité de la distinction.

Ce qu'il faut retenir des définitions formulées par Ch. de Visscher, c'est le terme d'antagonisme, qu'on retrouve dans la notion de différend et dans celle de tension. Ce terme nous met sur la voie d'une définition satisfaisante, à condition de préciser quelle est la nature de l'antagonisme.

B. — Conflits et contradictions

Le terme « antagonisme » évoque l'idée marxiste de contradiction. « Au sens propre, la dialectique est l'étude de la contradiciton dans l'essence même des choses » (Lénine). Comme nous l'avons vu, le concept de contradiction (ou la lutte des contraires) est essentiel pour expliquer le changement (*supra,* p. 21). Il permet aussi de saisir la substance des conflits. En effet, la théorie marxiste distingue soigneusement les contradictions antagoniques et les contradictions non antagoniques. Parlant de la société socialiste, Lénine écrivait : « L'antagonisme et la contradiction ce n'est nullement la même chose. Le premier disparaîtra, le second restera dans la société socialiste. »

En reliant l'idée de contradiction et l'idée d'antagonisme, on peut donc dire qu'un conflit correspond à une contradiction antagonique, observation faite que cette contradiction ne se situe pas dans l'abstrait mais correspond à une situation concrète, observation faite aussi que, concrètement, il faut distinguer contradiction principale et contradiction secondaire, donc conflit majeur et conflits mineurs, ainsi que l'aspect principal et les aspects secondaires de la contradiction, donc les aspects majeurs et les aspects mineurs du conflit. Rappelons à cet égard que, si la base économique joue, en général, le rôle principal, déterminant, dans certaines conditions la superstructure assume ce rôle. Ceci signifie que le conflit peut relever aussi bien de la superstructure (conflits idéologiques) que de l'infrastructure, étant entendu qu'en dernier ressort celle-ci est déterminante.

Le concept de contradiction antagonique permet de distinguer conflit et compétition ou lutte. Il est tout à fait abusif d'affirmer, comme le fait R. Aron (*Etudes politiques,* p. 384), que la compétition « fait partie des conflits au sens le plus large de ce terme ». Cela reviendrait à dire que coopération et conflit sont deux notions voisines, car la coopération, comme nous le verrons, implique aussi une compétition. Or, ces deux notions sont évidemment antinomiques et l'antinomie provient précisément de l'existence d'oppositions de toutes sortes, fondées sur des contradictions antagoniques, qui excluent la coopération, au moins tant que les parties ne sont pas entrées dans la voie du règlement du conflit.

Ainsi défini, en fonction de l'existence de contradictions antagoniques, le concept de conflit est susceptible de s'appliquer à l'ensemble des relations internationales quels que soient les éléments composant la société internationale. L'existence d'intérêts divergents, qui se traduisent en termes d'idéologies, de stratégies et de tactiques, implique, non seulement une compétition, parfois très vive entre eux, mais aussi, parfois, des conflits. Le passage de la compétition au conflit apparaît lorsqu'un des acteurs internationaux, possédant une capacité d'agir, entend imposer sa volonté en usant de la contrainte ou en violant le droit établi. Les conditions du conflit sont créées à partir du moment où les autres acteurs internationaux n'acceptent pas ce comportement.

C. — Les types de conflits

Sur la base de cette définition, on peut classer les conflits internationaux en fonction de plusieurs critères.

En fonction des acteurs internationaux, impliqués dans le conflit, on peut tenir compte soit du nombre des acteurs (deux ou plusieurs), soit de la qualité des acteurs, selon qu'ils sont de même nature (Etats, par exemple) ou de nature différente (Etats, S.M. ou O.I.). Bien que les C.I. aient surtout été étudiés dans les rapports entre les Etats, il ne faut pas oublier que les C.I. ne sont pas moins fréquents ni moins aigus dans les rapports entre les Etats et les autres éléments composants de la Société internationale. Malheureusement, ce dernier type de C.I. de même que les C.I. entre les acteurs internationaux autres que les Etats sont beaucoup moins étudiés.

Un deuxième critère est d'ordre géographique. Il permet de préciser quelle est l'aire territoriale couverte par le conflit.

De ce point de vue, on peut distinguer les conflits internes à dimension internationale et les conflits internationaux proprement dits.

Les conflits internes sont en principe exclus du domaine international, du fait même qu'ils constituent une affaire intérieure. Le ministre français des affaires étrangères peut ainsi exciper du caractère interne du conflit érythréen pour considérer toute intervention de l'O.N.U. comme une « intolérable ingérence » dans les affaires intérieures de l'Ethiopie. (Réponse à une question écrite, *J. O.*, Débats du Sénat, 23 mai 1975, p. 1066). Dans la conception classique, le droit, interne et international, visait d'ailleurs à isoler le conflit, à l'enfermer dans les frontières de l'Etat. Par exemple, la reconnaissance de belligérance oblige l'Etat qui en fait usage à observer une attitude de stricte neutralité à l'égard des antagonistes. Cependant, aujourd'hui « la réalité internationale de la plupart des conflits internes est évidente » (Zorgbibe). C'est la conséquence du surgissement et de la multiplication des mouvements de libération nationale et de l'intervention ouverte ou clandestine, imposée ou sollicitée, des puissances étrangères. En fait, sinon en droit, les conflits, à l'origine internes, peuvent donc acquérir une dimension internationale. Dès lors, invoquer l'art. 2, paragr. 7 de la Charte des N.U. pour les soustraire à l'O.N.U. relève de l'argutie juridique.

En ce qui concerne les conflits internationaux prepremeent dits, le critère géographique permet de distinguer les conflits planétaires, régionaux ou localisés. De ce point de vue, le critère permet à la fois d'apprécier la gravité des conflits et de déterminer, dans une certaine mesure, les instances qualifiées pour tenter de trouver une solution au conflit. Il faut souligner que la localisation d'un C.I. dans l'espace ne signifie pas qu'il ne concerne que les acteurs internationaux impliqués directement dans le conflit. Il faut tenir compte des répercussions de ce conflit sur les autres acteurs internationaux, ce qui peut conduire ces derniers à intervenir et donc donner au conflit une dimension plus large (voir le conflit israélo-arabe).

Le troisième critère est celui de l'objet du C.I.

De ce point de vue, la distinction des conflits juridiques et des conflits politiques présente un intérêt sur le plan des modes de règlement. Ainsi la C.I.J. ne peut connaître que des conflits juridiques.

Plus intéressante est la distinction des C.I. en fonction de la stratégie des antagonistes. Ou bien, tout en s'opposant, ils se situent dans le cadre du système établi, ou bien, au moins l'un d'entre eux remet en cause ce système. Autrement dit, l'objectif peut être soit de préserver, pour l'essentiel, le statu quo, sous réserve de modifications mineures, soit d'obtenir un changement d'ordre qualitatif.

Cette distinction est importante, car elle explique la diversité des réactions devant les C.I. et même l'orientation des recherches. De façon générale, un acteur international qui tente de réaliser un changement qualitatif à travers un C.I. est considéré comme un élément perturbateur, tandis que les partisans du statu quo bénéficient d'un préjugé favorable. Ceci soulève le problème de la fonction des C.I. dans l'ordre international et de la contribution des C.I. au changement rendu indispensable pour des considérations de justice.

Le critère de l'objet permet aussi de distinguer les C.I. qui ont un objet précis et limité, du fait que les prétentions sont nettement affirmées, et les C.I. qui ont un caractère plus vague, plus diffus et qui peuvent concerner toute une série de problèmes (*supra*, la distinction entre différend et tention).

Enfin le critère des moyens mis en œuvre par les parties en conflit permet de mesurer l'intensité du C.I. comme son caractère légal ou illégal. L'attention est polarisée par les C.I. qui mettent en œuvre la force armée ou la menace d'utilisation de la force armée. Mais nous avons vu qu'il y a d'autres moyens de faire la guerre que la guerre. En outre, il y a fort heureusement des C.I. qui ne comportent pas le recours à la violence.

BIBLIOGRAPHIE

La bibliographie est importante. On trouvera dans tous les manuels de droit international un exposé des aspects juridiques du problème. L'ouvrage de M. Virally contient des développements importants sur les C.I. dans la perspective de l'O.N.U.

D'un point de vue sociologique, l'ouvrage publié par l'Unesco en 1957, *De la nature des conflits,* contient des études de caractère général. Voir aussi l'ouvrage de R. CLARKE, *La course à la mort,* Seuil, 1972 : cet ouvrage donne une vue générale sur la science des conflits. En langue anglaise, on peut consulter l'ouvrage de NORTHEDGE et DONELAN, *International disputes, The political aspects,* Londres, 1971. Il complète une étude réalisée en 1966 par le « David Davies memorial institute » sur les aspects juridiques des C.I.

Voir la revue *Communications* (1976, p. 101 et s.),l'article de J. FREUND, *De la crise au conflit,* et dans cette même revue, celui de E. MORIN, *Pour une crisologie* (p. 149-163).

J. FREUND, *Eléments pour une théorie des conflits,* Paris, 1972.

§ 2. — LE POURQUOI DES CONFLITS INTERNATIONAUX

Dans ce domaine, la fantaisie la plus débridée s'est donné libre cours, le problème étant surtout abordé à propos de la guerre internationale et les explications variant en fonction des théories générales et de l'idée que les auteurs se font de la société internationale.

A. — LA NATURE HUMAINE

Certains mettent l'accent sur les facteurs personnels, qu'ils soient d'ordre spirituel ou d'ordre biologique.

La prise en considération de l'aspect biologique est aussi vieille que le monde. Platon et Aristote estimaient que l'homme est constamment déchiré entre la raison et la passion, sans que la première arrive à triompher définitivement de la seconde. Sous une forme apparemment plus scientifique, l'étude comparée des espèces animales (voir les travaux de Konrad Lorenz) et de l'espèce humaine a popularisé l'idée que l'homme et l'animal auraient un point commun : l'agressivité. Certains anthropologues, comme R. Ardey (*The African genesis*, Londres, Collins, 1961), affirment même que la première invention de l'homme fut, non pas l'outil pour produire, mais l'arme pour attaquer ou se défendre. Bien mieux, ce serait l'arme qui, en définitive, aurait donné naissance à l'homme (?). On trouve un reflet de ces théories dans l'œuvre de Morgenthau pour qui l'homme et l'Etat sont fondamentalement agressifs et ne peuvent être dissuadés que par l'agressivité des autres ou par un système d'équilibre des forces (*supra*, p. 40).

La fragilité de ces hypothèses est établie par des études d'autres savants, comme le professeur M. F. Ashley Montague (*Man and agression*, O.U.P., 1968), qui a montré qu'il est abusif de chercher à comprendre le comportement de l'homme à partir de celui des animaux. Ceci revient à peu près à analyser le fonctionnement d'une brouette pour comprendre le fonctionnement du Concorde. A supposer qu'il y ait effectivement chez l'homme un instinct d'agression, il resterait à prouver qu'il est la cause des conflits. Les C.I. se situent au niveau de groupes sociaux, plus ou moins importants. Or le comportement collectif ne peut être déduit par extrapolation du comportement individuel, encore moins de celui des animaux. Il est infiniment complexe car il fait intervenir de nombreuses variables, qui lui confèrent une spécificité propre. Finalement, ce que les biologistes pourraient faire de plus utile, c'est d'admettre qu'ils n'ont « aucune contribution à apporter, que les causes du phénomène guerre n'ont pas de relation directe avec l'agressivité et qu'il n'y a, en fait, aucune raison de croire que l'agressivité soit la condition requise de la souveraineté d'un Etat » (Burton).

D'autres attribuent aux C.I. des causes psychologiques. On trouve l'expression de cette théorie dans la Charte de l'UNESCO (Les guerres prenant naissance dans l'esprit des hommes, etc.).

De nombreux chercheurs se sont ainsi préoccupés d'analyser l'opinion publique (public opinion approach) et ont tenté d'établir le coefficient d'agressivité ou de bellicosité en fonction du sexe, de l'âge, des revenus, de la religigion, du lieu de résidence, de la race ou de l'ethnie, de l'instruction, etc.

De même, au niveau des « décideurs » (decision-making approach), en appliquant la technique des simulations (*supra*, p. 358), on a cherché à repérer les colombes et les faucons.

En combinant ces deux approches, E. Haas établit un portrait-robot assez surprenant du « décideur-colombe ». Nous citons le début de la description. Le prototype, écrit-il, est « une négresse juive (?) d'âge moyen qui a reçu une instruction supérieure lui permettant d'atteindre le statut de médecin ou de professeur de collège, qui réside en dehors d'une grande ville, mais pas trop loin de la capitale, etc. » On est ici en plein délire !

Dans le cadre des explications d'ordre psychologique, il faut signaler les travaux de Burton. Tout en admettant qu'une nation n'est pas agressive par nature, il souligne qu'elle peut le devenir si elle a l'impression qu'une autre l'est. La cause du conflit réside alors dans le fait que les acteurs internationaux ne perçoivent pas les faits ou ne les interprètent pas de la même façon. Burton s'appuie sur des travaux comme ceux du docteur Holsti (*The nature of human conflict*, Englewood Cliffs, N.J., 1965) qui a étudié les discours du secrétaire d'Etat Foster Dulles. Selon lui, la personnalité d'un homme politique est comme une sorte de lentille qui s'interpose entre son regard et les faits. Parfois cette lentille réfracte tellement la réalité qu'elle la fausse complètement. Cette lentille déformante renvoie au partenaire une image également déformée. Bref, les communications entre les acteurs internationaux ne se font pas correctement et ceci conduit à des conflits. Burton en tire la conclusion que « pour analyser et résoudre un conflit, la meilleure solution, et la plus efficace, est d'établir une communication entre les deux parties ».

Cette façon de voir les choses n'est pas dénuée d'intérêt. Elle demeure cependant à la surface des phénomènes. L'aspect subjectif masque les aspects objectifs. Ainsi dans le conflit israélo-arabe, il n'est pas douteux qu'il y a des différences de perception aussi bien chez les hommes politiques qu'au niveau des populations. Mais il serait abusif de réduire le conflit à ce seul aspect, sinon il suffirait d'éclairer les antagonistes sur la réalité des oppositions pour résoudre le problème.

B. — La nature des formations sociales

Finalement, l'explication des C.I. par les seuls facteurs personnels n'est guère satisfaisante parce qu'elle ne tient compte que de l'aspect subjectif du phénomène. En fait, les C.I. sont des phénomènes complexes en raison de la nature et du nombre des intérêts en cause, de la qualité et du nombre des antagonistes, des ramifications du conflit en dehors du cercle des parties directement intéressées. Seule une explication globale peut rendre compte de cette complexité. Il faut en revenir au concept de formation sociale et à sa nature de classe. Comme nous l'avons dit, la politique extérieure n'est que la continuation de la politique intérieure, ce qui veut dire que la classe dominante influe de façon décisive sur la détermination des intérêts, qui seront considérés comme intérêt national. En fait, le problème n'est pas simple, car même la classe dominante n'est pas monolithique, mais fractionnée en groupes dont les intérêts ne sont pas forcément concordants (*supra*, p. 222). Ceci explique que le gouvernement possède une certaine marge de manœuvre. En outre, il faut tenir compte du fait que les formations sociales ne sont pas isolées, mais influencées les unes par les autres. On ne peut donc pas résumer les causes des C.I. dans une formule simple.

L'intérêt de la théorie structurelle de l'impérialisme élaborée par J. Galtung (*Journal of peace research*, 1971, n° 2) est de montrer le jeu complexe des intérêts et les liens entre la situation intérieure et la situation internationale. Dans les rapports entre la nation dominante (le centre) et la nation dominée (la périphérie), il faut tenir compte, non seulement de la conjonction ou de la divergence des intérêts des classes dominantes (le centre du centre et le centre de la périphérie), mais aussi du conflit ou de l'harmonie des intérêts des classes dominantes et de la masse. Galtung estime que l'impérialisme est « parfait » et qu'il n'y a pas de conflits :

— s'il y a harmonie d'intérêts entre le centre du centre et le centre de la périphérie, donc entre la ou les classes dominantes ;

— si le conflit d'intérêts est plus aigu entre le centre et la périphérie de la nation dominée (contradiction principale) qu'entre le centre et la périphérie de la nation dominante (contradiction secondaire) ;

— s'il y a conflit d'intérêts entre la périphérie de la nation dominante et la périphérie de la nation dominée.

Cette situation est en elle-même une situation de violence structurelle puisqu'elle permet à l'Etat dominant d'exploiter l'Etat dominé avec la complicité de la classe dominante de ce dernier. Cependant elle n'est pas conflictuelle tant que les trois conditions formulées par Galtung sont réunies, c'est-à-dire tant que les Etats sont divisés en deux (centre et périphérie, classe dominante et classes dominées). Le conflit apparaît lorsque les intérêts des deux centres ne sont plus concordants et que le centre de la nation dominée s'unit à sa propre périphérie pour s'opposer à la nation dominante. Alors surgissent des mouvements de libération nationale qui utilisent soit la lutte armée (Rhodésie, Afrique du Sud par exemple), soit la lutte politique (la plupart des colonies françaises). Il se peut aussi que les classes dominées entrent en conflit avec la classe dominante, ce qui constituerait un conflit interne, susceptible d'acquérir une dimension internationale, notamment si une alliance se manifestait dans les rapports entre les classes dominées des deux Etats.

Même si la théorie exposée par Galtung appelle des réserves, elle a l'intérêt de montrer que l'apparition des conflits est liée à un jeu complexe d'intérêts, qui peuvent, selon les circonstances, soit maintenir le statu quo, soit faire surgir un conflit.

BIBLIOGRAPHIE

Sur l'explication des C.I., voir les ouvrages précités relatifs à la théorie des jeux, l'ouvrage de BURTON, *Conflict and communication,* Mac Millan, 1969, ceux de SCHELLING, *The strategy of conflict,* Harvard University press, 1960, et *Armes et persuasion, Paris,* Editions de l'Herne, 1971. J. DEDRING, *Recent advances in peace and conflict research. A critical survey,* Sage, Londres, 1976. J. GALTUNG, *A structural theory of revolutions,* Rotterdam Univ. press, 1976.

§ 3. — DE L'UTILITE DES CONFLITS INTERNATIONAUX

Il y a tout un courant pacifiste, dont les expressions sont diverses et qui considère les C.I., principalement la guerre, comme des phénomènes pathologiques dont il convient de guérir la société internationale. C'est l'objectif des recherches sur la paix dont l'ambition est, non seulement de mieux comprendre les C.I., mais aussi d'étudier les moyens d'y mettre fin. On aboutit ainsi à maintenir le statu quo en éliminant tout ce qui serait susceptible de le mettre en danger. C'est ce que Galtung a appelé la paix négative, c'est-à-dire le rétablissement de l'ordre ou l'absence d'affrontements violents. Pour autant, les causes profondes des C.I. ne sont pas éliminées. La situation n'est pas très différente de celle qui existe à l'intérieur de certains Etats où on ne reconnaît l'existence de conflits que pour essayer de les éliminer au plus vite et ce ne sont pas les moyens qui manquent. La méthode la plus primitive consiste à nier l'antagoniste en le supprimant physiquement ou en l'isolant dans une sorte de ghetto, en le mettant en marge de la nation. Une méthode plus raffinée consiste à autoriser l'antagoniste à s'exprimer, étant entendu qu'il ne pourra jamais prétendre acquérir une position prédominante. Dans les deux cas, le statu quo est préservé.

Ce qu'on a appelé les jeunes turcs de la « peace research », notamment Galtung à Oslo et H.S. Schmidt à Lund, se sont insurgés contre cette conception. Au nom du changement, y compris les changements révolutionnaires, ils proclament que les conflits font partie de l'existence et peuvent avoir un côté positif. « Il ne s'agit pas simplement, écrit Galtung, d'apprendre à accepter la violence et à vivre avec elle. Une telle attitude rappelle trop la doctrine officielle de l'époque victorienne à l'égard de la sexualité et de l'érotisme : quelque chose qu'il faut bien tolérer, mais à quoi on ne peut prendre plaisir. En matière de violence, comme en matière d'érotisme, il ne suffit pas de « tolérer » : il faut apprendre à aimer. La violence et la sexualité sont le sel de la vie. Elles enrichissent l'existence, pourvu qu'on ait le courage et la maturité de prendre la chose franchement et, je dirais même, joyeusement » (cf. *La guerre et la fête,* G. Bouthoul, *La guerre,* p. 65 et s., et J. Boechler, *Les phénomènes révolutionnaires,* Coll. SUP, p. 129).

Le mérite d'une telle théorie, et de beaucoup d'autres qui se sont développées aux E.U.A. au cours des dernières années devant les phénomènes de violence collective, est de mettre en évidence le fait que les conflits en général, et les C.I. en particulier, ne sont pas nécessairement un mal absolu. En fait, les C.I. sont fonctionnels ou dysfonctionnels. Ce sont les aspects dysfonctionnels qui sont les mieux perçus parce qu'on met l'accent sur l'atteinte à l'ordre établi et sur les conséquences désastreuses des C.I. dans tous les domaines. Cependant, les C.I. peuvent aussi avoir des aspects fonctionnels qu'il serait vain de nier.

De façon générale on peut dire qu'aucune société ne peut demeurer immobile, pas plus la société internationale que les sociétés nationales. La loi est celle du changement universel et incessant, même si on s'ingénie à inventer des mécanismes destinés à préserver l'ordre établi. A défaut d'un changement pacifique, toujours souhaitable, l'évolution ou la révolution ne peut se faire qu'à travers les C.I., y compris les plus graves, c'est-à-dire la guerre (voir l'Afrique Australe).

Si on considère les sociétés concernées par le conflit, il n'est pas douteux que ce dernier peut avoir une fonction intégrative, en ce sens qu'il peut conduire ces sociétés vers une cohésion et une unité plus grandes.

En ce qui concerne les Etats, les C.I. (y compris les conflits internes à dimension internationale) peuvent incontestablement favoriser l'intégration nationale. Ainsi il est visible que le conflit israélo-arabe a contribué à reléguer au second plan la lutte de classes en Egypte et à rassembler provisoirement autour du Président Sadate l'ensemble de la population. Il y a cependant un danger. C'est que cet effet d'intégration ne soit utilisé par les gouvernements dans le but d'offrir à la population un dérivatif et de faire oublier les contradictions internes. Le C.I. est alors utilisé comme instrument de mystification. Tout dépend par conséquent de la politique suivie par les gouvernants et de la nature du conflit.

En ce qui concerne la société internationale, il n'est pas non plus douteux que les C.I. exercent un effet d'intégration. Ainsi l'une des conséquences de la guerre froide et des C.I. qui l'ont accompagnée a été de maintenir et même de renforcer la cohésion des Etats capitalistes sous la houlette des E.U.A. La contre-épreuve est fournie par la réapparition des divergences au sein de l'alliance atlantique avec l'atténuation de la guerre froide. De même, la construction de l'Europe a été activée par l'existence de conflits entre les Etats capitalistes et les Etats socialistes. Le conflit israélo-arabe montre également le rôle d'intégration des Etats arabes joué par ce conflit, avec ses prolongements sur le plan des rapports entre les Etats producteurs et les Etats consommateurs de pétrole. En définitive, la peur de l'autre rassemble, au moins provisoirement.

De façon plus générale, les C.I. sont également un moyen de faire évoluer la société internationale dans les sens d'une meilleure adaptation des institutions (le Droit en particulier) et des structures aux besoins de cette société. Comme le remarque Ch. de Visscher (*op. cit.*, p. 371), « Pour avoir été abordé, le problème de la transformation des situations internationales par des voies pacifiques n'a guère été sondé dans sa réalité profonde. » Les juristes sont naturellement enclins à envisager le problème d'un point de vue exclusivement juridique et témoignent d'une grande méfiance à l'égard des procédures non juridiques. La question est surtout agitée à propos des conventions internationales, pour lesquelles le principe demeure celui de la sainteté des traités (pacta sunt servanda). Selon Reuter (*Introduction au Droit des traités*, p. 180), « admettre libéralement la révision des traités pour changement des circonstances, c'est mettre en cause la force obligatoire des traités ». Cependant, il reconnaît aussi fort justement que « refuser d'une manière absolue cette révision, c'est détacher le droit de la vie sociale ». La Convention de Vienne sur le droit des traités (art. 62) reconnaît la possibilité de mettre fin à un traité en raison d'un changement fondamental de circonstances, mais elle l'assortit de conditions très restrictives et l'exclut notamment dans le cas d'un traité établissant une frontière.

Cette tendance à défendre hic et nunc l'immutabilité du Droit, même s'il est injuste ou inadapté aux situations nouvelles, méconnaît la nécessité du changement. A fortiori, ce problème du changement se pose à propos de situations qui ne sont pas saisies par le droit. A défaut d'une autorité supérieure aux Etats ou d'une volonté commune d'imaginer des solutions équitables, le seul moyen est de briser le statu quo par le conflit. Bien souvent, il est la seule voie possible pour amener les partisans du statu quo à composition en les forçant à négocier. L'expérience a été faite, maintes fois, dans les rapports entre colonisés et colonisateurs.

Sur ce point, la société internationale n'est pas dans une situation radicalement différente des sociétés nationales. Bien que ces dernières disposent de mécanismes d'adaptation, il arrive aussi que ces mécanismes ne fonctionnent pas de façon satisfaisante. Dans ce cas, on voit surgir des conflits qui n'excluent pas le recours à la violence physique et qui constituent finalement un moyen de remettre en marche les mécanismes du changement.

BIBLIOGRAPHIE

D'un point de vue général, voir :

— V. L. ALLEN, *Social analysis. A marxist critique and alternative,* Longman, Londres, 1975.

— J. GALTUNG, *A structural theory of revolutions,* Rotterdam Univ. press, 1976.

Sur la pensée révolutionnaire contemporaine, voir :

— M. MARTIC, *Insurrection. Five Schools of revolutionary thought.* Dunellen N.Y., 1975.

— G. CHALLIAND, *Mythes révolutionnaires du Tiers Monde,* Ed. du Seuil., 1976 (bibliographie sur les guerres révolutionnaires).

— J. WODDIS, *New theories of revolution, International publishers,* New York, 1974.

§ 4. — LE DEVELOPPEMENT DES CONFLITS INTERNATIONAUX

L'étude du processus des C.I. présente un intérêt considérable, non seulement sur le plan intellectuel, mais aussi sur le plan pratique dans la mesure où une connaissance précise de ce processus devrait permettre de comprendre la logique des C.I. et, par conséquent, de les maîtriser et, en tout cas, d'en prévoir l'évolution et l'issue. Pourquoi les C.I., une fois nés, évoluent-ils dans un sens plutôt que dans un autre ? Pourquoi certains sont-ils réglés de façon pacifique alors que d'autres conduisent à une escalade de la violence ? Pourquoi certains C.I. s'éternisent-ils et ne parviennent-ils pas à être réglés, même par la politique du fait accompli ? Autant de questions auxquelles une étude scientifique des conflits devrait permettre de répondre.

Les instituts de recherches sur la paix ou d'étude des conflits ont tenté d'élaborer des théories destinées à rendre compte du développement des C.I.

A. — Les insuffisances des modèles

Bien souvent, les chercheurs proviennent d'horizons différents et ont tendance à transposer dans le domaine des relations internationales les concepts et la terminologie de leur propre discipline sans avoir pleinement conscience du danger de cette transposition.

C'est ainsi que les mathématiciens ont une forte propension à mettre les conflits en équation et à considérer leur processus comme le développement d'une équation. On trouvera dans l'article de Jessie Bernard sur « l'étude sociologique du conflit » (Unesco, *La nature du conflit,* 1957) des exemples de modèles mathématiques. L'observation générale qu'on peut faire est que les équations ne parviennent jamais à saisir tous les éléments d'un conflit. « Elles disent la vérité, mais pas toute la vérité » (Homans). En outre, les modèles mathématiques reposent sur le postulat que toutes les variables sont mesurables, ce qui est contestable lorsque ces variables ont un caractère subjectif ou psychologique.

La même observation vaut pour les différents variantes de la théorie des jeux (*supra,* p. 357), issue des mathématiques et appliquée au problème des C.I. Un des éléments fondamentaux de cette théorie est la fonction de l'enjeu. Si Pierre fait ceci et François cela, quelles seront les conséquences pour chacun d'entre eux ? A condition de connaître l'enjeu, on peut dresser une matrice du genre de celle-ci :

		Tactique de François	
		C	D
Tactique de Pierre	A	+ 4 (— 4)	+ 2 (— 2)
	B	+ 5 (— 5)	— 3 (+ 3)

La lecture de cette matrice (1) se fait ainsi : si Pierre adopte la tactique A et François la tactique C, Pierre gagne 4 et François perd 4. Mais si Pierre applique la tactique B et François la tactique D, François gagne 3 et Pierre perd 3. Compte tenu de ces résultats, que feront les joueurs ? Si Pierre veut gagner le maximum, il choisira la tactique B. Mais dans ce cas, François sait qu'il perd s'il applique la tactique C. Il choisira donc D, ce qui oblige Pierre a choisir A. Pierre gagne moins (+ 2), mais François limite ses pertes (— 2).

Ce schéma peut être compliqué à l'infini. Il suffit de multiplier le nombre d'acteurs, ce qui introduit dans le problème des phénomènes d'alliances ou de coalitions et ce qui pose le problème de la répartition des gains entre les alliés.

L'application de la théorie des jeux au problème des C.I. soulève d'énormes difficultés qui ne sont pas résolues. Comment déterminer l'enjeu ou la part respective des coûts et des bénéfices ? Comment, pratiquement, parvenir à réunir et à quantifier toutes les données ? Comment faire la part des considérations subjectives, notamment des comportements irrationnels ?

Finalement, il n'y a pas de théorie vraiment satisfaisante, capable d'expliquer le développement des C.I. Plus modestement, on peut rechercher les facteurs qui contribuent soit à aggraver le conflit, soit à le modérer.

B. — L'INFLUENCE DES INTERVENTIONS ÉTRANGÈRES

Pour les conflits internes, le facteur déterminant est l'intervention ou la non-intervention d'Etats-tiers puisque c'est cette intervention qui donne au conflit sa dimension internationale. Le problème ici n'est pas de savoir pourquoi un Etat intervient ou s'il a le droit d'intervenir (*supra*, p. 120), mais de rechercher quelles sont les consé-

(1) Les gains ou les pertes de François figurent entre parenthèses.

quences de cette intervention sur le déroulement du conflit. L'effet de l'intervention sur le conflit est variable, ce qui rend hasardeuses les généralisations.

Dans certains cas, le résultat de l'intervention est de mettre un terme au conflit. Ce fut le cas lors de l'intervention des E.U.A. à Saint-Domingue en 1965, de l'intervention de l'U.R.S.S. en Hongrie en 1956. Un tel résultat ne peut être obtenu que si l'intervention ne suscite pas une contre-intervention d'un autre Etat et si l'intervenant a le champ libre et est capable d'employer tous les moyens nécessaires, y compris la force armée, pour assurer le succès de son intervention.

Dans d'autres cas, l'intervention suscite une contre-intervention capable de la tenir en échec. Le résultat le plus clair de l'opération est d'intensifier le conflit et de le prolonger. Le cas du Vietnam ou du Moyen-Orient pourrait illustrer ce type de situation. Il est cependant remarquable que l'opposition des interventions n'a pas conduit à un conflit armé entre les intervenants, plus heureux, sur ce point, que les Etats impliqués directement dans le conflit qui ont été les victimes de la prolongation du conflit.

Enfin, dans une troisième série de cas, le déséquilibre des forces intervenantes permet à ceux qui bénéficient de l'appui le plus important de triompher assez rapidement. Le cas du Biafra ou de l'Angola illustreraient ce type de situation.

L'intervention a ainsi des effets variables sur la durée et l'intensité du conflit. Elle produit également des résultats différents sur la situation intérieure de l'Etat où se déroule le conflit. Tantôt il s'agit de préserver le statu quo (Nigéria-Biafra, Liban). Tantôt, au contraire, l'intervention (ou la contre-intervention) assure le triomphe des forces de changement (Vietnam, Angola). Le premier type d'intervention est pratiqué couramment par les E.U.A. Ainsi que l'a relevé R. Heilbronner (« Counter revolutionary America », *Commentary,* avril 1967) : « Il faut dire, et le dire très haut, que la politique actuelle (des E.U.A.) consiste à préférer, dans tous les cas, la stagnation au risque du communisme et que cela signifie qu'en fait nous préférons la pauvreté et la faim (avec ce qu'elles entraînent de violences mal adaptées pour en supprimer les causes) à un régime qui déclarerait son hostilité au système capitaliste. » Ces conclusions ont été reprises par Gunnar Myrdal dans son ouvrage : *Asian drama. An inquiry into the poverty of nations* (1).

(1) Repris en français sous le titre : *Le défi du monde pauvre,* Gallimard, 1971. Cet ouvrage doit être lu par tous ceux que préoccupe le destin du Tiers Monde.

Tous les moyens sont utilisés pour éviter que les Etats latino-américains, en particulier, puissent s'affranchir de la tutelle des E.U.A. Après son expédition mouvementée en Amérique latine, le gouverneur Rockfeller, dans son rapport intitulé *Qualité de la vie aux Amériques* (1969), lançait un avertissement aux Latino-Américains en les prévenant qu'il suffisait d'un seul Castro dans l'hémisphère. L'expérience chilienne a effectivement montré que les E.U.A. n'étaient pas disposés à tolérer plus d'un Castro. Gunnar Myrdal prévoit que, selon l'hypothèse la plus probable, on verra se développer en Amérique latine « un certain type de fascisme, sous le rude contrôle des forces policières et de l'armée » et que « ce genre d'évolution serait appuyé par le gouvernement des Etats-Unis. Des gouvernements fascistes... apparaîtraient aux regards des Etats-Unis comme l'unique option face au communisme » (souligné par l'auteur). Le drame du Chili confirme cette opinion. On peut rêver, comme Bayless Manning (*op. cit.*) à ce que pourrait être la situation mondiale si cette politique n'était pas pratiquée. Mais comme le fait remarquer R. Falk (*op. cit.*), les responsables de la politique étrangère des E.U.A. ont-ils jamais eu la possibilité de faire un autre choix ? Le Président Carter sera-t-il plus vertueux que son prédécesseur ?

C. — La dynamique des conflits internationaux. Facteurs d'évolution

Pour les conflits internationaux proprement dits, la dynamique de ces conflits amène à se poser plusieurs questions :

Pourquoi certains conflits sont-ils réglés rapidement ou dans un temps relativement bref, alors que d'autres s'éternisent et ne trouvent aucune solution ? Il y a en fait des C.I. qui entrent en hibernation, sont mis en sommeil et renaissent périodiquement sans trouver une solution. Le conflit entre l'Inde et le Pakistan à propos du Cachemire fournirait un bon exemple de ces conflits qui, pareils à des volcans, entrent soudainement en éruption pour cesser ensuite toute activité. Sur 50 C.I. étudiés par Northedge et Donelan, 11 appartiennent à la catégorie des « quiescent disputes ».

En second lieu, pourquoi, dans certains cas ou à un certain moment de l'évolution, y a-t-il une disposition à négocier, alors que dans d'autres moments les parties en conflit se refusent à entrer dans la voie de la négociation ? La question de Berlin serait intéressante à étudier sous cet angle. Après des années de discussion et des affrontements qui avaient conduit les quatre au bord de la guerre, la politique d'ouverture à l'Est du chancelier allemand a permis la conclusion d'un traité germano-soviétique et d'un accord quadripartite en 1971. En revanche, la situation des Taiwan ne s'est pas modifiée malgré le rapprochement des E.U.A. et de la Chine continentale.

En troisième lieu, pourquoi certains C.I. sont-ils maintenus sur un plan purement verbal (discours, déclaration, échange de notes diplomatiques, etc.), alors que d'autres comportent le recours à la force armée. Ainsi, en Afrique, les revendications territoriales ont parfois été assorties d'affrontements armés (Algérie-Maroc, Somalie-Ethiopie). Mais, dans d'autres cas (Maroc-Mauritanie) malgré la virulence des revendications, aucune politique de force n'a été pratiquée par les Etats intéressés qui se sont finalement accordés pour partager le Sahara ex-Espagnol. Par contre-coup il en résulte un nouveau conflit entre le peuple Sahraoui, soutenu par l'Algérie d'une part, le Maroc et la Mauritanie, soutenus par la France d'autre part.

Enfin, on peut se demander quels sont les facteurs qui poussent les Etats à choisir telle tactique plutôt que telle autre, à préférer les moyens politiques aux moyens militaires et pour quelles raisons ils entrent dans la voie de l'escalade de la violence, jusque et y compris l'affrontement armé.

Il est difficile de répondre à ces questions à l'aide de formules générales. Le schéma d'Herman Kahn, par exemple (*De l'escalade*, Calmann-Lévy, 1966) est trop exclusivement axé sur les facteurs psychologiques. Il ne tient pas compte des pressions de toutes sortes qui s'exercent sur les « décideurs », en particulier du poids des intérêts divers et de l'opinion publique.

En fait, de nombreux facteurs interviennent, qui vont dans le sens, soit de la modération, soit de l'aggravation des C.I.

Puisque les C.I. sont liés à la politique intérieure des Etats, on peut présumer qu'un changement intervenu dans le régime politique d'un Etat est susceptible d'avoir des répercussions sur l'évolution du conflit. On pourrait illustrer cette proposition par de nombreux exemples. Ainsi, dans les rapports entre le Togo et le Ghana, il a suffi que le Président Nkrumah soit remplacé par les militaires et que le nouveau régime revienne à la voie de développement capitaliste pour que le conflit relatif aux Ewe (ethnie commune au Togo et au Ghana) soit sinon réglé, du moins apaisé et devienne « quiescent ». De même, le changement de gouvernement en Allemagne occidentale a certainement facilité la solution du problème de Berlin. Plus récemment, la fin de la dictature portugaise a permis le dialogue entre le gouvernement et les nationalistes africains. Inversement, la persistance de structures colonialistes en Rhodésie (Zimbabwe) ou en Afrique du Sud bloque toute possibilité de négociation. Dans chaque cas, il faudrait s'interroger sur la nature des régimes politiques et voir les corrélations de leur évolution et de celle des C.I.

Un deuxième facteur concerne les relations entre la façon dont les « décideurs » perçoivent les données de la situation et l'évolution du conflit. Ceci pose le problème de la communication entre les parties en conflit dans le jeu des interactions. Le schéma suivant permet de donner une image de ce problème.

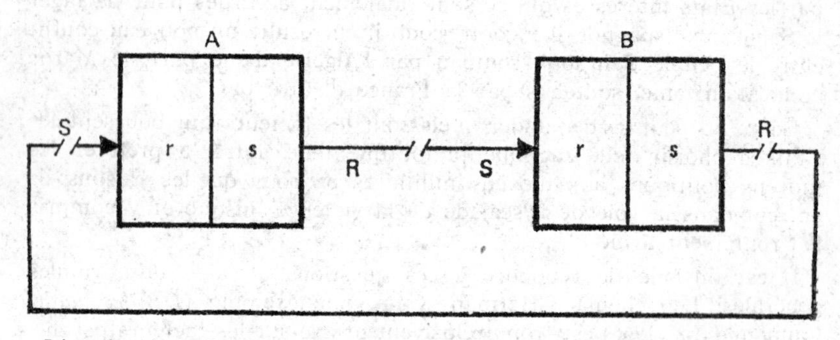

Légende : A et B : Etats en conflit ; S : stimulus provoqué par un Etat ; r : évaluation de ce stimulus ; s : intentions exprimées en fonction de la perception ; R : action de chaque Etat.

Source : *Quantitative international politics*, J. David SINGER, édit., New York, The free press, 1968, p. 133.

Dans leurs ouvrages, Harold et Margret Sprout avancent qu'il y a une corrélation entre les calculs des « décideurs » et la façon dont ils perçoivent le comportement de l'antagoniste. Cependant, mis à part les travaux de Holsti et North (étude sur la crise de Cuba), toutes les autres études tendraient à prouver que les décideurs perçoivent assez correctement leur environnement, ce qui confirme la fragilité des hypothèses du docteur Burton. Il subsiste, en fait, une incertitude sur la signification de la perception.

En troisième lieu, la conscience d'un danger commun peut rapprocher les frères ennemis et les amener à s'entendre ou à oublier leur querelle. C'est ce qui est exprimé dans l'ouvrage de Lewis Carroll (*Through the looking glass,* chap. IV).

Tweedledum et Tweedledee
décidèrent de se battre
car Tweedledee soutenait que Tweedledum
avait endommagé son beau hochet neuf.
A ce moment une corneille monstrueuse descendit
aussi noire qu'un tonneau de goudron.
Ceci effraya tellement nos deux héros
qu'ils oublièrent leur querelle.

Ainsi le danger d'une guerre nucléaire contribue certainement à modérer les conflits entre l'U.R.S.S. et les E.U.A., comme l'a démontré la crise cubaine.

En quatrième lieu, la prise en considération par chacune des parties de ses propres intérêts ne conduit pas nécessairement à maximiser le conflit. Il y a un calcul entre les gains espérés et les pertes redoutées. Ainsi le souci de conserver, malgré tout, une possibilité de coopération, au-delà du conflit, incite les antagonistes à se modérer. La coopération entre la France et les Etats africains offre des situations de ce genre. Les conflits sont parfois aigus (France-Algérie, par exemple), mais finalement le désir de préserver des liens de coopération maintient le conflit dans des limites raisonnables.

Enfin, il ne faut pas oublier l'attitude des Etats, non parties au conflit. Ici également, l'intervention, sous différentes formes, pèse d'un poids particulièrement lourd. Selon le cas, l'intervention peut soit aggraver le conflit, soit, au contraire, contribuer à le modérer (voir plus haut, l'influence des alliances et des traités de garantie).

En définitive, il y a un jeu complexe de facteurs qu'il est difficile d'isoler les uns des autres. Seules des études de cas permettraient d'apprécier le poids de tel ou tel facteur et le sens de son influence.

BIBLIOGRAPHIE

R. Chiroux, Le Tiers Monde et la crise de l'Afrique australe, *Annuaire du Tiers Monde,* 1975, Berger-Levrault, 1976.

R. Falk, Les internationalistes libéraux et le rôle mondial des Etats-Unis, *Le Monde diplomatique,* septembre 1975.

R. Hilsman, *The crouching future : International politics and U.S. foreign policy,* Doubleday and C°, N. Y., 1975 (critique des interventions américaines).

B. MANNING, Goals, ideology and foreign policy, *Foreign affairs,* janvier 1976.

S.I.P.R.I., *Southern Africa. The escalation of a conflict,* 1976.

Sur les conflits internes, voir ZORGBIBE, « La guerre civile », *Annales de la Faculté de droit de Clermont,* 1969, et l'ouvrage de R. PINTO (*Le droit des relations internationales,* Payot, 1972) qui aborde les aspects juridiques du problème. Cet ouvrage contient également des développements sur les *interventions* individuelles ou collectives. On le complétera par l'ouvrage de Ph. BRETON et J. P. CHAUDET (*La coexistence pacifique*) qui, malgré son titre, étudie quelques cas de conflits et d'intervention.

Sur l'application du droit humanitaire aux conflits armés, voir l'ouvrage collectif publié par l'Université libre de Bruxelles, *Droit humanitaire et conflits armés,* Bruxelles, 1976 (notion de conflit armé, belligérance, guérillas).

Comme étude de cas, voir A. URIBE, *L'intervention américaine au Chili,* Seuil, 1974, ainsi que l'ouvrage d'ACQUAVIVA, *Chili : trois ans d'unité populaire,* Editions Sociales, 1974, chap. 4. A. BOURGI, *Complots libanais,* Berger-Levrault, Paris (sous presse).

SECTION II

LA THERAPEUTIQUE

Ce problème soulève au moins deux questions :

— Quel est le médecin capable d'apporter un remède aux C.I. ?

— Quelles sortes de remèdes peut-on envisager ?

§ 1. — LE MEDECIN

Grosso modo, on peut dire que le conflit peut être réglé par les antagonistes eux-mêmes ou bien des tiers. En fait, la distinction n'est pas aussi rigide. Dans la pratique, il n'est pas rare que ces deux sortes de médecins interviennent pour le même conflit. Il y a cependant des cas où l'intervention des tiers, même animés de bonnes intentions est difficilement supportée, ce qui conserve à la distinction sa valeur. On ne voit pas, par exemple, que des tiers puissent jouer un rôle utile dans un conflit éventuel entre l'U.R.S.S. et les E.U.A., s'il s'agissait d'un conflit majeur. En outre, dans un certain nombre de cas, les antagonistes de moindre envergure n'acceptent pas que des tiers interviennent dans le conflit, de sorte qu'il n'y a pas d'autre solution que d'abandonner le sort de ce conflit aux intéressés eux-mêmes.

Il est vrai que le droit et la pratique ont fait apparaître des procédures destinées à faciliter l'intervention de tiers. Mais nous pouvons reprendre ici l'observation faite à propos de l'élaboration du droit international : le recours à ces procédures suppose, en règle générale, un minimum de consensus entre les antagonistes, malgré les divergences et l'opposition des intérêts, pour accepter cette intervention.

De façon schématique, on peut distinguer les interventions de caractère politique et les interventions de caractère juridictionnel. Les premières peuvent être utilisées par des représentants des Etats ou des O.I., tandis que les secondes font intervenir des juges, qu'ils soient des arbitres ou les membres d'une juridiction internationale.

A. — Le rôle de l'O.N.U.

Comme nous l'avons vu, la Charte des Nations Unies (comme les Chartes de nombreuses O.I.) formule le principe d'interdiction du recours à la force et impose, en conséquence, aux Etats de régler pacifiquement leurs différends (art. 2). Aussi bien l'Assemblée générale que le Conseil de Sécurité détiennent des compétences en matière de règlement des C.I. On notera que l'O.N.U. s'intéresse surtout aux C.I. qui sont susceptibles de mettre en danger la paix et la sécurité internationales, c'est-à-dire l'ordre établi. En fait, l'O.N.U. a interprété de façon extensive ses compétences et s'est saisie de C.I. qui ne semblaient pas menacer la paix (par exemple le conflit entre l'Argentine et Israël à propos de l'enlèvement d'Eichmann).

En second lieu, les conflits internes échappent à l'O.N.U. puisque l'art. 2, § 7, lui interdit d'intervenir dans les affaires intérieures des Etats, sauf lorsqu'il y a rupture de la paix internationale ou une menace pour la paix.

En troisième lieu, il est clair que l'O.N.U. n'est, en définitive, que l'ultime recours du fait que les Etats sont invités à régler eux-mêmes leurs différends par les moyens classiques — que l'article 33 énumère — ou en recourant aux organisations régionales (voir l'affaire du Biafra).

Enfin, l'O.N.U. ne s'intéresse qu'aux conflits entre les Etats, ce qui laisse en dehors de son domaine d'intervention tous les autres types de C.I. à moins que ces conflits ne soient assumés par les Etats, notamment par la mise en œuvre de la protection diplomatique, s'il s'agit de G.P.D.I.

Hormis le cas où un C.I. constitue une menace pour la paix internationale ou une rupture de la paix internationale, ce qui confère au Conseil de Sécurité, en première ligne, le droit indiscutable et le devoir de régler le conflit, même si les Etats intéressés ne sont pas membres de l'organisation, la règle générale est donc l'obligation pour les antagonistes de régler leur différend par le moyen des procédures classiques.

Le caractère fondamental de la plupart de ces procédures c'est que les Etats en conflit ne sont jamais obligés de s'y soumettre. Ces procédures ont, en principe, un caractère purement facultatif. Dans ces conditions, pour qu'elles puissent avoir quelque efficacité, le premier problème à résoudre est d'amener, par un moyen ou par un autre, les Etats à accepter de se soumettre à un mode de règlement déterminé.

B. — Le rôle des tribunaux internationaux

Le problème n'est pas différent en matière juridictionnelle. En matière d'arbitrage, quel que soit le procédé utilisé (compromis d'arbitrage, clause arbitrale insérée dans une convention internationale, traité d'arbitrage), il faut toujours le consentement des Etats en litige pour faire intervenir ce procédé.

Un des moyens de parvenir à ce résultat est de conclure des conventions internationales, soit bilatérales, soit multilatérales. Il existe effectivement dans la pratique internationale un certain nombre de conventions. Par exemple, sur le plan Européen, le Conseil Européen a adopté une Convention générale relative au règlement pacifique des différends internationaux, de sorte que les Etats qui ont accepté cette convention ont l'obligation de recourir aux moyens de règlement prévus par la convention.

Il n'est d'ailleurs pas indispensable qu'il y ait des conventions de ce genre. Par exemple, en matière de bons offices, il est fréquent que tel ou tel Etat, non partie au conflit, prenne l'initiative d'offrir ses bons offices. Le moyen de rendre obligatoire cette procédure est que, mis en présence de cette offre, les Etats en conflit acceptent l'un et l'autre l'offre qui leur est faite. Selon une technique juridique très classique, on a d'un côté une offre et de l'autre une acceptation, c'est-à-dire un accord qui va rendre le recours à la procédure en question obligatoire pour les partes en conflit.

De façon générale, il est donc clair que, sauf exception, l'intervention d'un tiers dans le règlement d'un C.I. suppose que les antagonistes aient consenti, d'une façon ou d'une autre, à cette intervention. A défaut, le conflit ne peut que suivre son cours, à moins que les intéressés se mettent d'accord pour trouver une solution équitable ou que l'un d'entre eux ait la capacité d'imposer son point de vue.

En ce qui concerne les tribunaux, notamment la Cour internationale de Justice, il faut également souligner que si tous les Etats-membres de l'Organisation des Nations Unies sont automatiquement parties au statut de la Cour, cela ne signifie pas pour autant qu'ils soient obligés de soumettre leurs différends à la Cour. Ici également, il est nécessaire que ces Etats se soient obligés individuellement, par un moyen ou par un autre, à soumettre leurs différends juridiques à la Cour internationale de Justice.

Ceci peut être réalisé par deux procédés. Le premier, classique, consiste à insérer, dans une convention internationale quelconque, une clause prévoyant que les conflits relatifs à l'interprétation et à l'application de cette convention seront soumis à la Cour internationale de Justice. Le deuxième est l'acceptation d'une clause qui est insérée dans le statut de la Cour, connue sous le nom de « clause facultative de compétence obligatoire ». Tous ces termes ont une signification ; « clause facultative », cela veut dire que les Etats ne sont jamais obligés de l'accepter ; « compétence obligatoire », cela signifie qu'à partir du moment où les Etats ont accepté cette clause, ils sont obligés de soumettre leurs conflits juridiques à la Cour internationale de Justice.

Le problème est différent pour certaines juridictions régionales, notamment par la Cour de Justice des Communautés européennes. Dans ce cas, les Etats n'ont pas le choix : du fait qu'ils sont membres de ces communautés, ils sont obligés d'accepter la compétence de la Cour. Il en est ainsi d'abord parce qu'on est en présence d'organi sations qui ont un caractère supranational, les Etats ayant fait abandon partiel de leur souveraineté ; ensuite parce que l'intégration politique est relativement poussée : on est déjà dans une zone intermédiaire entre l'existence de ce qui sera peut-être un Etat fédéral européen et une organisation internationale de simple coopération. Ceci explique que la Cour de Justice, à vrai dire, n'est peut-être même pas une juridiction internationale, mais la juridiction interne des Communautés, de la même façon qu'à l'échelle des Etats les tribunaux sont les juridictions internes de l'Etat.

Même lorsque les Etats acceptent l'obligation juridique de soumettre leurs différends à une juridiction internationale, ils formulent généralement des réserves dans le but d'exclure un certain nombre de différends internationaux qu'ils ne considèrent pas comme justiciables. C'est ainsi qu'en matière d'arbitrage, il est très fréquent que les Etats excluent les différends mettant en jeu les intérêts vitaux, l'indépendance ou l'honneur de l'Etat ainsi que les conflits touchant les intérêts de tierces puissances. Etant donné qu'il n'y a pas de définition précise de ce que peut être l'honneur d'un Etat ou ses intérêts vitaux, il appartient à chaque Etat, dans un cas particulier, de dire si son honneur ou ses intérêts vitaux sont ou non en jeu, et donc d'accepter ou d'exclure la compétence d'une juridiction arbitrale. A l'époque contemporaine, cependant, il y a une tendance très nette à donner à des réserves de ce genre une portée beaucoup plus précise. Malgré tout, les réserves de caractère général concernant l'indépendance d'un Etat n'ont pas complètement disparu de la pratique internationale.

En ce qui concerne les Tribunaux internationaux, et plus particulièrement la Cour internationale de Justice, l'acceptation de la clause facultative de compétence obligatoire est également fréquemment assortie de réserves, surtout depuis la deuxième guerre mondiale. Certains Etats, comme les Etats-Unis, ont exclu les différends relatifs à des « questions relevant essentiellement de la compétence nationale telle qu'elle est fixée par l'Etat ». De telles clauses, dites « de réserve automatique » signifient en réalité que l'Etat a un pouvoir discrétionnaire pour décider que tel ou tel problème relève ou non de sa compétence nationale, par conséquent pour accepter ou refuser dans un cas concret la compétence de la Cour internationale de Justice. Des réserves de ce genre furent également formulées par la France et la Grande-Bretagne qui ont cependant abandonné cette clause de réserve, la France en 1959, la Grande-Bretagne en 1963.

Mais surgit une autre clause échappatoire : celle qui fixe la durée de temps au cours de laquelle un Etat accepte la compétence d'une juridiction internationale. Il est de règle en effet, dans la pratique internationale, que l'acceptation de la compétence des juridictions internationales, lorsqu'elle est donnée à l'avance, comporte une limitation dans le temps. En principe, les Etats n'acceptent de s'engager que pour une certaine durée, qui peut varier entre un an et un certain nombre d'années pour la Cour internationale de Justice. Parfois, cette durée n'est pas fixée ; dans ce cas, l'Etat se réserve le droit d'abroger à tout moment, avec ou sans préavis, la compétence reconnue à une juridiction internationale. Cette clause a été adoptée aussi bien par la France que par la Grande-Bretagne, en ce qui concerne la Cour internationale de Justice. Celle-ci a d'ailleurs reconnu la validité d'une telle clause, notamment dans l'affaire du droit de passage sur le territoire indien jugée en 1957. Dans ces conditions, il est évident que la reconnaissance de la compétence de la Cour internationale de Justice dépend en définitive de la bonne volonté de l'Etat.

§ 2. — LES REMEDES

Les remèdes sont finalement au nombre de quatre : la négociation, l'application du Droit, l'« insulation », la force.

A. — La négociation

Statistiquement, la négociation est sans doute le moyen principal de régler un conflit, ce qui confère à la diplomatie une importance considérable. Elle est d'ailleurs énumérée au premier rang par l'article 33 de la Charte des Nations Unies. Dag Hammarksjöld n'hésitait pas à déclarer que les O.I., loin d'avoir rendu la négociation inutile ou démodée, avaient au contraire accru son importance. « C'est la diplomatie, par les discours et les votes, qui continue à avoir le dernier mot dans le processus d'établissement de la paix. » Au fond, les O.I. favorisent ce qu'on a appelé la négociation tranquille en offrant aux antagonistes l'occasion de se rencontrer sans provoquer l'attention du public par des rencontres officielles d'ambassadeurs, de ministres ou de chefs d'Etat (cf. A. Boyd, *United Nations : piety, myth and truth,* Pelican books, 1964).

On peut définir la négociation comme le « processus dans lequel des propositions explicites sont ostensiblement mises en avant dans le but d'aboutir à un accord sur un échange ou sur une réalisation d'un intérêt commun quand des intérêts en conflit sont en présence » (F. G. Iklé).

En tant que processus, la négociation peut faire l'objet d'une étude destinée à systématiser la pratique. L'entreprise est difficile, car la diplomatie s'entoure parfois de mystères et la négociation est volontiers considérée comme un art dont les secrets ne doivent pas être dévoilés par les initiés. On dispose cependant de témoignages qui peuvent être utilisés et de quelques ouvrages comme celui de Fred Iklé, qui utilise la théorie des jeux.

Du point de vue de la *stratégie de la négociation,* la définition des objectifs poursuivis est importante, car elle commande la tactique de chacun des adversaires. On peut distinguer quatre types de situation.

Les parties peuvent avoir comme objectif le maintien d'une situation existante, sous réserve de quelques modifications destinées à adapter les solutions en vigueur aux nouvelles circonstances. La révision des accords franco-africains de coopération fournirait un bon exemple de ce genre d'objectifs. La volonté des deux parties de sauvegarder la coopération joue ici un rôle essentiel.

Un deuxième objectif peut être de mettre fin à une situation anormale en consacrant une situation de fait. Ainsi pendant longtemps les E.U.A. se sont opposés, grâce à leur clientèle, à la représentation de la Chine à l'O.N.U. par le gouvernement issu de la guerre révolutionnaire. Les accords conclus en 1972 ont permis de régler ce problème ; sous réserve de quelques concessions ou compensations de part et d'autre, la négociation a donc pour but de consacrer le fait accompli.

Un troisième objectif vise à créer une situation nouvelle, ce qui suppose que l'une des parties devra admettre de perdre quelque chose au bénéfice de l'autre. Les phénomènes de décolonisation offrent de nombreux exemples de ce genre. Le jeu n'est cependant pas à somme nulle, car l'Etat colonial réussit généralement à assortir l'accord d'indépendance d'accords de coopération inégaux, ce qui fait généralement surgir de nouveaux conflits et conduit à de nouvelles négociations.

Un quatrième objectif peut être de rechercher des résultats qui sont marginaux par rapport au conflit. Ainsi les deux parties désirent maintenir le contact sans, pour autant, envisager sérieusement un règlement du conflit (par exemple les conversations américano-chinoises jusqu'au rétablissement des relations diplomatiques) ; ou bien il s'agit de présenter à l'opinion publique une image favorable à la partie qui lance l'idée de négociation ; ou bien les antagonistes semblent céder à la pression d'un tiers et veulent témoigner de leur bonne volonté (négociations israélo-arabes). En fait, ces objectifs secondaires peuvent être très divers.

La tactique de la négociation procède d'un jeu subtil caractérisé par l'existence de deux phénomènes contradictoires : antagonisme, mais aussi volonté de coopération. Ceci suppose qu'aucun des antagonistes ne pousse ses avantages au point de donner l'impression à son adversaire et à l'opinion publique qu'il a remporté une victoire complète et que l'adversaire est le vaincu de l'opération. Ainsi que le relève l'ambassadeur américain, Hugh Gibson (*The road to foreign policy,* New York, 1944, p. 77), « En fait, victoire et défaite sont la négation de la diplomatie... Tandis qu'il (le diplomate) doit faire autant qu'il est opportun pour son pays, il doit le faire dans des limites et dans des termes tels qu'ils éviteront le ressentiment et un sentiment d'injustice dans de futures négociations. Il est important que chacun soit satisfait de sorte que les parties apporteront dans la prochaine négociation un désir d'aboutir à un nouvel accord et non un besoin de revanche — résultat inévitable d'une défaite. Le diplomate doit donc éviter de correspondre à l'image qui en était donnée par sir Henry Wolton (cité par H. Nicolson, *Diplomacy,* 1939, p. 94-95) : « Un honnête homme envoyé à l'étranger en vue de mentir pour le bien de son pays ».

Une façon de résoudre ce problème difficile est de lier les problèmes, de faire ce que les Anglo-Saxons appellent un « package-deal » ou un « tie-in ». Cette tactique permet de réaliser une compensation des pertes et des gains et, par conséquent, de faciliter la négociation. L'inconvénient est que, si l'un des points de l'accord vient par la suite à être contesté, l'équilibre de l'ensemble risque d'être compromis. Les négociations sur le droit de la mer pourraient illustrer cette proposition.

Au cours de la négociation, l'échange d'arguments, en vue d'amener la partie adverse à modifier son point de vue, est évidemment l'essentiel de l'opération. Mais il faut également faire la part des pressions. A cet égard, le recours à l'opinion publique est parfois utilisé. Cette pratique est vivement critiquée par Morgenthau. Il insiste longuement sur les inconvénients d'une diplomatie publique. « Assis sur une scène, avec le monde comme spectateur, les diplomates publics parlent au monde plutôt qu'aux autres diplomates. Leur but n'est pas de se persuader réciproquement qu'ils pourraient trouver un terrain commun d'accord, mais de persuader le monde et spécialement leurs propres Nations qu'ils ont raison et que l'autre partie a tort et qu'ils sont et seront toujours les défenseurs résolus (staunch) du droit. » L'inconvénient est que la diplomatie dégénère en lutte de propagande et qu'il devient difficile de réaliser un accord. Aussi Morgenthau recommande aux gouvernants de se méfier de l'opinion publique « dont les préférences sont émotionnelles plutôt que rationnelles ». H. Kissinger partageait tout à fait ce point de vue (*supra,* p. 229). Cependant, l'appel à l'opinion publique peut être utile. Il permet d'exploiter le complexe de culpabilité qu'ont certains Etats qui cherchent à négocier. L'aspect « relations publiques » des négociations peut donc avoir un aspect positif.

De façon générale, la négociation implique le recours, non seulement à la persuasion par le jeu des argumentations, mais aussi à des pressions diverses, qui peuvent être le fait, non seulement des parties elles-mêmes, mais aussi de tiers (voir le rôle de Kissinger dans les négociations arabo-israéliennes ou le rôle discret de la France dans les négociations relatives au Vietnam). Dans leur études sur les C.I., Northedge et Donelan relèvent que, si la négociation demeure un procédé irremplaçable de solution des C.I., elle réussit rarement, à elle seule, à résoudre un conflit important. « Généralement il y a dans la coulisse des tiers, prêts à aider ou à pousser les Etats en différend en avant ou à mettre l'un ou l'autre en garde contre son intransigeance. »

Au total, sur les 50 conflits analysés par ces auteurs, 15 avaient été réglés par la négociation. Dans 7 de ces cas, la négociation avait été précédée par le recours aux armes ou à la menace d'emploi de la force armée (par exemple dans le conflit de frontières entre le Maroc et l'Algérie). Dans deux de ces 7 cas, il y avait eu des pressions (par exemple celle des E.U.A. dans le conflit entre l'Indonésie et les Pays-Bas. Menace de supprimer l'aide Marshall). Dans presque tous les cas, l'intervention de tiers, notamment les O.I., mondiales ou régionales, avaient joué un rôle non négligeable pour aider les antagonistes à négocier.

BIBLIOGRAPHIE

Sur la négociation, consulter :

— F. Ikle, *How nations negociate,* Praeger, 1964.

— A. Hall, *Modern international negotiation,* Columbia University press, 1966.

— O. Young, *The politics of force. Bargaining during international crises,* Princeton, 1968.

Sur les médiateurs, voir O. Young, *The intermediaries,* Princeton, 1967.

B. — L'APPLICATION DU DROIT

L'application du droit en vigueur comme moyen de régler un conflit trouve son domaine d'élection dans la soumission des différends juridiques à un tribunal international ou à l'arbitrage (*supra*, p. 444 et s.). Ce qui nous préoccupe ici, c'est de savoir si et dans quelle mesure le règlement par voie juridictionnelle a contribué à résoudre les C.I.

Il faut faire une distinction entre la C.I.J. et les juridictions régionales, notamment celles qui existent à l'échelle européenne.

Pour la C.I.J., le constat est quasi unanime. C. Wilfred Jenks constatait en 1964 (*The prospects of international adjudication,* p. 1) que s'il y a eu depuis la deuxième guerre mondiale des progrès dans certains secteurs de l'organisation internationale, en revanche le secteur judiciaire fait exception. Bien plus, il y aurait plutôt eu une régression.

Ceci se traduit dans les statistiques. De 1945 à 1975, soit en 30 ans, la C.I.J. n'a été saisie que de 60 affaires, alors que sa devancière, la C.P.J.I. avait été saisie, entre les deux guerres, soit en 20 ans, de 65 affaires. Encore dans un certain nombre de cas, la C.I.J. a dû reconnaître son incompétence. En fait, une quinzaine de litiges seulement ont été réglés par la C.I.J. W. Friedmann (*De l'efficacité,* p. 51) peut conclure que, si la C.I.J. demeure « une institution indispensable, potentiellement très importante », pour l'instant elle est surtout un symbole.

Cette situation s'explique par les réticences des Etats à accepter la compétence de la C.I.J. Les Etats socialistes suspectent l'idéologie bourgeoise de la majorité des juges, tandis que les Etats du Tiers Monde se méfient de l'application d'un Droit à l'élaboration duquel ils n'ont pas participé. L'arrêt de 1966, rendu dans l'affaire du Sud-Ouest africain, qui correspond à un déni de justice, a conforté le Tiers Monde dans cette opinion. Les Etats capitalistes eux-mêmes, malgré un hommage verbal rendu à la justice internationale, n'ont pas non plus témoigné d'un empressement excessif à soumettre leurs différends à la C.I.J. (voir le différend franco-australien à propos des essais nucléaires dans le Pacifique).

Reste l'arbitrage international, qui offre plus de souplesse. Ici également, le contraste est grand entre le nombre de conventions internationales qui ont prévu le recours à l'arbitrage et le petit nombre de différends réglés par ce moyen. Dans les conflits qui opposent les Etats du Tiers Monde aux grandes sociétés étrangères ou multinationales, une tendance s'est manifestée chez les premiers à réserver le règlement des litiges à leurs juridictions nationales ou à la négociation (voir les différends algéro-français à propos de la production du pétrole). Il ne semble pas que l'élaboration par la B.I.R.D. d'une convention internationale (1965) sur le règlement des différends entre Etat et le ressortissant d'un autre Etat, à propos d'investissements, ait eu plus de succès.

De façon générale, sur les 50 C.I. recensés par Northedge et Donelan, le règlement juridictionnel ne fut même pas envisagé dans plus des trois quarts des cas. Bien plus, dans le conflit entre les Pays-Bas et l'Indonésie, l'accord de Linggadjati prévoyait le recours à l'arbitrage dans le cas où un accord ne pourrait pas être conclu par un autre moyen. En fait, l'arbitrage ne fut pas utilisé. Dans 7 des 12 affaires où on envisagea un règlement judiciaire, la proposition fut faite par une des parties, mais refusée par l'autre, ce qui excluait un règlement de ce genre en l'absence d'un accord préexistant créant une obligation pour les deux Etats. Presque toujours le règlement par voie juridictionnelle est refusé parce que l'Etat qui l'offre est favorisé par le statu quo, donc le droit existant, tandis que l'autre recherche une modification du statu quo (voir, par exemple, le différend italo-autrichien sur le Tyrol du Sud, le différend anglo-islandais sur les droits de pêche, ou le différend somalo-éthiopien sur le problème territorial).

Finalement, sur 50 conflits, 4 seulement furent soumis au règlement juridictionnel. Encore la solution fut-elle malheureuse (affaire du Sud-Ouest africain) ou peu satisfaisante (affaire algéro-marocaine soumise à l'arbitrage).

Le bilan est plus satisfaisant du côté des juridictions européennes. Ici le caractère obligatoire de la compétence reconnue à la Cour de Justice des Communautés lui confère nécessairement un rôle majeur dans l'application et l'interprétation du droit communautaire.

BIBLIOGRAPHIE

Sur l'activité de la C.I.J. et des autres juridictions internationales, voir THIERRY et autres, p. 705 et s.

Consulter le *Recueil des arrêts* et *l'Annuaire de la C.I.J.* (bibliographie).

Sur la Cour de justice des Communautés européennes et la Cour de justice des droits de l'homme, voir les manuels d'organisations européennes et l'*Annuaire français de Droit international*.

C. — L'INSULATION

Nous entendons par « insulation » l'opération qui consiste à isoler un conflit afin de l'empêcher de s'étendre et de s'aggraver d'abord, et ensuite de créer les conditions favorables pour un règlement rapide et satisfaisant. C'est finalement dans cette voie que s'est orientée, le plus souvent, l'O.N.U.

Comme nous l'avons dit, le système de sécurité collective imaginé par les fondateurs de l'O.N.U. n'a pas pu fonctionner en raison de l'impossibilité de conclure les accords militaires prévus par la Charte et de la division des grandes puissances au Conseil de Sécurité. De même, la tentative faite par les E.U.A. de transférer à l'Assemblée générale les responsabilités du maintien de la paix (résolution Dean Acheson de 1950) a été finalement un échec.

Depuis l'affaire de Suez (1956), sous le couvert des opérations de maintien de la paix, l'O.N.U. a entrepris une série d'actions que M. Virally définit ainsi : « opération conservatoire et non coercitive menée par l'O.N.U. sur une base consensuelle ».

C'est une opération non coercitive en ce sens que la présence de l'O.N.U. sur le lieu du conflit n'est pas nécessairement assurée par des forces armées. En fait, l'O.N.U. a eu recours à des procédés variés : groupe d'observation (affaire du Liban en 1958, affaire israélo-syrienne en 1974) composé d'officiers, représentant spécial du secrétaire général (affaire de Saint-Domingue, 1965), administration civile (affaire de l'Iran occidental, 1962). Même lorsque de véritables forces armées sont consti tuées, leur rôle n'est pas de combattre afin de contraindre les antagonistes à se soumettre à la volonté de l'O.N.U.

C'est une opération conservatrice, en ce sens que l'intervention de l'O.N.U. est simplement de faciliter la cessation des hostilités et de réduire la tension en séparant les adversaires. Dans tous les cas, le rôle de l'O.N.U., dans le cadre des opérations pour le maintien de la paix, n'est pas de modifier la situation existante ni même d'amorcer un règlement du conflit. Comme le souligne M. Virally, les représentants de l'O.N.U. doivent « demeurer un élément absolument neutre sur les plans politique et juridique ». Ce point avait été souligné par le secrétaire général en 1958 dans son « Etude sommaire sur l'expérience tirée de la création et du fonctionnement de la force » (Document A/3943).

Ce second caractère est lié au troisième : le caractère consensuel de l'opération. Non seulement la contribution des Etats à la constitution des forces d'intervention est toujours volontaire, ce qui suppose la conclusion d'accords entre l'O.N.U. et les Etats intéressés, mais la présence de ces forces sur le territoire des Etats intéressés n'est possible qu'avec le consentement de ces Etats.

De façon générale, les opérations de maintien de la paix visent, grâce à l'intervention de l'O.N.U., à faciliter la réduction des tensions, à éviter l'escalade et à créer les conditions propices à un règlement du conflit par d'autres moyens (la négociation, par exemple, cf. l'affaire israélo-arabe). Sur un plan mondial, en isolant ou en neutralisant le conflit, l'O.N.U. contribue aussi à le localiser, à éviter qu'il ne se transforme en conflit planétaire.

L'inconvénient de ce système est qu'il risque de jouer contre ceux qui souhaitent un changement et qui sont entrés dans le conflit en recourant à la force ou à la menace d'emploi de la force comme moyen de réaliser leurs objectifs. Un autre inconvénient est la déviation possible vers une intervention de type militaire dans les affaires intérieures des Etats, comme le montre l'affaire du Congo, l'intervention se faisant au détriment des forces de changement. D'où la crise politique et financière traversée par l'O.N.U.

Les autres O.I. peuvent également, sous des formes différentes, servir à isoler les conflits et à faciliter leur règlement. L'action de l'O.U.A. pourrait être étudiée dans cette perspective. Il est assez remarquable que les mécanismes créés pour régler les différends entre les Etats africains (commission de conciliation, de médiation et l'arbitrage) n'ont finalement pas fonctionné. En revanche, l'O.U.A. a exercé une influence modératrice et a évité l'extension ou l'aggravation des conflits entre les Etats-membres. Le revers de la médaille est la propension de l'organisation à se ranger du côté des partisans du statu quo et à décourager les partisans du changement, sauf lorsqu'il s'agit des conflits d'ordre colonial. En outre, il faut rappeler que, dans certains cas, loin d'apaiser les C.I., les O.I. contribuent à les aggraver (*supra*), donc de favoriser ou à justifier le recours à la force.

BIBLIOGRAPHIE

Le rôle de l'O.N.U. et des autres O.I. est étudié dans les ouvrages précités de M. Virally, de R. Pinto et de Northedge. Voir aussi D. Ruzié, *Organisations internationales et sanctions internationales,* Coll. U, A. Colin, 1971 et R. Chiroux, « Le recours de l'O.N.U. aux sanctions économiques », *Annales de la Faculté de Droit de Clermont,* 1972.

Le rôle de l'O.N.U. en matière de décolonisation est étudié de façon exhaustive par M. BARBIER dans sa thèse publiée dans la bibliothèque africaine et malgache (Librairie générale de Droit, 1974) et sa chronique dans l'*Annuaire du Tiers Monde.*

D. — LA FORCE

Théoriquement, nous l'avons vu, l'utilisation de la force comme moyen de faire aboutir des revendications est exclue, sauf le cas de légitime défense (*supra*, p. 312). La charte des Nations Unies a conféré à l'O.N.U. le monopole du recours à la force.

En fait, pour les raisons que nous avons indiquées, l'O.N.U. s'est révélée incapable de recourir à la force armée, comme ultime moyen, pour régler les C.I. qui troublent la paix internationale. Dans l'affaire de Corée (1950), le Conseil de Sécurité, dont la tâche fut facilitée au début par l'absence du représentant soviétique, n'utilisa pas son pouvoir de décision. Il se borna à recommander, et non pas à ordonner, aux Etats-membres de se placer sous la bannière des E.U.A., dont les troupes étaient déjà entrées en action. Le seul résultat de cette opération fut d'inciter la Chine à autoriser ses ressortissants à constituer des unités de volontaires pour aider les Coréens du Nord à résister à la pression des forces commandées par le général Mac Arthur, nommé par le Président des E.U.A. et non par l'O.N.U. Finalement, la guerre se termina là où elle avait commencé, c'est-à-dire sur le 38e parallèle, après avoir dévasté le pays, entraîné plus de morts américains que pendant la deuxième guerre mondiale et aggravé l'antagonisme entre la Chine et les E.U.A.

Par la suite, l'O.N.U. n'a jamais plus recouru à la force armée pour tenter de résoudre un conflit. Dans l'affaire de la Rhodésie du Sud (Zimbabwe), le Conseil de Sécurité a refusé de recourir à la force armée pour mettre fin au régime illégal de Ian Smith, bien que les Etats Africains aient exercé une pression sur lui pour obtenir une décision en ce sens. La seule concession qu'il ait faite aux « durs » a été d'autoriser la Grande-Bretagne à prendre des mesures de contrôle naval impliquant éventuellement l'emploi de la force armée pour faire face à la violation de l'embargo sur le pétrole (1966). La Grande-Bretagne s'est bien gardée d'entrer dans cette voie.

Mais il y a d'autres formes possibles du recours à la force, si on entend par force, mesures de contrainte. Ici le Conseil de Sécurité a utilisé à plusieurs reprises les mesures collectives prévues par l'article 41 de la Charte. Il l'a fait dans les affaires de décolonisation :

Rhodésie du Sud, Namibie (ex. Sud-Ouest africain) et territoires portugais d'Afrique. A l'égard de la Rhodésie, il avait décidé, en 1966, de décréter le blocus économique, puis, en 1970, d'ordonner aux Etats-membres de rompre les relations diplomatiques. En fait, ces mesures coercitives ont eu peu d'effet en raison de l'aide fournie à la Rhodésie par l'Etat colonial portugais et l'Etat raciste sur-africain, constitués en « défenseurs des valeurs occidentales », en raison de la collusion entre certains Etats capitalistes et le régime Rhodésien et en raison de la défaillance de certains Etats africains (Zambie, Botswana, par exemple).

Si l'O.N.U. n'a pas pu employer la force armée, ni même de façon appréciable, la contrainte, pour mettre fin aux C.I., sinon pour les régler, en revanche, un certain nombre de C.I. se sont terminés par l'emploi ou la menace d'utiliser la force armée. Ce fut le cas de l'affaire du Biafra ou du conflit Coréen pour les conflits internes à dimension internationale. De même pour les conflits internationaux proprement dits, l'affaire de Goa fut réglée par la force. Au total, sur les 50 C.I. étudiés par Northedge et Donelan, 14 furent terminés de cette façon. Encore font-ils figurer parmi les conflits réglés de façon pacifique l'affaire dominicaine ou l'affaire du Guatemala (!).

Dans tous les cas, ou bien l'un des antagonistes disposait d'une force telle que toute résistance était impossible (affaire Tchécoslovaque, par exemple) ou bien, au contraire, les forces étaient équilibrées et, après avoir agité la menace de l'arme suprême (affaire de Cuba) ou s'être affrontés sans succès pendant un certain temps (affaire de Berlin), les adversaires préfèrent en définitive s'entendre. On revient alors dans cette deuxième série de cas, au règlement par la négociation.

Ceci montre qu'en fait le règlement des C.I. ne se fait pas nécessairement par l'un ou l'autre des moyens examinés. En fait, selon le degré d'évolution du conflit, on peut passer d'un moyen à un autre ou les employer cumulativement.

Malgré tout, il reste des C.I. non réglés, qui tantôt demeurent très chauds (Afrique australe, ex Sahara espagnol), tantôt entrent en état d'hibernation (affaire du Cachemire), prêts à renaître à tout moment.

BIBLIOGRAPHIE

Voir les ouvrages cités page suivante.

Ajouter, pour le conflit israélo-arabe :
— P. M. MARTIN, *Le conflit israélo-arabe,* L.G.D.J., 1973.

— R. H. S. ALLERS, *Imperialism and nationalism in the Fertile Crescent*, O.U.P., 1974.

— Ph. MANIN, L'O.N.U. et la guerre du Moyen-Orient, *An. Fr. de Dr. Int.*, 1973, p. 538-563.

Sur la crise politique libanaise, voir A. BOURGI, La guerre civile libanaise, *An. du Tiers Monde*, 1975-1976, Berger-Levrault, 1977 et son ouvrage précité « Complots libanais ».

Sur l'Afrique Australe, voir R. CHIROUX, Le Tiers Monde et la crise de l'Afrique Australe, *An. du Tiers Monde*, 1974-1975, Berger-Levrault, 1976.

CHAPITRE II

LA COOPERATION

La coopération est l'antithèse du conflit. Elle est quelque chose de plus que la simple concertation occasionnelle à propos d'un problème déterminé. Inversement, elle est quelque chose de moins que l'intégration. On pourrait la définir comme *un mode des relations internationales, qui implique la mise en œuvre d'une politique (donc d'une stratégie et d'une tactique) poursuivie pendant une certaine durée de temps et destinée à rendre plus intimes, grâce à des mécanismes permanents, les relations internationales dans un ou plusieurs domaines déterminés, sans mettre en cause l'indépendance des unités concernées.*

La coopération internationale couvre un domaine immense qu'il n'est pas question d'explorer en totalité ni de façon approfondie. Nous nous contenterons de poser les problèmes et d'esquisser les solutions en examinant successivement :

— les bases de la coopération ;

— les types de coopération ;

— le bilan de la coopération.

SECTION I

LES BASES DE LA COOPERATION

Pour la commodité de l'exposé, on peut distinguer les bases juridiques et les bases politiques.

§ 1. — LES BASES JURIDIQUES

Les bases juridiques peuvent être envisagées à deux points de vue :

— d'un point de vue formel, quelles sont les sources qui donnent naissance aux règles de la coopération ?

— du point de vue du fond, quels sont les principes fondamentaux qui en résultent ?

A. — Les sources formelles du droit de coopération

Nous n'insisterons pas sur l'aspect formel du problème. On trouve ici une application de ce que nous avons dit à propos des techniques de fabrication du droit international (*supra,* p. 269). Nous formulerons seulement quelques observations destinées à mettre en relief l'originalité éventuelle du droit de la coopération.

D'abord, il est incontestable que cet aspect des relations internationales tient une place de plus en plus grande dans les préoccupations des internationalistes. Il suffit de mentionner la parution d'ouvrages tels que celui de Langen (*Studien zum internationalen wirtschaftsrecht,* Berlin, 1963), ou l'apparition en France de deux collections, l'une dirigée par le professeur Vellas (Librairie générale de Droit), l'autre par le doyen Colliard (A. Colin), consacrées au droit international économique. Mentionnons aussi les colloques organisés par la Société française pour le droit international en 1971, 1973 et 1975.

Comme il arrive toujours lorsqu'un domaine des relations internationales prend de l'importance et suscite des vocations de spécialistes, ces derniers ont tendance à marquer les distances entre le droit international général et telle ou telle branche du droit international, dont ils ont fait leur terrain privilégié de recherches. L'observation est variable pour le droit interne.

Le problème a été posé notamment pour le droit international économique par P. Weil, dans une étude intitulée : *Le droit international économique. Mythe ou réalité ?* Le tableau présenté est très sombre.

« Comme on le voit, celui-ci (le droit international économique) n'est pas disposé à payer le prix que le droit traditionnel consent pour ce bienfait essentiel que l'on attend de lui : la sécurité. Le formalisme dans l'élaboration de la règle a été jeté par-dessus bord, la précision et la stabilité de la norme ont été laissées au bord de la route, la sanction judiciaire n'accompagne plus la règle comme son ombre. Tout ce à quoi le juriste est accoutumé et attaché s'évanouit pour faire place, au nom du sacro-saint réalisme, au flou, à l'imprécis, au fuyant. Droit du réalisme fluctuant ou du « happening », le droit international économique exalte la spontanéité et préfère le fondu-enchaîné à la catégorisation rigoureuse. Quoi d'étonnant à ce que, devant ces techniques déconcertantes d'un droit non conceptuel et non contraignant, déjuridisé et déjuridictionnalisé, le juriste se sente quelque peu dépaysé ? »

P. Weil émet cependant des doutes sur la spécificité du droit international économique, au moins dans la mesure où l'économie serait la source irréductible de cette spécificité. Il rappelle la distinction faite par le professeur Carbonnier entre le droit et le non-droit. En droit international comme en droit interne (dans lequel selon le professeur Carbonnier, le « non-droit est quantitativement plus important que le droit »), la question de savoir quel est le domaine couvert par le droit dépend du degré de cohésion de la société, du secteur intéressé et du facteur « temps ». Ces trois facteurs expliquent largement les particularités du droit international économique et, de façon plus générale, du droit international de la coopération.

Par hypothèse, on opère dans le cadre de sociétés non intégrées. Par suite, les unités qui coopèrent entendent parfois soumettre leurs relations à des règles qui ne sont pas nécessairement très précises, contraignantes et sanctionnées par le juge.

Ensuite, les domaines où se manifeste la coopération ne sont pas toujours parfaitement connus d'un point de vue scientifique. Ainsi, dans le domaine économique, malgré les progrès réalisés par la science économique, il serait excessif de dire que les mécanismes économiques sont parfaitement connus et maîtrisés. Or, le droit ne peut réglementer avec certitude que des phénomènes connus.

Enfin, si le D.I. de la coopération n'est pas un phénomène récent, il n'en reste pas moins qu'il s'est considérablement gonflé depuis la deuxième guerre mondiale avec la multiplication des O.I., le surgissement des Etats nouveaux, qui s'efforcent de substituer la coopération et la détente ou la coexistence politique à la domination, à la tension, ce qui facilite également la coopération (voir les accords d'Helsinki). Dans ces conditions, un certain temps est nécessaire pour que le droit arrive à maîtriser ces phénomènes dont la nouveauté réside dans l'ampleur qu'ils ont pris.

Ces trois particularités ne suffisent pas à isoler le D.I. de la coopération, ou de façon plus restreinte le droit international du développement, du D.I. général. Il n'en constitue qu'une branche que, par commodité ou souci de spécialisation, certains tendent à séparer du D.I. général en accusant parfois exagérément les singularités. En revanche, les particularités signalées expliquent le dosage entre les techniques de fabrication du D.I., la décision de recourir ou de ne pas recourir à des techniques qui aboutissent à créer de véritables règles de droit, le caractère plus ou moins précis et contraignant des règles créées, l'attirance plus ou moins grande vers le règlement juridictionnel, des différends.

Ainsi, dans le cadre de coopération multilatérale, développée au niveau des O.I. mondiales, on peut remarquer l'existence d'actes qui, bien souvent, n'imposent pas aux Etats des obligations juridiques précises. Par exemple, la deuxième décennie des Nations Unies pour le développement trouve son fondement dans une résolution votée par l'Assemblée générale de l'O.N.U. en 1970. Acte politique ou acte juridique ? Déclaration d'intention ou engagement précis ? Malgré les termes employés, il n'est pas douteux que la résolution ne crée pas des engagements juridiques, mais seulement des engagements moraux et politiques. Encore de nombreux gouvernements ont-ils fait des réserves qui réduisent la portée de ces engagements.

De façon générale, on peut dire que les recommandations et les directives, rédigées en termes généraux ou vagues, prennent le pas sur les véritables décisions. Même lorsqu'on est en présence d'actes créateurs de règles juridiques, les obligations sont parfois formulées de façon imprécise et ne sont pas autre chose que des obligations de comportement, qui laissent à chaque Etat un certain pouvoir d'appréciation. C'est dire que le D.I. de la coopération n'a pas toujours la fermeté et la stabilité du D.I. classique.

Une deuxième observation concerne la contribution du droit interne, public et privé, à l'élaboration du droit de la coopération, ce qui signifie qu'on ne peut pas avoir une vue globale des règles relatives à la coopération si on sépare le D.I. du droit interne. En fait, dans de nombreux domaines, le spécialiste doit être informé à la fois des aspects internationaux et nationaux des problèmes. Ainsi on ne peut guère se pencher sur des problèmes sociaux (travail et sécurité sociale) en faisant abstraction du D.I. ou du droit interne. Les deux vont de pair et se complètent.

L'existence de règles de droit interne renforce encore la complexité du droit de la coopération. Cependant, elle est moins grande qu'il n'apparaît au premier abord, car les actes internationaux, même dépourvus de force obligatoire, influencent les droit nationaux et introduisent un facteur d'uniformisation. Ainsi le statut des experts internationaux élaboré par les O.I. a exercé une influence certaine sur le statut des experts nationaux. Par exemple, la règle selon laquelle les Etats bénéficiaires de l'aide technique doivent s'aider eux-mêmes et assumer une partie des dépenses se retrouve dans le droit de l'assistance technique bilatérale. De même, les privilèges et la rémunération dont bénéficient les experts internationaux ont souvent fait tache d'huile de sorte qu'il y a une sorte de droit uniforme applicable à tous les experts de l'assistance technique. Les Etats bénéficiaires de l'aide poussent d'ailleurs à cette uniformisation dans un but de simplification.

B. — Les principes fondamentaux

Sur la base des textes qui définissent les bases de la coopération, on peut tenter de dégager ses principes fondamentaux.

S'agissant des Etats, il n'est pas douteux que le premier fondement de la coopération est le *principe de souveraineté et son corollaire l'égalité des Etats.*

Ce principe est un des piliers des O.I. universelles ou régionales qui n'ont pas un caractère supranational. Ainsi la Charte de l'O.N.U. (art. 2) mentionne que « l'organisation est fondée sur le principe de l'égalité souveraine de tous ses membres ». Les accords d'Helsinki rappellent ce principe dans le paragraphe intitulé « Egalité souveraine, respect des droits inhérents à la souveraineté » et en font application au domaine de la coopération. De même la Charte de l'O.U.A. assigne comme objectif à l'organisation la défense de la souveraineté et de l'indépendance des Etats-membres (art. 12) et mentionne parmi les principes (art. 3) l'« égalité souveraine de tous les Etats-membres ». De même enfin, la Charte du C.A.E.M. (Comecon) indique que « la coopération... se réalise conformément aux principes de l'égalité absolue des droits, du respect de la souveraineté et des intérêts nationaux, du profit mutuel et de l'entraide sociale ». En fait, le trait commun de la quasi-totalité des chartes constitutives des O.I. est le souci d'affirmer la souveraineté et l'égalité des Etats.

Ce souci est non moins évident au niveau de la coopération bilatérale. Tous les traités bilatéraux conclus entre les Etats socialistes ne manquent pas d'affirmer que la coopération se développe « sur la base... du respect de la souveraineté et de l'indépendance nationale, de l'égalité des droits » (Traité soviéto-roumain de 1970). De même, les traités de coopération conclus entre la France et ses anciennes colonies ne manquent pas de rappeler l'obligation des parties de respecter leur souveraineté et leur indépendance.

Il y a par conséquent une constante dans les textes de base relatifs à la coopération. Comme le remarque fort justement M. Virally à propos du droit international du développement (*Annuaire français de droit intern.* 1965, p. 10) : « Il ne faut pas se hâter de proclamer périmé, au nom de la solidarité internationale, le principe de l'égalité souveraine des Etats. L'attachement à ce principe de pays nouvellements parvenus à la vie internationale devrait donner l'éveil sur ce point. Il ne s'agit pas d'une maladie infantile de l'indépendance, non plus que, chez d'autres, d'une manifestation de sénilité ; c'est bien plutôt la traduction juridique de ce qui demeure, quoi qu'on en ait, la structure fondamentale de la société internationale contemporaine. »

On pourrait certes remarquer qu'en fait il y a de grandes inégalités entre les Etats et que, par conséquent, continuer d'utiliser l'expression d'égalité souveraine, comme une formule rituelle est tout à fait irréaliste et dépourvu de signification pratique. C'est une observation fort ancienne qui a servi notamment au XIXe siècle à justifier les entreprises d'asservissement des peuples du Tiers Monde. Ainsi un internationaliste comme Pillet (« Les droits fondamentaux des Etats », *Revue générale de D.I.P.*, 1898) se fondait sur les inégalités de fait pour justifier la distinction entre les Etats dits civilisés, c'est-à-dire les conquérants et les dominateurs, d'une part, et les Etats « non civilisés ou moins civilisés », c'est-à-dire les pays dominés d'autre part. Aujourd'hui, l'argumentation est parfois reprise pour tenter de justifier la mise en tutelle des petits Etats et des Etats du Tiers Monde ou pour les placer dans une situation inégalitaire.

Raison de plus pour s'en tenir au principe de l'égalité souveraine des Etats. Ce principe continue de jouer un rôle irremplaçable.

D'une part, il permet à chaque Etat, petit ou grand, faible ou puissant, de se défendre contre toutes atteintes portées à tout ce qui fait qu'il est un Etat (*supra*). La souveraineté justifie, par exemple, la position adoptée par les Etats-membres de l'O.U.A., à Addis-Abéba, en février 1973, lorsqu'ils s'assignaient comme objectif d'obtenir la révision des traités inégaux de coopération. De même il justifie les réactions contre l'intrusion de puissances étrangères, sous prétexte d'aide internationale, dans leurs affaires intérieures. En bref, la souveraineté est une arme de défense, de protection des faibles contre les forts. Pour parodier Lacordaire : « Entre le faible et le fort, c'est la souveraineté qui libère. »

D'autre part, la souveraineté a aussi un contenu positif dans la mesure où on estime qu'il ne suffit pas d'affirmer une souveraineté abstraite et que tout Etat a le droit de rendre sa souveraineté effective. De ce point de vue, l'affirmation de la souveraineté signifie que tout Etat a le droit de développer toutes ses potentialités grâce précisément à la coopération. Loin d'être un moyen hypocrite de domination, la coopération devient un instrument d'enrichissement réciproque des Etats unis par des liens de coopération. Les difficultés de la coopération viennent de la volonté de l'une des parties de profiter de la faiblesse du partenaire pour porter des atteintes plus ou moins graves à sa souveraineté.

La souveraineté et son corollaire, l'égalité des Etats, peuvent cependant se retourner contre les Etats moins puissants dans la mesure où l'égalité juridique serait invoquée pour appliquer à tous les Etats, quel que soit leur niveau de développement, des règles juridiques identiques. Comme nous l'avons vu, la loi générale est celle de l'inégal développement. Cette constatation a conduit à classer les Etats du Tiers Monde en sous-catégories (1). Mais il est évident que des distinctions de ce genre pourraient également s'appliquer aux autres Etats. Elles se justifient dans la mesure où la prise en considération d'inégalités de fait permet de corriger les effets néfastes de l'application

(1) Voir l'article de G. de LACHARRIÈRE dans l'*Annuaire français de droit intern.* (1971) et sa communication au colloque de la Société française pour le Droit international (1973).

aveugle de l'égalité juridique ou formelle. Dans le domaine du commerce international, en particulier, il est apparu que le principe d'égalité consacré par l'accord général sur les tarifs douaniers et le commerce (G.A.T.T.) de 1947 pouvait bien convenir aux Etats capitalistes avancés, mais non aux Etats du Tiers Monde. Comme le faisait remarquer le représentant de l'Inde en 1954 : « L'égalité (juridique P.F.G.) de traitement n'est équitable que dans les rapports entre égaux ». Sous la pression du Tiers Monde, à la suite de la première C.N.U.C.E.D. (1964), le G.A.T.T. a été modifié afin de permettre l'application de règles particulières dans les rapports entre le Tiers Monde et les Etats développés comme dans les rapports entre les Etats du Tiers Monde eux-mêmes. Cet assouplissement est de nature à permettre aux Etats du Tiers Monde de compenser leur infériorité face aux grandes puissances et de développer leurs relations réciproques. Il va ainsi dans le sens d'une coopération bien comprise.

Nous avons jusqu'ici raisonné sur les cas de relations entre des Etats ou des O.I. et des Etats. Toutefois, le raisonnement demeure valable dans les rapports entre les O.I. ou entre des personnes privées et des Etats. On ne peut évidemment pas parler de la souveraineté des O.I. Mais leurs chartes constitutives leur confèrent un domaine d'action et de pouvoirs spécifiques, qui doivent être respectés par les autres O.I. avec lesquelles des rapports de coopération sont établis. Tout impérialisme conduit inéluctablement à l'échec de la coopération. De même, la prétention des particuliers (personnes physiques ou sociétés) d'obtenir, en abusant de leur puissance, des contrats léonins se retournent finalement contre eux et est génératrice de tensions et de conflits.

Un deuxième principe fondamental est le *principe du consensus*, auquel nous avons déjà fait allusion à propos des techniques de fabrication du D.I. Par consensus nous entendons la nécessité d'obtenir l'accord de toutes les unités intéressées par une politique de coopération. C'est la conséquence directe de l'affirmation du principe de souveraineté.

Sans doute, le droit de la coopération est en partie fondé sur des actes unilatéraux, internes et internationaux. Mais il est assez remarquable que la mise en œuvre de ces actes unilatéraux est conditionnée par l'adhésion des intéressés.

Ainsi l'O.N.U. a adopté des programmes qui définissent sa stratégie et ses tactiques dans un domaine déterminé. Il y a, par exemple, un programme des Nations Unies pour le développement (P.N.U.D.). En tant qu'acte de prévision, destiné à orienter l'activité de l'organisation, le programme lie ses organes. Mais il intéresse également les Etats pris individuellement dans la mesure où ils bénéficieront du programme ou contribuent à sa mise en œuvre. Or, comme le relève M. Virally à propos de la coopération technique, « l'instrument juridique le plus important dont disposent les autorités chargées de gérer un programme... reste... la convention ». En fait, il y a deux types d'accords. L'accord de base définit le cadre juridique général des relations entre l'O.N.U. et l'Etat bénéficiaire. Les accords particuliers relatifs à un projet définissent les conditions de réalisation de ce projet. En outre, il existe des accords conclus entre différentes O.I. intéressées pour l'exécution du programme comme des accords conclus avec des O.N.G. ou des entreprises privées pour l'exécution d'un projet. Ainsi les accords, qui sont le moyen privilégié de manifester le consentement de tous ceux qui sont intéressés à l'exécution d'un programme, viennent s'articuler sur une résolution adoptée par une O.I. et lui donner sa pleine signification.

De même, en dehors des programmes ordinaires qui font partie de la routine de l'organisation et qui sont financés par le budget de l'O.I., les autres programmes ne peuvent prendre corps que si les Etats acceptent de fournir des contributions volontaires, versées à un fonds spécial.

Si l'on passe du D.I. au droit interne, là aussi on peut constater que l'application des règles de droit interne suppose bien souvent un accord. Ainsi il existe en matière d'investissements privés des codes d'investissements. Mais la situation précise d'une entreprise au regard de la législation sera déterminée par une convention d'établissement, sur la nature de laquelle les juristes s'interrogent. Il nous suffit de constater qu'à l'autre bout de la chaîne on retrouve la nécessité d'un accord.

La nécessité du consensus s'étend à la solution des différends. Ainsi l'accord de coopération culturelle conclu entre l'U.R.S.S. et la R.F.A. le 19 mai 1973 prévoit que les différends juridiques seront réglés « bilatéralement... par voie de négociation ». Ceci confirme la préférence des Etats pour une procédure qui repose sur l'établissement d'un consensus (*supra*).

La nécessité d'un consensus explique que toute tentative de définir unilatéralement et de façon autoritaire le cadre et les règles de la coopération est vouée à l'échec. On pourrait sur ce point comparer les deux expériences du Commonwealth et de l'Union française ou de la

Communauté. La première a réussi parce qu'elle repose largement sur des règles acceptées par tous les Etats. La seconde a échoué lamentablement parce que la France avait entendu fixer elle-même, dans la Constitution (de 1946, puis de 1958), le cadre et les règles de la coopération. La Communauté en particulier n'était qu'une autre forme de l'Etat colonial français et dès 1958, nous avions prévu que si elle n'évoluait pas vers une association d'Etats, fondée sur l'égalité des Etats, l'évolution se ferait dans le sens de l'indépendance (cf. *Droit d'Outre-Mer,* t. II, p. 223).

En définitive, les deux piliers de la coopération sont le respect de l'égalité souveraine des Etats, de façon plus générale de la sphère d'autonomie des partenaires sur la base des avantages mutuels, et la volonté de régler les problèmes par voie d'accord et non pas de façon unilatérale. A défaut, toute construction est destinée à s'écrouler à travers des tensions et des conflits.

BIBLIOGRAPHIE

La bibliographie relative à la coopération internationale est considérable.

D'un point de vue général, on peut consulter l'ouvrage de M. VIRALLY, *L'organisation mondiale,* p. 231 et s.

Les aspects juridiques ont été abordés au cours du colloque de la Société française pour le droit international (Aix, 1973). Les communications ont été publiées sous le titre *Pays en voie de développement et transformation du Droit international* (Pedone, 1974). Voir aussi le numéro spécial du « Zeitschrift für ausländisches und öffentliches Recht and Völkerrecht », 1976, 1-3 (voir notamment l'étude de E.U. PETERSMANN sur le Tiers Monde et le droit économique international.

§ 2. — LES BASES POLITIQUES : IDEOLOGIES ET STRATEGIES

En dehors des idéologies qui sous-tendent les politiques de coopération (coexistence pacifique, internationalisme, etc., les bases politiques font intervenir des stratégies diverses.

Sur le plan mondial, l'O.N.U. a défini une stratégie du développement qui vise à coordonner toutes les actions menées sur le plan international et à l'échelle nationale en vue de réduire l'écart entre les Etats développés et le Tiers Monde. Bien que la Charte des Nations Unies attribue à l'organisation dans le chapitre IX (art. 55 et s.) une mission générale en matière de coopération économique et sociale pour tous les Etats, quel que soit leur niveau de développement, et dispose en la matière d'un organe spécialisé (le conseil économique et social), il est apparu rapidement qu'une priorité devait être donnée au Tiers Monde. De même que sur le plan politique, les débats de l'O.N.U. ont pris pour axe principal la décolonisation, de même, sur le plan économique, social et culturel, les activités de l'organisation se sont polarisées autour des problèmes du développement. Une évolution analogue s'est manifestée dans les autres O.I. mondiales, qui sont progressivement devenues des O.I. à l'écoute du Tiers Monde. D'où l'accent mis par les juristes sur un aspect particulier du droit de la coopération internationale : le droit international du développement.

L'O.N.U. est partie de l'idée juste que ce qu'il est convenu d'appeler le sous-développement est un phénomène global, aux aspects multiples, aussi bien à l'échelle nationale qu'à l'échelle internationale. Cette constation devait logiquement conduire à définir une stratégie elle-même globale. En 1965, l'Assemblée générale de l'O.N.U. reconnaissait qu'il manquait à la première décennie de développement (1960-1970) « un ensemble de buts et d'objectifs spécifiques et concrets » permettant de coordonner efficacement l'action des organismes des Nations Unies et de faciliter leur collaboration avec les gouvernements. Sur la base des rapports Jackson et Pearson, l'Assemblée adopta en 1970, par voie de consensus (c'est-à-dire sans vote), une résolution importante consacrée en partie à définir la stratégie de l'O.N.U.

Quantitativement, l'objectif essentiel est de réaliser une augmentation du taux moyen de croissance annuelle du P.N.B. qui doit être porté à 6 %. Qualitativement, il s'agit de répartir plus équitablement les revenus et la richesse et de réaliser des transformations sur le plan des structures sociales et économiques. Dans cette perspective, la résolution de 1970 formule un ensemble cohérent de mesures, qui relèvent soit de l'action individuelle des Etats, soit de l'action collective. En outre, l'objectif de l'aide financière a été fixé à 1 % du P.N.B. (dont 70 % d'aide publique).

Si l'O.N.U. s'est efforcée de définir une stratégie du développement, il n'en reste pas moins que les groupements d'Etats et chaque Etat pris individuellement ont également leur propre stratégie, qui ne s'accorde pas nécessairement avec celle de l'O.N.U. Cette discordance s'est manifestée ouvertement à propos de la discussion de la résolution de 1970. Indépendamment des réserves formulées sur des points particuliers ou sur le caractère contraignant de la résolution, les Etats du Tiers Monde ont estimé insuffisantes les mesures arrêtées par l'O.N.U., tandis que les Etats socialistes, tout en apportant leur appui à la résolution, ont précisé qu'ils ne contribueraient à la mettre en œuvre que dans la mesure où elle est conforme à leur propre conception.

L'étude des stratégies de la coopération en matière de développement doit donc prendre en considération les stratégies individuelles et régionales. Ici encore les stratégies sont souvent discordantes. Ainsi il est clair que l'objectif principal des anciennes puissances coloniales est de maintenir leur influence politique dans leurs anciennes colonies. Cet objectif s'accorde fort bien avec le souci d'empêcher les Etats du Tiers Monde d'adopter un régime socio-économique et politique différent du modèle offert par les ex-Etats coloniaux. Ces derniers rejoignent aussi la préoccupation des E.U.A. de lutter contre l'expansion du socialisme dans le monde. Inversement, l'objectif des Etats socialistes est exactement opposé. Il s'agit d'aider les Etats du Tiers Monde à évoluer vers un régime capable de réaliser les réformes de structures indispensables au développement.

Les objectifs politiques sont toujours présents. Mais ils sont aussi économiques, l'économique étant lié au politique. Pour les Etats capitalistes il est essentiel que les Etats du Tiers Monde continuent d'être intégrés au système capitaliste mondial. Ceci explique que « l'insubordination économique est peut-être encore plus sévèrement jugée que la mauvaise conduite politique » (Tibor Mende, *De l'aide à la recolonisation,* p. 98). « Ne pas s'insérer dans le système commercial et financier, ne pas respecter ses règles — définies par les puissances occidentales économiquement dominantes dans leur propre intérêt — peut ouvrir une brèche dans les fondations mêmes sur lesquelles repose la suprématie collective des pays donateurs. C'est remettre en question précisément la division du travail à l'échelle mondiale héritée de l'époque coloniale, c'est-à-dire le statu quo fondamental. « En conséquence, les réactions sont encore plus vives ». Si l'infidélité politique est répréhensible, la révolte contre le système économique global est impardonnable. La première peut provoquer des sanctions. La réponse à la seconde, ce sont des représailles sans merci ; la cessation de l'aide d'abord et la dislocation économique par exclusion des récalcitrants du « système » lui-même ». Cette observation peut être facilement illustrée par les expériences cubaine et chilienne.

Les Etats du Tiers Monde sont conscients des inconvénients d'une telle stratégie. Soit à l'échelle régionale, dans le cadre d'O.I. qui leur sont propres, soit à l'échelle mondiale, dans le cadre du groupe des 77 ou de la conférence des Etats non alignés, ils s'efforcent d'opposer aux Etats développés une stratégie conforme à leurs propres intérêts. Mais l'influence prépondérante des Etats capitalistes et les conceptions divergentes des dirigeants du Tiers Monde rendent cette entreprise malaisée.

Les stratégies particulières des groupements privés, à caractère lucratif ou non lucratif, complique encore le problème. Dans une certaine mesure, leurs stratégies concordent avec celles des Etats ou des O.I. L'O.C.D.E. (*La politique scientifique des Etats-Unis,* 1969, p. 329) a relevé par exemple, les liens entre le State department ou la C.I.A. et les activités de certaines fondations. Ainsi se trouve justifiée l'observation de J. Meynaud selon lequel (*Les savants dans la vie internationale,* Lausanne, 1962) la science est la grande prostituée qui jamais n'a refusé le concubinat aux puissants ». Mais il peut y avoir également des discordances entre les stratégies publiques et les stratégies privées. Ainsi le mouvement international, connu sous le nom de « Pugwash » (village de la Nouvelle Ecosse où se réunirent en 1957 un certain nombre de savants), a pris sur un certain nombre de problèmes brûlants des positions qui ne concordaient pas avec celles des gouvernements (*supra,* p. 246-247).

La diversité des stratégies en matière de développement exigerait qu'une étude comparative soit entreprise afin de voir les points de convergence et les points de divergence. A notre connaissance une telle étude, qui présente beaucoup de difficultés, n'a jamais été entreprise.

Ce qui est vrai en matière de développement est également valable dans les autres domaines de la coopération internationale. Là aussi, quel que soit le domaine considéré, les stratégies s'opposent, ce qui rend malaisée la mise en œuvre d'une coopération efficace. Ainsi, dans le domaine juridique, les conceptions différentes des Etats (*supra*) dressent des obstacles sur la voie du perfectionnement du droit international.

BIBLIOGRAPHIE

Outre les ouvrages cités à la fin du 1er paragraphe, voir sur les problèmes généraux de la coopération en vue du développement :

A. Birou et P. M. Henry, *Pour un autre développement,* O.C.D.E., 1976.

O.C.D.E., *Coopération pour le développement. Examen 1976,* nov. 1976.

Unesco, Vers un nouvel ordre économique et social international, *Rev. int. des Sc. soc.,* n° 4, 1976.

SECTION II

LES TYPES DE COOPERATION

La typologie de la coopération peut être établie en utilisant une distinction familière aux juristes entre le point de vue matériel (le fond, le contenu) et le point de vue formel.

§ 1. — EN FONCTION DU CONTENU

Du point de vue de son contenu, la coopération s'étend pratiquement à tous les domaines. Définir ces domaines équivaudrait à faire un catalogue de toutes les activités humaines. Il est plus utile de s'interroger sur l'étendu du domaine de la coopération et sur l'objet précis de la coopération.

A. — L'ÉTENDUE DU DOMAINE DE LA COOPÉRATION

En ce qui concerne *l'étendue du domaine de la coopération,* celle-ci peut avoir un caractère global ou bien ne concerner qu'un secteur déterminé. Nous avons vu que certaines O.I. sont polyvalentes ou multifonctionnelles, alors que d'autres sont spécialisées. Ainsi l'O.N.U. appartient au premier type. L'article 1er de la Charte des Nations Unies qui définit les buts de l'organisation ne vise pas seulement les problèmes de la paix et de la sécurité internationale, mais aussi « les problèmes internationaux d'ordre économique, social, intellectuel ou humanitaire » ainsi que « le problème des droits de l'homme et des libertés fondamentales ». En revanche, une O.I. comme l'Unesco n'a vocation que pour traiter des problèmes relatifs à la science, à l'éducation et à la culture.

Il faut cependant relever que toute O.I. tend à élargir son domaine d'intervention. Ainsi, l'Unesco, prenant prétexte du lien établi par le préambule de son acte constitutif entre son domaine propre et le maintien de la paix internationale, n'a pas hésité à aborder, à titre principal, les problèmes de la paix, en particulier le problème des tensions, des conflits, des recherches sur la paix et le désarmement. De même, elle a également étudié les problèmes du développement social, bien qu'il y ait une O.I. (l'O.I.T.) spécialisée dans l'étude de ce genre de problèmes. Par ce biais, elle était amenée à se pencher sur les problèmes économiques comme le montre le titre de l'ouvrage intitulé *Aspects sociaux de l'industrialisation et de l'urbanisation en Afrique au sud du Sahara.*

En fait, par conséquent, en raison de l'impérialisme des O.I., de leur tendance à étendre leurs activités dans toutes les directions, la distinction entre coopération globale et coopération sectorielle ne recouvre pas toujours exactement la distinction entre O.I. générales (ou politiques) et O.I. spécialisées. Il y a, malgré tout, des O.I. qui peuvent difficilement, même en faisant preuve de beaucoup d'imagination, s'évader de leur domaine naturel. Ainsi, en Afrique, l'organisation commune de lutte contre les criquets pèlerins et les mange-mil a un domaine d'intervention précis, qu'il est difficile d'élargir.

Dans les relations bilatérales, la distinction conserve son utilité. Sans doute, on peut trouver, dans la pratique internationale, des accords conçus en termes généraux. C'est le cas du Traité germano-soviétique du 12 août 1970. Le préambule indique que les deux parties sont « désireuses d'exprimer sous forme de traité leur détermination d'améliorer et d'étendre la coopération entre elles, y compris les relations économiques ainsi que les rapports scientifiques, techniques et culturels dans l'intérêt des deux Etats ». Mais il ne s'agit là que d'une déclaration d'intention. Il faut attendre les accords de 1973 pour que soient précisés, par secteurs (économie, culture, trafic aérien), les domaines de coopération. Encore ces accords ont-ils un caractère général. En matière économique, il est prévu qu'une commission paritaire déterminera « les branches où l'extension de la coopération sur une longue période est souhaitable ». A l'autre extrémité, la coopération peut ne concerner qu'un projet déterminé (construction du Concorde ou de l'Airbus, par exemple).

B. — L'objet de la coopération

Quant à l'objet précis de la coopération dans un domaine déterminé, il varie selon ce qui est recherché par les partenaires.

L'objet de la coopération peut être d'ordre scientifique. Ce qui est recherché, c'est l'accroissement des connaissances par différents moyens. C'est évidemment le cas lorsque la coopération est d'ordre culturel ou scientifique. Ainsi l'accord germano-soviétique du 19 mai 1973 relatif à la coopération culturelle prévoit que les deux Etats favoriseront la coopération entre les organismes de caractère scientifique ou éducatif, les échanges d'enseignants, de chercheurs, d'étudiants, de documentation pédagogique, etc. Mais on retrouve également ce type de coopération dans les accords de coopération économique. L'accord germano-soviétique de coopération économique prévoit que la coopération englobe « l'échange de patentes, licences, « know-how », d'information technique, l'adaptation et le perfectionnement de la technologie existante (ou la mise au point de nouvelles technologies), l'échange de spécialistes à des fins d'assistance technique ou d'études » (art. 3). Ceci montre que l'objet de la coopération ne peut être défini uniquement en fonction du domaine de la coopération. En fait, dans n'importe quel domaine, l'objet peut être, à titre exclusif ou non, d'ordre scientifique.

En second lieu, l'objet de la coopération peut être de formuler des principes et des règles destinées à régir les relations entre les partenaires. En fait, ils peuvent être de deux sortes : juridiques ou non juridiques. Nous avons vu, par exemple, que la résolution de 1970 sur la deuxième décennie du développement comporte des engagements moraux et politiques, mais non juridiques. Une même O.I. peut d'ailleurs utiliser tantôt la formule de l'acte créateur de règles juridiques, tantôt la formule de l'acte exhortatoire, qui ne confère à son contenu aucune valeur juridique. Ainsi l'O.I.T. adopte soit des conventions internationales, rendues obligatoires par la ratification, soit de simples recommandations (*supra*, p. 193).

S'il s'agit de règles juridiques, la situation peut être assez complexe lorsque la coopération fait intervenir deux Etats et des entreprises publiques ou privées. Ainsi le Traité germano-soviétique de 1973 indique que les deux Etats favoriseront la conclusion de contrats entre leurs organisations et entreprises compétentes en matière économique, industrielle et technique. Dans ce cas, les accords qui interviendront doivent sans doute se conformer aux principes posés par le traité ; mais ils n'en font pas partie intégrante. Par suite, ces accords ne relèvent pas essentiellement du D.I., mais du droit interne des Etats intéressés. Il n'en irait autrement que si l'accord était annexé au traité de coopération et avait été approuvé par les parties au traité. C'est le cas de l'accord de coopération entre la Lufthansa et l'Aéroflot qui est en fait indissociable des conventions de coopération de 1971 et 1973.

En troisième lieu, faisant un pas de plus, la coopération vise à gérer et à faire fonctionner un organisme, une entreprise, à assumer la responsabilité d'une activité déterminée.

Ce phénomène n'est pas nouveau. Il est apparu dès la naissance des premières O.I. Ainsi la Commission européenne du Danube, créée en 1856, gérait les services de navigation, de pilotage et de remorquage dans les ports fluviaux et sur le fleuve. En outre elle assurait elle-même l'exécution des travaux d'aménagement.

Aujourd'hui le phénomène est généralisé au niveau des O.I. Certaines sont même à titre principal des organismes de gestion. Ainsi INTELSTAT, dont le statut définitif a été adopté par les accords de Washington de 1971, a pour mission, non seulement de faire des recherches en matières de télécommunications par satellites, mais aussi de construire et d'exploiter un système commercial mondial. En fait, l'organisation a confié cette mission à une société américaine, la COMSAT, régie par une loi de 1962. Cette situation ne fait que traduire la prépondérance des E.U.A. dans ce domaine. Ceci a conduit les Etats européens à renforcer leur coopération en matière de télécommunications par satellites. L'agence spatiale Européenne, créée en 1975, est dotée des pouvoirs les plus larges dans le domaine des activités spatiales : étude, construction, lancement, contrôle, activités opérationnelles.

Au niveau régional, le C.E.R.N. (Centre européen de recherches nucléaires), créé en 1953, a naturellement une activité scientifique considérable dans le domaine de la recherche fondamentale (étude des particules en haute énergie). Mais il a également pour mission de créer et de gérer les instruments de la recherche, c'est-à-dire les accélérateurs à particules, les laboratoires et un personnel important. Actuellement le C.E.R.N. procède à une extension des installations et construit un accélérateur de 300 GeV qui mettra les chercheurs européens au niveau des chercheurs soviétiques ou américains.

Enfin, l'objet de la coopération peut être de caractère opérationnel, c'est-à-dire comporter la réalisation d'un programme ou d'un projet déterminé. A propos de l'O.N.U., M. Virally distingue ainsi les activités normatives, telles qu'elles s'expriment par exemple dans l'adoption de programmes plus ou moins généraux ou de résolutions relatives aux échanges internationaux dans le cadre de la C.N.U.C.E.D. et les activités opérationnelles. Cette seconde série d'activités suppose que l'O.N.U. ait les moyens d'agir, c'est-à-dire les crédits, le personnel, les institutions. Les nécessités de l'action opérationnelle ont ainsi conduit l'O.N.U. à mettre sur pied tout un système qui comporte des structures horizontales, dont la plus importante est le P.N.U.D. (Programme des Nations Unies pour le développement) qui dispose d'un budget supérieur au budget général de l'organisation ainsi qu'au total des sommes consacrées à l'assistance technique par les budgets de toutes les O.I. reliées à l'O.N.U. En outre, il y a des structures verticales, l'O.N.U. et d'autres O.I. étant représentées dans un certain nombre d'Etats par des résidents permanents, ce qui a posé un problème de coordination entre les représentants des différentes O.I. De même, il existe des structures régionales sous la forme de commissions régionales dont l'existence pose également des problèmes sous l'angle des rapports avec les O.I. régionales (voir, par exemple, l'O.U.A. et la Commission économique des Nations Unies pour l'Afrique).

De façon un peu empirique, au hasard des circonstances et en fonction des besoins, les structures des O.I. mondiales ont proliféré, parfois de façon désordonnée. C'est la raison pour laquelle, en exécution d'une décision du P.N.U.D., le rapport Jackson (1969) étudia la capacité du système des Nations Unies en matière de développement. Ce rapport contient une critique parfois sévère du système et des recommandations en vue de l'améliorer. Avec le rapport Pearson, il constitue une des meilleures sources pour l'étude du système des Nations Unies.

§ 2. — EN FONCTION DES FORMES

De même que la coopération s'exerce dans des domaines et a des objets nombreux et variés, de même ses formes sont multiples. Pour en donner une idée, on peut prendre en considération le degré plus ou moins élevé d'organisation, le nombre des partenaires ou leur qualité.

A. — L'INSTITUTIONNALISATION DE LA COOPÉRATION

Le critère de l'organisation permet de distinguer la *coopération* qu'on pourrait appeler *informelle* et la *coopération institutionnelle.*

La coopération informelle ne prévoit aucune structure permanente. C'est le cas lorsque les partenaires se contentent de prévoir dans un accord un échange de prestations, qui ne nécessite pas la création d'institutions particulières.

Mais la nature même de la coopération qui suppose une certaine durée exige le plus souvent la mise en place de structures permanentes. Cet aspect apparaît fort bien dans la création d'organisations internationales, gouvernementales ou non gouvernementales (*supra*). Sous une forme plus modeste, on peut recourir à un système de commissions mixtes. Cette formule est, par exemple, utilisée dans le cadre de la coopération bilatérale entre l'U.R.S.S. et les Etats capitalistes. Les accords franco-soviétiques de coopération ont prévu la création d'une grande commission composée de membres des gouvernements et de hauts fonctionnaires et présidée par le ministre français de l'Economie et des Finances, assisté par le vice-président du Conseil des ministres de l'U.R.S.S. A un niveau inférieur, il existe une petite commission spécialisée dans les différents domaines de la coopération et composée de hauts fonctionnaires. Enfin, il y a des groupes de travail encore plus spécialisés.

L'institutionnalisation peut aussi revêtir des formes non gouvernementales : établissement public, société d'Etat, association, etc. Par exemple, en 1967, l'Allemagne et la France signèrent une convention relative à la construction et à l'exploitation d'un réacteur à très haut flux de neutrons. L'opération fut confiée à une société dont les associés sont la S.A.R.L. Gesellschaft für Kernforschung mb H, le commissariat français à l'énergie atomique et le C.N.R.S. En fait, la sous-traitance, c'est-à-dire le transfert par les gouvernements à un organisme décentralisé, public ou privé, de la mission d'exécuter les obligations découlant de l'accord de coopération est une pratique fréquente.

B. — Coopération bilatérale et coopération multilatérale

En fonction du nombre de partenaires, on distingue la *coopération multilatérale* et la *coopération bilatérale.*

Par coopération multilatérale, on désigne généralement la coopération au niveau des organisations universelles ou régionales. La coopération bilatérale est la coopération entre deux Etats. En réalité, la terminologie est mal choisie. La coopération entre une O.I. comme l'O.N.U. par exemple et un Etat est en réalité bilatérale puisque deux partenaires seulement sont en présence. Il vaudrait mieux parler de coopération entre un groupement d'Etats et un Etat.

Quoi qu'il en soit, l'usage est de désigner sous le nom de coopération multilatérale la coopération qui fait intervenir une ou plusieurs O.I. dans les rapports avec un Etat ou la coopération entre plusieurs Etats ou O.I., par opposition à la coopération bilatérale, qui ne met en présence que deux Etats ou un Etat et un organisme privé.

Cette distinction doit être mentionnée en raison des discussions qui entourent la question de savoir quelle sorte de coopération est préférable. Généralement, la coopération bilatérale est chargée de tous les vices, tandis que la coopération multilatérale est parée de toutes les vertus. A propos de la crise pétrolière, on a vu H. Kissinger s'insurger vivement contre la politique de coopération bilatérale pratiquée par la France dans ses rapports avec les Etats arabes et lui opposer la politique de coopération dans le cadre de l'alliance atlantique. De même, sur le plan mondial, le rapport Pearson oppose le caractère désintéressé de l'aide fournie par les O.I. aux inconvénients qui résultent de l'aide bilatérale. De son côté, P. R. Henry (*Vingt-cinq ans de Nations Unies,* p. 110) écrit « qu'il n'existe pas d'autre alternative à la coopération dans le cadre des Nations Unies ». Il rappelle le mot de W. Churchill à propos de la démocratie : « C'est peut-être le plus mauvais des systèmes, mais je n'en connais pas de meilleur. » Nous verrons plus loin ce qu'il faut penser des mérites respectifs de la coopération bilatérale ou multilatérale (p. 479 et s.).

Le débat réapparaît lorsqu'il s'agit de comparer la coopération régionale et la coopération mondiale. C'est un aspect du problème plus général du choix entre régionalisme et universalisme (*supra,* p. 155). En fait, les O.I. mondiales n'ont pas pu éviter de créer des structures régionales. L'O.I.T. a depuis longtemps des commissions consultatives et des conférences régionales. L'O.N.U. a créé des commissions économiques régionales, etc. Mais il ne s'agit là que d'organismes subordonnés aux instances mondiales. Quand on parle de régionalisme, on se réfère à la création d'O.I. indépendantes, qui, sans doute peuvent conclure des accords de coopération avec les O.I. universelles, mais agissent en toute liberté, sous réserve de respecter les principes de la Charte des Nations Unies. Il est vain de s'élever contre ce type de régionalisme. Il existe. Le seul problème est de savoir s'il est plus ou moins efficace que l'universalisme et comment peuvent être résolus les contradictions ou les conflits.

Enfin, on peut tenir compte de la *qualité des partenaires.* De ce point de vue, on peut faire intervenir la nature juridique des unités composantes de la société internationale. On aura ainsi une coopération entre Etats, entre Etats et O.I., entre Etats et groupements privés, entre O.I., etc. Il est évident que dans les Etats socialistes, en raison de la collectivisation des moyens de production et des différentes formes d'activités, seul l'Etat interviendra. En revanche, dans les Etats capitalistes, les groupements privés interviennent concurremment avec les gouvernements ou organismes publics dans les actions de coopération. Ainsi dans le domaine de la télévision en couleurs, sur la base d'un accord intergouvernemental conclu en 1965, une coopération s'est instituée entre les deux Etats par le canal de deux sociétés françaises et d'un organisme public soviétique, dont les représentants siègent selon la formule habituelle dans une commission mixte. Cette coopération a produit les résultats recherchés puisque l'U.R.S.S. a adopté le procédé S.E.C.A.M. en 1967.

BIBLIOGRAPHIE

Outre l'ouvrage fondamental de M. VIRALLY, voir les études de Cl. GUEYDAN et de Cl. RUCZ dans l'ouvrage collectif, *Etudes de doctrine et de droit international du développement*. Ces deux études décrivent les mécanismes du système des Nations Unies.

Sur l'agence spatiale européenne, voir l'étude de J. CHAPPEZ dans l'*An. franç. de Droit intern.*, 1975, p. 801 et s.

SECTION III

LE BILAN DE LA COOPERATION INTERNATIONALE : LES RAYONS ET LES OMBRES

Il serait présomptueux de vouloir établir, en quelques lignes, un bilan de la coopération internationale. Nous voudrions, simplement, en prenant quelques exemples, relever les ambiguïtés et les difficultés de ce mode de relations internationales, mais aussi les motifs d'espérer et de persévérer dans cette voie (1).

§ 1. — AMBIGUITES ET DIFFICULTES DE LA COOPERATION INTERNATIONALE : L'AIDE AU TIERS MONDE

Théoriquement, la coopération entre les Etats du Tiers Monde et les autres Etats ou (et) les O.I. est fondée sur des principes dont la justesse ne saurait être contestée (*supra*, p. 462). La constatation qu'il y a, dans tous les domaines, un abîme entre les Etats développés et les

(1) Nous avons déjà eu un aperçu des résultats de la coopération à propos du désarmement et du règlement des conflits, nous n'y reviendrons pas.

Etats dits sous-développés et que cette situation introduit dans la société internationale un déséquilibre fondamental, dont les conséquences politiques pourraient être redoutables, conduit logiquement à donner la priorité aux problèmes du développement, considéré sous tous ses aspects, ce que font effectivement les O.I. La coopération est incontestablement un des moyens qui devrait permettre aux Etats du Tiers Monde d'avancer sur la voie du progrès. En fait, quels ont été les résultats de la coopération dans ce domaine ?

A. — L'AIDE MULTILATÉRALE

A propos de l'aide multilatérale, on peut poser deux questions :

— Est-elle aussi neutre (politiquement) que certains l'affirment ?

— Quelle est son efficacité ?

I. — *Le mythe de la neutralité de l'aide.*

En ce qui concerne la neutralité de l'aide multilatérale, il faut mettre à part le cas des O.I. régionales dominées par des Etats extérieurs au Tiers Monde. Dans une large mesure, l'aide fournie par les O.I. de ce genre est de toute évidence inspirée par des motifs politiques inacceptables.

Ainsi, à propos du Plan de Colombo, dont la Grande-Bretagne prit l'initiative en 1950 avec la collaboration des pays asiatiques du Commonwealth, Tibor Mende écrit : « La préoccupation des anciennes puissances coloniales était la préservation de leurs liens économiques, politiques et culturels établis de longue date. »

De même, le Traité de Rome ne fait pas mystère du fait qu'il s'agit de « confirmer la solidarité qui lie l'Europe et les pays d'outre-mer ». C'est le vieux rêve de l'Eurafrique caressé pendant la période coloniale par certains Africains. D'aucuns, comme L. S. Senghor, ont appelé de leurs vœux « la communauté eurafricaine ». Le Traité de Rome et les conventions d'association sont venus réaliser ce rêve de communauté euroafricaine. Il est intéressant de rappeler que cette solution fut adoptée sur l'insistance de la France. Mais il est évident que, compte tenu des inégalités de développement, les Etats européens sont en position de domination, ce qui veut dire que les positions respectives des Etats européens et des Etats africains n'ont guère changé par rapport à la période coloniale. La différence — purement formelle — est que les liens sont devenus multilatéraux et sont fondés sur une convention internationale d'association. Cela ne modifie pas l'essence du phénomène.

L'O.E.A. joue le même rôle à l'égard des Etats latino-américains. Comme la C.E.E., elle vise à souder entre eux les Etats sous la houlette des E.U.A. L'exclusion de Cuba, sous la pression des E.U.A., montre leur volonté de ne pas tolérer au sein de la Communauté un Etat qui répudierait l'idéologie capitaliste. De même, les pressions exercées sur la banque interaméricaine de développement pour supprimer l'aide au Chili montrent bien que les organisations de cette région sont utilisées par l'Etat dominant pour orienter la vie politique des Etats latino-américains. C'est ce qui explique que ces derniers tolèrent de plus en plus mal la prépondérance et les ingérences des E.U.A. Ainsi lors de la réunion, à Vina del Mar (Chili) en mai 1969, des Etats-membres de la C.E.C.L.A. (Commission économique de coordination pour l'Amérique latine), les ministres latino-américains dénoncèrent « le néo-colonialisme des Etats-Unis ». Un des moyens utilisés pour résister aux pressions des E.U.A. est la création d'organisations sous-régionales, comme le groupe Andin par exemple.

La politisation des organisations mondiales semble moins évidente. En fait, comme le souligne un rapport de 1966 à la Commission sénatoriale des Affaires étrangères du Congrès des E.U.A., lorsque les Américains soulignent la neutralité politique des institutions des Nations Unies « c'est principalement parce qu'ils espèrent que ces institutions seront apolitiques ou neutres... en faveur de l'Ouest ». Bien plus, certains pensent que ces institutions devraient être « un prolongement de la politique étrangère des E.U.A. ». Cet aveu laisse penser que même l'aide mondiale n'est pas aussi désintéressée qu'on veut bien le dire.

D'abord, il convient de rappeler que certaines organisations mondiales ne le sont pas réellement. Ainsi la B.I.R.D. et ses filiales (société financière internationale et association internationale pour le développement) sont composées par des Etats capitalistes, à l'exception de la Yougoslavie. Il s'agit donc en fait d'organisations limitées au monde capitaliste. A ce titre, elles constituent inévitablement des instruments d'action des Etats capitalistes dans leurs relations avec le Tiers Monde. Sans doute la B.I.R.D. est une institution spécialisée reliée à l'O.N.U. (art. 57 et 63 de la Charte des Nations Unies). Mais il est symptomatique que l'accord conclu entre la B.I.R.D. et l'O.N.U. affranchit dans une large mesure la première du contrôle de la seconde. Tout au plus y a-t-il un échange d'informations, des consultations et un effort de coordination entre la B.I.R.D. et ses filiales d'une part, l'O.N.U. d'autre part. Les Etats-Unis d'Amérique y jouent un rôle prépondérant. Ceci amène M. Debré (« Le Monde », 7 juillet 1976) à parler, à propos du fonds monétaire international, d'une « institution dite internationale, en fait satellite et servante de la trésorerie américaine ». La B.I.R.D. est dominée par les E.U.A. qui y dispose de 27,57 % du capital contre 5,56 % pour la France. A eux seuls, les E.U.A., la Grande-Bretagne, l'Allemagne occidentale, la France disposent de près de 50 % du capital de la B.I.R.D. Le nombre de voix variant en fonction du capital souscrit, ceci veut dire que, à eux seuls, les E.U.A. ont le quart des voix et que les E.U. et les Etats-membres disposent d'une large majorité. L'influence déterminante des E.U.A. explique que le Président de la B.I.R.D. soit depuis 1947 un ressortissant des E.U.A. (actuellement M. Mac Namara, qui fut secrétaire d'Etat à la défense et président de la General Motors). Si on ajoute que les prêts consentis par la B.I.R.D. ne sont accordés qu'après un examen approfondi de la situation du pays emprunteur et que la B.I.R.D. suit de près l'exécution du projet qu'elle a financé, on comprendra les critiques relatives à l'immixtion de la B.I.R.D. dans les affaires intérieures des Etats et à sa volonté de subordonner son aide à des conditions politiques. Le cas type est le refus de financer la construction du barrage d'Assouan. On connaît les conséquences de ce refus sur la politique égyptienne : nationalisation du canal de Suez, expédition israélo-franco-anglaise (1956), rapprochement avec l'U.R.S.S. Inversement, la B.I.R.D. favorise les Etats qu'il est capital de détourner des Etats socialistes. Ainsi, en 1968, l'Inde et le Pakistan avaient bénéficié à eux seuls de 1 250 millions de dollars sur 1 788 millions accordés par l'A.I.D.

Restent enfin les O.I. réellement mondiales et fondées sur le principe de l'égalité juridique des Etats, c'est-à-dire l'O.N.U. et des institutions spécialisées comme l'Unesco, l'O.I.T., etc. Ici l'utilisation de l'aide comme moyen d'influence, voire de pression, est plus difficile en raison du contrepoids des Etats socialistes et de certains Etats du Tiers Monde. Ceci dit, il est évident que l'action de toute O.I. en matière d'aide repose sur une philosophie politique déterminée qui inspire les stratégies de développement (cf. rapport Pearson, p. 33 et s.: esquisse d'une stratégie). En gros, on peut dire que ce qui soustend les politiques « tiermondistes » des O.I. c'est l'idée que les expériences des Etats capitalistes doivent servir de point de référence. Ce qu'on appelle le sous-développement serait un phénomène pathologique, une déviation par rapport à une norme, celle qui se dégage de ces expériences. Ainsi dans la théorie bien connue des stades de développement (W. W. Rostow) « on trouve des définitions élégantes des différents niveaux à franchir avant que la société en question (sous développée) ne parvienne au nirvana économique représenté par une consommation par tête élevée de voitures automobiles, de machines à laver et autres bienfaits de la société de consommation ». Le décollage (take off) serait au bout de la piste de l'histoire, une histoire qui est celle des pays capitalistes et qui devrait être celle des pays du Tiers Monde. Pour l'assurer, il suffirait d'injecter à ces derniers une masse suffisante d'aide, notamment financière (cf. rapport Pearson) de façon à « réduire » (on ne dit plus « combler ») l'écart (gap) entre les pays développés et les pays du Tier Monde. Comme le souligne Tibor Mende, de plus en plus l'entreprise a été progressivement réduite à une opération économique quantifiable » (*op. cit,* p. 55). On a apparemment oublié l'avis formulé par les experts de l'O.N.U. en 1951 : « Nous pensons qu'il existe un certain nombre de pays insuffisamment développés où la concentration du pouvoir économique et politique entre les mains d'une minorité attachée avant tout à la défense de ses intérêts et de ses privilèges ne permet pas d'espérer de grands progrès économiques aussi longtemps qu'une révolution sociale n'aura pas modifié la répartition des revenus et du pouvoir. » Les faits sont venus confirmer ce diagnostic. L'expérience montre que l'aide internationale ne parvient pas à corriger les inégalités, mais contribue au contraire à les perpétuer et même à les aggraver.

Certains considèrent d'ailleurs cette conséquence comme inévitable. Ainsi le professeur Harry G. Johnson (de Chicago) déclarait en 1968 que les remèdes aux conséquences fâcheuses du système capitaliste sont « un luxe que les pays sous-développés ne peuvent se permettre : ... Un pays pauvre qui souhaite se développer ferait mieux de ne pas trop se soucier de la répartition des revenus » (*Pakistan economic journal,* juin 1968).

Ainsi la philosophie de l'aide repose sur une analyse erronée du sous-développement. Comme nous l'avons vu, ce dernier est un produit de l'histoire. « La recherche historique démontre, écrit A. C. Frank (1), que le sous-développement contemporain est en grande partie le

(1) Dans un article paru dans *Critiques de l'économie politique,* n° 3, avril-juin 1971.

produit historique des relations passées et présentes, économiques et autres, entre les pays satellites sous-développés et les pays métropolitains actuellement développés. En outre, ces relations constituent une partie essentielle de la structure et du développement du système capitaliste mondial dans son ensemble. » Si on accepte cette analyse, le problème n'est pas celui de l'écart (1), concept fallacieux qui derrière les apparences d'une mesure (quantifiable) fait intervenir une philosophie simpliste de histoire dont il a été question plus haut. Le vrai problème est celui de savoir si le Tiers Monde réalisera sa croissance dans le cadre du système capitaliste mondial — ce qui n'assurera par son développement — ou contre ce système. Or la philosophie, qui est à la base de l'action des O.I. tend bien à atténuer la pauvreté des pays du Tiers Monde, en termes de revenu national global, à favoriser leur croissance, mais non pas à assurer leur développement en éliminant les causes profondes du sous-développement. Finalement les responsables des O.I. sont plus préoccupés de « greffer l'expérience occidentale sur l'héritage économique et social des anciens pays coloniaux » que de permettre aux pays du Tiers Monde de réaliser les restructurations nécessaires. On pense que la croissance économique conduira d'elle-même à des changements de structure susceptibles de réduire et même de faire disparaître les tensions politiques. Cette conception qui procède d'un économisme étroit ne tient pas compte de la situation spécifique des pays du Tiers Monde qui doivent briser leurs liens de dépendance pour progresser.

II. — *L'efficacité de l'aide.*

En ce qui concerne l'efficacité de l'aide multilatérale, les études récentes font de plus en plus apparaître les insuffisances de l'aide internationale, insuffisances qui sont la conséquence directe de la conception même de l'aide. Pour les faire apparaître, il conviendrait de se placer sur un double plan : quantitatif et qualitatif.

D'abord l'aide multilatérale est-elle suffisante en volume ? (2).

Le rapport Pearson répond en constatant l'insuffisance de l'aide

(1) V., par exemple, P. Bairoch, « Les écarts des niveaux de développement », *Revue Tiers Monde,* juill.-sept. 1971. Critique de la thèse de l'écart croissant dans l'ouvrage de P. T. Bauer (*Dissent on development,* Veidenfeld et Nicholson, 1972).

(2) Voir la revue *Problèmes économiques* qui publie fréquemment des évaluations. Voir aussi les rapports de l'O.C.D.E. et les publications de cette organisation.

financière multilatérale et en demandant aux dispensateurs d'aide de quadrupler le volume de l'aide multilatérale en valeur absolue.

Jean Mialet (*L'aide ou la bombe ?,* Editions du Centurion, 1965) lance un cri d'alarme et demande un accroissement de l'aide pour éviter la révolte du Tiers Monde, d'autant plus menaçante que l'écart s'aggrave et que le poids de la Chine devient plus important.

Dans son ouvrage *De l'aide à la recolonisation,* Tibor Mende se livre à une analyse impitoyable du système d'aide internationale, comparée à un artichaut dont il faut détacher les feuilles une à une et découvrir le cœur « qui convenablement préparé et mélangé avec les condiments appropriés, fournit une récompense savoureuse pour l'effort accompli » (p. 67). Il montre que pour apprécier le montant réel de l'aide financière il faut tenir compte du service de la dette et du rapatriement des profits.

Dans son ouvrage *L'Europe devant le Tiers Monde* (Aubier, 1971), H. Perroy constate que « les pays de la C.E.E., prix globalement, ne font pas mieux ni moins bien que les autres pays occidentaux » et qu'ils ne semblent pas convaincus « de l'intérêt réciproque qu'il y aurait à « faire plus ensemble » (p. 172). Comparant l'aide à un siphon, c'est-à-dire à un instrument « inventé par les pays riches pour irriguer les pays pauvres en flux de capitaux qui ont à franchir l'obstacle de l'échange inégal », il constate que le siphon des six fonctionne à rebours « à moins que les eaux d'alimentation des prêts nouveaux n'augmentent toujours ou qu'elles ne s'éclaircissent par un volume accru de contributions non remboursables » (p. 186 et 188).

Nous ne parlons pas du fameux projet « L'alliance pour le progrès », lancé au lendemain de la révolution cubaine, pour rassurer les autres pays latino-américains et dont les fruits n'ont pas tenu la promesse des fleurs.

Les analyses sont concordantes. Dans la revue de la F.A.O. (Cérès, juillet-août 1971), un économiste écrit : « Aussi bien la conception de l'aide que son volume sont insuffisants et laissent apparaître des erreurs. Ce qu'il faut ce ne sont pas des paroles, mais des actes, non pas des millions de dollars, mais des milliards. Il est temps d'élaborer un plan mondial d'aide au Tiers Monde. »

Aussi intéressant que soit le volume de l'aide, l'aspect le plus important du problème est sans doute l'aspect qualitatif. L'aide apportée par les O.I. aux pays du Tiers Monde est-elle de nature à leur permettre de résoudre les problèmes du sous-développement ?

On peut affirmer que l'aide multilatérale ne favorise pas la croissance autonome des Etats du Tiers Monde, mais contribue au contraire à maintenir le statu quo. C'est la raison pour laquelle le rapport Pearson (p. 174) déclare que « le mot d'ordre de la politique de l'aide devrait être d'aboutir à un développement à long terme autonome ». Pour l'instant, il n'en est pas ainsi. La conjonction de causes externes (puissances dominantes) et internes (classe politique au pouvoir) aboutit à bloquer le développement du Tiers Monde. Une modification radicale de la politique actuelle supposerait que les Etats du Tiers Monde soient décidés à rompre le cercle de dépendance, ce qui semble peu probable pour la majorité d'entre eux. Un des moyens serait de développer le commerce international (Trade, not aid). Mais les résultats atteints par la C.N.U.C.E.D. sont décevants.

B. — L'AIDE BILATÉRALE

Le problème de savoir si l'aide bilatérale est ou non désintéressée est très discuté (cf. le rapport Jeanneney pour la France). Il est certain (cf. rapport Pearson, p. 235 et s.) que, dans la grande majorité des cas, l'aide est liée en ce sens qu'elle comporte l'obligation de se fournir auprès des entreprises de l'Etat prêteur ou donateur. « L'aide non liée, déclare le rapport Pearson, représente aujourd'hui l'exception plutôt que la règle » et il émet le vœu (platonique) que le système de l'aide liée soit abandonné. D'un autre côté on peut se demander si l'aide entraîne une dépendance politique à l'égard du prêteur ou du donateur. Le professeur Luchaire (1) estime que « l'aide limite rarement la liberté politique de l'Etat qui la reçoit ». Il admet cependant que l'aide « accroît toujours l'influence politique — ou au moins culturelle — de celui qui aide sur celui qui est aidé » sans, pour autant, transformer ce dernier en client ou en vassal. Une des raisons de cette absence de vassalité serait la possibilité de trouver des solutions de rechange, de changer de partenaire. Cette opinion est contredite par le C.A.D. selon lequel « les rapports de donateur à bénéficiaire, une fois fermement établis, n'ont guère de chances de changer rapidement » (2). Or ces rapports sont fermement établis lorsque les Etats du Tiers Monde sont intégrés à un système dominé par un Etat ou un groupe d'Etats (*supra*).

(1) « L'aide aux pays sous-développés », *Que sais-je ?*, n° 1227.
(2) *L'observateur de l'O.C.D.E.*, février 1970.

L'hypothèse générale qu'on peut formuler est que l'aide bilatérale n'est bien souvent que « le chausse-pied qui permet de faire entrer (les pays du Tiers Monde) dans cet état de dépendance perpétuelle », de paralyser l'exercice de leur souveraineté en les obligeant à suivre telle ou telle politique et à adopter tel ou tel type de structures.

Ainsi la politique des E.U.A. est principalement inspirée par le souci d'empêcher l'expansion du socialisme dans le monde, surtout dans les régions stratégiquement importantes. De 1954 à 1958, la Corée du Sud avait reçu plus d'aide que l'Inde, le Pakistan, la Birmanie, Ceylan et les Philippines réunis. En fait, les flux de l'aide varient d'intensité selon la conjoncture politique internationale, mais aussi selon les comportements des dirigeants du Tiers Monde en matière politique et peut-être surtout en matière économique. « Si l'infidélité politique est répréhensible, la révolte contre le système économique global est impardonnable. La première peut provoquer des sanctions. La réponse à la seconde ce sont des représailles sans merci : cessation de l'aide d'abord et dislocation économique par exclusion des récalcitrants du « système » lui-même » (cf. Cuba). Les spécialistes américains de l'aide ne font d'ailleurs aucune difficulté pour reconnaître que la politique de l'aide constitue un puissant moyen d'intervention dans les affaires intérieures des Etats du Tiers Monde. Comme l'écrit J.D. Montgomery (1), « les circonstances existantes dans chaque pays détermineront le point à partir duquel l'« engagement » du fait de l'aide à l'étranger devient une « intervention ». Tibor Mende va plus loin et affirme que « la non-intervention dans les rapports d'aide n'est guère qu'une fiction ».

A la limite, l'aide peut être utilisée comme un moyen de corruption. « L'expérience semble suggérer, affirme Tibor Mende, qu'il existe un rapport constant entre l'abondance de l'aide étrangère et le degré de corruption dans les pays bénéficiaires » (*op. cit.*, p. 131). Ceci pourrait expliquer que la corruption fasse rarement l'objet des études des spécialistes du développement. « L'alliance tacite des fournisseurs et des bénéficiaires de l'aide enveloppe le scandale dans un silence diplomatique qui touche à la complicité, tout cela étant supposé accompli au nom de la non-ingérence. » C'est ce que constate en particulier Gunnar Myrdal dans ses ouvrages (2). Certains auteurs fonc-

(1) *The politics of foreign aid. American experience in South-East Asia*, Praeger, 1962.

(2) *Asian drama and the challenge of world poverty. Pantheon Books*, New York, 1970 (trad. franç.).

tionalistes comme Merton, loin de condamner la corruption, vont jusqu'à reconnaître que la corruption joue un rôle utile dans le Tiers Monde. Elle serait en définitive le prix du changement. Les théories ne peuvent cacher le fait que la corruption élargit le fossé entre les gouvernants et les gouvernés et constitue un moyen puissant d'intervention dans les affaires intérieures en permettant aux donateurs de disposer d'instruments dociles.

Sans parler de corruption, la nature de l'aide est révélatrice de la volonté de peser sur la politique des Etats du Tiers Monde. Comme nous l'avons dit plus haut, une partie appréciable de l'aide fournie au Tiers Monde est destinée à l'achat d'armes. En 1970, la moitié de la valeur réelle de l'aide aurait concerné l'armement. Selon *Croissance des jeunes Nations* (janvier 1971), les Etats africains consacreraient 90 % de l'aide extérieure à l'achat d'armements. Dans certains cas, cette aide est parfaitement justifiée parce que l'existenc même de l'Etat ou du régime politique est en jeu. Dans d'autres cas, la fourniture d'armes est un moyen pour les grandes puissances de se faire des alliés utiles, de favoriser leurs intérêts économiques ou d'intervenir dans les affaires intérieures des Etats du Tiers Monde (*supra*). Les guerres civiles sont une occasion magnifique pour accroître le potentiel militaire de certains Etats. Ainsi l'armée nigériane est passée de 10 000 à 120 000 hommes entre 1967 et 1970. Les ventes d'armes de la Grande-Bretagne à ce pays sont passées de 80 000 livres sterling en 1966 à 2 800 000 en 1968. Indirectement le renforcement des armées nationales favorise l'intrusion des militaires sur la scène politique et constitue ainsi un excellent moyen de doter les Etats du Tiers Monde de « bons » gouvernements.

Une place particulière devrait être faite à l'aide bilatérale sous la forme de l'assistance technique. Les spécialistes décrivent les mécanismes de l'assistance technique, son volume, ses bienfaits (cf. pour la France l'ouvrage de Bernardin cité en bibliographie). Il conviendrait aussi de demander dans quelle mesure l'assistance technique bilatérale, sous une forme voilée, ne contribue pas à aliéner l'indépendance des Etats du Tiers Monde.

Il faudrait, à cet égard, distinguer l'assistance technique privée et l'assistance technique publique. Au titre de la première, on trouve des organismes à but lucratif ou non, dont certains ont, de notoriété publique, des moyens d'influencer la politique des Etats du Tiers Monde. C'est le cas, en particulier, du fameux « peace corps » dont certains éléments sont utilisés par la C.I.A. Mais le gros du bataillon des experts est fourni par les gouvernements et opère dans différents domaines : enseignement, administration, justice, armée et police.

A l'heure actuelle, les experts de l'assistance technique publique ont rarement des pouvoirs formels de décision. Ils exercent généralement des fonctions de conseiller. Cependant, il est évident que la formation et le prestige des experts donnent parfois à leurs avis un poids considérable, de sorte qu'en fait la décision leur appartient. C'est ce que constatait le rapport Jeanneney. « En fait, déclarait-il, ils (les assistants techniques) peuvent détenir une partie de la réalité du pouvoir et en user pour le meilleur ou pour le pire. » A propos du Cameroun. Abel Eyinga (1) écrit : « On peut dire de toutes les décisions d'une certaine importance du chef de l'Etat qu'elles sont soit fortement inspirées, soit directement prises par les « conseillers » français en poste fixe à la Présidence de la République. » Il est évidemment difficile de savoir dans quelle mesure une telle affirmation correspond à la réalité. Ce qui est certain, c'est que les accords de coopération et la volonté d'entretenir des relations privilégiées avec l'ancien Etat colonial constituent des bases sûres pour la mise en œuvre d'une politique d'influence. A la limite, on pourrait parler d'une institutionnalisation du néo-colonialisme.

Même si les experts de l'assistance technique n'interviennent pas dans les affaires intérieures des Etats du Tiers Monde, ils contribuent à transmettre à ces Etats un modèle qui est celui de leur propre Etat. A ce titre, leur influence est loin d'être négligeable. C'est la raison pour laquelle les experts des O.I., comme les experts fournis par des Etats rivaux, sont considérés avec méfiance, chaque Etat préférant ses propres experts à ceux du voisin.

L'influence étrangère est particulièrement importante dans le domaine culturel, ce qui explique l'attention accordée par les puissances étrangères à la coopération culturelle. Au niveau supérieur, la création d'universités est un excellent moyen d'influence. Comme l'observe un ancien ministre de Patrice Lumunmba (2), « il faut nous garder de termes abusifs, tels que Université sénégalaise, abyssinienne ou

(1) « Le pouvoir de décision dans les institutions camerounaises », *Thèse Faculté de Droit de Paris*, 1970, p. 575.

(2) Anicet Kashamura, *Culture et aliénation en Afrique*, Editions du Cercle, 1972, p. 61-62. Voir aussi le tome II de notre ouvrage sur *Les systèmes politiques africains*, Librairie générale de Droit, 1974.

congolaise ». Car, en fait, beaucoup d'universités ne sont africaines que par l'enseigne. Ainsi, par exemple, l'Université de Dakar est administrativement une dépendance de la France, celle du Rwanda une dotation du Canada. Au Congo Kinshasa, Lovanium est une agence de Louvain, Lubumbashi une succursale de l'université de Liège et Kisangani un « cadeau » des Américains. La culture que ces universités distribuent est entièrement occidentale. »

BIBLIOGRAPHIE

Un point de vue marxiste sur la coopération avec le Tiers Monde est donné par Y. FUCHS, *La coopération, aide ou néo-colonialisme ? Editions sociales,* 1973, et l'ouvrage collectif, *L'impérialisme français aujourd'hui,* Editions sociales, 1977.

Un point de vue critique est exprimé par G. MYRDAL, *Le défi du monde pauvre,* Gallimard, 1971, et son ouvrage « *Asian drama* » *an inquiry into the poverty of Nations,* N.U., 1968. Ses conclusions ont été reprises par Tibor MENDE dans *De l'aide à la recolonisation,* Seuil, 1972.

Sur les rapports entre les E.U.A. et l'Amérique latine, voir l'étude d'A. JOXE, « Libération nationale et hégémonie impériale en Amérique latine, *An. du Tiers Monde,* 1975-1976, Berger-Levrault, 1977, p. 234 et s., ainsi que l'article de L. R. ALSCHULLER, « Satellization and stagnation in Latin America », *Int. studies quat.,* mars 1976, p. 39-82.

Sur la coopération franco-africaine, voir : M. BERNARDIN, « Aspects juridiques de l'assistance technique bilatérale de la France aux pays en voie de développement », *Thèse Paris II,* 1973 et notre ouvrage sur *Les systèmes politiques africains,* vol. II, p. 165 et s. (aspects sociologiques).

Voir une étude de cas (*La coopération franco-africaine*) dans la thèse de BOURGI, Université de Paris I, 1976, et son article dans l'*Annuaire du Tiers Monde,* 1974-1975.

Sur l'aspect négatif du rôle des O.I., voit : V. VAKHROUCHEV, *Le néocolonialisme et ses méthodes.* Les Editions du Progrès, Moscou, 1974 (B.I.R.D., F.M.I., O.C.D.E., C.E.E.).

§ 2. — LES ASPECTS POSITIFS DE LA COOPERATION INTERNATIONALE

Fort heureusement, la coopération internationale produit parfois des résultats plus satisfaisants que ceux que nous venons d'analyser. Nous ne prendrons que quelques exemples, empruntés à des domaines différents.

A. — Le progrès du Droit

Dans le domaine juridique, il est indiscutable que la plupart des O.I. ont contribué au progrès du droit international.

Comme nous l'avons vu (*supra,* p. 270), une partie appréciable de ce droit est constituée par la coutume, qui a le mérite de la souplesse, mais aussi l'inconvénient de l'incertitude, car il est difficile de prouver son existence. Sur ce point, un des grands mérites de l'O.N.U. est d'avoir entrepris, et mené à bien dans certains secteurs, une grande œuvre de codification, malgré les difficultés et la contestation de certaines règles coutumières par les Etats du Tiers Monde et les Etats socialistes. L'œuvre accomplie notamment par la Commission du Droit international de l'O.N.U., créée en 1947, est considérable. En dehors des conventions déjà adoptées (en dernier lieu la convention de 1975 sur la représentation des Etats dans leurs relations avec les O.I.), la Commission continue d'étudier des projets de traité sur la responsabilité des Etats, la succession d'Etats, la clause de la nation la plus favorisée, les traités conclus entre des Etats et des O.I. ou entre des O.I.

Non seulement l'O.N.U. a contribué à consolider les règles coutumières en les transformant en droit écrit, mais parallèlement, elle accélère le processus de formation de la coutume en produisant des précédents auxquels participent un grand nombre d'Etats. Bien plus, l'adoption par l'Assemblée de déclarations de principe à l'unanimité ou à la quasi-unanimité peut être considérée comme la preuve que, dans tel ou tel domaine, une coutume existe. En faisant apparaître un consensus, elles manifestent que les Etats sont prêts à conformer leur conduite à certaines règles formulées par ces déclarations. Dans la mesure où la pratique s'accorde avec ces règles, les deux éléments de formation de la coutume sont réunis. En fait, il est fréquent que les résolutions de l'Assemblée générale ne font que confirmer et développer les principes inscrits dans la Charte des Nations Unies (par exemple la déclaration sur les sept principes des relations amicales entre les Etats de 1970). Apparemment ces résolutions sont purement déclaratives et non créatrices. Cependant, dans la mesure où les dispositions de la Charte font l'objet d'interprétations divergentes, l'existence d'un consensus contribue à lever les incertitudes.

L'O.N.U. ne s'est pas contentée de consolider ou de développer le droit coutumier ; elle a aussi enrichi considérablement le droit écrit. Son œuvre est particulièrement importante dans le domaine des droits de l'homme. Mais il faut aussi mentionner les conventions adoptées en matière pénale (génocide, traite des être humains, crimes contre l'humanité), en matière spatiale (utilisation de l'espace atmosphérique), dans le domaine du désarmement (*supra*), etc.

Si on ajoute à l'action de l'O.N.U. celle des autres O.I., mondiales et régionales, on se trouve en présence d'une œuvre impressionnante, qu'on aurait tort de négliger.

B. — Coopération et développement culturel

Dans le domaine scientifique et culturel, la responsabilité principale incombe à l'Unesco puisqu'elle a été spécialement créée pour promouvoir la coopération dans le domaine culturel, scientifique et de l'éducation.

La coopération dans ce domaine est apparemment plus facile parce que les progrès foudroyants de la science et de la technique concernent en définitive l'humanité tout entière dans la mesure où ces progrès permettent d'exercer une maîtrise croissante de l'homme sur la nature et par conséquent d'améliorer les conditions de vie de l'humanité tout entière, parce que, aussi et inversement, ces progrès sont susceptibles de faire courir à l'humanité des risques incommensurables qui pourraient bien aboutir à sa destruction.

Une deuxième raison est que, si les Etats sont naturellement méfiants les uns envers les autres, animés, comme disait Hobbes, d'une jalousie continuelle, les savants, les hommes de science se sont depuis longtemps habitués à travailler sans se soucier des frontières et sont particulièrement disposés à coopérer au-delà des idéologies et des oppositions de régime socio-économiques et politiques. En particulier, l'utilisation pacifique de l'énergie atomique est un secteur privilégié de coopération, d'autant plus que dans ce domaine la recherche scientifique dépasse les possibilités techniques et financières d'un seul Etat, fût-il le plus puissant.

Les chances de la coopération sont particulièrement grandes dans le domaine scientifique et culturel, mais il est évident aussi que l'Unesco, avec un budget ordinaire de 224 413 000 dollars pour 1977-1978, ne peut prétendre résoudre tous les problèmes de la coopération en matière scientifique, culturelle et de l'éducation, même si on y ajoute les 72 700 000 dollars fournis par le programme des N.U. pour le développement (P.N.U.D.) et les 70 887 000 dollars provenant des programmes d'autres O.I. Ces chiffres sont dérisoires comparés aux 300 milliards de dollars dépensés dans le monde pour les armées et les armements (dont 113 milliards pour les seuls E.U.A. en 1977). Cependant, on peut mettre à l'actif de cette organisation, qui travaille en liaison étroite avec les autres organisations internationales de caractère technique et avec l'O.N.U., la mise en évidence d'un certain nombre de faits dont les Etats ont parfois tiré les conséquences sur le plan de la coopération internationale.

D'abord les Etats prennent de plus en plus conscience qu'il y a une inégalité fondamentale dans la répartition des moyens de recherche scientifique et, par conséquent aussi, des bienfaits qui peuvent en découler pour les populations. Sans doute l'Organisation des Nations Unies n'a pas retenu la suggestion qui avait été faite en 1946 par Henri Laugier de créer des laboratoires de recherches des Nations Unies. Elle s'est contentée, dans un domaine particulier, de créer des institutions de coopération, mais non pas de gestion directe. C'est ainsi qu'en 1956 a été créée l'Agence internationale de l'Energie atomique, dont le statut a été ratifié par le nombre d'Etats requis par la convention, et qui est entré en vigueur l'année suivante. En mars 1967, un grand nombre d'Etats avaient décidé d'adhérer au statut de l'Agence internationale de l'Energie atomique puisque le nombre de ces Etats approchait la centaine.

Le but est d'améliorer et d'accélérer la contribution qui pourrait être fournie par l'énergie atomique à la paix et à la prospérité dans le monde entier, étant entendu que, inversement, l'Agence doit orienter ses efforts vers l'interdiction de l'utilisation de l'énergie atomique pour des buts militaires. Pour réaliser ce but, l'Agence favorise des échanges de renseignements entre les Etats, les échanges culturels entre les savants et la formation de spécialistes dans le domaine atomique. Elle sert également d'intermédiaire pour l'échange des produits, des équipements, des installations entre les Etats et elle joue enfin un rôle d'incitation dans l'utilisation pacifique de l'énergie atomique.

Le deuxième fait, mis en évidence lors de la première Conférence des Nations Unies pour le commerce et le développement à Genève en 1964, est l'insuffisance globale des moyens de recherche et la nécessité impérieuse d'une coordination à l'échelle mondiale.

Sur la base de la constatation de ce fait, le Conseil économique et social de l'O.N.U. a créé un Comité consultatif pour l'application de la science et de la technique au développement, comité composé de spécialistes appartenant à 24 Etats différents. Le but de cet organisme est très ambitieux puisqu'il s'agit de rien moins que d'élaborer un plan d'action, un programme à l'échelle mondiale et, ayant défini ce programme, de préciser quelles doivent être les tâches prioritaires sur le plan de l'application de la science et de la technologie au développement. On voit ainsi se développer sur cette base un véritable droit international du développement, et se préciser une notion à laquelle jusqu'ici peu d'internationalistes avaient réfléchi : la notion de programme à l'échelle mondiale.

Le troisième fait, c'est que le développement des technologies nouvelles ou le perfectionnement des technologies anciennes permet maintenant d'explorer ou d'exploiter des régions jusqu'ici inaccessibles ou qui, étant accessibles, échappaient en fait au contrôle humain.

Dans le domaine spatial, cette évolution a déterminé la création, en 1968, d'un Comité des utilisations pacifiques de l'espace atmosphérique dans le cadre des Nations Unies. Le but de ce comité est de favoriser l'échange des informations et, éventuellement, l'exécution en commun de programmes en matière d'exploration et de recherche dans l'espace extra-atmosphérique ; le but est également, sur un plan purement juridique, de préparer une réglementation internationale sur le statut de l'espace extra-atmosphérique, ce qui a conduit à l'adoption d'un traité en 1967.

Dans le domaine maritime également, une coopération commence à se dessiner en ce qui concerne l'exploration et l'exploitation des fonds sous-marins, non plus au bénéfice d'un seul Etat, mais au bénéfice de l'humanité tout entière. Dans ce but a été créé, à l'Organisation des Nations Unies, un Comité des fonds sous-marins dont les travaux sont utiles pour les négociations sur le régime juridique des fonds sous-marins.

C. — Coopération et développement socio-économique

Le domaine économique et social est important, car il y a des liens entre le problème de la paix d'une part et la solution des problèmes économiques et sociaux à l'échelle mondiale d'autre part.

L'article 1er de la Charte a soin d'indiquer que l'un des buts de l'Organisation est de réaliser la coopération internationale en résolvant les problèmes internationaux d'ordre économique et social. Ayant ainsi affirmé l'un des buts de l'Organisation, l'article 13 de la Charte indique que l'une des fonctions de l'Assemblée générale est de « provoquer des études et de faire des recommandations en vue de développer la coopération internationale dans les domaines économique et social ». Mais, dans ce domaine, la responsabilité principale appartient surtout à un des organes spécialisés de l'Organisation : le Conseil économique et social. En fait, la Charte accorde une très grande attention à ce problème de la coopération économique et sociale puisque les chapitres IX et X y sont consacrés.

En dehors de l'Organisation des Nations Unies, il ne faut pas oublier de mentionner les nombreuses institutions spécialisées telles que l'O.I.T., l'O.M.S., la F.A.O. ou l'Organisation de l'Aviation civile internationale qui, à différents titres, ont également à s'occuper de problèmes de la coopération économique et sociale.

Pour apprécier l'œuvre accomplie, il faut ici encore se souvenir que l'objectif n'est pas du tout d'établir un système intégré à l'échelle mondiale. Les organisations internationales universelles, qui ont la responsabilité de promouvoir la coopération économique et sociale, ne sont pas des organisations supranationales, mais des institutions de coopération entre Etats demeurés souverains et indépendants. Par suite, tout ce qu'elles peuvent faire, c'est d'étudier les problèmes, d'accumuler les informations, de donner aux Etats et à leurs gouvernants une conscience de plus en plus claire de leur devoir de coopération, d'essayer de les amener effectivement à coopérer. En vérité, il n'y a pas d'autre alternative que la coopération internationale dans le cadre des Nations Unies. Etant donné la structure de la société internationale, le problème est finalement d'essayer d'articuler les programmes nationaux de développement et la nécessaire programmation à l'échelle mondiale.

Dans un certain nombre de domaines (communications, météorologie, aviation civile, transports internationaux), la coopération s'est manifestée de bonne heure (*supra*). Des résultats positifs, dont on ne parle guère parce qu'ils sont sans histoire, ont été atteints. Dans ce domaine, un nouveau champ d'activité est ouvert aux initiatives des Etats avec le lancement de satellites de télécommunications. Malheureusement, pour l'instant, la coopération est limitée aux Etats capitalistes qui ont conclu en 1964 l'accord de Washington destiné à mettre en place un système de télécommunications internationales par satellites. Ces accords sont d'ailleurs ouverts à la signature des autres Etats, mais les Etats socialistes n'y ont pas adhéré pour la raison qu'un monopole a été reconnu à une société américaine, la COMSAT, et que les Etats-Unis, en raison du montant de leur participation financière (61 %) dominent le système. Les accords Intelstat de 1971 n'ont guère amélioré la situation. En réplique, les Etats socialistes ont créé en 1971 Interspoutnik, O.I. destinée à assurer les télécommunications spatiales à l'intérieur de la communauté socialiste.

Dans le domaine de la santé publique également, des résultats remarquables ont été obtenus par l'Organisation mondiale de la Santé.

De même, l'Organisation internationale du Travail a déployé depuis sa date de création, en 1919, une grande activité qui a abouti à des résultats non négligeables, qu'il s'agisse de l'adoption de près de 150 conventions internationales du travail ou de l'assistance accordée à ces Etats-membres ou encore de la réalisation d'études de grande valeur sur les problèmes sociaux.

Dans le domaine économique en revanche, les résultats sont moins probants, d'abord en raison de la complexité des problèmes à résoudre, ensuite en raison des divergences d'intérêts entre les Etats appartenant à des systèmes différents. En fait, la plupart des grandes organisations internationales qui s'occupent de la coopération en matière économique et financière fonctionnent à peu près exclusivement avec des Etats capitalistes. Il en est ainsi de la banque internationale de reconstruction et de développement, du fonds monétaire international, de la société financière internationale, de l'organisation connue sous le sigle de GATT (General Agreement on Tarrif and Trade). Le seul résultat atteint dans ce domaine est la création par l'Organisation des Nations Unies d'une conférence connue sous le sigle de C.N.U.C.E.D. (conférence des Nations Unies pour le commerce et le développement), destinée à étudier les problèmes du commerce international et, en particulier, le problème important des produits de base. Cette conférence, réunie pour la première fois à Genève en 1964, groupe presque tous les Etats, dont le groupe des Etats du Tiers Monde, syndicat des pays exploités. Elle a adopté un certain nombre de principes destinés à réglementer le commerce international, qui bien souvent ne sont que les principes fondamentaux de la coopération internationale : respect de la souveraineté et de l'égalité des Etats, non ingérence dans les affaires intérieures, etc.

En dehors de ces principes, la Conférence de Genève s'est également préoccupée des aspects institutionnels. Elle a créé des organismes dont le rôle est d'étudier et de favoriser l'expansion du commerce international comme moyen d'accélérer le développement économique, de formuler des principes de politique commerciale internationale, de faciliter la conclusion de conventions multilatérales, d'harmoniser les politiques nationales et régionales. En particulier, on a créé un conseil, qui est un organe permanent de la Conférence, ayant à la fois un rôle de préparation et d'exécution des recommandations adoptées par la Conférence.

Si l'organisme est ainsi mis en place, les résultats atteints jusqu'ici sont médiocres pour les raisons indiquées plus haut, à savoir l'opposition, d'une part entre les besoins et les intérêts du Tiers Monde et ceux des Nations industrialisées, d'autre part entre les Etats du système socialiste et les Etats du système capitaliste.

BIBLIOGRAPHIE

Sur la codification du droit international, voir l'ouvrage de H. THIERRY et autres : *Droit international public,* p. 152 et s. ; celui de Y. DAUDET, *Les conférences des Nations Unies pour la codification du Droit international,* Paris, 1968. Consulter les travaux de la Commission de droit international de l'O.N.U. et les chroniques de l'*An. franç. de Droit intern.* sur les travaux de cette commission.

Sur l'œuvre accomplie par les organisations qui relèvent de la famille des Nations Unies, voir l'ouvrage collectif : *Vingt-cinq ans de Nations Unies,* Libr. gén. de Droit, 1970, et les chroniques de l'*Annuaire franç. de Droit international.*

Sur l'œuvre de l'Unesco, voir « Dans l'esprit des hommes », *Unesco,* 1973, et « Regards sur l'Unesco », *Unesco,* 1973 (charte constitutive en annexe).

Sur la coopération spatiale, voir la revue *La recherche spatiale* et l'ouvrage de D. D. SMITH, *Communication via satellite,* vol. I, Sijthoff, 1976, et les débats de la conférence de Montréal (1975), publiés sous le titre, *Legal implications of remote sensing from outer space,* Sijthoff, 1976 (sur l'utilisation pacifique des satellites artificiels).

Sur la C.N.U.C.E.D., voir la documentation publiée par l'O.N.U.

Sur le comité des utilisations pacifiques du fond des mers, voir la thèse d'A. BERMES, Univ. de Nice, 1975.

Sur les problèmes de la coopération relative au Tiers Monde, voir les chroniques de l'*Annuaire du Tiers Monde.*

Sur « l'influence des conventions et des recommandations internationales du travail », voir l'ouvrage publié par le B.I.T., 1976.

Sur la coopération scientifique, voir l'ouvrage de TOUSCOZ, *La coopération scientifique internationale,* Editions techniques et économiques, 1973 (riche bibliographie).

Sur les tentatives faites pour créer un nouvel ordre international, voir, parmi les nombreuses études consacrées à ce problème :

— R. SALEM, Vers un nouvel ordre économique international, *An. franç. de Droit intern.,* 1974, p. 31 et s.

— J. M. MARTIN, Le nouvel ordre économique international, *Revue gén. de Droit intern. public,* avril-juin 1976.

— Les études de M. M'BOW et de EISEMAN dans l'*An. du Tiers Monde,* 1975-1976, Berger-Levrault, 1977, et la chronique d'Ed. JOUVE sur les conférences internationales dans ce même annuaire.

CHAPITRE III

L'INTEGRATION INTERNATIONALE

Comme la coopération, l'intégration est un mode particulier de relations internationales. Il en est cependant bien différent, encore qu'on ait parfois tendance à confondre les deux phénomènes. Il est donc nécessaire de préciser ce que nous entendons par intégration internationale. Nous essayerons ensuite de voir comment se développe un processus d'intégration. Enfin, nous dirons quelques mots des expériences contemporaines d'intégration.

SECTION I

QU'EST-CE QUE L'INTEGRATION INTERNATIONALE ? SITUATION OU (ET) PROCESSUS ?

La réponse à cette question n'est pas simple. Un auteur américain (P. M. Morgan, *Theories and approaches to international politics,* 2e éd., p. 211) pose la question : « Qu'est-ce que l'intégration ? Surprise ! Il n'y a aucune définition généralement acceptée de l'intégration ». L'incertitude vient du fait que l'intégration peut être envisagée au moins à deux points de vue : d'un point de vue dynamique comme un processus, comme quelque chose qui est en train de se faire et qui va dans une certaine direction, ou bien d'un point de vue statique comme une situation, comme quelque chose qui est déjà réalisé. Selon le point de vue adopté, on aura une conception différente du phénomène, ce qui explique que les définitions données par les auteurs ne concordent pas.

Etzioni, qui a étudié le phénomène d'unification politique, utilise cette expression pour désigner le processus d'intégration et le terme « intégration » pour qualifier l'intégration-situation. Cette opposition conduit volontiers à considérer que l'intégration (en tant que situation) est synonyme d'équilibre. A. Touraine parle d'ailleurs d'« équilibre-intégration ». De même, Talcott Parsons, conformément à la ligne générale de sa pensée, met l'accent sur l'idée d'équilibre. L'intégration est conçue comme une condition statique de complémentarité entre les éléments composants d'un système maintenu en équilibre grâce à cette complémentarité.

D'autres auteurs s'intéressent plutôt à l'aspect dynamique. Ainsi, F. Perroux (*L'Europe sans rivage,* p. 419) écrit que « l'acte d'intégrer rassemble des éléments pour en former un tout ou bien il augmente la cohésion d'un tout déjà existant ». Dans cette définition qui concerne « l'acte d'intégrer », c'est-à-dire, selon le dictionnaire de la langue philosophique de P. Foulquié et R. Saint-Jean, la réunion des parties de façon à faire un tout organique, on a les deux aspects de l'intégration : l'intégration qu'on pourrait appeler externe ou internationale qui conduit à la création d'une nouvelle unité, et l'intégration interne ou nationale, qui vise à accroître, à développer la cohésion d'un ensemble déjà constitué. Seule la première relève de l'étude des relations internationales, ce qui explique que les définitions de certains internationalistes (politologues, comme M. Kaplan, ou économistes, comme Bela Belassa) ne mettent en évidence que ce seul aspect. Inversement, ceux qui étudient les problèmes politiques internes mettant l'accent sur le second aspect. Ainsi, Duverger (*Introduction à la politique,* p. 275) nous dit que l'intégration est le processus d'unification d'une société dans le sens qu'il tend à faire de cette société (déjà constituée) « une Cité harmonieuse basée sur un ordre ressenti comme tel par ses membres ».

Une autre source d'incertitude vient de ce que les auteurs ne sont généralement préoccupés que par l'intégration des Etats. C'est en fait ce phénomène qui a été le mieux étudié. Cependant, l'internationaliste ne saurait négliger les autres éléments composants de la société internationale. On relève des phénomènes d'intégration au niveau des syndicats par exemple, en réponse à l'intégration économique qui se manifeste dans le cadre des communautés européennes (*supra,* p.). De même, on peut observer à l'échelle des entreprises privées un mouvement d'intégration, horizontale ou verticale, qui conduit à la création de grandes unités à dimension internationale (*supra,* p. 261). Le maximum est atteint dans ce que Howard V. Perlmutter appelle dans son jargon la firme « ethnocentrique », c'est-à-dire la société multinationale constituée par une société-mère qui contrôle étroitement à partir de son siège, ses succursales ou ses filiales à l'étranger. A un degré inférieur, la firme « géocentrique » constitue une sorte de fédéralisme privé dans le cadre duquel les filiales participent à la décision. Entre les deux, la firme « polycentrique » est constituée par des unités relativement indépendantes. L'étude de ces phénomènes est faite par les économistes, mais il serait également intéressant que les internationalistes, dans la perspective de l'intégration, comparent les processus d'intégration des Etats et ceux qui concernent les groupements privés.

De même, il n'est pas exclu que l'intégration ne se manifeste pas au niveau des O.I., soit qu'il y ait une tendance à rassembler en un tout des O.I. distinctes, soit qu'à l'intérieur d'une O.I. se manifeste une tendance à faire évoluer l'organisation d'un simple instrument de coopération vers une organisation intégrée.

Enfin, l'intégration, comme la coopération, est susceptible de se manifester dans n'importe quel domaine. A s'en tenir aux Etats, l'intégration peut se manifester seulement dans le domaine économique (cas de l'Europe des Neuf) ou bien englober toutes les activités des Etats et déboucher sur le plan politique. En fait, l'intégration des Etats peut être envisagée comme un continuum qui va de la création d'une unité limitée à un petit nombre de problèmes techniques à la disparition pure et simple des Etats en tant qu'unités souveraines et indépendantes, au bénéfice d'un nouvel ensemble politique. Entre ces deux points extrêmes, toutes les gradations sont possibles.

Ces quelques observations sommaires montrent la complexité du phénomène. Pour en saisir tous les aspects, il faut adopter une notion globale. Considérée sous ses aspects internationaux, qui seuls nous intéressent ici, l'intégration peut être définie de la façon suivante :

« L'intégration est à la fois un processus et une situation qui, à partir d'une société internationale morcelée en unités indépendantes les unes des autres, tendent à leur substituer de nouvelles unités plus ou moins vastes, dotées au minimum du pouvoir de décision soit dans un ou plusieurs domaines déterminés, soit dans l'ensemble des domaines relevant de la compétence des unités intégrées, à susciter, au niveau des consciences individuelles, une adhésion ou une allégeance et à réaliser, au niveau des structures, une participation de tous au maintien et au développement de la nouvelle unité. »

Ainsi définie, l'intégration internationale se différencie de la simple coopération, institutionnalisée ou non, qui sauvegarde l'indépendance des partenaires (*supra*) et qui n'aboutit jamais à transférer aux institutions de coopération un pouvoir de décision autonome. Nous nous séparons ainsi de l'analyse faite par Karl Deutsch qui distingue deux sortes d'intégration : l'intégration « amalgamée » et l'intégration « pluralistique ». Par amalgame, K. Deutsch entend « la fusion, en bonne et due forme, de deux ou plusieurs unités antérieurement indépendantes en une seule unité plus large dotée d'un certain type de gouvernement commun » (*Political community and North Atlantic area,* Princeton, 1957, p. 6). La seconde laisse subsister l'indépendance des unités de base. Pour nous, seule la première forme d'intégration constitue une véritable intégration. La seconde manifeste un phénomène de coopération, qui peut être à l'origine d'un processus d'intégration mais qui n'en fait pas nécessairement partie.

SECTION II

LA DYNAMIQUE DE L'INTEGRATION

La dynamique de l'intégration a surtout été étudiée à propos de la constitution des Etats de type fédéral. Il s'agit de la forme la plus élaborée d'intégration qui aboutit à créer un pouvoir politique central tout en laissant subsister au profit des unités fédérées une autonomie plus ou moins large. Les constitutionnalistes et les juristes internationalistes étudient ce phénomène dans son aspect achevé (l'intégration-situation). Ils se préoccupent peu d'expliquer comment un tel résultat a pu être obtenu.

§ 1. — LES THEORIES : KARL DEUTSCH ET J. BARREA

En prenant un certain nombre de cas, choisis dans l'histoire ou l'actualité, Karl Deutsch et son équipe ont tenté de donner une explication générale du phénomène d'intégration politique. De même, Jean Barrea a consacré un ouvrage à « l'intégration politique externe » en se fondant sur les expériences des E.U.A., du Canada, de l'Australie et de l'Union sud-africaine.

Une idée intéressante exprimée par Karl Deutsch est qu'il n'y a pas une séquence chronologique typique du processus d'intégration, une sorte de modèle, qui permettrait de découper dans le temps un certain nombre de phases qui se succéderaient nécessairement les unes aux autres. Usant d'une comparaison mécanique, dont sont friands les socio-politologues américains, K. Deutsch voit plutôt le processus d'intégration comme une chaîne d'assemblage, dont l'articulation varie selon les situations concrètes. Peu importe le moment auquel le moteur est fixé au châssis. L'essentiel est que le produit envisagé comprenne tous les ingrédients nécessaires à sa fabrication.

La comparaison est intéressante, mais son mécanisme tendrait à faire croire qu'une fois la chaîne d'assemblage constituée on aboutira automatiquement au résultat recherché. En fait, l'évolution est rarement linéaire (cf. *Introduction*). Il y a souvent des retours en arrière, des piétinements, des déviations qui nous éloignent de l'image de la chaîne d'assemblage (voir les tentatives avortées d'unification des Etats arabes).

Ce qui est exact, c'est qu'un processus d'intégration ne peut se manifester que s'il existe un certain nombre de conditions favorables.

Karl Deutsch met naturellement en avant l'existence de valeurs politiques communes et les facteurs psychologiques, notamment une connaissance réciproque des partenaires qui permette de prévoir les attitudes et les réations. Il mentionne aussi la nécessité d'avantages pour la majorité et l'intensification des échanges et des communications de marchandises, de personnes et d'idées. On retrouve cette approche dans l'ouvrage publié sous la direction de Jacob et James Toscano (*The integration of political communities.* Lippincott, 1964) qui énumèrent dix conditions nécessaires à l'apparition d'un processus d'intégration.

Une autre idée intéressante, développée par Barréa est le rôle de meneur de jeu joué par un noyau politique constitué par un ou plusieurs Etats-pilotes autour desquels s'agglomèrent les autres Etats. A partir des cas étudiés, Corréa conclut à l'existence d'une « tendance générale » de l'intégration à se développer autour d'un « core area » constitué par un Etat plus puissant que les autres. Ses conclusions sont résumées dans le tableau de la page 502.

Inversement, en ce qui concerne l'attitude politique des petits Etats, Barréa ne relève aucune tendance générale, mais des attitudes variables selon les circonstances, tantôt une méfiance ou une hostilité déclarée, tantôt une attitude favorable. En fait, l'intégration se développe en dépit des oppositions, qui finissent généralement par s'estomper. Aux clivages nationaux se substituent des clivages qui ne doivent

Tableau récapitulatif (*)

Le développement de l'intégration politique externe autour d'un « core area » constitué par un puissant Etat.

	A. *Avant la fédération*	B. *A la convention nationale*	C. *Après la fédération*
I. Etats-Unis d'Amérique : « Core area » : Virginie			
	A. Proposent la Confédération; ratifient les premiers les « Articles »; demandent un renforcement des pouvoirs du Congrès; proposent une Convention nationale.	B. La constitution fédérale américaine (1787).	C. Les premiers Présidents (Washington, ..., Jefferson, Madison, Monroe).
« Core area » :			
Virginie :	↑ Les Virginiens.	↑ Projet virginien de constitution.	↑ Les Virginiens.
II. Canada : « Core area » : ancienne province du Canada.			
	A. Plan de fédération de Galt dans le programme gouvernemental. Coalition gouvernementale de 1864 autour du projet de fédération.	B. « Quebec Scheme » et « British North America Act » (1867).	C. Les premiers Premiers ministres (Macdonald, Mackenzie, Macdonald, Abbott, ..., Bowell, ..., Laurier).
« Core area » :			
Canada :	↑ Les Canadiens.	↑ Propositions canadiennes.	↑ Les Canadiens.
III. Australie : « Core aera » : Victoria.			
	A. Duffy : « Select Committee »; Service : « Federal Council »; A.N.A. : seconde Convention nationale.	B. Approuvent la constitution fédérale par la plus forte majorité.	C. Les premiers Premiers ministres (Barton, Deakin, Watson, Reid - Mc Lean, Deakin, ..., Deakin).
« Core area » :			
Virginie :	↑ Les Victoriens.	↑ Les Victoriens.	↑ Le Victorien Deakin et les Nouveaux-Gallois du Sud.
IV. Afrique du Sud : « Core area » : Transvaal.			
	A. Propose les « Closer Union Resolutions » ou la Convention nationale.	B. Constitution sud - africaine.	C. Les premiers Premiers ministres (Botha, Smuts, ...,Hertzog-Smuts, Smuts).
« Core area » :			
Transvaal :	↑ Smuts	↑ Smuts : « Suggested Scheme for South African Union » et « Draft of Constitution ».	↑ Les « Transvaalers ».

Conclusion : *une tendance générale* de l'intégration politique externe à se développer autour d'un « core area » constitué par un puissant Etat.

(*) Ce tableau récapitulatif ne peut remplacer les développements dont il tente de présenter une synthèse et sans lesquels il est difficilement compréhensible.

plus rien aux frontières antérieures. Il se produit une sorte de « nationalisation » du milieu humain, attestée par l'apparition d'une conscience nationale et le renforcement de la cohésion sociale.

Enfin, au plan des moyens, Deutsch et Barréa relèvent une tendance à l'élitisme en ce sens que le projet d'intégration est généralement l'œuvre de quelques hommes, intellectuels et personnalités politiques. En Afrique du Sud l'opinion publique de l'Etat-Pilote (le Transvaal) réclamait si peu l'unification politique que Jan Smuts ne se risqua pas à soumettre au référendum le projet de constitution. Cependant, en Australie, les dirigeants politiques furent soutenus par des organisations populaires. En outre, Correa relève que l'intégration se développe généralement dans une atmosphère d'entente entre la plupart des partis politiques. Ce pluralisme permet de franchir plus facilement le cap difficile des débuts de l'intégration.

Cette analyse réalisée à partir de quelques cas choisis dans l'histoire contient quelques éléments de vérité. Cependant, elle ne souligne pas suffisamment les causes du passage du morcellement à l'unité. En fait, l'apparition de nouvelles structures communes à deux ou plusieurs Etats ne peut être expliquée en s'en tenant uniquement au niveau des idées ou des causes purement politiques. Il faut tenir compte de la nature des formations sociales concernées et des rapports qu'elles entretiennent avec l'extérieur. Le processus de constitution des E.U.A. permettra de comprendre le sens de cette observation.

§ 2. — L'EXPLICATION PAR L'EVOLUTION ET LES RAPPORTS DES FORMATIONS SOCIALES

Dans un premier temps, le statut juridique des colonies anglaises d'Amérique avait conduit à un développement économique séparé de chacune de ces 13 colonies. La volonté de la métropole d'entraver leur développement industriel, commercial et même agricole fut à l'origine de la sécession qui se manifesta en 1776. La guerre d'indépendance fut en fait une révolution bourgeoise de décolonisation, en ce sens que la classe dominante eut pour objectif de détruire le système colonial qui entravait le développement. Pour le reste, il faut bien reconnaître qu'en particulier les problèmes sociaux, et parmi eux le problème important de l'esclavage sur lequel reposait la prospérité de l'économie agricole du sud des Etats-Unis, ne furent pas résolus.

L'indépendance conquise, tous les liens ne furent pas rompus entre les 13 anciennes colonies anglaises d'Amérique, bien que les intérêts distincts de ces différentes colonies les eussent conduites à revendiquer chacune pour son propre compte la souveraineté. Il y avait en fait deux tendances contradictoires : l'une qui poussait vers la désintégration totale et qui débouchait sur la création de 13 Etats souverains et indépendants ; l'autre qui visait à maintenir entre ces Etats des liens, extrêmement lâches d'ailleurs, pour des raisons de sécurité, car ces jeunes Etats sentaient que leur existence était menacée. Cette seconde tendance conduisit à la création d'une forme d'union politique qui représente le degré le plus faible d'intégration, c'est-à-dire la confédération d'Etats, qui voyait son domaine limité à deux sortes d'affaires : d'une part, la défense commune contre d'éventuels ennemis extérieurs et d'autre part, les relations extérieures ; pour tout le reste, selon les termes mêmes des statuts de la confédération, chaque Etat confédéré conservait « sa souveraineté, sa liberté, son indépendance ».

Cette première phase de l'évolution, qui avait conduit de la sécession à l'adoption d'une forme très atténuée d'intégration politique, fut suivie d'une évolution vers une forme plus parfaite, celle de l'Etat fédéral. Les raisons économiques furent, semble-t-il, déterminantes. En effet, la formule de la confédération d'Etats fut considérée comme un obstacle au développement économique des nouveaux Etats. Comme le souligne J. Barréa, « le souci de la santé des relations commerciales entre les Etats de la Confédération, ou celui de la prospérité économique par le canal de la régulation des relations commerciales, déboucha aussi facilement sur le terrain proprement politique parce que les hommes politiques de l'époque voyaient dans la formation d'un gouvernement fédéral le meilleur remède aux problèmes économiques du moment ». Ces motivations économiques expliquent d'ailleurs certaines des caractéristiques de la constitution du nouvel Etat fédéral. Ainsi la Constitution des E.U.A. réserve à l'Etat fédéral le monopole de la réglementation des relations économiques entre les Etats fédérés.

De même, comme le souligne encore Barréa, le fait que des troubles sociaux secouaient certains Etats du nord de la Confédération conduisit à faire de la propriété privée une « valeur » caractéristique de la société américaine, un principe sacro-saint, un article fondamental du credo politique américain et, pour tout dire, le fondement même de la liberté. C'est, en effet, devant la menace d'une révolution sociale dirigée contre le principe même de la propriété privée — révolution sociale à l'origine de laquelle on trouve en particulier des paysans endettés — que le mouvement vers l'union politique reprit son souffle, sous l'impulsion des leaders politiques et des grands propriétaires fonciers qui voyaient dans la mise en place d'un gouvernement central la formule la plus apte à écarter les dangers qui menaçaient la propriété privée. En fait, à la Convention de Philadelphie, qui aboutit à l'adoption de la Constitution de l'Etat fédéral américain en 1787, tous les délégués de toutes les colonies représentaient, indirectement ou directement, les intérêts de la grande propriété.

Il faudrait ajouter que le rôle moteur fut joué par l'Etat dans lequel le droit de propriété avait l'importance la plus grande, c'est-à-dire la Virginie qui, à l'époque, était le plus riche, grâce à ses immenses plantations de tabac. Cet Etat fut d'ailleurs le premier historiquement à se doter d'un « Bill of Rights » qui, par la suite, fut imité par les autres colonies révoltées contre la mère Patrie et qui inspira la Déclaration des Droits de l'Etat fédéral. C'est également cet Etat de Virginie qui, de façon assez curieuse, donna aux Etats-Unis ses grands hommes politiques : Washington, Jefferson, Madison, etc.

Si l'analyse faite par Deutsch et Barréa du processus d'intégration présente, sous réserve de quelques corrections, un certain intérêt, il

Progression	Suppression des droits de douane et quotas	Tarif extérieur commun	Libre circulation des facteurs de production	Harmonisation des politiques économiques	Unification politique et institutionnelle
Zone de libre échange.	×				
Union douanière.	×	×			
Marché commun.	×	×	×		
Union économique.	×	×	×	×	
Intégration économique totale.	×	×	×	×	×

faut cependant souligner qu'elle ne concerne que l'intégration politique. Or, nous l'avons dit, il y a d'autres formes d'intégration notamment l'intégration économique recherchée comme un préalable à l'intégration politique.

Bela Belassa, dans un ouvrage intitulé *The theory of economic integration,* a élaboré un schéma qui indique une progression continue vers l'intégration économique (voir le tableau de la page 505).

Exprimé en courbe, ce tableau montrerait qu'il y a une progression constante en fonction des mesures décidées. C'est précisément cet aspect qui est le plus contestable. En fait, la pratique montre que les éléments indiqués par Belassa ne se présentent pas toujours dans l'ordre indiqué. Ainsi, dans la Communauté économique européenne la libre circulation a été décidée avant la suppression des droits de douanes.

En second lieu, les catégories mentionnées par B. Belassa demanderaient à être précisées. Que faut-il entendre par marché commun par exemple ? La notion utilisée par B. Belassa est loin de correspondre à la pratique. En fait, ce qu'il est convenu d'appeler marché commun européen est plus que le marché commun de Belassa et moins que l'intégration économique totale.

Enfin et surtout, l'ouvrage de Belassa ne donne aucune explication du processus, du passage d'une phase à une autre. Il ne fait que constater l'existence de différents degrés dans la progression vers l'intégration. Encore laisse-t-il de côté certains indicateurs sur lesquels Nye a appelé l'attention, tels que le volume des échanges à l'intérieur du groupement d'Etats par rapport au commerce mondial et l'existence de services publics communs.

Au niveau de l'explication, il faudrait distinguer les conditions qui rendent objectivement possible la mise en marche du processus d'intégration et les causes qui font que la chiquenaude initiale est donnée et la pression maintenue, malgré les oppositions, pour aboutir à l'objectif final. En fait, la plupart des études confondent ces deux sortes de problèmes. Comme en matière d'intégration politique, la recherche des causes ne peut faire abstraction de la nature des formations sociales, de leurs rapports réciproques et de leur position par rapport au monde extérieur. Cette analyse fait toujours apparaître un jeu de contradictions qui permet d'expliquer l'action entreprise en faveur de l'intégration comme les résistances qui se manifestent et qui entravent ou retardent l'évolution. A travers une analyse de ce genre, on peut aussi se prononcer sur la question de savoir si telle expérience va ou non dans le sens du progrès car il n'est pas évident, à priori, que l'intégration économique (ou politique) soit nécessairement progressiste. Il ne faut pas confondre, à cet égard, la croissance économique, qui peut être effectivement favorisée par l'intégration, et le développement, qui suppose que les résultats de cette croissance bénéficient à l'ensemble des populations concernées.

BIBLIOGRAPHIE

L'intégration a surtout été étudiée en France sous l'aspect de l'intégration politique, plus précisément du fédéralisme, auquel les ouvrages de Droit international consacrent des développements purement juridiques. D'un point de vue général, consulter l'ouvrage collectif : *Le fédéralisme,* P.U.F., 1956 (pensée politique et techniques juridiques), et Ch. REUTER, « Confédération et fédération. Vetera et nova », *Mélanges Ch. Rousseau,* Pedone, 1974.

Sur les aspects théoriques, voir l'article de GALTUNG dans le *Journal of peace research,* 1968, n° 4, et HOFFMANN, « Vers l'étude systématique des mouvements d'intégration internationale », *Rev. française Science politique,* 1959, n° 2.

Sur les aspects sociologiques de l'intégration politique, voir BARRÉA, *L'intégration politique externe,* Editions Nauwelaerts, Louvain, 1969, et DEUTSCH, *Political community and the north atlantic area,* Princeton, 1957.

Voir aussi les ouvrages d'ETZIONI (*Political unification,* Londres, 1965), HAAS (*The unification of Europe,* Londres, 1958 et *Beyond the Nation-State,* Stanford, 1964).

Sur la théorie de l'intégration économique, voir :

— B. BALASSA, *The theory of economic integration,* Allen and Unwin, Londres, 1964, et les manuels d'économie politique.

— Divers, *Les aspects juridiques de l'intégration économique,* Leiden, 1971.

SECTION III

LES EXPERIENCES CONTEMPORAINES

Les expériences contemporaines d'intégration sont, en fait, peu nombreuses. Les études de Deutsch et de Barréa se réfèrent à des expériences anciennes, consacrées par le temps. Nous les laisserons de côté pour retenir les expériences récentes.

Dans le domaine politique, ce qui frappe ce sont les échecs, particulièrement dans le cas du Tiers Monde, dont les Etats ont parfois cherché à lutter contre la balkanisation en s'unissant dans le cadre de fédérations.

Dans le domaine économique, le seul cas de processus d'intégration véritable est celui de l'Europe des Neuf. Le cas du C.A.E.M. (Comecon) est plus discutable.

§ 1. — L'INTEGRATION POLITIQUE. LE CAS DE L'AFRIQUE : UN ECHEC

Sur le plan de l'idéologie, il n'est pas douteux qu'il s'est développé en Afrique, depuis la deuxième moitié du XIXe siècle et surtout depuis la première guerre mondiale, un courant de pensée favorable à l'unité. En fait, il vaudrait mieux parler, au pluriel, de courants de pensée divers, voire opposés. Notre propos n'est pas d'exposer le contenu de cette idéologie, mais de voir sur quoi elle a débouché.

A. — L'ORGANISATION DE L'UNITÉ AFRICAINE (O.U.A.)

A l'échelle du continent, le docteur Kwame Nkrumah s'était fait le champion des Etats-Unis d'Afrique, conçus comme une union de type fédéral. Finalement cette conception fut repoussée à Addis-Abéba et la Charte de l'O.U.A. (1963) met l'accent sur l'entière souveraineté des Etats et sur l'idée de coopération. Cependant, l'O.U.A. aurait pu avoir une valeur éducative, être un cadre institutionnel permettant aux Etats souverains d'apprendre à vivre ensemble, à resserrer les liens de solidarité de sorte qu'un progrès dans la voie de l'intégration politique n'était pas exclu a priori.

C'était, semble-t-il, la conception algérienne. Telle qu'elle fut constituées à Addis-Abéba, l'O.U.A. fut considérée par les Algériens, non seulement comme un symbole de l'unité africaine, mais comme porteuse d'un mythe puissant que les Etats progressistes auraient pu utiliser pour stimuler les autres Etats et les amener à adopter une politique plus radicale.

C'est aussi ce que pensait le docteur Nkrumah qui, dès 1964, avait repris son idée de créer un gouvernement panafricain. Mais son projet fut renvoyé aux commissions compétentes de l'O.U.A., ce qui était une façon de l'enterrer. L'année suivante, le docteur Nkrumah s'efforca d'entamer l'hostilité de la majorité en proposant une solution moins révolutionnaire : création d'un conseil exécutif, chargé de prendre des initiatives politiques et de faire des recommandations à la conférence des chefs d'Etat et de gouvernement, et d'un Président de l'Union. Ce projet n'obtint que 18 voix. L'élimination du docteur Nkrumah de la scène politique, en 1966, mit un point final à ces tentatives d'intégration politique.

Non seulement, tout progrès vers l'unité a été bloqué en raison de l'hostilité de la majorité des chefs d'Etat à l'idée même d'intégration politique, mais on peut même dire qu'il y a eu une certaine régression dans la mesure où les Etats, utilisant à cet effet l'O.U.A., ont renforcé leur souveraineté et dans la mesure où l'O.U.A. s'est vue opposer des organisations sous-régionales rivales. C'est le « paradoxe de l'O.U.A. » constaté par Bechir Ben Yahmed. « Les fruits n'ont pas tenu les promesses des fleurs. En 1963, l'Afrique était plus faible, mais elle vibrait. En 1972, ce qui s'est renforcé ce sont les Etats, au détriment de toute autre idée vivante. Il y a un squelette qui s'est durci. Mais où est la chair ? Où est la moelle ? » (1).

Le renforcement de la souveraineté des Etats s'est manifesté, par exemple, sous la forme de la résistance des Etats au changement politique. Déjà en 1963, les rédacteurs de la charte, impressionnés par l'assassinat de Sylvanus Olympio, Président de la République du Togo, avaient condamné sans réserve « l'assassinat politique ainsi que des activités subversives exercées par des Etats voisins ou tous autres Etats » (art. 3). Par la suite, les chefs d'Etat n'ont pas manqué de tirer parti de cette disposition en développant, en 1965, dans une résolution votée par la Conférence des chefs d'Etat, une véritable doctrine de la non-subversion. Certes il est légitime, et d'ailleurs conforme à la Charte de l'O.N.U., de condamner les ingérences étrangères dans les affaires intérieures des Etats africains. Mais il est abusif d'imputer uniquement à des causes extérieures les difficultés des gouvernants. En fait, sous le couvert de la condamnation de la subversion, les chefs d'Etat ont tendance à transformer l'O.U.A. en une sorte de Sainte-Alliance, destinée à assurer leur défense commune contre toute tentative de renversement de l'ordre établi. Ils n'ont cependant pas été jusqu'à créer un organisme comparable à l'« emergency committee » qui existe dans le cadre de l'organisation des Etats américains.

(1) *Jeune Afrique,* 17 juin 1972.

De même, l'O.U.A. n'a pu empêcher le développement des micro-nationalismes qui consolident les Etats africains dans leurs structures actuelles.

Sur le plan du Droit, aucune mesure d'importance n'a été prise en vue, sinon de fusionner, du moins de rapprocher et d'harmoniser les systèmes juridiques existants. On aurait cependant pu concevoir que, dans un certain nombre de domaines, l'O.U.A. prenne l'initiative d'élaborer et de proposer à l'acceptation des Etats des sortes de conventions-cadres posant des principes communs. En fait, en dehors du problème des réfugiés, qui a fait l'objet d'une convention, rien n'a été fait sur ce plan et les droits nationaux se développant en ordre dispersé, chaque Etat ne tenant compte que de ses propres intérêts.

Ainsi, dans le domaine des transports aériens, une conférence réunie par l'O.A.C.I. et la Commission de l'O.N.U. pour l'Afrique, en 1964, s'étaient prononcées pour une planification au niveau continental et pour la création dans le cadre de l'O.U.A. d'une commission composée par les ministres responsables. Ce projet n'eut pas de suite.

Bien au contraire, les organismes régionaux créés pendant la période coloniale se sont parfois désintégrés pour donner place à des sociétés nationales. Ainsi, la « West african airways corporation », filiale de la B.O.A.C., la « Central african airways corporation », l'« East African airways » ont été dissoutes. De même, en 1971, le Cameroun, en 1972, le Tchad et, en 1976, le Gabon, ont annoncé leur retrait de la Compagnie Air-Afrique.

Dans le domaine des Droits de l'Homme, la suggestion faite par les juristes d'adopter une convention analogue à la convention européenne des droits de l'Homme n'a pas trouvé d'écho à l'O.U.A. et pour cause !

Sur le plan politique, l'existence d'ethnies divisées par des frontières artificielles aurait dû conduire à un rapprochement d'Etats voisins, proches par la culture (langue, coutumes, etc.). En fait, une telle situation a plutôt suscité des affrontements.

Ainsi, le Congo (Brazzaville) et le Zaïre ont des populations parentes, ce qui aurait motivé une union étroite des deux Etats. En fait, leurs relations ont été caractérisées par des tensions périodiques, dont les populations congolaises ont fait les frais.

Un autre exemple de ce genre concerne les relations entre le Togo et le Ghana. Ici encore, l'existence d'une ethnie, les Ewés, partagée par la frontière, aurait pu susciter un rapprochement entre les deux Etats. Effectivement, après l'accession du Ghana à l'indépendance, un projet de fédération fut envisagé : il n'eut pas de suite. Jusqu'à l'élimination du docteur Nkrumah, les relations entre le Ghana et le Togo furent franchement mauvaises. En 1962, on parlait même de guerre et les troupes françaises stationnées à Dakar furent mises en état d'alerte. L'instauration de régimes militaires (en 1966 au Ghana, en 1967 au Togo) a permis d'améliorer la situation, mais on n'a pas été jusqu'à reparler de fédération.

Non seulement l'existence d'ethnies communes ne conduit pas au rapprochement des Etats, mais encore on peut observer des manifestations de chauvinisme à l'égard des Africains étrangers au pays où ils résident. En dehors des manifestations d'hostilité des Ivoiriens à l'égard des Dahoméens et des Togolais en 1958 et de la menace formulée par le gouvernement ivoirien en 1959 d'expulser les Voltaïques si la Haute-Volta adhérait à la Fédération du Mali, on peut rappeler l'attitude du gouvernement ghanéen à l'égard des Africains ressortissants d'autres Etats, établis sur son territoire. En décembre 1969, il y avait au Ghana, selon certaines estimations, 3 millions d'étrangers (2 millions selon d'autres) employés dans l'agriculture ou réfugiés politiques. Au début de 1970, un million d'Africains furent expulsés du Ghana. « Que devient l'unité africaine ? » écrivait un rédacteur de la revue *Africasia* (6 janvier-février 1970).

Affaiblie par le renforcement de la souveraineté des Etats, l'O.U.A. a encore perdu une partie de ses possibilités d'action en raison de la création d'organisations sous-régionales rivales.

Avant la conférence d'Addis-Abéba, les Etats de tradition française avaient cherché à s'unir et avaient effectivement créé une organisation sous-régionale : l'Union Africaine et Malgache. A Addis-Abéba, un courant favorable à la dissolution des unions sous-régionales et à leur intégration à l'O.U.A. se manifesta. Cette tendance allait dans le sens des efforts faits par les gouvernants africains (ou certains d'entre eux) pour mettre fin aux divisions politiques et renforcer ainsi la position de l'Afrique dans le monde. L'unité exigerait impérativement que l'O.U.A. fût la seule autorité reconnue. L'Union des Etats africains et le groupe de Casablanca furent dissous dès 1963 et, en mars 1964, les Etats de l'U.A.M. décidèrent à leur tour de limiter leur coopération aux problèmes techniques dans le cadre de l'U.A.M.C.E. Ainsi, l'O.U.A. demeurait la seule organisation politique en Afrique et pour l'Afrique. Cette période d'euphorie ne dura guère. L'affaire du Congo fit réapparaître l'opposition des deux blocs : « modérés » et « progressistes ». En 1965, l'U.A.M. fut ressuscitée sous le nom d'O.C.A.M. Le Président

Sékou-Touré y vit « le fruit d'une nouvelle mystification forgée pour saper les bases de l'unité africaine et pour retarder, au profit de l'impérialisme, l'évolution de l'Afrique ». Cette opinion est partagée par I. Wallerstein (*op. cit.*) pour lequel « L'U.A.M./O.C.A.M. a été une organisation politique défensive sur le continent africain, destinée à contenir le Mouvement pour l'unité africaine et à miner son potentiel révolutionnaire. »

Il est donc abusif de parler de « *système régional africain* ». Pour autant, il ne faut pas non plus aller jusqu'à dire que l'existence de l'O.U.A. est dénuée de signification. Elle joue un rôle non négligeable comme institution de coopération. Elle contribue notamment à la libération des pays colonisés et à l'instauration d'un nouvel ordre mondial. Elle permet également un rapprochement des Etats Arabes et des autres Etats Africains. Mais il s'agit de coopération et non plus d'intégration.

B. — Les échecs d'intégration sous-régionale

Si l'intégration politique à l'échelle continentale apparaît de plus en plus hypothétique, elle ne se porte pas mieux à l'échelle sous-régionale. D'une part, les expériences d'intégration qui ont été tentées sous la forme de fédérations ont échoué. D'autre part, les projets de regroupement politique qui ont été envisagés à différents moments n'ont généralement pas abouti.

Le premier aspect du problème a été largement abordé dans notre ouvrage consacré à « l'Etat africain », auquel nous renvoyons. Pour différentes raisons, intérieures et extérieures, *les expériences fédérales,* destinées à réaliser l'intégration politique de deux ou plusieurs Etats ou pays ont échoué. Au Cameroun, la formule de l'Etat fédéral a été abandonnée en 1972 au bénéfice de celle de l'Etat unitaire, le Cameroun devenant la République unie du Cameroun, ce qui rappelle la dénomination (République unie de Tanzanie) adoptée par le Tanganyika après sa réunion avec Zanzibar. Inversement, le Mali a éclaté en deux Etats souverains : Sénégal et Mali.

Bien que des obstacles se dressent sur la voie de l'Union, l'intégration politique externe continue d'être recherchée. Malheureusement, les échecs sont plus nombreux que les réussites.

L'exemple de la *Sénégambie* est typique. Tout devrait favoriser l'union du Sénégal et de la Gambie. Cette dernière est un non-sens géographique, un fruit monstrueux de la colonisation. Ses frontières partagent artificiellement des populations parentes et n'englobent qu'une partie du bassin naturel de la rivière « Gambie ». Cette situation anormale, fut d'ailleurs reconnue par les colonisateurs qui tentèrent, sans y parvenir, d'y mettre fin d'un commun accord. Devenu indépendant, le Sénégal s'efforca de trouver une solution mutuellement avantageuse aux deux pays. Dès 1961, une commission interministérielle fut créée. En 1964, l'O.N.U. fit un rapport sur les aspects politiques, économiques et financiers d'une éventuelle union et examina les solutions possibles : fusion, fédération, coopération entre Etats souverains. En fait, les deux première solutions furent écartées, la première parce que la Gambie exige de conserver une certaine autonomie, la seconde parce que le Sénégal souhaite, au contraire, une intégration politique aussi large que possible. Entre ces deux positions contradictoires, la solution de la coopération offrait un compromis. En 1964, les accords de coopération en matière militaire, en matière diplomatique et en matière économique (aménagement de la rivière Gambie) ont été conclus. En 1967, un traité d'association a été signé, mais il ne va pas au-delà d'une simple coopération. Malgré la multiplication des accords de coopération, le rapprochement des deux Etats se heurte à de nombreuses difficultés, culminant en 1971 à un affrontement armé, dont l'O.N.U. fut saisie. L'auteur d'un mémoire de doctorat consacré au problème de la Sénégambie (Khouraichi Thiam) conclut que « l'intégration s'avère difficile, voire impossible... Il ne reste aux dirigeants du Sénégal qu'une solution, qui est de courage (sic) : l'invasion de la Gambie. » La Gambie annexée deviendrait ainsi la huitième région du Sénégal. Il fallait y penser...

Le cas du *Maghreb* est également intéressant. L'idée d'unité maghrébine n'a pas cessé de cheminer depuis la deuxième guerre mondiale. En 1956, puis en 1958, on avait même envisagé de créer une fédération nord-africaine. Bien que tous les projets d'intégration politique aient échoué, les constitutions des trois Etats d'Afrique du Nord continuent de proclamer avec une belle unanimité que chaque Etat constitue une partie du grand Maghreb. Mais jusqu'ici aucun Etat n'a consenti à faire abandon d'une quelconque parcelle de sa souveraineté. Ici encore, la voie suivie est celle d'une difficile coopération dans différents domaines. Mais quels que soient ses résultats, cette coopération n'arrive pas à déboucher sur le plan politique, c'est-à-dire à amorcer un début d'intégration. Il est significatif que la conclusion de neuf accords de coopération entre l'Algérie et la Libye à la fin de 1969 n'avait pas empêché la Libye de préférer le Machrek au Maghreb, ce qui démentait l'optimisme de certains observateurs qui voyaient dans ces accords une « relance du Maghreb ».

En 1971 fut, en effet, créée une fédération groupant l'Egypte, le Soudan, la Syrie et la Libye. L'objectif était d'amorcer la résurrection de la nation arabe dont l'*Union des Républiques arabes* se déclarait partie intégrante (préambule et art. 3 de la Constitution). La formule adoptée était de type fédéral.

La Libye, dont l'idéologie affirme la nécessité de l'Union arabe, avait cependant voulu aller plus loin. La déclaration de Benghazi du 2 août 1972 avait annoncé la fusion de l'Egypte et de la Libye. Le nouvel Etat devait voir le jour au plus tard le 1er septembre 1973. Derrière cette fusion, il y avait la préoccupation de lutter contre l'impérialisme et le sionisme en tirant parti du prestige égyptien et des ressources pétrolières de la Libye. Les divergences survenues entre les deux Etats ont mis un terme à ce projet, ce qui a conduit le versatile chef d'Etat libyen à se tourner vers la Tunisie, sans plus de succès, puis, de nouveau, vers l'Algérie.

Malgré les échecs et les difficultés, on peut se demander si les vraies solutions ne sont pas à l'échelle continentale. Ainsi que le soulignait F. Fanon, peu avant sa mort, l'Afrique doit comprendre « qu'il ne lui est plus possible d'avancer par régions : que, comme un grand corps qui refuse toute humiliation, il lui faudra avancer en totalité (*Pour la révolution Africaine,* Maspero, 1964, p. 219). C'est aussi le message laissé par Nkrumah dans un de ses derniers ouvrages (*Class struggle in Africa,* 1970). Pour lui, la libération du continent africain est inséparable de son unification. En même temps, « l'unification politique de l'Afrique et le socialisme sont synonymes. L'une ne peut être réalisée sans l'autre. » Or, l'évolution actuelle vers le sous-régionalisme consolide la division de l'Afrique en cristallisant les positions. Elle contribue à reculer dans un avenir lointain l'unification de l'Afrique, ce qui est conforme aux intérêts objectifs des puissances dominantes.

BIBLIOGRAPHIE

Sur le panafricanisme, voir le *Que sais-je ?* de Ph. Decraene.

Sur les organisations interafricaines, voir :

P. F. Gonidec, *L'Etat africain,* L.G.D.J., 2e éd., 1978.

Les systèmes politiques africains, L.G.D.J., 2e éd., 1977.

I. Wallerstein, *Africa. The politics of unity.* Pollmallyers, Londres, 1968.

B. BOUTROS-GHALI, *Le système régional africain.* Communication au colloque de la S.F.D.I., Bordeaux, 1976.

F. CONSTANTIN, Régionalisme international et pouvoirs africains. *Rev. Fr. de Sc. Po.,* février 1976.

Ed. JOUVE, L'O.U.A. et la libération de l'Afrique, *An. du Tiers Monde,* 1975, Berger-Levrault, Paris, 1976, p. 149 et s. (bibliographie).

KOUNTCHOU, ouvrage cité p.

Sur l'intégration économique dans les régions du Tiers Monde, voir les publications de l'O.N.U. : *Coopération et intégration économique entre pays en développement,* 2 vols, mai 1976, et le *Recueil des principaux instruments juridiques,* 5 vols, 1976.

§ 2. — UN PAS VERS L'INTEGRATION. LES COMMUNAUTES EUROPEENNES

Les communautés européennes (C.E.C.A., C.E.E., Euratom) ne sont qu'un des aspects de la construction de l'Europe, dont l'idée n'a cessé de se manifester, sous différentes formes, depuis le début des temps modernes. L'autre aspect est celui de l'Europe de la coopération, soit à l'échelle de diverses organisations (Union de l'Europe occidentale, Conseil de l'Europe notamment), soit sur le plan bilatéral. Notre propos n'est pas de décrire les mécanismes communautaires. Il est de voir dans quelle mesure les Communautés conduisent l'Europe sur la voie de l'intégration et qu'elle est la signification de cette intégration.

A. — LE PROCESSUS D'INTÉGRATION : LA POLITIQUE DES PETITS PAS. RÉSISTANCES ET CONTRADICTIONS

Les opinions les plus diverses ont été soutenues à propos de l'Europe des Neuf. Pour les uns, l'Europe piétine et n'arrive pas à s'affirmer comme une unité. L'actualité met volontiers l'accent sur les échecs et les divergences plutôt que sur les réussites et les convergences. Pour les autres au contraire, on va trop vite et trop loin. Selon les orientations politiques, ou bien l'Europe est accusée de saper la solidarité Atlantique, ou bien on soupçonne l'Europe de vouloir constituer un bloc hostile aux Etats socialistes. C'est la raison des réserves formulées par les partis communistes à l'égard des communautés européennes. Les thèses publiées par l'Institut d'économie mondiale et des relations internationales de Moscou en 1967, rappellent à cet égard l'opinion exprimée par Lénine en 1915 à propos des Etats-Unis d'Europe. Il y voyait un instrument destiné à « étouffer en commun le socialisme en Europe » et à « conserver les colonies volées ».

Pourtant les uns et les autres doivent constater la réalité de l'Europe des Neuf. Malgré ses réticences, l'U.R.S.S. a fini par s'accommoder de son existence. En mars 1972, M. Leonid Brejnev déclarait : « Nous sommes prêts à reconnaître les réalités de l'Europe occidentale. » Il est vrai qu'il ajoutait : « pourvu que l'autre côté accepte les réalités de l'Europe socialiste », ce qui met en cause la politique des Neuf. De même, les Partis communistes européens, réunis à Bruxelles en janvier 1974, se sont interrogés sur l'attitude à adopter à l'égard des Communautés. Pour sa part, le P.C.F. combat la supranationalité au nom de l'indépendance nationale et oppose l'Europe sociale, celle des travailleurs à celle des marchands, des monopoles. Le XXIIe congrès du parti a lancé le mot d'ordre « Alors que la grande bourgeoisie capitaliste fait de l'Europe occidentale une « région » de l'Empire américain, nous voulons que notre pays travaille hardiment à la construction d'une Europe démocratique, pacifique et indépendante, d'une Europe des travailleurs ».

Si on prend en considération le processus enclenché en 1951, avec la création de la C.E.C.A., on peut retenir « *l'hypothèse de l'escalier* » formulée par J. Galtung. Rétrospectivement, il y aurait une logique du développement de l'intégration européenne : extension des domaines d'intervention avec un nombre d'Etats constant, suivie d'une augmentation du nombre d'Etats-membres avec un domaine d'intervention constant, puis une nouvelle extension des domaines d'intervention avec un nombre d'Etats constant, etc. La formule serait : une seule chose à la fois, ce qui implique un certain pragmatisme qui transparaît dans les discours du Général de Gaulle. Le 5 septembre 1960, il déclarait : « Il faut procéder non pas d'après des rêves, mais suivant des réalités. » Ainsi on peut comprendre l'opposition formulée à l'égard de l'admission de la Grande-Bretagne dans la C.E.E. Bien que le Général de Gaulle ait déclaré que la Grande-Bretagne n'était pas en situation d'entrer dans le Marché commun, il faudrait peut-être lire autrement cette déclaration. La vérité est sans doute que la C.E.E. n'avait pas suffisamment approfondi et consolidé son domaine d'intervention pour être prête à accueillir la Grande-Bretagne. Il est curieux de constater que l'obstacle fut levé lorsque les Six se décidèrent à adopter une politique agricole commune. Le feu vert fut donné par la conférence au sommet de La Haye (décembre 1969).

Graphiquement, ce processus, qui fait alterner l'élargissement du domaine d'intervention de la C.E.E. et l'accroissement du nombre d'Etats-membres peut être représenté de la façon suivante :

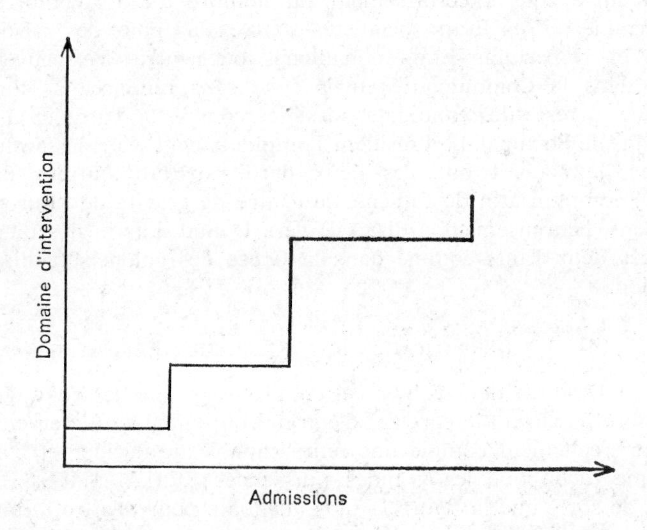

On peut prévoir que le processus ira en s'accélérant. Comme le note Galtung : « Compte tenu des fusions (1), à différents niveaux, des grandes entreprises industrielles, par exemple dans la production des automobiles et des avions, il est évident que d'autres aspects du capital doivent fusionner vers une union économique et monétaire. Si le capital fusionne, le travail doit faire de même : les syndicats de la Communauté européenne seront une conséquence évidente de la société multinationale européenne (*supra*), capables d'entreprendre des négociations communes, de déclencher des grèves communes et ainsi de suite. » Dans le secteur tertiaire, la multiplication des O.N.G. européennes est déjà visible. Selon l'annuaire des O.I., leur nombre est passé de 216 en 1962 à 275 en 1970. De même il est probable que les partis politiques s'organiseront de plus en plus à l'échelle européenne. Le « Parlement européen » est déjà organisé sur la base des groupes

(1) Entre 1961 et 1969, il y aurait eu 1 258 accords de coopération ou de fusion entre les entreprises des Etats-membres des communautés.

politiques. Il est probable que le mouvement se poursuivra en dehors des structures des Communautés et que les liens se tisseront au-delà des frontières.

D'un autre côté, l'accroissement du nombre d'Etats-membres n'est pas terminé. Si les Etats socialistes sont exclus pour des raisons évidentes et si certains Etats non-alignés ou neutres ne peuvent pas entrer dans la Communauté européenne sans renoncer à leur ligne politique, il reste des candidats possibles comme la Turquie, la Grèce, l'Espagne, le Portugal. Le Président Pompidou avait exprimé, à plusieurs reprises, le souhait que ces deux derniers Etats entrent dans le Marché commun afin de ramener le centre de gravité de l'Europe (« à mon sens, heureusement », disait-il) vers le Sud. La fin des dictatures dans ces deux Etats comme dans la Grèce des colonels facilite cette évolution.

B. — La signification de l'intégration Européenne

Le problème est de savoir si cette Europe, qui ne cesse d'augmenter le nombre des Etats intégrés et d'élargir son domaine d'intervention se présente réellement comme une unité capable de décider et d'agir de la même façon que les grandes puissances : E.U.A., U.R.S.S., Chine, Japon, de sorte que la figure la plus adéquate pour décrire l'Etat de la société internationale serait le pentagone (les cinq centres).

Galtung le pense. Pour étayer son argumentation, il distingue deux aspects : les capacités d'action dont dispose l'Europe et ce qu'il appelle le « pouvoir structurel », qui résulte de la position de la Communauté par rapport au monde extérieur.

En ce qui concerne *les capacités économiques de l'Europe* (ressources power), Galtung distingue les trois facteurs classiques : le territoire, la population et le capital en termes de P.N.B. Les statistiques utilisées concernent 10 Etats européens (y compris la Norvège qui a finalement dit « non » à la Communauté).

L'Europe des Dix (ou des Neuf) a un territoire dont la superficie est loin d'atteindre celle des E.U.A. ou de l'U.R.S.S. Mais Galtung pense que cette infériorité peut être compensée, au moins de deux façons. D'abord il y a la formule des territoires dépendants, non pas au sens juridique, mais en fait. Il s'agit des territoires des Etats associés (A.C.P. Afrique, Caraïbes, Pacifique), qui offrent à la Communauté un champ d'expansion considérable. D'autre part, il y a le plateau continental. Avec l'augmentation du nombre d'Etats-membres, « la mer du Nord deviendra un lac européen ». Plus exactement, le sol marin peut être considéré comme faisant partie du territoire de la Communauté. Selon certaines estimations, la production pétrolière en mer du Nord pourrait couvrir 60 % de la consommation des Etats de la Communauté vers la fin du siècle. En outre, il faudrait ajouter les plateaux continentaux adjacents aux possessions de ces Etats à travers le Monde (Départements et Territoires d'outre mer français par exemple). Enfin Galtung aurait pu ajouter que depuis le 1er janvier 1977, en vertu d'une décision du Conseil des ministres de la C.E.E., les Etats de la Communauté possèdent une zone économique de 200 milles marins (370 km) (*supra*, p.).

En population, l'Europe est en bonne position puisqu'elle dépasse la population de l'U.R.S.S. et celle des E.U.A.

Quand au P.N.B., il est très supérieur à celui de l'U.R.S.S., mais inférieur d'un tiers à celui des E.U.A. Bien qu'il y ait des disparités selon les secteurs, Galtung estime que, dans l'ensemble, la capacité économique est de même grandeur que celle des autres grandes puissances « plus que suffisante pour que les Dix obtiennent une position au sommet de la pyramide du pouvoir mondial, que ce sommet soit conçu comme un triangle, un rectangle, ou un pentagone ».

Mais les inégalités de *puissance militaire* ne placent-elles pas l'Europe en position d'infériorité ? Galtung ne pense pas qu'on ira vers la suppression de l'OTAN, mais que l'OTAN se transformera pour permettre à l'Europe d'acquérir une dimension militaire. Galtung veut dire que l'évolution conduira à « une intégration militaire de l'Europe occidentale avec un commandement centralisé, capable au minimum de prendre des « postures » militaires et même d'entreprendre une action indépendance des E.U. », c'est-à-dire non pas contre la volonté des E.U., mais simplement sans mettre les E.U. « dans le bain ».

Galtung pense qu'il y a un certain nombre de conditions favorables à l'apparition d'une Europe militaire malgré l'échec de la Communauté européenne de défense en 1954. Mais l'intégration militaire supposerait une centralisation beaucoup plus grande que l'intégration économique ou même politique, ce qui exigerait une transformation des structures de la Communauté. Une telle transformation peut apparaître à travers les crises qui constitueraient des menaces contre l'existence même de la Communauté. Ce genre de crises pourrait se manifester à l'intérieur de la Communauté, aux E.U., dans le Tiers Monde ou dans les Etats socialistes. Selon Galtung, la nécessité de faire face à des crises conduirait inéluctablement à l'intégration militaire.

Enfin Galtung rappelle le *potentiel culturel* de l'Europe, qui fut le centre du Monde et qui en a gardé la nostalgie. Il fait écho à W. Churchill qui déclarait dans son fameux discours de Zurich en 1946 : « Ce continent est le foyer des grandes races ancestrales de l'Occident. Il est la source de la foi et de l'éthique chrétiennes. Il est le berceau de la civilisation occidentale... Nous devons reconstruire les Etats Unis d'Europe. »

Compte tenu des capacités de l'Europe, Galtung s'interroge ensuite sur sa *position par rapport au monde extérieur*. Sa thèse est que les Etats européens ne visent pas à autre chose qu'à obtenir l'égalité avec les E.U.A. ou, inversement, à éviter la domination des E.U.A. sur l'Europe. On aboutirait par conséquent à un « partnership », à une coopération sur la base du respect de l'égalité souveraine des Etats (*supra*, p. 462). Ceci veut dire que les E.U.A. doivent renoncer à établir une division verticale du travail, impliquant qu'ils constituent le centre du système et l'Europe sa périphérie. Ceci veut dire également que les E.U.A. doivent renoncer à appliquer la vieille formule : « diviser pour régner », en jouant des contradictions et des divergences entre les Etats européens ou en les empêchant d'appliquer une politique commune lorsque les intérêts des E.U.A. sont en cause. Ceci veut dire que la pénétration doit être, non pas unilatérale ou à sens unique, mais réciproque, à double sens. Bref, l'objectif est d'amener les E.U.A. à renoncer à leur « style impérial de deuxième classe » (Galbraith) et d'admettre que l'Europe est un partenaire égal.

En revanche, dans ses rapports avec le Tiers Monde, l'Europe des Neuf manifesterait une tendance impérialiste dans la mesure où elle maintient une division verticale du travail, où elle entretient la division du Tiers Monde (Etats associés à part entière, Etats associés de seconde classe, Etats extérieurs à la Communauté) et où, enfin, la pénétration (économique et culturelle) est unilatérale.

Dans ses rapports avec les Etats européens socialistes, la C.E.E. a également manifesté une tendance à instaurer une division verticale du travail : échange de matières premières contre des produits manufacturés, transfert de techniques de l'Europe dans les Etats socialistes. En revanche, la politique développée dans le cadre du C.A.E.M. permet aux Etats socialistes de résister aux tentatives de pénétration et de fragmentation avec ce résultat que l'Europe dans sa totalité devient bi-polaire.

La conclusion de Galtung est que « un nouvel empire se forme plus grand qu'aucun autre avant lui, couvé à Bruxelles selon une formule non militaire totalement nouvelle », un empire de type capitaliste, capable de traiter d'égal à égal avec l'Empire américain.

Le tableau dressé par Galtung est peut-être forcé sur certains points et traduit une tendance excessive à se fier à la prospective. Dans ses traits généraux, il reflète cependant la situation de l'Europe des Neuf qui se présente actuellement comme une unité intégrée, même si sur un certain nombre de problème des divergences subsistent et des conflits se manifestent. Les Etats capitalistes européens, dont le déclin s'était manifesté dès l'entre-deux guerres et s'était accentué après la deuxième guerre mondiale, ont ainsi manifesté leur capacité de survivre et même de renforcer leur puissance par l'union. Le problème est maintenant de savoir si l'Europe contient en elle-même les forces nécessaires pour se transformer dans le sens du progrès et de la justice, non seulement pour ses propres ressortissants, mais aussi dans ses rapports avec l'extérieur. Galtung ne désespère pas. « Historiquement elle (la Communauté européenne) peut avoir une fonction positive : elle peut servir à unifier l'opposition, les forces progressives et les pays progressistes à la recherche de manières d'organiser la société humaine et notre planète qui se rétrécit selon une formule différente de la formule classique de la C.E.E. »

BIBLIOGRAPHIE

Sur les communautés européennes, voir :

— Les manuels pour les aspects juridiques.

— Dans la collection Marabout-Université, *Le dossier de l'Europe.*

— L'ouvrage publié sous la direction de M. Kohnstamm et W. Hager, *L'Europe avec un grand E,* R. Laffont, 1973.

— M. Hodges, *European integration. Selected readings,* Penguin Books, 1972.

— A. H. Robertson, *European institutions. Coopération. Intégration, Unification,* 3e édition, 1973, Stevens, Londres.

Les thèses de Galtung sont exposées dans son ouvrage : *A superpower in the making,* Allen and Unwin, Londres, 1973.

Sur la position de la Chine à l'égard de la C.E.E., voir : D. David, La République populaire de Chine et les « cinq centres », *An. du Tiers Monde,* 1975. Berger-Levrault. Paris, 1976, p. 223 et s.

Sur les rapports des E.U.A. et de l'Europe, voir :

— La série d'articles parus dans l'ouvrage *America and European security,* Sijthoff, 1976.

— P. Hassner, L'avenir des alliances en Europe, *Revue franç. de Science polit.,* déc. 1976.

§ 3. — LA COMMUNAUTE DES ETATS SOCIALISTES

Dans une certaine mesure les Etats capitalistes ont rendu service aux Etats socialistes d'Europe en les amenant à passer du stade de la coopération bilatérale à celui de la coopération multilatérale. Comme le reconnaît J. Caillot, la création du C.A.E.M. en 1949, a été « une réaction contre le plan Marshall et la naissance de l'O.E.C.E. » En fait, jusqu'à 1956, le Conseil s'était borné à favoriser la conclusion d'accords commerciaux bilatéraux, formule à laquelle les traités d'amitié conclus entre l'U.R.S.S. et les démocraties populaires faisaient référence. Le statut du C.A.E.M. ne fut adopté qu'en 1959, deux ans après le Traité de Rome.

A. — L'ÉVOLUTION

Cette organisation n'englobe pas l'ensemble des Etats socialistes. Il résulte en effet de la Charte de cette organisation qu'elle s'adresse uniquement aux Etats socialistes européens. En dehors des membres originaires qui, effectivement, étaient tous les Etats socialistes d'Europe, d'autres Etats peuvent y adhérer, l'article 1er de la Charte de 1959 indique que « l'admission comme membre du Conseil d'entraide économique est ouverte *aux autres pays d'Europe* qui partagent les buts et les principes du Conseil et se déclarent disposés à assumer les obligations contenues dans la Charte ». Cependant, en vertu de la Charte (art. 10), d'autres Etats peuvent sinon devenir membres de l'organisation tout au moins participer à ses travaux. Pendant un certain temps, sur la base de cette disposition, la Chine, la Corée, le Vietnam du Nord ont participé en qualité d'observateurs aux travaux du Comecon. Mais le conflit intervenu entre la Chine et l'U.R.S.S. a eu des répercussions et, à partir de 1961, ces trois Etats se sont abstenus de participer aux travaux de l'Organisation.

En 1962, la Charte de 1959 a été modifiée pour permettre l'adhésion de la Mongolie, ce qui enlevait au C.A.E.M. son caractère européen. En 1972, Cuba est devenu également membre de Comecon.

Quels sont les buts du C.A.E.M. ? Ils sont précisés par l'article 1er de la Charte de 1959, et le programme adopté en 1971. Il s'agit de « contribuer, par la voie de l'union et de la coordination des efforts des pays membres du Conseil d'entraide économique, au développement équilibré de l'économie nationale, à l'accélération du programme économique et technique dans ces pays, au relèvement du niveau de l'industrialisation des pays dotés de l'industrie la moins développée, à l'accroissement continu de la productivité du travail et à l'essor constant du bien-être des peuples des pays membres du Conseil ». Il s'agit donc bien d'une organisation dont les buts sont essentiellement d'ordre économique.

Sur quelles bases doit se développer la coopération ? Sur la base de l'internationalisme prolétarien, avec les conséquences qui résultent de ce principe. L'article 1er § 2, indique en effet que« le Conseil d'entraide économique est fondé sur les principes de l'égalité souveraine de tous les pays membres du Conseil ». « La coopération, poursuit cet article, économique, scientifique et technique des pays membres du Conseil se réalise conformément aux principes de l'égalité absolue des droits, du respect de la souveraineté et des intérêts nationaux, du profit mutuel et de l'entraide amicale. »

Ces principes établissent sans équivoque que le C.A.E.M. diffère fondamentalement de la C.E.E. ; il ne s'agit pas d'un marché commun, mais d'une O.I. économique de type classique.

En fait, jusqu'en 1962, les efforts des Etats socialistes ont été essentiellement dirigés vers l'accroissement des échanges commerciaux entre les Etats-membres de l'organisation. Sur ce plan, ces efforts ont porté leurs fruits puisque, d'après une statistique, entre 1959 et 1967, il y a eu en moyenne une augmentation de 10 % par an des échanges entre les Etats socialistes. En fait, plus de 60 % du volume total du commerce extérieur des Etats-membres est représenté par des échanges qui se développent à l'intérieur du C.A.E.M.

B. — L'IDÉE D'INTÉGRATION : SOUVERAINETÉ DES ETATS-MEMBRES ET COEXISTENCE PACIFIQUE

A partir de 1962, en réponse au développement de la C.E.E., les objectifs sont devenus beaucoup plus ambitieux : il s'agit désormais d'essayer de réaliser une coordination des plans économiques nationaux et, conformément au préambule de la Charte de 1959, une division internationale socialiste du travail dans l'intérêt de l'édification du socialisme et du communisme dans les différents Etats. A plus long terme, il s'agit d'aller beaucoup plus loin : il s'agit de réaliser une véritable intégration économique, analogue, mais non identique, à celle que l'on cherche à réaliser à l'échelle de la petite Europe. Cette idée d'intégration, après avoir été exprimée par différents hommes politiques et économistes des pays socialistes, a fait l'objet d'un développement en U.R.S.S. même, en 1968, dans la Revue Vaprosy ekonomiki (Questions d'économie).

Cependant, cette idée d'intégration a suscité de vives réactions de certains Etats, et, en particulier, de la Roumanie qui craint de voir son industrie freinée. Ceci s'est manifesté en 1963 lorsque l'U.R.S.S. a refusé de participer au financement de la construction d'une aciérie à Galati, ce qui a déterminé la Roumanie à se rapprocher des pays occidentaux pour obtenir une aide internationale.

Non seulement il y a des réactions à cette idée d'intégration, mais les conceptions qui se manifestent dans la communauté socialiste sont différentes. Selon une première conception, il s'agirait de transformer le Comecon en Marché commun (1), en assouplissant les règles rigides du commerce extérieur, qui est un monopole d'Etat dans les Etats socialistes, en supprimant les obstacles à la circulation des marchandises, des hommes et des capitaux, en développant la multilatéralisation des échanges économiques. Selon une autre conception, il s'agirait d'aller beaucoup plus loin et de réaliser une intégration des productions nationales, de façon à remplacer les structures économiques nationales par une structure économique socialiste unique : la conséquence serait évidemment des limitations de souveraineté, ce qui est contraire à la Charte de 1959 puisque le Conseil d'entraide économique est fondé sur les principes de l'égalité souveraine des Etats.

Après bien des discussions, la XXVe session du C.A.E.M. a adopté, en 1971, un « programme global d'extension et de perfectionnement de la coopération et de développement de l'intégration socialiste économique ». L'association des deux termes « coopération » et « intégration » peut paraître surprenante. En fait, le rapprochement de deux concepts théoriquement contradictoires souligne la différence essentielle entre l'expérience de l'Europe occidentale et celle des Etats socialists. Dans les deux cas l'objectif est bien l'intégration économique et, au-delà, l'intégration politique. Le chapitre I du programme souligne que déjà les Etats du C.A.E.M. constituent une « Communauté » qui s'appuie sur « une base économique de même

(1) Voir, en langue anglaise, dans la revue hongroise *Acta oeconomica* (1970, n° 3), l'article de Tibor KISS, chef de section à l'office de planification.

type », sur « le même type de régime politique » et « sur une même idéologie — le marxisme léninisme ». Parce que ces Etats font déjà partie d'une Communauté, les progrès réalisés au niveau de chaque Etat sont considérés comme indissociables du progrès de la communauté elle-même.

Si l'objectif des deux communautés est le même, les Etats socialistes entendent parvenir à l'intégration par des voies différentes. Le programme réaffirme que « l'extension et le perfectionnement de la coopération, le développement de l'intégration économique socialiste des pays membres du C.A.E.M. se poursuivront conformément aux principes de internationalisme socialiste, du respect de la souveraineté nationale, de l'indépendance et des intérêts nationaux, de la non-ingérence dans les affaires intérieures, de l'égalité totale, des avantages mutuels de l'entraide fraternelle ». A partir de ces principes, qui figuraient déjà dans la Charte de 1959, il est évident que le C.A.E.M. ne pouvait adopter les tructures de type supranational, impliquant un abandon partiel de souveraineté, comme c'est le cas dans les Communautés européennes. Très logiquement, le programme affirme que « l'intégration socialiste est fondée sur le libre consentement et ne s'accompagne point de la création d'organismes supranationaux ; elle ne s'immisce dans aucune question touchant à la planification, à l'activité financière ou comptable intérieures » (Comparer avec la définition de l'intégration donnée par le *Lexicon der Wirtschaft,* Berlin, 1962). En conséquence, les moyens envisagés pour parvenir à l'intégration sont, non pas ceux de la supranationalité, mais ceux, plus classiques, de la coopération entre Etats souverains, c'est-à-dire bi ou multilatérale, le développement des entreprises communes, les échanges d'experts, l'harmonisation et la coordination organiques des plans, etc. Le chapitre IV du programme précise en outre que « tout pays du C.A.E.M. a le droit de déclarer à tout moment son intérêt à participer à une mesure du programme global à laquelle il avait antérieurement refusé de participer pour une raison ou pour une autre ». Mais, inversement, « la non-participation par un ou plusieurs pays du C.A.E.M. à des mesures individuelles du programme global ne doit pas empêcher les pays intéressés de réaliser une coopération commune ».

Vis-à-vis du monde extérieur, le programme réaffirme la politique de coexistence pacifique et la volonté des Etats-membres du C.A.E.M. de continuer à « développer les échanges économiques, scientifiques et techniques avec les autres pays, quel que soit leur régime social ou politique » et à « élargir la coopération commerciale économique, scientifique et technique avec les pays en voie de développement ». Le C.A.E.M. n'entend donc pas enfermer les Etats socialistes sur eux-mêmes, mais les ouvrir sur l'extérieur. L'évolution du C.A.E.M. vers l'intégration peut laisser entrevoir l'établissement des relations entre cette organisation et le C.E.E., ce qui mettrait fin aux tentatives des Etats d'Europe occidentale de pratiquer la politique du « diviser pour régner ». Cette évolution a été amorcée par la déclaration de M. Brejnev du 20 mars 1972, qui prenait acte de « l'existence du groupement économique des Etats capitalistes qui est le Marché commun ». Par rapport aux prévisions de Lénine, selon lequel « les Etats-Unis d'Europe, en régime capitaliste sont ou bien impossibles ou bien réactionnaires », la première hypothèse n'a pas été vérifiée par les faits. Reste la deuxième hypothèse développée dans les *Dix-sept thèses* de l'Institut de l'économie mondiale de Moscou en 1957 et que les faits n'ont pas invalidée. Le problème est dès lors de donner au Marché commun un contenu nouveau et, en attendant, de s'accommoder de cette réalité économique et politique. Ce fut l'objet des *Trente-deux thèses sur l'intégration impérialiste en Europe occidentale* (1962). La conséquence logique de cette attitude était l'établissement des relations entre la C.E.E. et la C.A.E.M. C'est ce qui fut proposé par un professeur polonais lors d'un colloque organisé à Bruxelles, le 2 avril 1968, sur *Les Communautés et l'Europe orientale*.

C. — La nature de la Communauté des Etats socialistes : instrument du social-impérialisme ou instrument de construction d'une société égalitaire ?

Jugé sur ses résultats, le C.A.E.M., comme la Communauté européenne elle-même, a donné lieu à des appréciations divergentes. Beaucoup de commentateurs des Etats capitalistes ne sont pas loin d'approuver les critiques chinoises qui accusent l'U.R.S.S. de « social impérialisme », c'est-à-dire d'exploiter les autres Etats socialistes sous le couvert d'une organisation d'entraide.

Une plus juste appréciation doit partir de la constatation qu'il y a des différences énormes de puissance ou de capacité entre l'U.R.S.S. et les autres Etats socialistes (*supra*, p. et s.). Il faut aussi se souvenir qu'après la deuxième guerre mondiale certains Etats étaient en situation de sous-développement. En 1977, il faut reconnaître que les écarts entre les Etats-membres du C.A.E.M. n'ont sans doute pas disparu, mais qu'ils ont été réduits dans des proportions appréciables. Cette réduction des écarts est d'ailleurs l'un des objectifs de la Charte de 1959, réaffirmé par le programme global. En outre, on ne peut nier, non plus, qu'une certaine diversification des économies nationales a été obtenue. Entre 1950 et 1974, la part relative de l'industrie et des travaux de construction dans le revenu national d'Etats comme la Bulgarie, la Roumanie, la Mongolie et la Pologne est passée respectivement de 43,4 % à 61,2 % ; de 49,6 % à 66,2 % ; de 11,1 % à 30,3 % ; de 45 % à 64,2 %.

La volonté de favoriser les Etats les moins favorisés a été confirmée à la XXXe session du C.A.E.M. (juillet 1976). Les plans quinquennaux 1976 - 1980 vont dans ce sens grâce à une concertation réalisée entre les Etats-membres du C.A.E.M.

Peut-on dire, comme le font les Chinois (*Pékin Information*, 26 mai 1969), que le C.A.E.M. vise à transformer les démocraties populaires en « fournisseurs de matières premières, en marchés d'écoulement pour les marchandises et en ateliers de transformation auxiliaires » ? Ce qui est sûr, c'est que le commerce s'est surtout développé à l'intérieur du C.A.E.M. en raison de l'inconvertibilité monétaire et de la non-conformité de certains produits manufacturés aux normes occidentales. Malgré tout, les Etats socialistes sont loin de vivre en économie fermée. Les échanges se développent avec les Etats capitalistes, surtout depuis la mise en œuvre de la politique de coexistence pacifique. En outre, l'analyse de la structure des exportations et des importations montre une évolution vers un meilleur équilibre. La part des machines, équipements, moyens de transport, marchandises de large consommation, produits chimiques et engrais dans les exportations est passée de 3,7 % en 1950 à 55,3 % en 1973 pour la Bulgarie ; de 57,7 % à 74,4 % pour la Tchécoslovaquie ; de 11,6 % à 53,8 % pour la Roumanie ; de 20 % à 63 % pour la Pologne, etc...

Reste enfin l'accusation formulée contre l'U.R.S.S. de pratiquer un échange inégal en imposant des prix injustes défavorables à ses partenaires. A cet égard, il faut rappeler que les principes généraux de formation des prix sont adoptés dans le cadre du C.A.E.M., donc à l'unanimité. Pour la période 1966-1970, les Etats-membres ont retenu la moyenne mondiale 1960-1964, sauf pour quelques produits. Cette méthode permet de tenir compte des fluctuations, parfois considérables, et d'obtenir des prix stables, ce que les Etats du Tiers Monde voudraient bien obtenir. En outre, dans les relations bilatérales, les prix sont fixés par accord entre les partenaires, en tenant compte des principes généraux. Ajoutons que les économistes des Etats capitalistes sont loin d'être d'accord sur ce problème. En particulier Holtzman, refusant l'argumentation de Mendershausen, a montré qu'il n'y a pas en réalité discrimination de l'U.R.S.S. contre les démocraties populaires, mais au contraire à leur profit.

En fait, le blocage des prix pratiqué par le C.A.E.M. pendant une certaine période sur la base d'une moyenne mondiale introduit des variations selon les périodes considérées. De 1965 à 1970, par exemple, les Soviétiques parlent d'une exploitation de l'U.R.S.S. par les démocraties populaires en raison de l'accroissement de la part de l'U.R.S.S. dans l'exportation des matières premières et de l'abaissement des prix pendant cette période.

En outre, il faut tenir compte, dans la comparaison des prix, des coûts de transport. Ainsi, la tonne de pétrole livrée à la Tchécoslovaquie par oléoduc revient à 15 dollars. Si ce pays achetait son pétrole au marché libre, il lui en coûterait 8 à 10 dollars, mais, dans ce cas, il faudrait ajouter les frais de transport ce qui porterait la tonne de pétrole entre 17 et 22 dollars. D'un point de vue quantitatif, l'avance de l'U.R.S.S. lui a permis de ravitailler l'industrie des Etats du C.A.E.M. en matières premières et en combustibles. En 1975, ils ont reçu de l'U.R.S.S. près de 130 millions de tonnes de combustible moyen. En 1976-1980, les livraisons s'élèveront à 800 millions de tonnes (dont la moitié en pétrole et dérivés), soit 43 % de plus que pendant la période 1971-1975. En fait, la situation du pays importateur n'est donc pas défavorable.

La conclusion de M. Lavigne est beaucoup plus mesurée que celle que l'on trouve généralement sous la plume des commentateurs, parfois malveillants. « L'intégration socialiste a des caractères spécifiques et irréductibles à d'autres modèles », ce qui rend hasardeux les comparaisons avec d'autres expériences. En outre, « elle n'est pas un état, mais un mouvement vers une cohésion économique dont les traits commencent à peine à se dessiner, s'effacent ou se renforcent selon les moment ou les domaines », ce qui ne facilite pas les généralisations. Enfin « elle laisse en tout cas la voie libre à une extension des rapports entre l'ensemble formé par le Comecon et l'extérieur », ce qui va dans le sens de la coopération internationale et, en définitive, de la paix, car les deux phénomènes sont liés, comme le soulignent les objectifs de la Conférence européenne sur la sécurité et la coopération.

BIBLIOGRAPHIE

Sur les aspects juridiques, voir l'ouvrage de J. CAILLOT, *Le C.A.E.M.*, Librairie générale de Droit, 1971, et sur les aspects économiques, l'ouvrage de M. LAVIGNE et son article dans le *Monde diplomatique,* août 1975.

Un point de vue très critique à l'égard de l'U.R.S.S. est exprimé par Cath. SÉRANNE *dans une étude parue,* en 1971, dans la *Revue française de Science politique.*

Le texte du programme global du C.A.E.M. a été publié en 1971, par la Documentation française, dans la série *Problèmes politiques et sociaux* (U.R.S.S.). Ce programme a fait l'objet d'un commentaire dans l'ouvrage de M. LAVIGNE : *Le Comecon,* Editions Cujas, 1974 (bibliographie importante et texte du programme).

L'aspect politique du Comecon est étudié par A. Wilcox SCHAEFER, *Comecon and the politics of integration,* Praeger, 1972.

Voir aussi l'article d'HASSNER dans la *Revue française de Science politique,* décembre 1976 (Comparaison de l'Atlantisme, de l'Européisme et du socialisme européen).

Sur les relations entre les Etats socialistes et l'Europe, voir le *Recueil des législations des pays socialistes européens sur la coopération économique,* Sijthoff, 1976 (Droit interne et droit international).

Sur l'évolution récente, consulter la revue *La Vie internationale,* notamment le n° 2 de 1977, et l'*Annuaire de l'U.R.S.S.*

CARTES, TABLEAUX, ORGANIGRAMMES

BIBLIOGRAPHIE

Nous n'avons pas repris ici les centaines d'ouvrages et d'articles mentionnés dans le présent ouvrage. Pour permettre au lecteur de les retrouver plus facilement, nous avons indiqué dans les deux index, patronymique et thématique, en caractères gras les pages où figurent les références correspondantes.

Exemples : — Schaefer A.W. **529** correspond à Schafer A.W, Comecon and the politics of integration. Praeger, 1972.

— CAEM, **589**, correspond aux ouvrages traitant du CAEM.

N.B. — La bibliographie générale est mentionnée à la page 26 du présent ouvrage.

INDEX PATRONYMIQUE (1).

(1) Les chiffres en caractères gras indiquent les ouvrages et articles des auteurs.

S

T

V

INDEX THEMATIQUE (1).

(1) Les chiffres en caractères gras renvoyent à la bibliographie. Les chiffres ordinaires indiquent les sigles des organisations internationales et leur signification.

D

E

F

T

U

V

TABLE DES MATIERES

DEUXIEME PARTIE

L'ACTION INTERNATIONALE